JN171965

詳説
自社株評価 Q&A

六訂版

税理士 竹内 陽一
税理士 掛川 雅仁
税理士 村上 晴彦
税理士 堀内 眞之
編著

清文社

六訂版はしがき

本書六訂版は、2004年の初版から2017年の五訂版まで監修いただいた尾崎三郎先生という大きな羅針盤を2021年に失った後の初の編纂、発刊ということになり、これまでの執筆・編集人に加えて、現役時代の尾崎三郎先生から薫陶を受けた村上晴彦先生と堀内眞之先生を新たに迎え編纂しております。

編集作業はコロナ渦ということもあって、ネットによる討論が主となりましたが、執筆、編集に携わったメンバーのほか、小林栢弘先生からも様々なご意見をいただく機会を得ることができました。

本書においては、かなりのQが補強・追加されています。追加又は変更されたQの一覧は下記のとおりです。

第１章

Ｑ２－２　評価会社が多業種にわたる取引をしている場合の業種目等

Ｑ２－３　医療法人の業種目等

Ｑ４　評価方法の判定の時期

Ｑ５　「１．株主及び評価方法の判定」欄の具体的記載要領

Ｑ５－２　発行済株式の総数及び自己株式数の記載要領

Ｑ５－３　遺産が未分割である場合の議決権の判定とその記載要領

Ｑ５－４　株主に議決権を有しないこととされる会社がある場合

Ｑ５－５　評価会社が種類株式を発行している場合

Ｑ６　評価会社が医療法人の場合

Ｑ６－２　評価会社が持分会社の場合

Ｑ７　議決権の数

Ｑ８　議決権制限株式

Ｑ９　相互保有株式（持合株式）に係る議決権の数

Q15　評価方法の判定

Q16　「２．少数株式所有者の評価方法の判定」欄の記載要領

Q17　判定基準欄による判定要領

Q18　同族株主等、同族株主等以外の株主等及び少数株式所有者とは

Q18－２　中心的な同族株主とは

Q18－３　特別同族関係法人とは

Q18－４　中心的な株主とは
Q20　中小企業投資育成株式会社が株主である場合の株主区分の判定（設例追加）
Q21－２　特定の一般社団法人等に対する相続税の課税
Q34－２　形式的には少数株主に該当する場合でも配当還元方式が適用されない場合（通達６項が適用される場合）
第２章
Q38　増（減）資の状況その他評価上の参考事項について
第３章
Q42　比準要素数１の会社（具体例追加）
第４章
Q61　募集株式の発行の場合の原則的評価額の修正（一部（自己株式定額譲渡の場合の記載）削除）
Q65　資本金等の額がマイナスの場合
Q65－２　資本金等の額がゼロの場合
Q65－３　１株当たりの資本金等の額の計算の改正案の概要
Q69　配当優先株式を発行している場合で、普通株式が無配の場合の配当還元価額（第３表記載例追加）
第５章
Q87　配当優先株式を発行している場合（第４表記載例追加）
Q92－２　１株当たりの利益金額(3)－非経常的な利益の保険差益
Q94　１株当たりの利益金額(5)－受取配当等の益金不算入額から控除する所得税額
Q100　１株当たりの利益金額(11)－外国子会社等から剰余金の配当等がある場合
Q105　課税時期の直前に合併等した場合の取扱い（一部引用追加）
Q106　同族会社に対して低額譲渡や債務免除があった場合の類似業種比準価額の計算
Q106－２　同族会社において株式の交付があった場合の類似業種比準価額の修正計算
Q106－３　同族会社が自己株式を取得した場合の類似業種比準価額の計算
第６章
Q113－２　評価会社が相当の地代を支払っている場合等
Q113－３　定期借地権が設定されている土地等がある場合

Q133－２　船舶の評価
Q137　デリバティブ取引の一形態である金利スワップ取引を行っている場合
第８章
Q164　持分会社の出資の評価
Q164－２　持分会社の会社財産をもって会社の債務を完済できない場合
Q165－２　税理士法人等の士業法人の持分評価と退社払戻し
Q168　所得税法・法人税法における非公開株式の評価と所基通・法基通
Q168－２　所得税における非公開株式・新株予約権の評価の改正（所基通23－35共－９の改正と措通29の２－１の新設）
Q169　自己株式の低額取得と株式評価
Q169－２　新株発行、自己株式処分の場合の評価
Q169－３　自己株式の取得と株式評価に与える諸問題

また、本書の編集過程において、論点の指摘とご指導をいただいた公認会計士の緑川正博先生に感謝いたします。

最後になりましたが、尾崎三郎先生のご冥福を心よりお祈りするとともに、本六訂版の執筆を強く勧めていただいた株式会社清文社の小泉定裕社長、編集部の宇田川真一郎氏を始め関係諸氏に心から御礼を申し上げます。

2023年８月

編著者
税理士　竹内　陽一　　税理士　村上　晴彦
税理士　掛川　雅仁　　税理士　堀内　眞之
共著者
税理士　浅野　洋　　税理士　西山　卓
公認会計士　浅野　充昌　　公認会計士・税理士　蓮見　正純
税理士　阿部　隆也　　公認会計士・税理士　長谷川敏也
公認会計士・税理士　有田　賢臣　　税理士　上野　周作
税理士　小島　延夫　　税理士　呉羽　範行
税理士　武地　義治　　税理士　妹尾　明宏
公認会計士・税理士　中尾　健　　税理士　松原　美樹
公認会計士・税理士　成田　一正　　税理士　山田　貴也

目　次　CONTENTS

第1章

評価明細書第1表の1関連

第2章

評価明細書第1表の2関連

第3章

評価明細書第2表関連

第4章

評価明細書第3表関連

第5章

評価明細書第４表関連

第6章

評価明細書第５表関連

第7章

評価明細書第6表、第7表、第8表関連

第8章

その他の評価実務

凡　例

財基通………財産評価基本通達
相　法………相続税法
相　令………相続税法施行令
相基通………相続税法基本通達
法　法………法人税法
法　令………法人税法施行令
法基通………法人税基本通達
所　法………所得税法
所　令………所得税法施行令
所基通………所得税基本通達
措　法………租税特別措置法
措　令………租税特別措置法施行令

※本書は、令和５年８月31日現在において公表されている法令・通達等によっています。

第1章

評価明細書第1表の1関連

Q 1 ｜評価明細書第１表の１の書き方

評価明細書第１表の１の記載方法等について説明してください。

A 取引相場のない株式等の評価の体系（概要）は下記図のとおりですが、評価明細書第１表の１は、納税義務者の株主の区分と評価方式（原則的評価方式等によるのか特定的評価方式によるのか）の判定に使用するもの（Q３参照）で、一般の評価会社（評価対象となる株式の発行会社をいいます。以下同じです。）及び特定の評価会社に共通するものです。

ただし、その評価会社が、特定の評価会社のうち清算分配見込み額を基に評価するとされている「清算中の会社」（評基通189(6)）又は純資産価額のみにより評価するとされている「開業前又は休業中の会社」（評基通189－５）に該当する場合は、特例的評価方式の適用はありませんので、株主の区分と評価方式の判定の必要はなく、評価明細書第１表の１は、株式又は出資口数等以外の記載は不要です。

図　取引相場のない株式の評価体系図（概要）

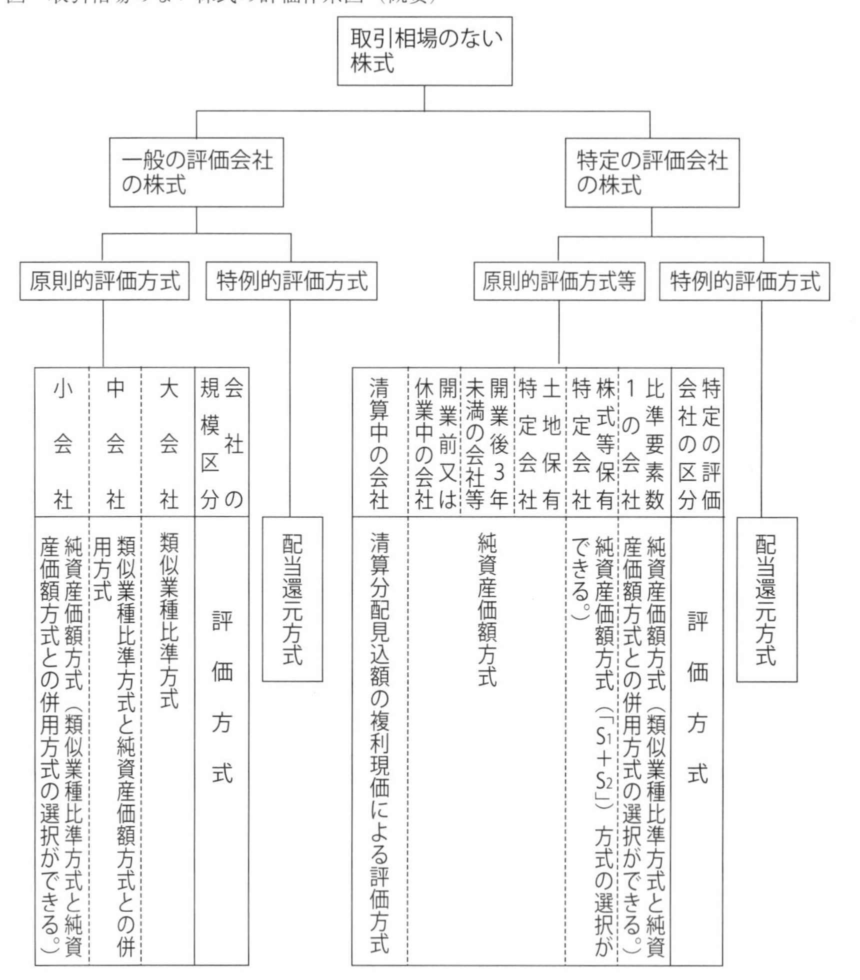

（注１）「開業前又は休業中の会社」及び「清算中の会社」の株式については配当還元方式の適用はありません。
（注２）一般の評価会社のうち、大会社及び中会社については、純資産評価方式を選択することができます。

解　説

取引相場のない株式（出資）の評価方法については、財産評価基本通達178《取引相場のない株式の評価上の区分》から197－２《医療法人の出資の評価》までに定められていますが、これらの定めに基づく株式及び出資の評価のための様式及びその記載方法等は、個別通達である平成２年12月27日付直評23外「相続税及び贈与税における取引相場のない株式等の評価明細書の様式及び記載方法等について」に示されています（本書では、「評価明細書通達」といい、そこに定められた様式を「評価明細書」といいます。）。

したがって、取引相場のない株式を正確に評価するためには、財産評価基本通達の定めのみならず、評価明細書通達及びそこに定められた各評価明細書及び記載方法等の理解も不可欠です。

本書では、以下、評価明細書通達とそこで定められた各評価明細書の順に沿ってQ＆A形式で解説します。

《第１表の１の具体的な記載例》

■設例

被相続人X（令和X1年８月４日相続開始）の相続財産である次の取引相場のない株式（K産業株式会社）について、評価明細書第１表の１を記載します。

被相続人Xが所有していたK産業株式会社の株式3,000株は、相続人Aが相続人間の遺産分割協議により取得しましたので、遺産分割協議後の相続人Aの所有する株式数は、Aが以前から所有する株式と合計すると45,000株となります。

なお、同社の株主の状況は次の株主一覧のとおりです。

評価会社　所在　大阪市中央区船越町○○
　　　　　名称　K産業株式会社
　　　　　代表者　A
課税時期　令和X1年８月４日（Xの相続開始日）
直前期　自　令和X0年４月１日
　　　　至　令和X1年３月31日
事業内容　パン製造業
株式　発行可能株式数　200,000株
　　　発行済株式の総数　100,000株
　　　・すべて議決権のある普通株式で、種類株式の発行はありません。
　　　・自己株式はありません。

株主一覧

氏　名	続　柄	役　職	株式数（株）	議決権数（個）
A	本　人	代表取締役	45,000	45,000
B	母	監査役	13,000	13,000
C	妹	－	8,500	8,500
D	Aの同僚	専　務	13,000	13,000
E	Dの配偶者	－	500	500
その他	少数株主		20,000	20,000
合　計			100,000	100,000

（記載例）

第１表の１　評価上の株主の判定及び会社規模の判定の明細書

（取引相場のない株式（出資）の評価明細書）

（平成三十年一月一日以降用）

整理番号	

会社名	（電話 06－6300－××××） K産業　株式会社	本店の所在地	大阪市中央船越町〇〇		
代表者氏名	A	事業内容	取扱品目及び製造、卸売、小売等の区分	業種目番号	取引金額の構成比
課税時期	X1年　8月　4日		パン製造業	13	100 %
直前期	自　X0年　4月　1日 至　X1年　3月　31日				

1．株主及び評価方式の判定

判定要素（課税時期現在の株式等の所有状況）

氏名又は名称	続柄	会社における役職名	㋑株式数（株式の種類）	㋺議決権数	㋩議決権割合（㋺/④）
			株	個	%
A	納税義務者	代表取締役	45,000	45,000	45
B	母	監査役	13,000	13,000	13
C	妹		8,500	8,500	8
D	他人	専務	13,000	13,000	13
E	Dの妻		500	500	0
その他	その他		20,000	20,000	20
自己株式			0		
納税義務者の属する同族関係者グループの議決権の合計数				② 66,500	⑤（②/④） 66
筆頭株主グループの議決権の合計数				③ 66,500	⑥（③/④） 66
評価会社の発行済株式又は議決権の総数			① 100,000	④ 100,000	100

判定基準：納税義務者の属する同族関係者グループの議決権割合（⑤の割合）を基として、区分します。

区分	筆頭株主グループの議決権割合（⑥の割合）			株主の区分
	50%超の場合	30%以上50%以下の場合	30%未満の場合	
⑤の割合	50%超（〇）	30%以上	15%以上	同族株主等（〇）
	50%未満	30%未満	15%未満	同族株主等以外の株主

判定	
同族株主等（原則的評価方式等）（〇）	同族株主等以外の株主（配当還元方式）

「同族株主等」に該当する納税義務者のうち、議決権割合（㋩の割合）が5%未満の者の評価方式は、「2．少数株式所有者の評価方式の判定」欄により判定します。

2．少数株式所有者の評価方式の判定

判定要素

項目	判定内容
氏名	
㋥ 役員	である〔原則的評価方式等〕・でない（次の㋭へ）
㋭ 納税義務者が中心的な同族株主	である〔原則的評価方式等〕・でない（次の㋬へ）
㋬ 納税義務者以外に中心的な同族株主（又は株主）	がいる（配当還元方式）・がいない〔原則的評価方式等〕 （氏名　　　）
判定	原則的評価方式等　・　配当還元方式

Q 2 事業内容・業種目番号

事業内容欄の業種目、業種番号などはどのように記載するのですか。

A この欄は、「規模区分を判別する場合の業種」区分、「類似業種比準価額計算上の業種」区分を判定するために必要な評価会社の業務内容とその課税時期の直前期末1年間における取引金額を記載します。

例えば、設例1（6ページ）のように評価会社の事業内容が「パン製造業」である場合は、パン製造業の日本標準産業分類における分類項目（大分類E　製造業　中分類09　食料品製造業　小分類097　パン・菓子製造業）を把握し、それが類似業種比準価額計算上の業種目に該当するのかを業種目対比表（解説及び巻末参照）のどの業種目に該当するのかを判定して、該当する業種目及び業種番号を記載します。

解　説

取引相場のない株式の価額は、配当還元方式や純資産評価方式のみで評価するものを除き、評価会社の業種目、総資産額、取引金額の各要素から、会社規模を判定し（この判定は評価明細書第1表の2で行います。）、大会社、中会社、小会社に区分し類似業種比準方式又は同方式と純資産評価方式を併用して評価しますが、評価会社の業種目は、その際の会社規模の判定、類似業種比準価額を求めるために欠かすことができない要素です。

具体的な業種目の判定は、その評価会社の事業内容に対応する日本標準産業分類の分類項目（番号）を調べ、それを基に「日本標準産業分類の分類項目と類似業種比準価額計算上の業種目との業種目対比表」（下記抜粋及び巻末参照、本書において「業種目対比表」といいます。）より、評価会社の業種目等を判定します。日本標準産業分類には、大分類、中分類、小分類のほか細分類がありますので、それらを参考に評価会社の事業がどの分類に該当するのかを判定します。

なお、類似業種比準方式により評価する場合の評価会社の業種目が、

① 小分類に区分されている場合には、小分類の業種目を、

② 小分類に区分されない中分類のものの場合には中分類の業種目を、

それぞれ、評価会社の類似業種とします。

ただし、納税者の選択により、該当する業種目が、

③　小分類の業種目である場合には、その業種目が属する中分類の業種目を、

④　中分類の業種目である場合には、その業種目が属する大分類の業種目を、それぞれ類似業種とすることができます。

【評価会社の業種目】

業種目の区分	類似業種の業種目	
	原則	選択可
小分類まで区分	小分類	中分類
中分類まで区分	中分類	大分類
大分類のみ区分	大分類	

■設例　評価会社の事業内容が機械器具設置工事業で取引金額の割合が100%である場合

日本標準産業分類の分類項目

大分類　D建設業

中分類　設備工事業　08

小分類　機械器具設置工事業　084

類似業種比準価額計算上の業種（業種目対比表により判定）

大分類　建設業　　　　業種番号－

中分類　設備工事業　業種番号　6

小分類　その他の設備工事業　業種番号　9

以上から、評価会社の業種目等の判定は次のとおりとなります。

・類似業種比準価額計算上の業種　その他の設備工事業　業種番号９

ただし、設備工事業　業種番号６を選択可

・規模区分を判定する場合の業種　卸売業、小売り、サービス業以外

（参考）業種目対比表（抜粋、巻末に全文掲載）

日本標準産業分類の分類項目 大分類／中分類／小分類	類似業種比準価額計算上の業種目 大分類／中分類／小分類	番号	規模区分を判定する場合の業種
（D　建設業）	（建設業）		卸売業、小売・サービス業以外
08　設備工事業	設備工事業	6	
081　電気工事業	電気工事業	7	
082　電気通信・信号装置工事業	電気通信・信号装置工事業	8	
083　管工事業（さく井工事業を除く） 084　機械器具設置工事業 089　その他の設備工事業	その他の設備工事業	9	
E　製造業	製造業	10	卸売業、小売・サービス業以外
09　食料品製造業	食料品製造業	11	
091　畜産食料品製造業	畜産食料品製造業	12	
092　水産食料品製造業 093　野菜缶詰・果実缶詰・農産保存食料品製造業 094　調味料製造業 095　糖類製造業 096　精穀・製粉業	その他の食料品製造業	14	
097　パン・菓子製造業	パン・菓子製造業	13	
098　動植物油脂製造業 099　その他の食料品製造業	その他の食料品製造業	14	
10　飲料・たばこ・飼料製造業 101　清涼飲料製造業 102　酒類製造業 103　茶・コーヒー製造業（清涼飲料を除く） 104　製氷業 105　たばこ製造業 106　飼料・有機質肥料製造業	飲料・たばこ・飼料製造業	15	
11　繊維工業			
111　製糸業，紡績業，化学繊維・ねん糸等製造業 112　織物業			

Q 2-2　評価会社が多業種にわたる取引をしている場合の業種目等

評価会社の直前期末１年間における取引金額に、２以上の業種目にわたるものがある場合は、その会社の業種目はどのように判定されるのですか。

A　課税時期の直前期末１年間における取引金額（以下「取引金額」と略記します。）に、２以上の業種目にわたるものがある場合は、その事業内容に対応する業種目ごとの取引金額を記載します。

その上で、評価会社の業種目は次により判定します。

① 取引金額が50％を超える業種目がある場合

50％を超える業種目

② 取引金額が50％を超える業種目がない場合

類似業種比準価額計算上の業種目の中分類、小分類を使用して次のとおりとします。

ⅰ 評価会社の事業が１つの中分類の業種目中の２以上の類似する小分類に属し、それらの小分類の業種目に属する取引金額の合計額が50％を超える場合

その中分類中にある「その他の○○業」

ⅱ 評価会社の事業が１つの中分類中の２以上の類似しない小分類に属し、それらの小分類の業種目に属する取引金額の合計が50％を超える場合（ⅰに該当する場合を除きます。）

その中分類に属する業種目

ⅲ 評価会社の事業が１つの大分類の業種目中の２以上の類似する中分類に属し、それらの中分類の業種目に属する取引金額の合計額が50％を超える場合

その大分類中にある「その他○○業」

ⅳ 評価会社の事業の１つの大分類中の２以上の類似しない中分類に属し、それらの大分類の業種目に属する取引金額の合計が50％を超える場合（ⅲに該当する場合を除きます。）

その大分類に属する業種目

ⅴ ⅰ～ⅳのいずれにも該当しない場合

大分類の業種目中の「その他の産業」

以上を図示しますと、次のとおりです。

(イ)　評価会社の事業が一つの中分類の業種目中の２以上の類似する小分類の業種目に属し、それらの業種目別の割合の合計が50%を超える場合

その中分類の中にある類似する小分類の「その他の○○業」

［例］

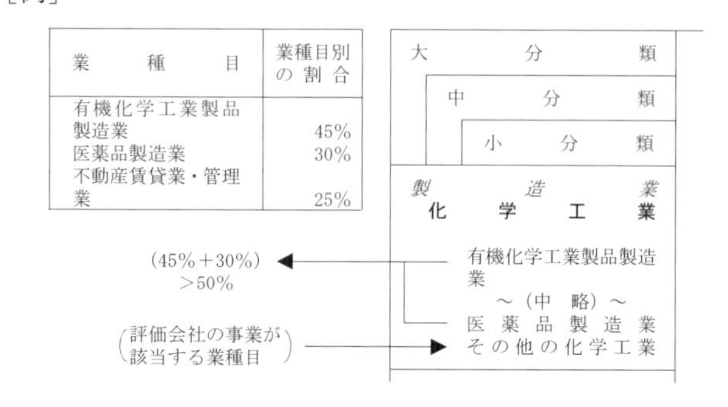

業種目	業種目別の割合
有機化学工業製品製造業	45%
医薬品製造業	30%
不動産賃貸業・管理業	25%

(ロ)　評価会社の事業が一つの中分類の業種目中の２以上の類似しない小分類の業種目に属し、それらの業種目別の割合の合計が50%を超える場合（(イ)に該当する場合を除く。）

その中分類の業種目

［例］

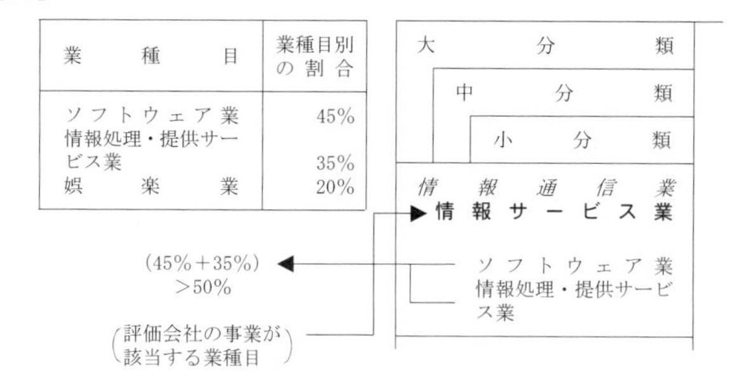

業種目	業種目別の割合
ソフトウェア業	45%
情報処理・提供サービス業	35%
娯楽業	20%

(ハ)　評価会社の事業が一つの大分類の業種目中の２以上の類似する中分類の業種目に属し、それらの業種目別の割合の合計が50％を超える場合

その大分類の中にある類似する中分類の「その他の○○業」

［例］

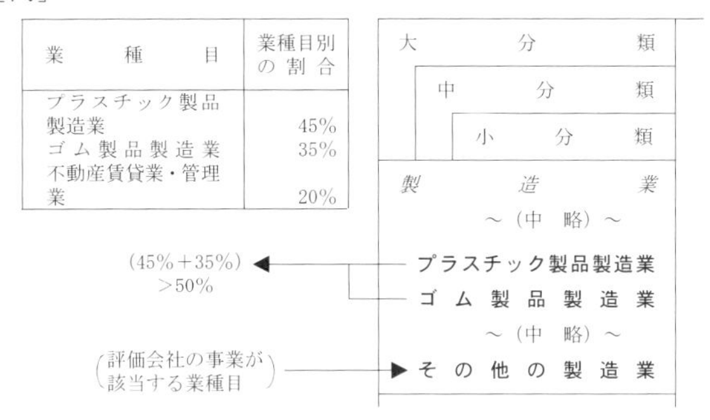

業　種　目	業種目別の割合
プラスチック製品製造業	45％
ゴム製品製造業	35％
不動産賃貸業・管理業	20％

(ニ)　評価会社の事業が一つの大分類の業種目中の２以上の類似しない中分類の業種目に属し、それらの業種目別の割合の合計が50％を超える場合（(ハ)に該当する場合を除く。）

その大分類の業種目

［例］

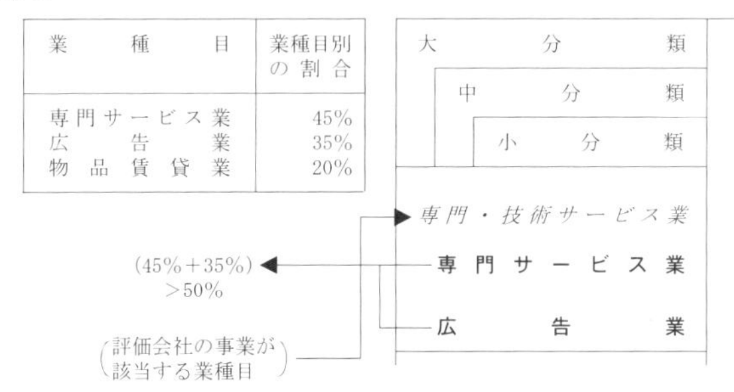

業　種　目	業種目別の割合
専門サービス業	45％
広告業	35％
物品賃貸業	20％

(ホ)　(イ)から(ニ)のいずれにも該当しない場合

大分類の業種目の中の「その他の産業」

（注）　評価通達181との適用関係

評価通達181－２は、評価通達181の本文により判定についての整理であり、本項による判定の後、評価通達181ただし書についても適用がある。

Q 2-3 医療法人の業種目等

医療法人は、「医療、福祉」に分類されると考えますが、業種目対比表の類似業種比準価額計算上の業種目の欄には、医療法人を除くという記載がありますが、そのように業種目を判定すればいいのでしょうか。

A 医療法人については、日本標準産業分類では、「P医療、福祉」に区分されますが、業種目対比表の「類似業種比準価額計算上の業種目」欄では、「医療、福祉（医療法人を除く）」とされていますので、医療法人の業種目は、その他の産業（業種番号113）となります。

解　説

医療法人は、医療法人剰余金の配当が禁止されているなど、会社法上の会社とは異なる特色を有しており、このように医療法人の出資を類似業種比準方式により評価するとした場合、類似する業種目が見当たらないことから、業種目を「その他の産業」として評価することになると説明されています（国税庁HP参照）。

なお、取引相場のない株式（出資）を評価する場合の会社規模区分（大、中、小会社の区分）については、医療法人そのものはあくまで「サービス業」の一種と考えられることから、「小売・サービス業」に該当することになります（国税庁HP参照）。しかし、業種目対比表のその他の産業の「規模区分を判定する場合の業種」欄の「卸売業、小売り、サービス業以外」にはなりませんのでご注意ください。

Q 3　評価方式の判定（「株主及び評価方法の判定」欄等の使用目的）

取引相場のない株式の評価では、その評価方式について、原則的評価方式と特例的評価方式（配当還元方式）がありますが、どのようにして判定するのですか。

A　納税義務者、同族関係者の保有する議決権割合などに応じて、定められたルールにより適用される評価方式を判定することとなりますが、具体的な判定は、「１．株主及び評価方式の判定」欄及び「２．少数株式所有者の評価方式の判定」欄を使用して行います。

解　説

取引相場のない株式の価額は、類似業種比準方式、純資産価額方式及びその併用方式（この３つの方式をまとめて、以下「原則的評価方式」といいます。）によって評価します。

しかし、保有する議決権の割合が少なく、かつ、その会社の役員でもないために、その会社の経営にほとんど関与がない株主の所有する株式を、会社主宰者など中心的な株主の所有する株式と同一の評価方式で評価することは、その株主の株式所有の実態からみて適当ではありません。

そこで、財産評価基本通達は具体的な基準を示し、納税義務者の取得した株式の評価方法を判定することとしていますが、その基準は評価通達188で示され、実務では評価明細書第１表の１「１．株主及び評価方式の判定」欄及び「２．少数株式所有者の評価方式の判定」欄を用いて判定します。

なお、評価通達188に定める株主の態様別の評価方式は、下記表１のとおりですが、評価明細書第１表の１の判定の流れは、下記表２のとおりで、実用的な整理がされています。

表１　評価通達188による株主の態様別の評価方式

<table>
<tr><th colspan="5">株主の態様</th><th>評価方式</th></tr>
<tr><td rowspan="6">同族株主のいる会社</td><td rowspan="5">同族株主</td><td colspan="3">取得後の議決権割合5%以上</td><td rowspan="4">原則的評価方式
純資産価額方式による評価額については、20%の評価減の特例が適用される場合がある。</td></tr>
<tr><td rowspan="4">取得後の議決権割合５%未満</td><td colspan="2">中心的な同族株主がいない場合</td></tr>
<tr><td rowspan="3">中心的な同族株主がいる場合</td><td>中心的な同族株主</td></tr>
<tr><td>役員である株主又は役員となる株主</td></tr>
<tr><td>その他</td><td rowspan="2">配当還元方式
ただし、原則的評価方式による評価額の方が低いときは、原則的評価方式による。</td></tr>
<tr><td colspan="4">同族株主以外の株主</td></tr>
<tr><td rowspan="5">同族株主のいない会社</td><td rowspan="4">議決権割合の合計が15%以上のグループに属する株主</td><td colspan="3">取得後の議決権割合5%以上</td><td rowspan="3">原則的評価方式
純資産価額方式による評価額については、20%の評価減の特例がある。</td></tr>
<tr><td rowspan="3">取得後の議決権割合5%未満</td><td colspan="2">中心的な株主がいない場合</td></tr>
<tr><td rowspan="2">中心的な株主がいる場合</td><td>役員である株主又は役員となる株主</td></tr>
<tr><td>その他</td><td rowspan="2">配当還元方式
ただし、原則的評価方式による評価額の方が低いときは、原則的評価方式による。</td></tr>
<tr><td colspan="4">議決権割合の合計が15%未満のグループに属する株主</td></tr>
</table>

表２　評価明細書第１表の１の株主の態様別の評価方式

<table>
<tr><th colspan="4">株主の態様</th><th>評価方式</th></tr>
<tr><td rowspan="5">同族株主等</td><td colspan="3">取得後の議決権割合5%以上</td><td rowspan="4">原則的評価方式
純資産価額方式による評価額については、20%の評価減の特例が適用される場合がある。</td></tr>
<tr><td rowspan="4">取得後の議決権割合５%未満</td><td colspan="2">中心的な同族株主等がいない場合</td></tr>
<tr><td rowspan="3">中心的な同族株主等がいる場合</td><td>中心的な同族株主等</td></tr>
<tr><td>役員である株主又は役員となる株主</td></tr>
<tr><td>その他</td><td rowspan="2">配当還元方式
ただし、原則的評価方式による評価額の方が低いときは、原則的評価方式による。</td></tr>
<tr><td colspan="4">同族株主等以外の株主</td></tr>
</table>

（注１）「同族株主等」は、納税義務者が同族株主である場合と同族株主のいない評価会社で、納税義務者の属する同族関係者グループの議決権割合が15%以上の場合をいいます。

（注２） 取得後の議決権割合が５％未満である者を評価明細書第１表の１では、「少数株式所有者」といいます。

（注３） 上記表の「中心的な同族株主等」とは、中心的な同族株主又は中心的な株主をいいます。

これらの判定について、「同族株主がいる会社」と「同族株主がいない会社」に区分してフローチャートを示せば、次のとおりです。

なお、このフローチャートでは株主の区分は、評価明細書第１表の１の「1．株主及び評価方式の判定」欄の表現に合わせています。

このため、上記の判定表及び評価通達188の「同族株主がいる会社」の「同族株主」と「同族株主のいない会社」の「議決権割合の合計が15%以上のグループに属する株主」は「同族株主等」とし、「同族株主がいる会社」の「同族株主以外の株主」と「同族株主のいない会社」の「議決権割合の合計が15%未満のグループに属する株主」は「同族株主等以外の株主」としています。

《同族株主がいる会社における評価方法の判定》

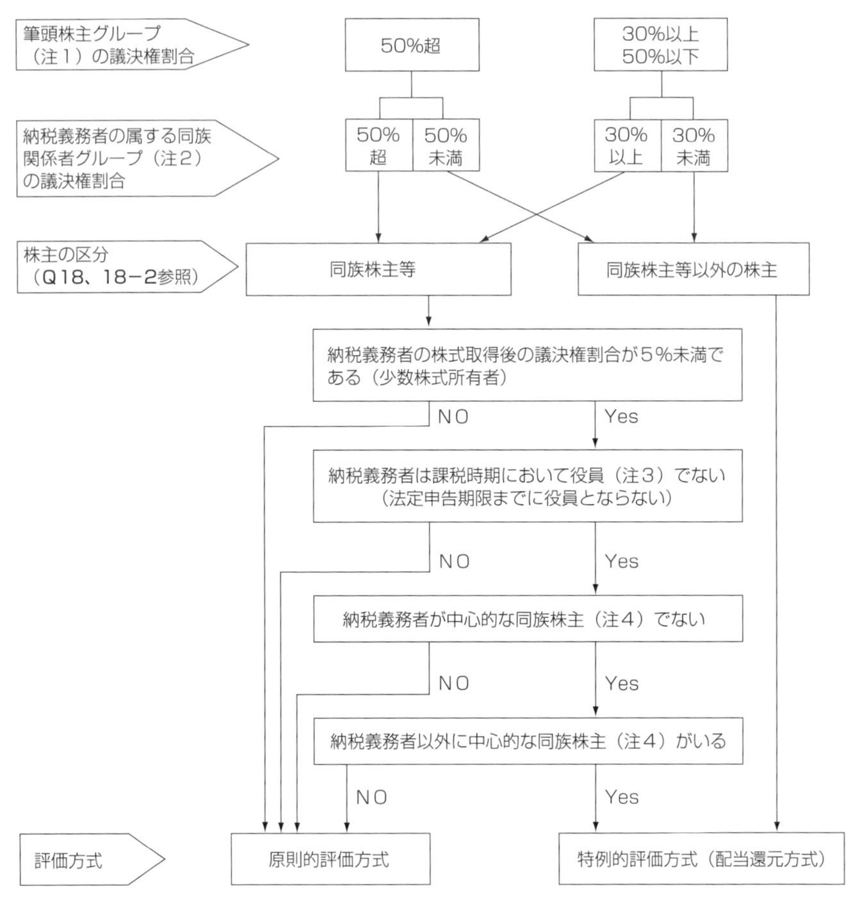

（注１）　筆頭株主グループとは、その会社の同族関係者グループ（注２）のうち、その有する議決権が最も多いグループをいいます。

（注２）　同族関係者グループとは、株主の１人とその同族関係者をいい、同族関係者とは、親族及び特殊関係者等の個人及びこれらの個人が議決権割合の50%超を保有する他の法人（同族関係法人）をいいます（法令４、財基通188）（Q13参照）。

（注３）　役員とは、社長、理事長、代表取締役、代表執行役、代表理事、清算人、副社長、専務取締役、専務理事、常務取締役、常務理事、会計参与、取締役（指名委員会設置会社の取締役及び監査等委員である取締役に限る）、監査役、監事その他一

定の者をいいます（Q19参照）。

（注４） 中心的な同族株主とは、特定の同族株主の１人を中心においてその１人並びにその配偶者、直系血族、兄弟姉妹及び１親等の姻族及び上記（注２）の他の法人のうち、これらの個人が議決権総数の25％以上である他の法人（特別同族関係法人、Q18－３参照）が有する議決権割合が25％以上である場合における、その特定の株主をいいます（Q18－２参照）。

《同族株主がいない会社における評価方法の判定》

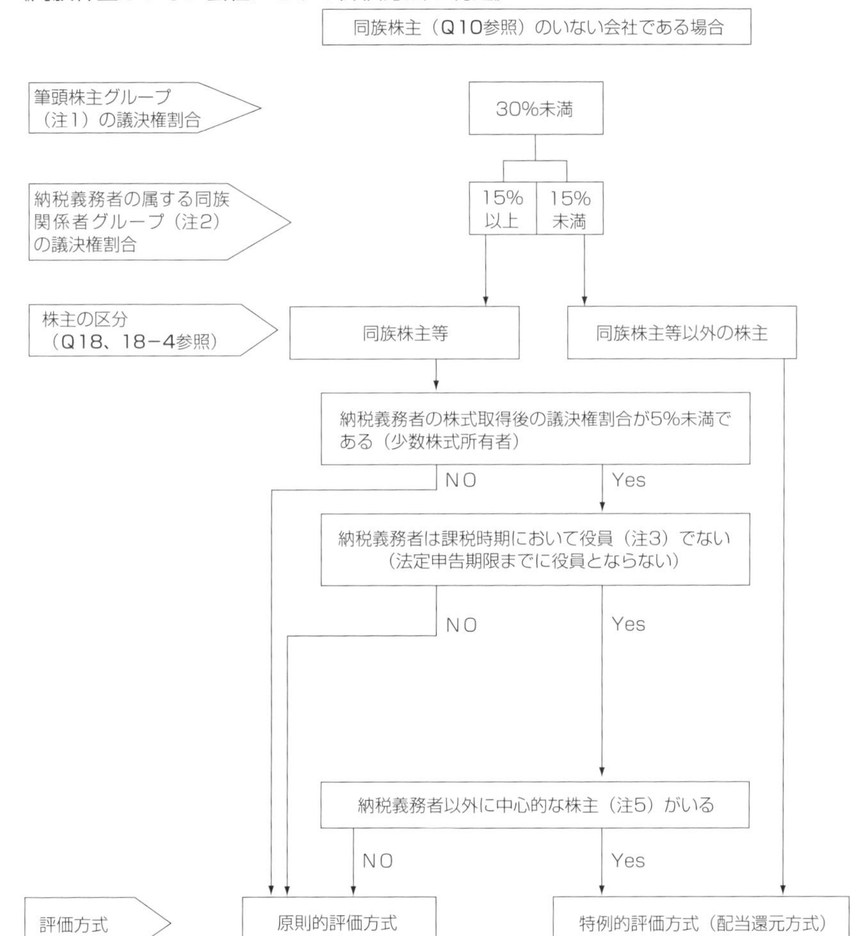

（注５） 中心的な株主とは、株主の１人及び同族関係者の有する株式の議決権割合が15％以上の株主グループのいずれかに属し、単独（株主１人）で10％以上の議決権割合を有する株主（個人又は法人）をいいます（Q18－４参照）。

この株主がいる場合、納税義務者は15%以上のグループの株主であっても特例的評価方式となります。

（注6） 取引相場のない株式（出資）の評価明細書の記載方法等の付表に同族関係者、役員、中心的な同族株主、中心的な株主の記載があります。

※（注1）～（注4）は前々ページと同じ。

《Q5からQ19までの用語解説と第1表の1との対応関係》

Q5からQ19においては、「第1表の1．評価上の株主の判定及び会社規模の判定の明細書」上の各用語を解説しています。実際の明細書とQとの対応を示せば、次頁のとおりです。

[3] 各税法の同族株主等の判定

〈各税法における株主の議決権割合等による評価方法の判定〉

財基通においては、取得後の議決権割合により判定します。

所基通59－6においては、譲渡前の議決権割合により判定します。

最判令2・3・24（税資第270号－44）を受けて、令和2年9月の所基通59－6の改正により「譲渡前」の判定が明確化されました。

法基通4－1－6及び9－1－14においては、それぞれの価額算定時点の議決権割合により判定します。

法人税法における同族会社の判定は、その会社の株主の一人（項点に立つ個人）からみた発行済株式の総数及び議決権の総数で判定します。（持分会社は社員数判定も追加されました。）

吸収型組織再編成において株主が個人である場合の支配関係の判定は、いずれかの法人の株主の一人（項点に立つ個人）からみた株式数の保有割合により判定します。

第1表の1　評価上の株主の判定及び会社規模の判定の明細書

整理番号	

（取引相場のない株式（出資）の評価明細書）

（平成三十年一月一日以降用）

会社名	（電話　　　）	本店の所在地			
代表者氏名		事業内容	取扱品目及び製造、卸売、小売等の区分	業種目番号	取引金額の構成比
課税時期	年　月　日				%
直前期	自　年　月　日 至　年　月　日				

1．株主及び評価方式の判定

判定要素（課税時期現在の株式等の所有状況）

氏名又は名称	続柄	会社における役職名	㋑株式数（株式の種類）	㋺議決権数	㋩議決権割合（㋺/④）
	納税義務者		株	個	%
自己株式					
納税義務者の属する同族関係者グループの議決権の合計数				②	⑤（②/④）
筆頭株主グループの議決権の合計数				③	⑥（③/④）
評価会社の発行済株式又は議決権の総数			①	④	100

→議決権の数についてはQ4～Q9参照

→自己株式の数についてはQ5－2参照

→同族関係者グループについてはQ13参照

→筆頭株主グループについてはQ13参照

→発行済株式数についてはQ5－2参照

判定基準

納税義務者の属する同族関係者グループの議決権割合（⑤の割合）を基として、区分します。

区分	筆頭株主グループの議決権割合（⑥の割合）			株主の区分
	50％超の場合	30％以上50％以下の場合	30％未満の場合	
⑤の割合	50％超	30％以上	15％以上	同族株主等
	50％未満	30％未満	15％未満	同族株主等以外の株主

→同族株主についてはQ10参照

判定	
同族株主等（原則的評価方式等）	同族株主等以外の株主（配当還元方式）

→同族株主等についてはQ18参照

「同族株主等」に該当する納税義務者のうち、議決権割合（㋩の割合）が5％未満の者の評価方式は、「2．少数株式所有者の評価方式の判定」欄により判定します。

2．少数株式所有者の評価方式の判定

→少数株式所有者についてはQ18参照

判定要素

項目	判定内容
氏名	
㊁役員	である〔原則的評価方式等〕・でない（次の㋭へ）
㋭納税義務者が中心的な同族株主	である〔原則的評価方式等〕・でない（次の㋬へ）
㋬納税義務者以外に中心的な同族株主（又は株主）	がいる（配当還元方式）・がいない〔原則的評価方式等〕 （氏名　　　）
判定	原則的評価方式等　・　配当還元方式

→役員についてはQ19参照

→中心的な同族株主についてはQ18－2参照

→中心的な株主についてはQ18－4参照

Q 4 評価方法の判定の時期

評価方法の判定の要素は、いつ現在のものを使用するのですか。

A 判定は「課税時期」である相続・遺贈又は贈与による株式等の取得後、相続に係る遺産分割が成立している場合はそれにより取得した議決権数を加えたところで判定します。

評価会社の株式等の取得について遺産分割協議が成立していない場合の評価方法の判定は、それぞれの納税義務者が未分割の株式のすべてを取得したものとして行います（Q5－3参照）。

なお、「2.少数株式所有者の評価方式の判定」の役員については、相続税の申告期限までに役員となる場合が含まれますのでご注意ください。

この場合の「役員」については、Q19をご覧ください。

（注） 取引相場のない株式の評価方法を準用する各税法上の判定時期については、Q3（所得税法）、Q3（法人税法）を参照してください。

Q 5 「1.株主及び評価方式の判定」欄の具体的記載要領

「1.株主及び評価方式の判定」欄の記載要領について教えてください。

A 具体的な記載例は「Q1の設例1．記載例」のとおりですが、各欄の記載要領は次のとおりです。

1　評価会社の発行済み株式総数、そのうちの自己株式の数、種類株式の数（発行している場合のみ）、議決権総数などを確認します。

2　株主名簿等により、「課税時期」現在の株式の所有者の氏名、名称、所有株式数、議決権数を同族関係者グループ（株主1人（必ずしも納税義務者と限りません。）とその同族関係者のグループをいい、そのうち議決権割合の最も多いグループを筆頭株主グループといいます。）ごとに整理します。この場合の同族関係者とは、株主の1人とその配偶者、6親等内の血族及び3親等内の姻族等（一定の同族法人を含みます。）をいいます（Q1参照）。

3　氏名名称、続柄、役職欄の記載

納税義務者の属する同族関係者グループから、納税義務者の氏名を記入し、順次そのグループに属する同族関係者の氏名又は名称を記載するとともに、続柄欄には、納税義務者からみた続柄（納税義務者の場合は「本人」）を、役職欄は、会社における役職名（課税時期現在のほか、法定申告期限までに役職となる場合の役職名を記載します。）を具体的に記載しますが、記載に当たっては、特に、社長、代表取締役、副社長、専務、常務、会計参与、監査役（Q19参照）に当たることがわかるように記載してください。

4　株式数（株式の種類）の記載

相続、遺贈又は贈与による取得後に保有する株式数（課税時期直前に保有していた株式数と相続、遺贈又は贈与により取得した株式数を加算したもの）を株式の種類ごとに記載します。

5　議決権数欄の記載

相続、遺贈又は贈与による取得後に保有する各株式数に応じた議決権数（個）を記載します（単元制度を採用している会社の議決権数は㋑株式数÷１単元の株式数により計算し、１単元の株式数に満たない株式に係る議決権数は切り捨てて記載します。なお、会社法第188条に規定する単元株制度を採用していない会社は、１株式＝１議決権となります。）

㋩　議決権割合（㋺／④）の各欄には、評価会社の議決権の総数（④欄の議決権の総数）に占める議決権数（それぞれの株主の㋺欄の議決権数）の割合を１％未満の端数を切り捨てて記載します。

6　「納税義務者の属する同族関係者グループの議決権割合（⑤（②／④））」欄及び「筆頭株主グループの議決権割合（⑥（③／④））」欄

議決権割合の各欄において、１％未満の端数を切り捨てて記載しますが、これらの割合が50％超から51％未満までの範囲内にある場合には、１％未満の端数を切り上げて「51％」と記載します。

7　議決権について未分割等の場合の記載例

①株式が共同相続人間で分割されていない場合、②評価会社の株主のうちに会社法第308条第１項の規定によりその株式につき、③議決権を有しないこととされる会社がある場合、評価会社が自己株式を有している場合、④評価会社が種類株式を発行している場合、⑤評価会社が医療法人の場合、⑥評価会社が合同会社の場合の記載は、Qを分けて説明します。

Q 5-2 発行済株式の総数及び自己株式数の記載要領

評価明細書に記載する発行済株式の総数と自己株式の数の記載方法を教えてください。

A 評価明細書第1表の1の発行済株式の総数、自己株式に係る株式数の各欄には、評価会社の課税時期における発行済株式の総数及び保有する自己株式数を記載します。

この場合、発行済株式の総数とは、評価会社が定款で定めている発行可能株式総数のうち、評価会社が既に発行している株式数（自己株式数を含みます。）のことをいいます。また、自己株式の数とは、評価会社が保有する会社法第113条第4項に規定する「自己株式」の数をいいます。

解　説

評価明細書第1表の1の「評価会社の発行済株式の総数」、「自己株式」欄の係数は、課税時期の1株当たりの純資産価額の計算（「課税時期現在の発行済株式数」欄）に使用しますから、「自己株式」欄には、課税時期における自己株式数を、「評価会社の発行済株式の総数」欄には、課税時期の発行済株式の総数を記載します（財基通185）。

これに対して、評価明細書第4表「類似比準価額等の計算明細書」には、当該欄の表記どおり、課税時期ではなく「直前期末の発行済株式数」、「直前期末の自己株式数」を記載します（財基通180）。

直前期末から課税時期までの間に自己株式の取得があった場合は、評価明細書第1表の1と評価明細書第4表で、自己株式の数が異なりますのでご注意ください（Q38参照）。

（自己株式を有する場合の記載例）

評価会社の発行済株式の総数が100,000株、保有する自己株式数が20,000株の場合の記載例は次のとおりです。

なお、自己株式には議決権がありません（会社法308②）から、議決権数及び議決権割合の欄は斜線となっています。

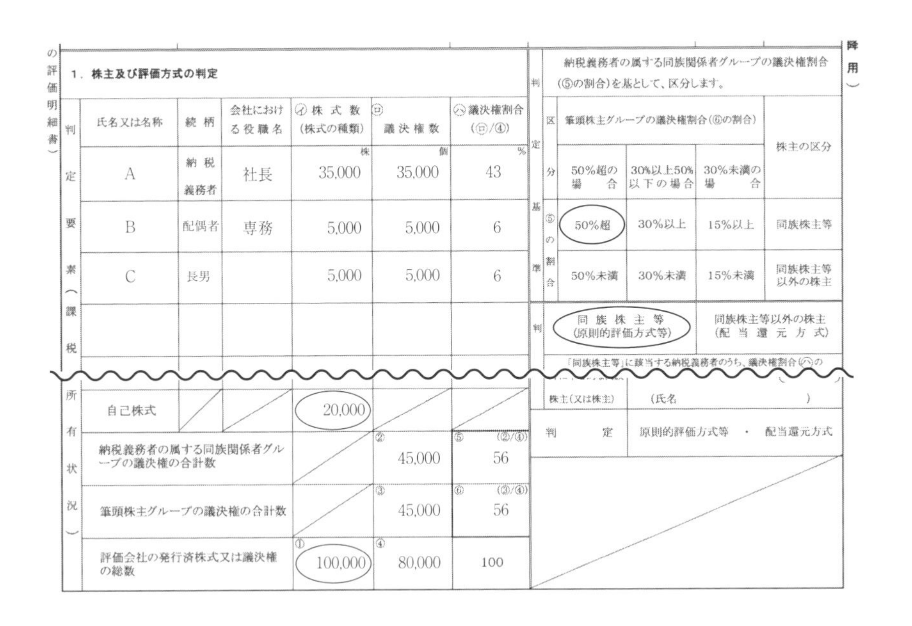

1．株主及び評価方式の判定

判定要素（課税時期現在の株式等の所有状況）	続柄	会社における役職名	㋑株式数（株式の種類）	㋺議決権数	㋩議決権割合（㋺/④）
氏名又は名称			株	個	%
A	納税義務者	社長	35,000	35,000	43
B	配偶者	専務	5,000	5,000	6
C	長男		5,000	5,000	6
自己株式			20,000		
納税義務者の属する同族関係者グループの議決権の合計数				② 45,000	⑤（②/④） 56
筆頭株主グループの議決権の合計数				③ 45,000	⑥（③/④） 56
評価会社の発行済株式又は議決権の総数			① 100,000	④ 80,000	100

判定基準	納税義務者の属する同族関係者グループの議決権割合（⑤の割合）を基として、区分します。			
区分	筆頭株主グループの議決権割合（⑥の割合）			株主の区分
	50%超の場合	30%以上50%以下の場合	30%未満の場合	
⑤の割合	50%超	30%以上	15%以上	同族株主等
	50%未満	30%未満	15%未満	同族株主等以外の株主
判定	同族株主等（原則的評価方式等）		同族株主等以外の株主（配当還元方式）	

「同族株主等」に該当する納税義務者のうち、議決権割合（㋩）の

株主（又は株主）	（氏名　　）
判定	原則的評価方式等　・　配当還元方式

Q 5-3 遺産が未分割である場合の議決権の判定とその記載要領

相続税の申告書を提出する際に、株式が共同相続人及び包括受遺者の間において分割されていない場合の議決権数などはどのように記載するのですか。

A 各相続人ごとに、その相続前から所有する株式数にその未分割の株式数の全部を加算した数に応じた議決権数として記載します。

記載要領は次のとおりです。

「㋑　株式数（株式の種類）」欄には、納税義務者が有する株式（未分割の株式を除きます。）の株式数の上部に、未分割の株式の株式数を㊌と表示の上、外書で記載し、納税義務者が有する株式の株式数に未分割の株式の株式数を加算した数に応じた議決権数を「㋺　議決権数」に記載します。また、「納税義務者の属する同族関係者グループの議決権の合計数（⑤（②／④））」欄には、納税義務者の属する同族関係者グループが有する実際の議決権数（未分割の株式に応じた議決権数を含みます。）を記載します。

■設例

1　評価会社の株主構成等

・相続人

配偶者A、子B、C

・株式等

発行済株式　100株

自己株式なし

普通株式（1株1議決権）

・株主及びその保有株式

被相続人　20株（未分割）

甲（被相続人の従兄）　20株

乙（甲の妻）　20株

その他　40株

・家族関係等

右図のとおり。

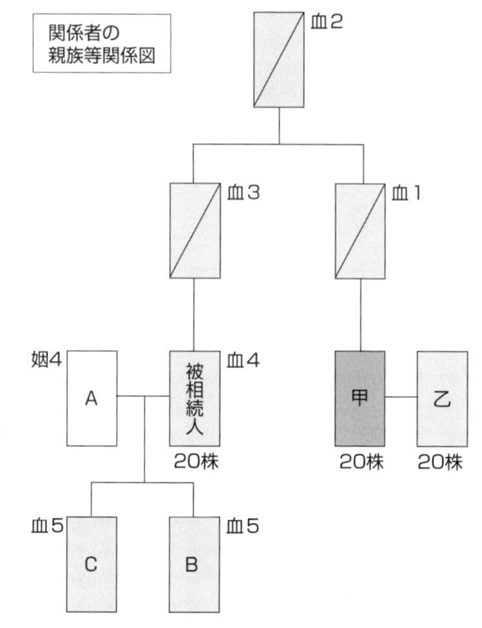

（注）血○、姻○は、甲から見た血族及び姻族の親等を示します。

2　評価方法の判定等

同族関係者グループの議決権割合は、被相続人の配偶者Aと子B、Cとでその割合が変化します。これは、株主甲から見た場合、Aは姻族の4親等で甲の親族に該当しないため、株主甲の同族関係グループに属さないことによるものです。

このことを念頭にAを納税義務者とした場合の評価方式の判定は次のとおりです。

筆頭株主グループは、甲を株主とした場合の同族関係者グループで、甲、甲の配偶者乙の合計40個、その議決権割合は40％となり、納税義務者Aの属する同族関係グループの議決権割合は、議決権20個、その議決権割合は20％ですから、配当還元方式で評価することとなります。

次に納税義務者B、Cについては、甲の5親等の血族ですから、甲の親族となり、株主甲の同族関係グループに属することとなり、そのグループの議決権は、60個、議決権割合は60％超ですから、同族株主と判定され、議決権割合は20％ですから、評価方法は原則的評価方法と判定されます。

以下、それぞれの者の評価会社の株式に係る課税価格は次のとおり計算されます。

Aの場合

評価会社の配当還元方式による１株当たりの価額×20株×法定相続分（１／２）

B、Cの場合

評価会社の原則的評価方式による１株当たりの価額×20株×法定相続分（１／４）

(注)　納税義務者の属するグループの議決権割合が50％超ですから、純資産評価額について80％減はありません。

（記載例　納税義務者Aの場合）

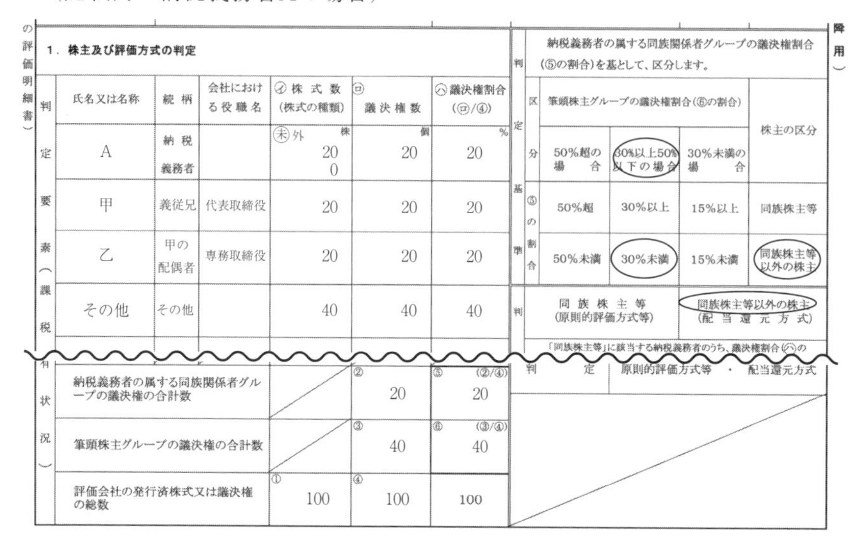

の評価明細書）

1．株主及び評価方式の判定

判定要素（課税時期現在の株式等の所有状況）

氏名又は名称	続柄	会社における役職名	㋑株式数（株式の種類）	㋺議決権数	㋩議決権割合（㋺/④）
			株	個	%
A	納税義務者		㊍外 200	20	20
甲	義従兄	代表取締役	20	20	20
乙	甲の配偶者	専務取締役	20	20	20
その他	その他		40	40	40

納税義務者の属する同族関係者グループの議決権の合計数		② 20	⑤（②/④） 20
筆頭株主グループの議決権の合計数		③ 40	⑥（③/④） 40
評価会社の発行済株式又は議決権の総数	① 100	④ 100	100

判定基準

納税義務者の属する同族関係者グループの議決権割合（⑤の割合）を基として、区分します。

区分	筆頭株主グループの議決権割合（⑥の割合）			株主の区分
	50%超の場合	30%以上50%以下の場合	30%未満の場合	
⑤の割合	50%超	30%以上	15%以上	同族株主等
	50%未満	30%未満	15%未満	同族株主等以外の株主

判定	同族株主等（原則的評価方式等）	同族株主等以外の株主（配当還元方式）

「同族株主等」に該当する納税義務者のうち、議決権割合（㋩）の

判定	原則的評価方式等 ・ 配当還元方式

降用）

（記載例　納税義務者Bの場合　Cの場合も同じです。）

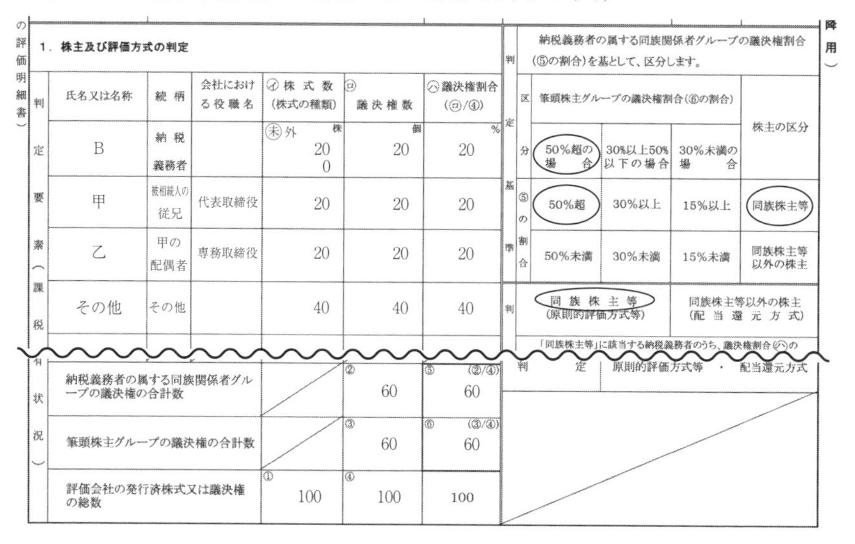

の評価明細書）

1．株主及び評価方式の判定

判定要素（課税時期現在の株式等の所有状況）

氏名又は名称	続柄	会社における役職名	㋑株式数（株式の種類）	㋺議決権数	㋩議決権割合（㋺/④）
			株	個	%
B	納税義務者		㊍外 200	20	20
甲	被相続人の従兄	代表取締役	20	20	20
乙	甲の配偶者	専務取締役	20	20	20
その他	その他		40	40	40

納税義務者の属する同族関係者グループの議決権の合計数		② 60	⑤（②/④） 60
筆頭株主グループの議決権の合計数		③ 60	⑥（③/④） 60
評価会社の発行済株式又は議決権の総数	① 100	④ 100	100

判定基準

納税義務者の属する同族関係者グループの議決権割合（⑤の割合）を基として、区分します。

区分	筆頭株主グループの議決権割合（⑥の割合）			株主の区分
	50%超の場合	30%以上50%以下の場合	30%未満の場合	
⑤の割合	50%超	30%以上	15%以上	同族株主等
	50%未満	30%未満	15%未満	同族株主等以外の株主

判定	同族株主等（原則的評価方式等）	同族株主等以外の株主（配当還元方式）

「同族株主等」に該当する納税義務者のうち、議決権割合（㋩）の

判定	原則的評価方式等 ・ 配当還元方式

降用）

解　説

取引相場のない株式は、純資産価額方式、類似業種比準方式又はこれらの併

用方式により評価することを原則とし、少数株主が取得した株式については、特例的な措置として配当還元方式により評価します。しかし遺産未分割の状態は、遺産の分割により具体的に相続財産を取得するまでの暫定的、過渡的な状態であり、将来、各相続人等がその法定相続分等に応じて確定的に取得するとは限りません。

このため、その納税義務者につき特例的評価方式を用いることが相当か否かの判定に当たっては、その納税義務者が遺産である株式の全部を取得するものとして行う必要がある（国税庁質疑応答事例）とされています。

このため、設例のように評価方式の判定に当たっては、相続した未分割の株式に係る議決権20個すべてを保有していることとなりますので、A、B、Cそれぞれについて20個の議決権を有しているものとして、筆頭株主グループ等の判定を行うこととなり、その結果、Aは配当還元方式で、B、Cは原則的評価方式で評価することとなります。

なお、その後、遺産分割協議が成立し、例えば、Aが12株、B、Cがそれぞれ４株を取得し、両者とも役員でない場合は、B、Cは中心的な同族株主ではなく、評価会社には他に中心的な同族株主がいます（甲、乙）ので、A、B，Cともに配当還元方式で評価することとなり、その結果、相続税額が減少する場合は遺産分割協議が成立した日から４月以内に更正の請求をすることができます（相法32①一）。

Q 5-4 株主に議決権を有しないこととされる会社がある場合

株主に議決権を有しないこととされる会社がある場合はどのように記載しますか。

A 評価会社の株主のうちに、会社法第308条第１項の規定により、総株主の議決権の４分の１以上を有することその他一定の事由を通じて、その経営を実質的に支配することが可能な関係にあるものとして、その保有する株式につき議決権を有しないこととされる会社がある場合は、次のとおり記載します。

・「氏名又は名称」欄　その会社の社名を記載

・「㋑株式数（株式の種類）」欄　議決権を有しない株式数を無と表示の上記載
・「㋺議決権数」欄及び「㋩議決権割合（③／④）」欄　「－」と表示

（議決権４分の１以上の相互持合会社がある場合の記載例）

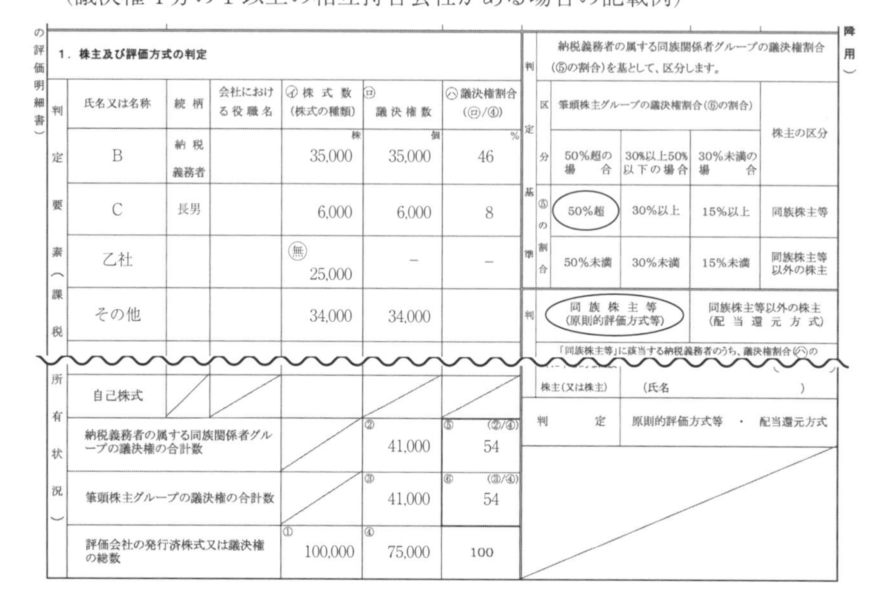

１．株主及び評価方式の判定

氏名又は名称	続柄	会社における役職名	㋑株式数（株式の種類）	㋺議決権数	㋩議決権割合（㋺/④）
			株	個	%
B	納税義務者		35,000	35,000	46
C	長男		6,000	6,000	8
乙社			㊓ 25,000	－	－
その他			34,000	34,000	
自己株式					
納税義務者の属する同族関係者グループの議決権の合計数				② 41,000	⑤（②/④） 54
筆頭株主グループの議決権の合計数				③ 41,000	⑥（③/④） 54
評価会社の発行済株式又は議決権の総数			① 100,000	④ 75,000	100

判定基準：納税義務者の属する同族関係者グループの議決権割合（⑤の割合）を基として、区分します。

区分 筆頭株主グループの議決権割合（⑥の割合）			株主の区分
50%超の場合	30%以上50%以下の場合	30%未満の場合	
50%超	30%以上	15%以上	同族株主等
50%未満	30%未満	15%未満	同族株主等以外の株主

判定	同族株主等（原則的評価方式等）	同族株主等以外の株主（配当還元方式）

「同族株主等」に該当する納税義務者のうち、議決権割合（㋩）の

株主（又は株主）	（氏名　　　　）
判定	原則的評価方式等　・　配当還元方式

Q 5-5 評価会社が種類株式を発行している場合

評価会社が種類株式を発行している場合などの記載方法を教えてください。

評価会社が種類株式を発行している場合は、次の要領で記載します。

「㋑株式数（株式の種類）」欄の各欄には、納税義務者が有する株式の種類ごとに記載するものとし、上段に株式数を、下段に株式の種類を記載します（記載例参照）。

「㋺議決権数」の各欄には、株式の種類に応じた議決権数を記載します（単元制度を採用していない会社の議決権数は㋑株式数÷その株式の種類に応じた１単元の株式数により算定し、１単元に満たない株式に係る議決権数は切り捨てて記載します。）。

「㋩議決権割合（㋺／④）」の各欄には、評価会社の議決権の総数（④欄の議決権の総数）に占める議決権数（それぞれの株主の㋺欄の議決権数で、２種類以上の株式を所有している場合には、記載例のように、各株式に係る議決権数を合計した数）の割合を１％未満の端数を切り捨てて記載します（「納税義務者の属する同族関係者グループの議決権の合計数（⑤（②／④））」欄及び「筆頭株主グループの議決権の合計数（⑥（③／④））」欄は、各欄において、１％未満の端数を切り捨てて記載します。なお、これらの割合が50％超から51％未満までの範囲内にある場合には、１％未満の端数を切り上げて「51％」と記載します。）。

（種類株式を発行している場合の記載例）

評価会社は、普通株式1,000株とA種類株式（議決権の一部に制限のあるもの）500株、B種類株式（配当優先で議決権のない株式）500株を発行済みで、自己株式はありません。

納税義務者甲は評価会社の社長で、課税時期に普通株式200株とA種類株式及びB種類株式をそれぞれ200株を有しています。

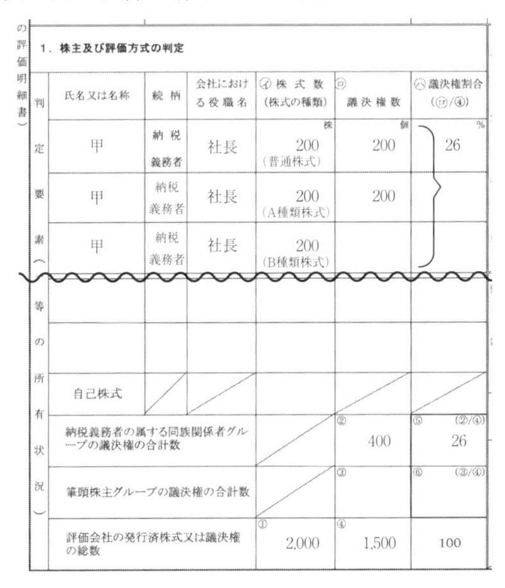

１．株主及び評価方式の判定

判定要素（課税時期現在の株式等の所有状況）

氏名又は名称	続柄	会社における役職名	④株式数（株式の種類）	㋺議決権数	㋩議決権割合（㋺/④）
			株	個	%
甲	納税義務者	社長	200（普通株式）	200	26
甲	納税義務者	社長	200（A種類株式）	200	
甲	納税義務者	社長	200（B種類株式）		
自己株式					
納税義務者の属する同族関係者グループの議決権の合計数				② 400	⑤（②/④） 26
筆頭株主グループの議決権の合計数				③	⑥（③/④）
評価会社の発行済株式又は議決権の総数			① 2,000	④ 1,500	100

解　説

評価会社が種類株式発行会社である場合は、定款又は登記事項証明書により、発行している種類株式ごとに、配当等の優劣、議決権の制限等の内容を確認した上で、記載する必要があります。

特に、議決権の有無は、評価方式の判定に大きな影響がありますから、十分に注意する必要があります。

また、評価会社が配当優先の種類株式を発行している場合は、評価明細書の第3表、第4表、第6表の記載方法や計算についても注意が必要です（Q57、Q74、Q157参照。）。

なお、市販の株式評価システムでも、配当優先の種類株式の評価に対応したものがあり、これらのシステムでは、種類株式発行会社に該当するか否かの判定は、第1表の1の基本事項として入力するものが多いようです。

Q 6　評価会社が医療法人の場合

評価会社が医療法人の場合はどのように記載するのですか。

A　医療法人は、配当還元方式の適用がないため、評価上の社員の区分の判定は必要なく、「1．株主及び評価方式の判定」欄及び「2．少数株式所有者の評価方式の判定」は必要ありません。

なお、医療法人の社員は、出資持分の有無や額に関わりなく、1個人の議決権を有しています（医療法46の3の3①）。医療法人の業種目、業種区分についてはQ2－3を参照ください。

■設例

医療法人○○会の社員の状況

氏　名	続　柄	出資額
A	本　人	60,000千円
B	母	25,000
C	姉	7,500
D	Aの友人	7,500
	合　計	100,000

（医療法人の場合の記載例）

第1表の1　評価上の株主の判定及び会社規模の判定の明細書

整理番号

（取引相場のない株式（出資）の評価明細書）

（平成三十年一月一日以降用）

会社名	（電話06－6300－××××）医療法人　○○会	本店の所在地	大阪市北区西天満×－×－×		
代表者氏名		事業内容	取扱品目及び製造、卸売、小売等の区分	業種目番号	取引金額の構成比
課税時期	X1年　7月　1日		内科医院	113	100 %
直前期	自 X0年　4月　1日 至 X1年　3月　31日				

1．株主及び評価方式の判定

判定要素（課税時期現在の株式等の所有状況）

氏名又は名称	続柄	会社における役職名	㋑株式数（株式の種類）	㋺議決権数	㋩議決権割合（㋺/④）
			株	個	%
A	納税義務者	理事長	60,000	1	25
B	母	理事	25,000	1	25
C	姉		7,500	1	25
自己株式					
納税義務者の属する同族関係者グループの議決権の合計数				② 3	⑤（②/④）75
筆頭株主グループの議決権の合計数				③ 3	⑥（③/④）75
評価会社の発行済株式又は議決権の総数			① 100,000	④ 4	100

判定基準

納税義務者の属する同族関係者グループの議決権割合（⑤の割合）を基として、区分します。

区分	筆頭株主グループの議決権割合（⑥の割合）			株主の区分
	50%超の場合	30%以上50%以下の場合	30%未満の場合	
⑤の割合	50%超	30%以上	15%以上	同族株主等
	50%未満	30%未満	15%未満	同族株主等以外の株主

判定	同族株主等（原則的評価方式等）	同族株主等以外の株主（配当還元方式）

「同族株主等」に該当する納税義務者のうち、議決権割合（㋩の割合）が5%未満の者の評価方式は、「2．少数株式所有者の評価方式の判定」欄により判定します。

記載しません

2．少数株式所有者の評価方式の判定

項目	判定内容
氏名	
㊁役員	である（原則的評価方式等）・でない（次の㋭へ）
㋭納税義務者が中心的な同族株主	である（原則的評価方式等）・でない（次の㋬へ）
㋬納税義務者以外に中心的な同族株主（又は株主）	がいる（配当還元方式）・がいない（原則的評価方式等）（氏名　）
判定	原則的評価方式等・配当還元方式

記載しません

Q 6-2 評価会社が持分会社の場合

評価会社が持分会社の場合はどのように記載するのですか。

A 持分会社においても、株式会社と同様に議決権の数に応じて「1．株主及び評価方式の判定」及び「2．少数株式所有者の評価方式の判定」を行います。

しかし、持分会社は、株式会社と異なり、社員の地位は出資額に応じて左右されず平等であるため、定款において業務執行社員を定める等の別段の定めがある場合のほかは、原則として社員1人＝1議決権となります（株式会社は、原則として1株＝1議決権）。なお、持分会社においても議決権を出資額と比例する旨の定款上の別段の定めをおくことも可能です（Q164参照）。

■設例

合同会社△△の社員の状況

氏　名	続　柄	出資額
A	本　人	3,000千円
B	母	500
C	弟	500
D	Aの友人	3,000
E	Aの友人	3,000
	合　計	10,000

議決権に関して、定款に別段の定めのない場合と定めのある場合の評価明細書の記載例は次のとおりです。

（記載例(1)　持分会社で議決権に関して定款に別段の定めがない場合）

第１表の１　評価上の株主の判定及び会社規模の判定の明細書

整理番号

（取引相場のない株式（出資）の評価明細書）

（平成三十年一月一日以降用）

会社名	（電話　　）合同会社　△△	本店の所在地			
代表者氏名		事業内容	取扱品目及び製造、卸売、小売等の区分	業種目番号	取引金額の構成比
課税時期	令和×１年　８月　15日				%
直前期	自　年　月　日 至　年　月　日				

1．株主及び評価方式の判定

判定要素（課税時期現在の株式等の所有状況）

氏名又は名称	続柄	会社における役職名	㋑株式数（株式の種類）	㋺議決権数	㋩議決権割合（㋺/④）
A	納税義務者		3,000株	1個	20%
B	母		500	1	20
C	弟		500	1	20
D	友人		3,000	1	20
E	友人		3,000	1	20
自己株式					
納税義務者の属する同族関係者グループの議決権の合計数				② 3	⑤（②/④）60
筆頭株主グループの議決権の合計数				③ 3	⑥（③/④）60
評価会社の発行済株式又は議決権の総数			① 100,000	④ 5	100

判定基準：納税義務者の属する同族関係者グループの議決権割合（⑤の割合）を基として、区分します。

区分	筆頭株主グループの議決権割合（⑥の割合）			株主の区分
	50%超の場合	30%以上50%以下の場合	30%未満の場合	
⑤の割合	（50%超）	30%以上	15%以上	（同族株主等）
	50%未満	30%未満	15%未満	同族株主等以外の株主

判定	（同族株主等（原則的評価方式等））	同族株主等以外の株主（配当還元方式）

「同族株主等」に該当する納税義務者のうち、議決権割合（㋩）の割合）が5%未満の者の評価方式は、「2．少数株式所有者の評価方式の判定」欄により判定します。

2．少数株式所有者の評価方式の判定

項目	判定内容
氏名	
㊁役員	である〔原則的評価方式等〕・でない（次の㋭へ）
㋭納税義務者が中心的な同族株主	である〔原則的評価方式等〕・でない（次の㋬へ）
㋬納税義務者以外に中心的な同族株主（又は株主）	がいる（配当還元方式）・がいない〔原則的評価方式等〕（氏名　　）
判定	原則的評価方式等　・　配当還元方式

（記載例(2)　持分会社で議決権は定款で出資口数に比例する定めがある場合）

第１表の１　評価上の株主の判定及び会社規模の判定の明細書

整理番号	

（取引相場のない株式（出資）の評価明細書）

（平成三十年一月一日以降用）

会社名	（電話　　　）合同会社　△△	本店の所在地	
代表者氏名		事業内容	取扱品目及び製造、卸売、小売等の区分／業種目番号／取引金額の構成比（%）
課税時期	令和２年　8月　15日		
直前期	自　年　月　日 至　年　月　日		

1．株主及び評価方式の判定

判定要素（課税時期現在の株式等の所有状況）

氏名又は名称	続柄	会社における役職名	㋑株式数（株式の種類）	㋺議決権数	㋩議決権割合（㋺/④）
			株	個	%
A	納税義務者		3,000	3,000	30
B	母		500	500	5
C	弟		500	500	5
D	友人		3,000	3,000	30
E	友人		3,000	3,000	30
自己株式					
納税義務者の属する同族関係者グループの議決権の合計数				② 4,000	⑤（②/④） 40
筆頭株主グループの議決権の合計数				③ 4,000	⑥（③/④） 40
評価会社の発行済株式又は議決権の総数			① 100,000	④ 10,000	100

判定基準

納税義務者の属する同族関係者グループの議決権割合（⑤の割合）を基として、区分します。

区分	筆頭株主グループの議決権割合（⑥の割合）50%超の場合	30%以上50%以下の場合	30%未満の場合	株主の区分
⑤の割合	50%超	(30%以上)	15%以上	(同族株主等)
	50%未満	30%未満	15%未満	同族株主等以外の株主

判定

(同族株主等（原則的評価方式等）)	同族株主等以外の株主（配当還元方式）

「同族株主等」に該当する納税義務者のうち、議決権割合（㋩の割合）が5%未満の者の評価方式は、「2．少数株式所有者の評価方式の判定」欄により判定します。

2．少数株式所有者の評価方式の判定

項目	判定内容
氏名	
㋥ 役員	である〔原則的評価方式等〕・でない（次の㋭へ）
㋭ 納税義務者が中心的な同族株主	である〔原則的評価方式等〕・でない（次の㋬へ）
㋬ 納税義務者以外に中心的な同族株主（又は株主）	がいる（配当還元方式）・がいない〔原則的評価方式等〕（氏名　　）
判定	原則的評価方式等　・　配当還元方式

Q 7 ｜議決権の数

取引相場のない株式を評価する場合において、特例的評価方式（配当還元方式）を採用できるか否かを判定する場合の「議決権の数」について教えてください。

A 特例的評価方式（配当還元方式）を採用できるか否かを判定する場合の議決権の数については、次の株式の区分に応じ、それぞれ次のように取り扱います。

株式の種類	株主の有する議決権の数
完全無議決権株式以外の議決権制限株式	含める
完全無議決権株式	含めない
単元未満株式	含めない
持合株式（会社法308条1項に規定する、いわゆる相互保有株式）	含めない

解　説

平成13年の商法改正及び平成18年の会社法施行により、株主が所有する株式数の数と議決権の数は必ずしも一致しなくなりました。そこで、財産評価基本通達における特例的評価方式（配当還元方式）を採用できるか否かを判定する場合には、会社支配の度合いをより客観的に把握するため、持株割合により判定するのではなく、議決権割合により判定することになりました。

このため、評価に当たっては、評価会社の株主が保有する株式数に係る議決権の個数が大変重要となります。

この点については、上記の表により株式の種類等に応じて議決権の個数に含めるかどうかを判断することとなりますが、議決権に制限のある株式の議決権の個数に含まれること（Q8参照)、評価会社が一定の数量の株式をもって1単元とし、1単元に1個の議決権を付与するいわゆる単元株制度を導入している場合は1単元未満の株式がある場合は議決権の個数に入らないこと、持合会社の株式（会社法第308条第1項に規定するいわゆる相互保有株式）には議決権がないこと（Q9参照）などに特に注意する必要があります。

なお、会社法第109条第2項の「属人的株式」の議決権については、相続や贈与により納税義務者に当然承継するものではありませんから、議決権の判定に当たっては、属人的な議決権が付着されていないものとして議決権数を計算するのが相当と考えます。

■設例

普通株式の１単元の株式の数が1,000株で、株主A及びBに同族関係はなく、X～Zは同族関係者ではない場合、議決権数、議決権割合は次のとおりとなり、この場合、AとB及びCは議決権30％以上のグループに属する株主となります。

Cを納税義務者としてその株式を評価する場合、Cは所有株式数は全体の５％ありますが、議決権割合は４％ですから、評価会社の役員でない場合は、配当還元方式で評価することとなります。

このように単元制度が導入されている場合は、単元制度に基づく議決権数を正確に把握しておかないと、株主の判定を誤ることがありますのでご注意ください。

（株主の構成等）

株主	続柄等	所有株式数	所有割合	議決権数	議決権割合
A	本人	199,900	30	199	30
B	本人	197,900	30	197	30
C	Bの従弟	32,900	5	32	4
X	その他	164,310	25	164	25
Y	その他	34,000	5	34	5
Z	その他	20,990	3	20	3

Q 8　議決権制限株式

評価会社が「議決権制限株式」を発行している場合の議決権の数について教えてください。

A　議決権制限株式発行会社の株主に関して、特例的評価方式（配当還元方式）を採用できるか否かの判定における議決権の数及び議決権総数には、「種類株式のうち株主総会の一部の事項について議決権を行使できない株式に係る議決権の数」は除かずにその株式に係る議決権の数を含めます（財基通188－５）。

解　説

会社法の制定により、種類株式の規定が整備され、「議決権を行使することができる事項」について制限を設けた「議決権制限株式」の規定が設けられました。「議決権制限株式」には、全部の事項について議決権を行使できない株式（完全無議決権株式）と一部の事項について議決権を行使できない株式（例えば、取締役選任決議についてのみ議決権が付与される株式）が存在します。

株主総会の全部の事項について議決権を行使できない株式（完全無議決権株式）に係る議決権の数については、財産評価基本通達上も、当然に議決権の数及び議決権総数に含めませんが、株主総会の一部の事項について議決権を行使できない株式に係る議決権の数は、両者ともに含めることとされています。

したがって、財基通188⑴～⑷の判定において、議決権制限株式に係る議決権の数は、議決権に含めることになります。

なお、事業承継税制においては、次表のように区分して取り扱うこととされています。

〈非上場株式等に係る相続税・贈与税の納税猶予の要件〉

普通株式 完全議決権株式	一部制限株式	完全無議決権株式
□	⧄	⊠

要件	要件の判定対象となる非上場株式等	
納税猶予の対象となる特例（受贈）非上場株式等の種類（措法70の７①、70の７の２①）	議決権に制限のない非上場株式等	□
特例対象贈与要件（贈与税の納税猶予の場合のみ）（措法70の７①）	議決権に制限のない非上場株式等	□
発行済株式又は出資の総数又は総額の２／３に達するまでの部分（軽減限度要件）（措法70の７①、70の７の２①）	議決権に制限のない非上場株式等	□
後継者及び被相続人（贈与者）の同族内筆頭株主等要件（措法70の７②三二、70の7の2②三二、措令40の8①、40の8の2①）	完全無議決権株式以外の非上場株式等	□　⧄

後継者及び被相続人（贈与者）の同族過半要件（措法70の7②三ハ、70の7の2②三ハ、措令40の8①、40の8の2①）	完全無議決権株式以外の非上場株式等	▭	▧

Q 9 相互保有株式（持合株式）に係る議決権の数

評価会社の株主のうちに会社法308条１項かっこ書き（株式会社が株主である会社等の４分の１以上の議決権を保有する場合）により、議決権を有しないこととされる株主がある場合には、議決権の数及び議決権の総数は、どのようにカウントするのでしょうか。

A 取引相場のない株式を評価する場合において、特例的評価方式（配当還元方式）を採用できるか否かなどは、議決権の数を基礎として判定を行います。お尋ねのように、課税時期の現況により、評価会社の株主のうちに、会社法上、議決権を有しないこととされる株主である会社等がある場合には、その株主である会社等の有する議決権の数を０として、他の株主の議決権の数及び議決権の総数をカウントします（財基通188－４）。

解　説

(1) 下記のような場合で、他社の保有する25％の株式が議決権のない相互持合株式となります。

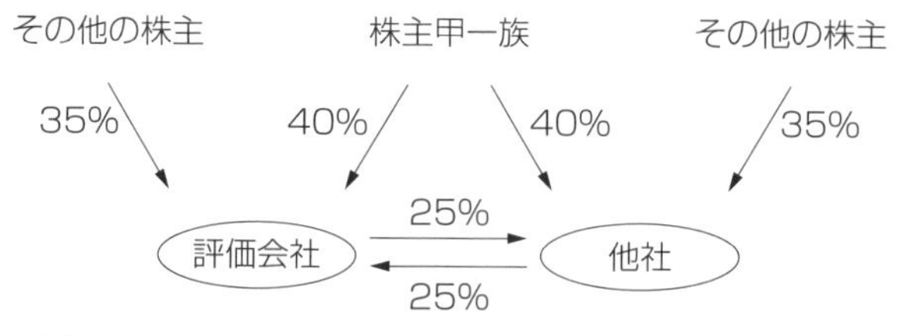

この場合、他社は、外国会社も含みます。

(2) 下記のような場合は、他社の有する20％の株式は、議決権のある株式となります。

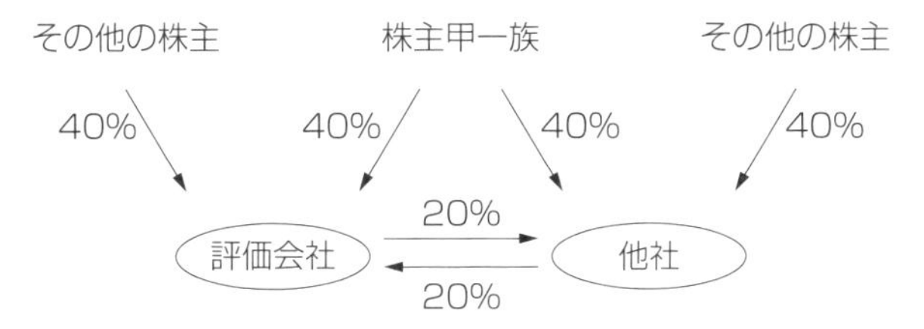

なお、会社法308条における規定の25%以上については、会社法においては実質的支配基準です（会社法施行規則67）。財産評価基本通達においても、その考え方によると考えられるので、この場合においても、この20%について、実質的支配基準に照らして議決権がないものとして、同族株主等の判定することも考えられます。

Q 10 ｜同族株主とは

取引相場のない株式を評価する場合の「同族株主」について教えてください。

A 「同族株主」とは、評価会社の株主のうち、課税時期において株主の１人及びその同族関係者（Q11参照）の有する議決権の合計数が、その会社の議決権総数の30%以上である場合におけるその株主及びその同族関係者をいいます。この場合の「株主の１人」は、納税義務者に限りません。株主のうちのいずれか１人を中心にして判定したときに納税義務者を含むグループが「同族株主」に該当する場合には、その納税義務者は「同族株主」になります。

ただし、評価会社の株主のうち、株主の１人及びその同族関係者の有する議決権の合計数が評価会社の議決権総数の50%超を占めるグループがある場合には、その議決権総数の50%超を占めるグループの株主だけが「同族株主」となります。この場合、その他の株主は、たとえ30%以上のグループに属する場合であっても「同族株主」には該当しません。

解　説

財産評価基本通達においては、たとえ法人税法上の同族会社であっても、そのすべての株主が同族株主に該当するわけではありません。例えば、株主グループの議決権割合の構成が、Ａグループ55%、Ｂグループ35%、Ｃグループ10

%で合計100%の評価会社の場合、A、B，Cいずれのグループに属する株主はいずれも「同族会社の株主」ですが、財産評価基本通達は、Aグループに属する株主のみを同族株主としています。

このように、財産評価基本通達は法人税法上の「同族会社の株主」を基準に取引相場のない株式の評価方式の判定をしていませんが、これは、納税義務者である株主が、単に「同族会社の株主」であるだけでは、評価会社に対するその納税義務者の支配力を計ることができないからです。

このため、財産評価基本通達は、その支配力を計る基準として同族関係グループのほかに「同族株主」という概念を設け、その保有する議決権数を基に評価方式を判定することとしています。

Q 11 同族関係者とは

取引相場のない株式を評価する場合の「同族関係者」について教えてください。

A 「同族関係者」とは、法人税法施行令第４条《同族関係者の範囲》に規定する特殊の関係のある個人及び法人をいい、具体的には、次の⑴及び⑵に掲げる者をいいます（財基通188⑴かっこ書き）。

⑴　個人である同族関係者（法令４①）

イ　株主等の親族（親族とは、配偶者、６親等内の血族及び３親等内の姻族をいいます（Q14参照）。）

ロ　株主等と婚姻の届出をしていないが事実上婚姻関係と同様の事情にある者

ハ　個人である株主等の使用人

ニ　上記イ～ハの者以外の者で個人である株主等から受ける金銭その他の資産によって生計を維持しているもの

ホ　上記ロ～ニの者と生計を一にするこれらの者の親族

⑵　法人である同族関係者

同族関係法人（Q12参照）

なお、個人又は法人との間でその個人又は法人の意思と同一の内容の議決権を行使することに同意している者がある場合には、その者が有する議決権はその個人又は法人が有するものとみなし、かつ、その個人又は法人（その議決権に係る会社の株主等であるものを除きます。）はその議決権に係る会社の株主等であるものとみなして、他の会社を支配しているかどうかを判定します（法令4⑥）。

Q 12 同族関係法人とは

取引相場のない株式を評価する場合の「同族関係法人」について教えてください。

A 「同族関係法人」とは、法人税法施行令第４条《同族関係者の範囲》に規定する特殊の関係のある法人をいい、具体的には、次のいずれかの者をいいます（財基通188(1)かっこ書き）。

(1) 株主等の１人が他の会社（同族会社かどうかを判定しようとする会社以外の会社をいいます。以下このQにおいて同じ。）を支配している場合におけるその他の会社

ただし、同族関係会社であるかどうかの判定の基準となる株主等が個人の場合には、その者及びその同族関係者（Q11参照）が他の会社を支配している場合におけるその他の会社（以下、(2)及び(3)において同じ。）。

(2) 株主等の１人及びこれと特殊の関係のある(1)の会社が他の会社を支配している場合におけるその他の会社

(3) 株主等の１人並びにこれと特殊の関係のある(1)及び(2)の会社が他の会社を支配している場合におけるその他の会社

（注） 上記(1)から(3)に規定する「他の会社を支配している場合」とは、次に掲げる場合のいずれかに該当する場合をいいます。

イ　他の会社の発行済株式又は出資（自己の株式又は出資を除く。）の総数又は総額の50％超の数又は金額の株式又は出資を有する場合

ロ　他の会社の次に掲げる議決権のいずれかにつき、その総数（その議決権を行使することができない株主等が有するその議決権の数を除く。）の50％超の数を有する場合

① 事業の全部若しくは重要な部分の譲渡、解散、継続、合併、分割、株式交換、株式移転又は現物出資に関する決議に係る議決権

② 役員の選任及び解任に関する決議に係る議決権

③ 役員の報酬、賞与その他の職務執行の対価として会社が供与する財産上の利益に関する事項についての決議に係る議決権

④ 剰余金の配当又は利益の配当に関する決議に係る議決権

ハ 他の会社の株主等（合名会社、合資会社又は合同会社の社員（その他の会社が業務を執行する社員を定めた場合にあっては、業務を執行する社員）に限る。）の総数の半数を超える数を占める場合

(4) 上記(1)から(3)の場合に、同一の個人又は法人の同族関係者である２以上の会社が、判定しようとする会社の株主等（社員を含む。）である場合には、その同族関係者である２以上の会社は、相互に同族関係者であるものとみなされます。

なお、個人又は法人との間でその個人又は法人の意思と同一の内容の議決権を行使することに同意している者がある場合には、その者が有する議決権はその個人又は法人が有するものとみなし、かつ、その個人又は法人がその議決権に係る会社の株主等でない場合には、その個人又は法人をその議決権に係る会社の株主等であるものとみなして、他の会社を支配しているかどうかを判定します（法令４⑥）。

解　説

上記(1)から(4)までの同族関係法人について、図示をすれば、次のとおりとなります。

例１　子会社（上記(1)の例）

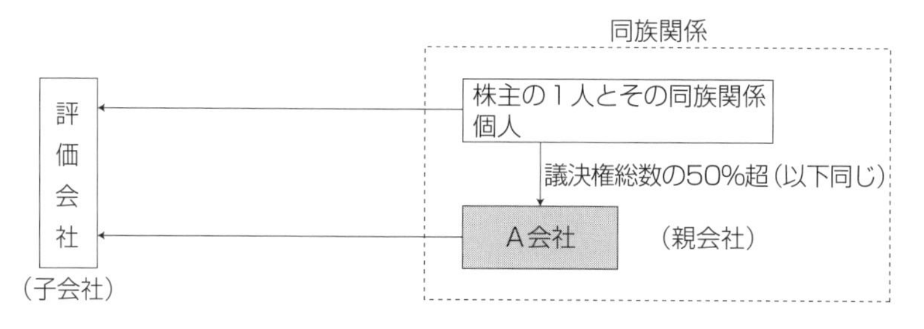

例２　孫会社（上記⑵の例）

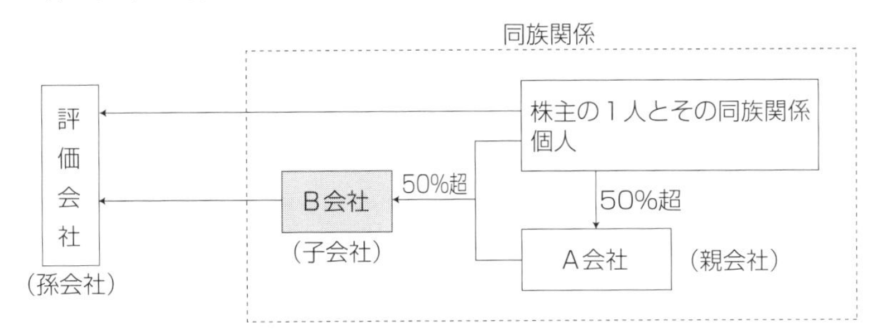

例３　ひ孫会社（上記⑶の例）

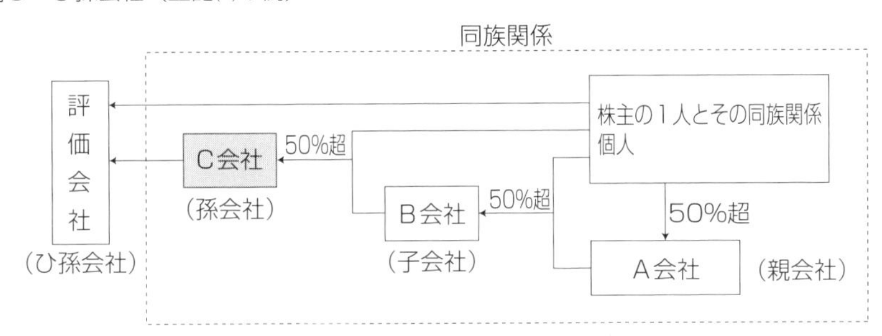

例４　個人である同族関係者に支配されている会社の兄弟子会社（上記⑷の例）

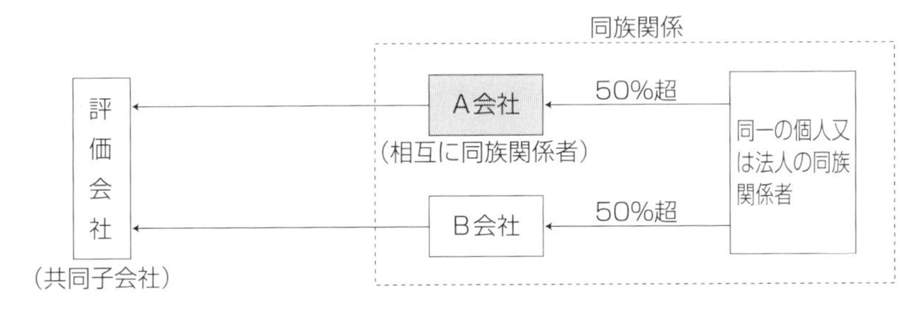

なお、例1において、

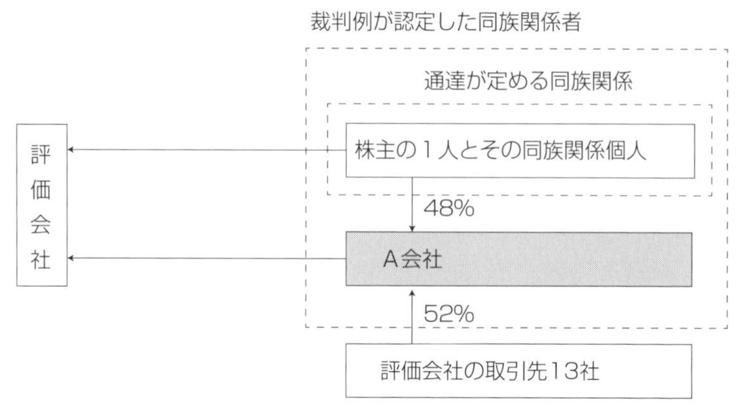

図のように、A会社において、評価会社の取引先13社で52%を保有させ、形式上、A会社を同族関係法人でなくすることによりA会社の有する評価会社の評価を特例評価とした事例につき、同族関係者の実質的支配関係があるものとした裁判例があります。（東京地判平26・10・29、東京高判平27・4・27）

Q 13 同族関係者グループ

取引相場のない株式を評価する場合の「同族関係者グループ」について、教えてください。

A 同族関係者グループとは、株主の1人とその同族関係者をいいます。

同族関係者には、同族関係者である個人と同族関係者である法人（同族関係法人）がいます。同族関係者である個人とは、その株主等の親族（Q14参照）及び内縁関係者等の個人をいい（Q11参照）、同族関係法人とは、株主等とこれらの同族関係者である個人が他の会社を支配している場合におけるその他の会社などをいいます（Q12参照）。

解　説

「同族関係者グループ」という用語は、「第1表の1　評価上の株主の判定及び会社規模の判定の明細書」及びその記載方法において用いられています。

なお、その会社の同族関係者グループのうち、その有する議決権が最も多いグループは、「筆頭株主グループ」と呼びます。

Q 14　親族とは

「親族」について教えてください。

A　「親族」とは、①６親等内の血族、②配偶者、③３親等内の姻族をいいます（民法725）。

血族には、血縁者（自然血族）のほか、養子縁組により血縁関係が擬制される者（法定血族）を含みます。

姻族とは、自己の配偶者の血族又は自己の血族の配偶者をいいます。

Q 15　評価方法の判定

「1.株主及び評価方式の判定」の「判定基準」欄及び「判定」欄並びに「2.少数株式所有者の評価方式の判定」欄はどのように利用するのですか。

A　「1.株主及び評価方式の判定」の「判定基準」欄及び「判定」欄では、「筆頭株主グループの議決権割合」と「納税義務者が属する株主グループの議決権割合」により、納税義務者を同族株主等であるか、同族株主等以外の株主であるかを判定します。

この表で同族株主等以外の株主と判定されますと、特例的評価方式（配当還元方式）により評価することとなります。

次に、同族株主等と判定された者で、「納税義務者の議決権割合」により、それが５％以上となる者の株式については原則的評価方式となりますが、５％未満となる少数株式所有者については、「2.少数株式所有者の評価方式の判定」欄の各要素により、更に判定を加えた上で、評価方式を判定します。

解　説

「株主及び評価方法の判定欄」は、判定表の要素のところで確認した、納税義務者の議決権数（㈥の割合）、筆頭株主グループ同族株主、グループの議決権割合（⑥の割合）と納税義務者の属する同族関係グループの議決権割合（⑤）の割合を基に、同族株主等であるか、同族株主等ではないかを判定し（以下、この解説では「判定基準１」といいます。）、更に、同族株主等に該当する納税義務者のうちその者の議決権割合が５％未満の者（少数株式所有者）について、役員や中心的な同族株主に該当するかどうか、納税義務者以外に中心的な同族株主又は中心的な株主がいるかなどの判定を行い（以下、この解説では「判定基準２」といいます。）、少数株式所有者の評価方式の判定を行います。

判定基準１で、同族株主等以外の株主の判定された者については、配当還元方式で評価します。一方、同族株主等と判定された場合で、議決権数の割合（相続・遺贈又は贈与により取得した株式数とそれ以前から保有していた議決権数の合計の割合）が５％以上の者は、原則的評価方式と判定されますが、５％未満の者（「少数株式所有者」といいます。）については、判定基準２により、評価方式を判定します。

（判定基準１）

ⅰ　同族株主等となる場合　→　原則的評価方式で評価
ただし、少数株式所有者は判定基準２へ

⑴　⑥の割合が50％超で、⑤の割合も50％超

⑵　⑥の割合が30％以上50％以下で、⑤の割合が30％以上

⑶　⑥の割合が30％未満で、⑤の割合が15％以上

ⅱ　同族株主等以外の株主となる場合　→　特例的評価方式で評価

⑴　⑥の割合が50％超で、⑤の割合が50％未満

⑵　⑥の割合が30％以上50％以下で、⑤の割合が30％未満

⑶　⑥の割合が30％未満で、⑤の割合が15％未満

（判定基準２）

次に、納税義務者が上記１の同族株主等に該当しても、その納税義務者の有する株式数（㋥の割合）が５％未満（少数株式所有者）である場合は、「２.少数株式所有者の評価方式の判定」により、更に判定の上、評価方式を判定することとなります。

Q 16　「２.少数株式所有者の評価方式の判定」欄の記載要領

少数株式所有者の評価方式の判定はどのように記載するのですか。

A この場合の少数株式所有者とは、「同族株主等」に該当した納税義務者のうち、議決権割合（㊇の割合）が５％未満である者をいい、その者について、この欄を使用して評価方式の判定を行います。

判定の手順は、「判定要素」欄に掲げる項目の「㊁　役員」、「㊍　納税義務者が中心的な同族株主」及び「㊄　納税義務者以外に中心的な同族株主（又は株主）」の順に、それぞの該当する文字を○で囲み表示します（「判定内容」欄の括弧内は、それぞれの項目の判定結果を表します。）。

⑴　「㊁　役員」欄は、納税義務者が課税時期において評価会社の役員である場合及び課税時期の翌日から法定申告期限までに役員となった場合に「である」とし、その他の者については「でない」として判定します。

⑵　「㊍　納税義務者が中心的な同族株主」欄は、納税義務者が中心的な同族株主に該当するかどうかの判定に使用しますので、納税義務者が同族株主のいない会社（⑥の割合が30％未満の場合）の株主である場合には、この欄の判定は必要ありません。

⑶　「㊄　納税義務者以外に中心的な同族株主（又は株主）」欄は、納税義務者以外の株主の中に中心的な同族株主（納税義務者が同族株主のいない会社の株主である場合には、中心的な株主）がいるかどうかを判定し、中心的な同族株主又は中心的な株主がいる場合には、下段の氏名欄にその中心的な同族株主又は中心的な株主のうち１人の氏名を記載します。

解　説

「２.少数株式所有者の評価方式の判定」欄は、同族株主等に該当する納税義務者のうち、議決権割合が５％未満の者について、事業の影響度に応じた評価方式を判定するもので、その判定要素が各欄に示されています。

なお、この場合の「同族株主等」とは、次の納税義務者をいいます。

①　議決権割合50％超の筆頭株主グループに属する者

②　筆頭株主グループの議決権割合が30％以上50％以下の場合で、30％以上の議決権を有する同族関係者グループに属する者

③　筆頭株主グループの議決権割合が30％未満の場合で、15％以上の同族関係者グループに属する者

Q 17 判定基準欄による判定要領

判定基準欄による評価方法の判定はどのような要領で行うのですか。

A まず、納税義務者が同族株主等か同族株主以外の株主か判定します。その場合の判定要素は、筆頭株主グループの議決権割合（⑥の割合）と納税義務者の属する同族関係者グループの議決権割合（⑤の割合）です。

次に、同族株主等と判定された納税義務者の議決権割合（㋩）が５％未満の場合は、更に「２.少数株式所有者」欄により判定します。

なお、この場合の「同族株主等」は、同族株主に該当する場合と同族株主のいない評価会社で納税義務者の属するする同族関係者グループの議決権割合が15％以上である場合の納税義務者をいいます。

以上を設例で確認しますと次のとおりなります。

■設例１

筆頭株主グループの議決権割合　30％

納税義務者の属する同族関係者グループの議決権割合　30％

納税義務者の議決権割合　10％

判定結果　同族株主等

評価方式　原則的評価方式

（記載例１）

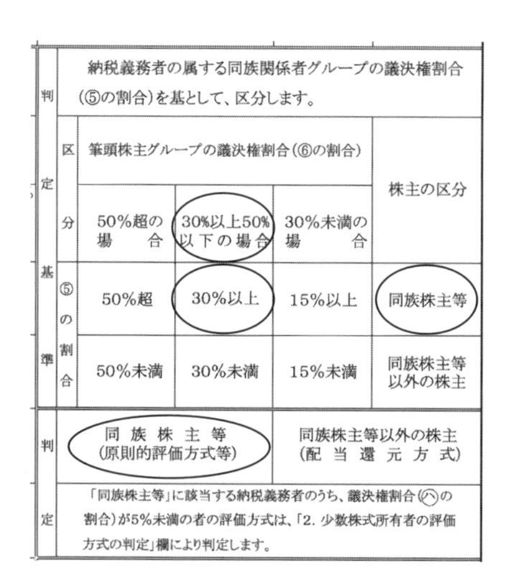

判定基準	納税義務者の属する同族関係者グループの議決権割合(⑤の割合)を基として、区分します。			
区分	筆頭株主グループの議決権割合(⑥の割合)			株主の区分
	50%超の場合	30%以上50%以下の場合	30%未満の場合	
⑤の割合	50%超	30%以上	15%以上	同族株主等
	50%未満	30%未満	15%未満	同族株主等以外の株主
判定	同族株主等(原則的評価方式等)		同族株主等以外の株主(配当還元方式)	
	「同族株主等」に該当する納税義務者のうち、議決権割合(㋩の割合)が5%未満の者の評価方式は、「2. 少数株式所有者の評価方式の判定」欄により判定します。			

■設例２

筆頭株主グループの議決権割合　60％

納税義務者の属する同族関係者グループの議決権割合　30％

納税義務者の議決権割合　８％

判定結果　同族株主等以外の株主

評価方式　配当還元方式

（記載例２）

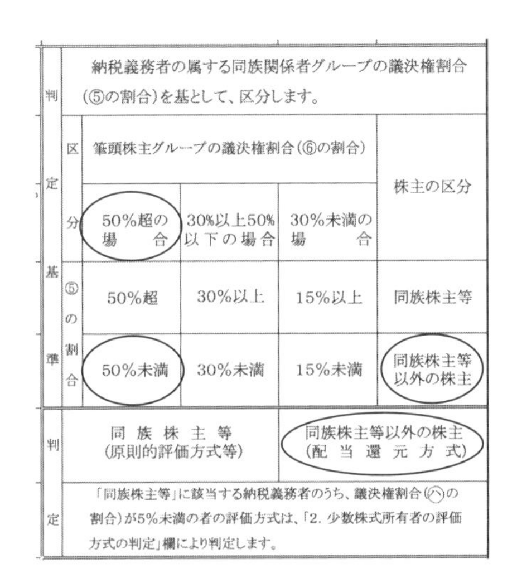

判定基準	納税義務者の属する同族関係者グループの議決権割合(⑤の割合)を基として、区分します。			
区分	筆頭株主グループの議決権割合(⑥の割合)			株主の区分
	50%超の場合	30%以上50%以下の場合	30%未満の場合	
⑤の割合	50%超	30%以上	15%以上	同族株主等
	50%未満	30%未満	15%未満	同族株主等以外の株主
判定	同族株主等(原則的評価方式等)		同族株主等以外の株主(配当還元方式)	
	「同族株主等」に該当する納税義務者のうち、議決権割合(㊅の割合)が5%未満の者の評価方式は、「2. 少数株式所有者の評価方式の判定」欄により判定します。			

■設例３

納税義務者（A）は評価会社の役員

筆頭株主グループの議決権割合　25％

納税義務者（A）の属する同族関係者グループの議決権割合　20％

納税義務者（A）の議決権割合　３％

判定結果　同族株主等

「2.少数株式所有者の評価方式の判定」により判定

「役員」に該当

評価方式　原則的評価方式

（記載例３）

判定基準					
納税義務者の属する同族関係者グループの議決権割合（⑤の割合）を基として、区分します。					
区分	筆頭株主グループの議決権割合（⑥の割合）			株主の区分	
	50％超の場合	30％以上50％以下の場合	30％未満の場合（○）		
⑤の割合	50％超	30％以上	15％以上（○）	同族株主等（○）	
	50％未満	30％未満	15％未満	同族株主等以外の株主	

判定	
同族株主等（原則的評価方式等）	同族株主等以外の株主（配当還元方式）
「同族株主等」に該当する納税義務者のうち、議決権割合（㋬の割合）が5％未満の者の評価方式は、「2．少数株式所有者の評価方式の判定」欄により判定します。	

2．少数株式所有者の評価方式の判定

項目	判定内容
氏名	A
㊁ 役員	である（○）〔原則的評価方式等〕・でない（次の㋭へ）
㋭ 納税義務者が中心的な同族株主	である〔原則的評価方式等〕・でない（次の㋬へ）
㋬ 納税義務者以外に中心的な同族株主（又は株主）	がいる（配当還元方式）・がいない〔原則的評価方式等〕 （氏名　　　　　）
判定	原則的評価方式等（○）・配当還元方式

Q 18 同族株主等、同族株主等以外の株主等及び少数株式所有者とは

取引相場のない株式を評価する場合の「同族株主等」及び「同族株主以外の株主等」並びに「少数株式所有者」について教えてください。

A (1)　「同族株主等」とは、次の者をいいます。

①　同族株主（Q10参照）

②　同族株主のいない会社の株主で、議決権割合15％以上（株式を取得したことにより15％以上となった場合を含みます。）のグループに属する株主

(2)　「同族株主等以外の株主」とは、次の者をいいます。

①　同族株主のいる会社の同族株主以外の株主

②　同族株主のいない会社の株主のうち、議決権割合15％未満の株主グループに属する株主

(3)　「少数株式所有者」とは、同族株主等のうち、取得後の議決権割合が５％未満である株主をいいます。

なお、少数株式所有者である株主が、①役員であるか、②中心的な同族株主に該当するか、または、③他に中心的な同族株主もしくは中心的な株主がいるか否かによって、その者が取得した株式の評価方式は異なります。

Q 18-2 中心的な同族株主とは

取引相場のない株式を評価する場合の「中心的な同族株主」について教えてください。

A 「中心的な同族株主」とは、同族株主のいる会社の同族株主で、課税時期において同族株主の１人並びにその株主の配偶者、直系血族、兄弟姉妹及び１親等の姻族（これらの者の特別同族関係法人（これらの者の同族関係者である会社のうち、これらの者が有する議決権の合計数がその会社の議決権総数の25％以上である会社）を含みます。）の有する議決権の合計数がその会社の議決権総数の25％以上である場合におけるその株主をいいます（財基通188(2)）。

解　説

同族株主のいずれか１人を中心にして、１人でも該当者がいれば、「中心的な同族株主」がいる会社に該当します。

【設例】

「中心的な同族株主」による評価方式の判定例を示せば、次のとおりです。

評価会社の株主構成、親等、議決権割合が次表のとおりです、A、B、C、Dが納税義務者の場合の評価方式を判定します。

株主名	続柄	親等	議決権割合
甲	本人	血４	10
A	甲の子	血５	10
乙	甲の従弟		15
B	乙の配偶者	配偶者	10
丙	甲の従弟	血４	15
C	丙の子	血５	2
D	丙の子	血５	3
その他	その他	－	35

※　親等は筆頭株主グループの中心とした乙からのものです。

※　A～Dの議決権割合は株式取得後のものです。

※　C、Dは評価会社の役員ではありません。

判定プロセンスは次のとおりです。

［１］同族株主の判定

①　筆頭株主グループ（乙を中心に考えます。）で65％（甲、乙、丙及びA～Cの合計）の議決権がありますから、評価会社は同族株主がいる会社に該当し、筆頭株主グループに属する納税義務者（その他以外の株主）は同族株主に該当します。

　これによると、A～Dは同族株主に該当します。

②　A、Bの議決権割合は５％以上です。

③　①、②より、A、Bは原則的評価方式と判定されます。

［２］C、Dについての少数株主の判定

④　C、Dは、評価会社の役員ではありません。

⑤　丙、C、D合計の議決権割合は20％ですから、中心的な同族株主に該当しません。

⑥　乙とその配偶者Bで併せて25％の議決権割合を有していますから、中心的な同族株主となり、評価会社には中心的な同族株主がいます。

⑦　④、⑤、⑥からC、Dは、配当還元方式で評価することとなります。

なお、株主Ａが中心的な同族株主であるか否かの判定の基礎に含める親族の範囲は、次図の[　]で囲まれた部分に含まれる親族です。

同族株主の範囲（外枠内）と中心的な同族株主（中枠内）の範囲

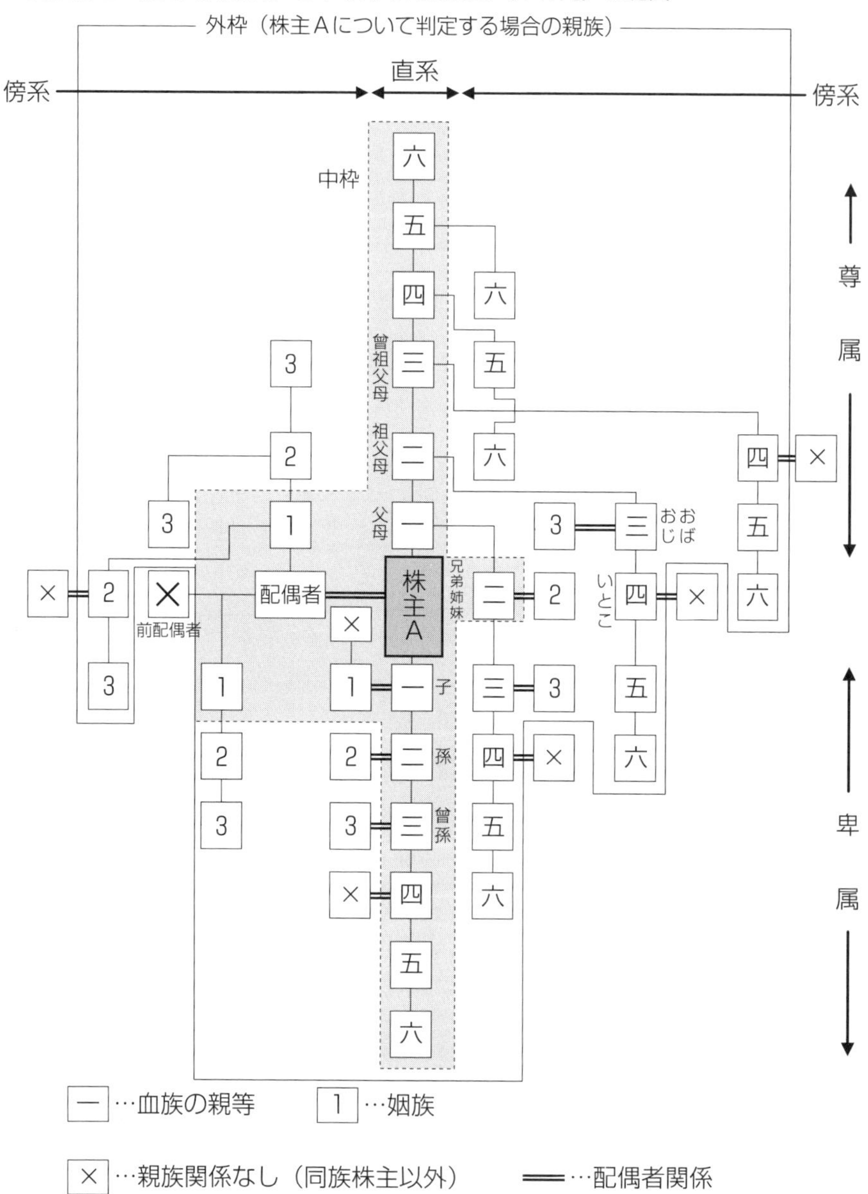

(注１)　肩書数字は親等を、うち漢数字は血族、アラビア数字は姻族を、「二」は配偶者を示しています。曾孫三、曾姪孫五の箇所は、その卑属である６親等までの血族が親族に該当します。

(注２)　親族とは①６親等内の血族、②配偶者、③３親等内の姻族をいいます（Q14参照)。

(注３)　養子と養親及びその血族との間においては、養子縁組の日から血族間におけるのと同一の親族関係が生じます。

(注４)　同族株主等の判定においては、上記の親族（外枠内）で議決権割合の50％超を保有する法人（同族関係法人、Q12参照）が有する評価会社の議決権数を含めて判定します（Q10、18参照)。

(注５)　中心的な同族株主の判定においては、同族関係法人のうち、中心的な同族株主（中枠内）で議決権割合25％以上を保有する法人（特別同族関係法人）が有する評価会社の議決権数を含めて判定します（Q18－2参照)。

(注６)　同族関係者には、内縁関係者等が含まれますが（Q11参照)、中心的な同族株主を判定する場合には、同族株主の配偶者、直系血族、兄弟姉妹及び１親等の姻族等で行い、内縁関係者等は含みません。１親等の姻族には、配偶者の父母、配偶者の連れ子、子の配偶者が該当します。

(注７)　嫡出でない子（非嫡出子）も当然実子として取り扱われます。なお、以前は非嫡出子の相続分が、嫡出である子の相続分の２分の１とされていましたが、民法の改正により平成25年９月５日以後に開始した相続から非嫡出子の相続分が、嫡出子の相続分と同等となりました（民法 900④)。

また、この改正の背景が、平成25年９月４日の最高裁判所の違憲決定の対象となった相続の開始が平成13年７月であることから、平成13年７月１日以後に開始した相続についても、遺産分割の協議や裁判が終了していないものについては、嫡出子と非嫡出子の相続分が同等のものとして取り扱われるものと考えられます。

<参考>祖父に後妻がいる場合の親等

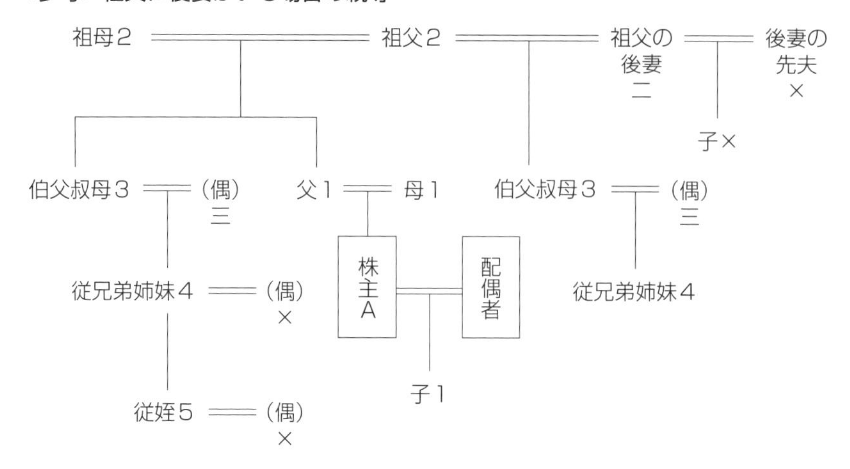

(注1) 肩書数字は親等を、うちアラビア数字は血族、漢数字は姻族を、(偶) は配偶者を示しています。×を付した者は、株主Aの親族に該当しない者を意味しています。

(注2) 祖母に後夫がいる場合にも、祖父の親族判定と考え方は同様です。

Q 18-3 特別同族関係法人とは

「特別同族関係法人」について教えてください。

A 「特別同族関係法人」とは、「中心的な同族株主」を判定する場合において、同族株主の１人並びにその株主の配偶者、直系血族、兄弟姉妹及び１親等の姻族と同族関係者である会社のうち、これらの者が有する議決権の合計数がその会社の議決権総数の25％以上である会社をいいます (財基通188(2)かっこ書き)。

Q 18-4 中心的な株主とは

同族株主のいない会社の株式を評価する場合の「中心的な株主」について教え

てください。

A 中心的な株主とは、同族株主のいない会社の株主で、課税時期において株主の１人及びその同族関係者の有する議決権の合計数がその会社の議決権総数の15％以上である株主グループのうち、いずれかのグループに単独でその会社の議決権総数の10％以上の議決権を有している株主がいる場合におけるその株主をいいます（財基通188⑷）。

Q 19 役員とは

取引相場のない株式を評価する場合において、特例的評価方式（配当還元方式）を採用できるか否かを判定するときにおける「役員」について教えてください。

A 取引相場のない株式を評価する場合の、特例的評価方式（配当還元方式）を採用できるか否かを判定する際の「役員」とは、社長、理事長のほか、以下の者をいいます。

① 代表取締役、代表執行役、代表理事及び清算人
② 副社長、専務、常務その他これらに準ずる職制上の地位を有する役員
③ 取締役（指名委員会等設置会社の取締役及び監査等委員である取締役に限る。）、会計参与及び監査役並びに監事

解　説

役員とは、通常、法人の取締役、監査役、理事及び監事などをいいますが、取引相場のない株式を評価する場合の特例的評価方式（配当還元方式）を採用できるか否かを判定するときにおける「役員」は、上記の者に限るので、注意が必要です（財基通188⑵、法令71①一、二、四準用）。つまり、この場合における「役員」とは、法人税法上の使用人兼務役員となれない者のうちの一定のものをいいます。指名委員会等設置会社以外の通常の会社における、いわゆる、平取締役は、この場合の「役員」に含まれません。

なお、上記中の②の「これらに準ずる職制上の地位を有する役員」については、法人税法基本通達９－２－４において、「定款等の規定又は総会若しくは取締役会の決議等によりその職制上の地位が付与された役員をいう」と定められ

ていますので、これらの手続等によらない「自称常務」などは、これに含まれません。

Q 20 中小企業投資育成株式会社が株主である場合の株主区分の判定

中小企業投資育成株式会社が株主である場合の評価上の株主区分は、どのように判定するのでしょうか。

A 中小企業投資育成株式会社（以下「投資育成会社」という。）が株主になっている場合は、評価会社の議決権数の取扱い等は財産評価基本通達上で別途の扱いが定められています。

解　説

投資育成会社とは、中小企業投資育成株式会社法に基づいて設立され、中小企業の自己資本の充実を促進し、その健全な成長発展を図るため、中小企業に対する投資等の事業を行っている法人で、その投資は会社支配を目的としたものではありません。

このため、同族株主等の判定する場合の評価通達188の適用に当たっては、次のとおり取り扱うこととされています。

1　評価通達188(1)の適用については、投資育成会社が同族株主に該当し、かつ、当該投資育成会社以外に同族株主に該当する株主がいない場合には、当該投資育成会社は同族株主に該当しないものとして適用する。

2　評価通達188(2)、同(4)の適用については、投資育成会社が、中心的な同族株主、又は中心的な株主に該当し、かつ、当該投資育成会社以外に中心的な同族株主又は中心的な株主に該当する株主がいない場合には、当該投資育成会社は中心的な同族株主又は中心的な株主に該当しないものとして適用する。

3　上記(1)及び(2)において、評価会社の議決権総数からその投資育成会社の有する評価会社の議決権の数を控除した数をその評価会社の議決権総数とした場合に「同族株主に該当することとなる者」があるときは、その同族株主に該当することとなる者以外の株主が取得した株式については、上記(1)及び(2)

にかかわらず、「同族株主以外の株主等が取得した株式」に該当するものとする。

■設例

上記1から3の適用について、事例に沿って説明します。

（株主構成）

株主		所有株式数	議決権割合	投資育成会社を除いた場合	
				所有株式数	議決権割合
投資育成会社		35	35%		
A		9	9%	9	14%
B	A長男	7	7%	7	11%
C	A次男	5	5%	5	8%
Aグループ合計		21	21%	21	32%
D		8	8%	8	12%
E	D長男	5	5%	5	8%
F	D次男	2	2%	2	3%
Dグループ合計		15	15%	15	23%
その他少数株主		29	29%	34	52%
合計		100	100%	65	100%

① この設例は、投資育成会社以外に同族株主に該当する株主、中心的な同族株主がいない場合に該当しますから、上記1、2により、投資育成会社は同族株主とせず、中心的な同族株主としませんので、評価会社は「同族株主のいない会社」となります。

② そうすると、Aグループの議決権割合は21%、Dグループの議決権割合は15%といずれも15%以上の議決権割合を有していますから、両グループに属する納税義務者は、上記1、2によると「同族会社がいない会社における15%以上の議決権割合の株主グループ」と判定され、評価会社には中心的な株主はいないことになります。そのため、両グループに属する株主（納税義務者）の株式移動は原則的評価方式となります。

③ 次に、投資育成会社の議決権を除いたところで議決権割合を計算しますと、それぞれのグループの議決権割合は、Aグループが32%、Dグループが23%となり、これを上記3の扱いにあてはめますと、議決権割合が30%以上のAグループに属する株主が同族株主に該当することとなる者となります（これ

は上記３の取扱いに当たり、同族株主に該当する者があるというだけで、Aグループに属する株主を同族株主として評価するわけではありません。）から、それ以外のDグループやその他の株主は「同族株主以外の株主」と判定されます。

④　以上から、AからB、Cに対する評価会社の株式移動は、同族株主がいない会社で中心的な株主がいない会社における15％以上の議決権割合を有する株主グループ内に属する株主の株式移動として、原則的評価方式となります。他方、DからE、Fに対する株式移動は、特例的評価方式となります。

⑤　なお、上記３の調整については、上記１及び２の扱いで評価会社が「同族株主がいない会社」となることなどにより、配当還元方式による評価が相当とされる者まで原則的評価方式となることが適当ではないことによるという趣旨の説明がされています（財産評価基本通達逐条解説参照）。

この例では上記１、２に該当することになるため、上記３が適用されることになります。上記３の適用により、Aグループは同族株主に該当することになり（議決権割合32％）、Dグループは同族株主以外の株主に（議決権割合23％）該当することになります。このため、Dグループ内の株式の移動は特例的評価方法の適用が認められることになります。

ただし、上記３の適用後において、Aグループの議決権割合が30％未満である場合には、上記１及び２の適用に留まります。

Q 21 財団法人が株主にいる場合の株主区分の判定

先代の株主Aが財団法人甲に株式を寄附しました。この財団法人甲が45％の株式を保有しています。
財団法人が株式を保有しているケースでは議決権は行使できないということもあるようですが、財団法人が評価会社の株式を保有している場合の株主区分はどのように判定すればよいのでしょうか。

<株主の内訳>

財団法人甲	45％

株主　Ｂ（株主Ａの長男）	28％
その他多数の株主	27％
合　計	100％

A 一般財団法人又は公益財団法人が保有している株式に対して、議決権を適正に行使しており、単独の株主として認められる場合には、株主区分の判定でも株主として扱うことになります。

しかし、財団法人甲が保有する株式について、議決権の行使が実質的に完全無議決権株式と同等である場合には、議決権数を基準として、他の株主の株主区分を判定することになります。また、財団法人甲が所有する株式に議決権がある場合でも、Q20の中小企業投資育成会社が株主である場合の規定が準用される場合もあると考えられます。

解　説

財団法人へ株式を寄附し、国税庁長官から租税特別措置法40条の承認を得ようとするケースでは、特例民法法人時代においては、定款（制度改正前の「寄附行為」に該当）に下記規定を定めることが指導されていました。

> 第○○条　この法人は、保有する株式については、その株式の発行会社に対し、次の事項を除き、権利の行使又は権利行使の請求をしてはならない。
> (1)　配当の受領
> (2)　無償新株式の受領
> (3)　株主割当増資への応募
> (4)　株主宛配布書類の受領

公益法人等に対して寄附をする場合の譲渡所得等の非課税の特例（措置法40条）を受ける場合には、上記のような条件が付されていました。このような定款の定めが設けられている場合の評価会社の同族株主の判定は、財団法人が有する議決権数を除いたところで行います。お尋ねのケースにおいて、財団法人甲が有する株式の議決権行使について実質的に完全無議決権株式と同等である場合には、財団法人甲が有する議決権数を除いた議決権数で判定を行うことになります。このため、株主Ｂは50％超の議決権となり（28％÷55％）、株主Ｂは同族株主に該当することになります。

また、議決権の行使ができる場合でも、Q20の中小企業投資育成会社が株主である場合の規定が準用されることも考えられます。この場合には、株主Ｂは同族株主のいない会社における15%以上の議決権を有する株主として、適用関係が判定されることになります。

平成20年12月施行以後の公益法人については、内閣府において公益財団法人モデル定款が公表されており、措置法40条の要件を満たす定めの例として、次のようになりました。

公益財団法人モデル定款（平成21年11月改訂版）

（租税特別措置40条の要件を満たす定めの例）

〈役員関係：例〉

第○条　この法人の理事のうちには、理事のいずれか１人及びその親族その他特殊の関係がある者の合計数が、理事総数（現在数）の３分の１を超えて含まれることになってはならない。

２　この法人の監事には、この法人の理事（親族その他特殊の関係がある者を含む。）及び評議員（親族その他特殊の関係がある者を含む。）並びにこの法人の使用人が含まれてはならない。また、各監事は、相互に親族その他特殊の関係があってはならない。

３　この法人の評議員のうちには、理事のいずれか１人及びその親族その他特殊の関係がある者の合計数、又は評議員のいずれか１人及びその親族その他特殊の関係がある者の合計数が、評議員総数（現在数）の３分の１を超えて含まれることになってはならない。また、評議員には、監事及びその親族その他特殊の関係がある者が含まれてはならない。

〈株式関係：例１〉

第○条　この法人が保有する株式（出資）について、その株式（出資）に係る議決権を行使する場合には、あらかじめ理事会において理事総数（現在数）の３分の２以上の承認を要する。

〈株式関係：例２〉

第○条　この法人は、保有する株式（出資）に係る議決権を行使してはならない。

公益認定法５条15号には、他団体の意志決定に関与することができる株式数について制限があり、公益法人法制FAQ問Ⅴ－７－①（株式の保有制限）などが明らかにされています。

平成26年度改正において、措置法40条の非課税承認要件が追加され、「その公益法人等が当該贈与又は遺贈により株式の取得をした場合には、当該取得により当該公益法人等の有することとなる当該株式の発行法人の株式がその発行済株式の総数の１／２を超えることとならないこと。」（措令25の17⑥五）とされています。

この改正により、措置法40条の非課税承認については、財団へ寄附をする株式を無議決権株式とした上で、多くの株式を寄附することが制限されることになりました。

Q 21-2 特定の一般社団法人等に対する相続税の課税

一般社団法人等の理事が死亡した場合の特定の一般社団法人等に対する相続税の課税の規定について教えてください。

A 平成30年度の税制改正で、一般社団法人等を使った相続税の課税回避を防止するための規定が新設されました（相法66の２）。特定の一般社団法人等の同族理事が死亡した場合には、その特定の一般社団法人等が一定の金額をその死亡した同族理事から遺贈により取得したものとして、その特定一般社団法人等に相続税が課税されます。

解　説

一般社団法人等の理事が死亡した場合において、その一般社団法人等が特定一般社団法人等に該当するときには、次の金額に相当する金額をその死亡した者（以下、「被相続人」といいます。）から遺贈により取得したものとして、その特定一般社団法人等は個人とみなされ、その特定一般社団法人等に相続税が課税されます。

（取得したものとみなされる金額）

$$\frac{\text{相続開始時における特定一般社団法人等の純資産額}}{\text{相続開始時における同族理事の数}+1}$$

［1］特定一般社団法人等の判定

「特定一般社団法人等」とは、一般社団法人等（一般社団法人又は一般財団法人で、公益社団法人又は公益財団法人、法人税法に規定する非営利型法人その他一定のものを除きます。）のうち、次に掲げる要件のいずれかを満たすものをいいます。

① 相続開始時におけるその被相続人に係る同族理事の数の理事の総数に占める割合が２分の１を超えること。

② 相続開始以前５年以内において、その被相続人に係る同族理事の数の理事の総数に占める割合が２分の１を超える期間の合計が３年以上であること。

※ 同族理事とは、一般社団法人の理事のうち、被相続人又はその配偶者、三親等以内の親族、その他その被相続人と特殊の関係のあるものをいいます。

※ 一般社団法人等が平成30年３月31日までに設立されたものである場合における②の判定については、平成30年３月31日以前の期間は②の「２分の１を超える期間」に該当しないものとされます。

［2］相続開始時における特定社団法人等の純資産額

相続開始時における特定一般社団法人等の純資産額は、次の①の金額から②の金額を控除した残額をいいます。

① 相続開始時において一般社団法人等が有する財産の価額（相続税評価額）の合計額

② 次の金額の合計額

(イ) 特定一般社団法人等が有する債務であって、相続開始の際現に存するものの金額（確実と認められるものに限る。また、納付すべき税額が確定した国税等を含む。）

(ロ) 特定一般社団法人等に課される国税等で、相続開始以前に納税義務が成立したものの額

(ハ) 被相続人の死亡によりその特定一般社団法人等が支給する退職手当金等の額

㈡　基金の額

［3］特定一般社団法人の保有する取引相場のない株式等の評価

特定一般社団法人の「純資産評価額」は、財産評価基本通達に基づく評価による価額とされていますが、特定一般財団法人の財産の中に、取引相場のない株式等がある場合、その株式等をどの評価方式を適用して評価するのか等については明らかでないところがあります。

この場合の特定一般社団法人が保有する株式等の評価方式の判定については、①取引相場のない株式等の評価はすべて純資産評価方式によるとする考え方、②相続税法は特定一般社団法人を個人とみなしているのであるから、当該特定一般社団法人を納税義務者とした議決権割合を基に判定する考え方、③当該法令は一族で実質的な支配を維持している一般社団法人に対し、支配力の承継を通じた実質的な財産移転があったものとして課税するという相続税回避の防止措置であるとすることからすると、特定一般社団法人を介して支配力を承継した相続人がその株式等を取得しているものとして、評価方法を判定するのが相当であるとする考え方などがあります。

ところで、特定一般社団法人の保有する取引相場のない株式等といっても、同一の会社についてその株式等の保有が少数のものから、相続人の取得（又は保有）している株式と合計することで、相当の議決権があるものまで様々です。このような場合は、①により特定一般社団法人の取引相場のない株式について常に純資産評価方式で評価しますと、評価会社に支配力のない者について当該財産の担税力を上回る税負担がある恐れがあり、②によりますと実質的に支配力がある株式等を廉価に評価することとなることが懸念されることなどから、③による評価が相当で妥当な結論が導かれると考えます。

［4］特定一般社団法人等に課される相続税の計算

特定一般社団法人等が遺贈により取得したものとみなされる金額は、被相続人に係る相続人・受遺者が相続等により取得した他の財産と合計され、それぞれの相続税額が計算されます。特定一般社団法人等が遺贈により取得したものとみなされる金額に対応する相続税額は、特定一般社団法人等が負担することになりますが、相続財産の合計額が大きくなることにより、相続税の総額を計算する場合に、より高率の相続税率が適用される部分が生じる可能性があります。このため、この規定の適用がなかった場合に比較して、相続人等が負担することになる相続税額も増加する可能性があることに注意が必要です。

Q 22 株主の判定（Ⅰ）－筆頭株主グループの議決権割合が50%超の場合

甲社の株主構成は次のとおりで、個人株主をX、Y、Zとし、X、Y、Z間に親族関係はありません。X、Y、Zの親族をA以下とします。X、Y、Zに関係する法人を乙～丁社とします。
事例において、X、Y、Zのいずれかに相続が開始したか贈与したとします。Q22においては、Yに相続が開始したとします。

甲社（1株に付き1個の議決権とします）

株主	続柄	所有株数	議決権割合%
X	社長	40,000	40
A	Xの配偶者	10,000	10
B	Xの長男	5,000	5
C	Xの長女	1,000	1
D	Xの二女	1,000	1
Y	被相続人	0	
E	Yの配偶者	15,000	15
F	Yの長女	15,000	15
Z	常務	10,000	10
G	Zの配偶者	2,000	2
H	Zの長女	1,000	1
	合計	100,000	100

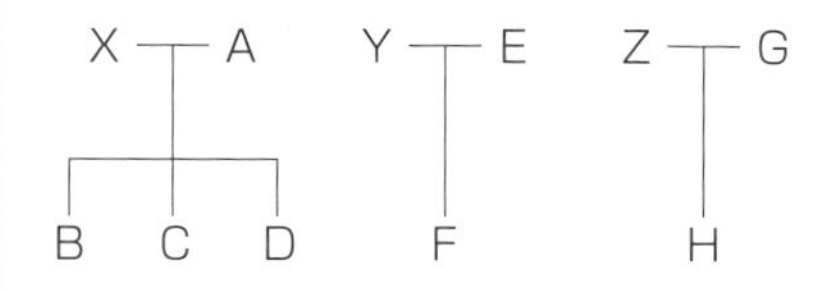

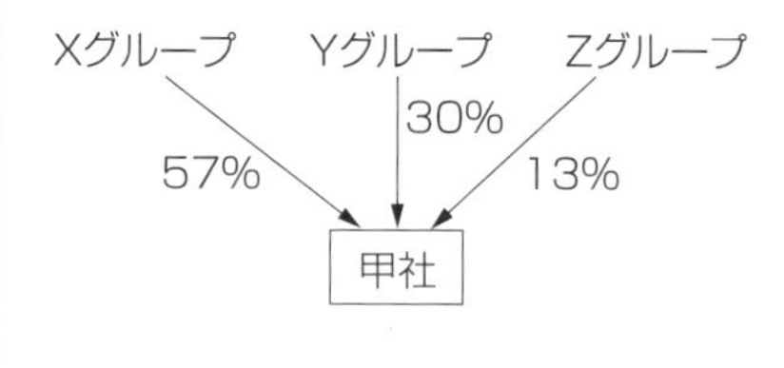

A

［1］株主グループ別の議決権割合の計算

(1) 株主Xとその同族関係者（A～D）が所有する株式の合計数と議決権割合

① 40,000（X）+10,000（A）+5,000（B）+1,000（C）+1,000（D）=57,000 ……所有株式の合計数（=議決権数）

② 57,000個÷100,000個＝57％……議決権割合

⑵ 被相続人Ｙとその同族関係者（Ｅ、Ｆ）の所有する株式の合計数と議決権割合

① 15,000（Ｅ）＋15,000（Ｆ）＝30,000……所有株式の合計数（＝議決権数）

② 30,000個÷100,000個＝30％……議決権割合

［2］同族株主の判定

Ｘグループの議決権割合は57％（50％超）となるので、そのグループに属するＸ、Ａ、Ｂ、Ｃ及びＤは同族株主となります。

なお、Ｙグループの議決権割合の合計は30％で30％以上となっています。しかし、Ｘグループの議決権割合が50％超の議決権割合ですから、同族株主には50％超の議決権割合を持っているＸグループだけが該当し、Ｙグループに属するＥ、Ｆは同族株主以外の株主となります。Ｚグループも同様に同族株主以外の株主となります。

（注） 議決権割合の計算の際、１％未満の端数は切り捨てます。

［3］評価

相続人Ｅ、Ｆが相続により取得した甲社株式の評価は、配当還元価額となります。

Q 23 株主の判定（Ⅱ）－筆頭株主グループの議決権割合が30%以上50%以下の場合

甲社の株主構成は、Q22と同じですが、所有株数が違います。Q23においては、Yが所有株式を全株贈与したとします。

甲社（1株に付き1個の議決権とします）

株主	続柄	所有株数	議決権割合%
X	社長	30,000	30
A	Xの配偶者	10,000	10
B	Xの長男	5,000	5
C	Xの長女	1,000	1
D	Xの二女	1,000	1
Y	贈与者	0	
E	Yの配偶者	15,000	15
F	Yの長女	14,000	14
Z	常務	11,000	11
G	Zの配偶者	11,000	11
H	Zの長女	2,000	2
	合計	100,000	100

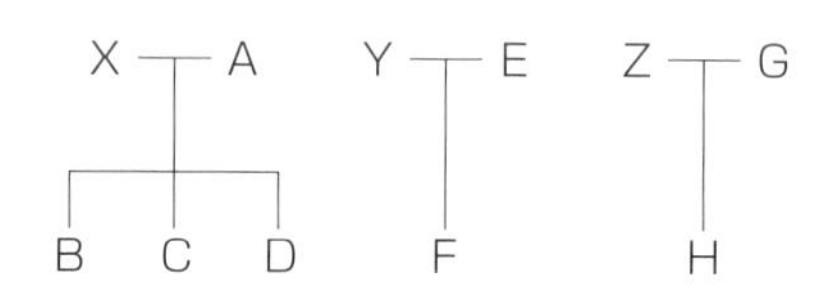

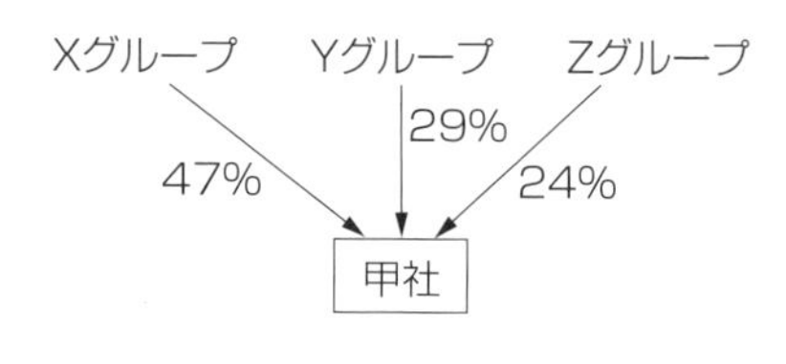

A ［1］株主グループ別の議決権割合の計算

(1) 株主Xとその同族関係者（A～D）が所有する株式の合計数と議決権割合

① 30,000株（X）+10,000株（A）+5,000株（B）+1,000株（C）+1,000株（D）=47,000株……所有株式の合計数（=議決権数）

② 47,000個÷100,000個（議決権総数）=47%……議決権割合

(2) 贈与者Yとその同族関係者（E、F）が所有する株式の合計数と議決権割合

① 15,000株（E）+14,000株（F）=29,000株……所有株式の合計数（=議決権数）

② 29,000個÷100,000個=29%……議決権割合

(3) 株主Zとその同族関係者（G、H）が所有する株式の合計数と議決権割合

① 11,000株（Z）+11,000株（G）+2,000株（H）=24,000株……所有株式の合

計数（＝議決権数）

② 24,000個÷100,000個＝24％……議決権割合

[2] 同族株主の判定

Ｘグループは甲社の筆頭株主グループで、その議決権割合は47％（30％以上50％以下）です。したがって、30％以上の議決権割合を有する株主グループであるＸグループに属する株主が同族株主となります。

よって、Ｙグループ及びＺグループは同族株主以外の株主となります。

[3] 評価

受贈者Ｅ、Ｆが贈与により取得した甲社株式の評価は、配当還元価額となります。

Q 24 株主の判定（Ⅲ）－筆頭株主グループの議決権割合が30％未満の場合

甲社の株主構成は、Ｑ23と同じで所有株数が相違します。Ｑ23と同様に、Ｙが所有株式を全部贈与したとします。

甲社（1株に付き1個の議決権とします）

株主	続柄	所有株数	議決権割合%
X	社長	10,000	10
A	Xの配偶者	10,000	10
B	Xの長男	5,000	5
C	Xの長女	1,000	1
D	Xの二女	1,000	1
Y	贈与者	0	
E	Yの配偶者	7,000	7
F	Yの長女	7,000	7
Z	常務	5,000	5
G	Zの配偶者	5,000	5
H	Zの長女	3,000	3
	その他の株主	46,000	46
	合計	100,000	100

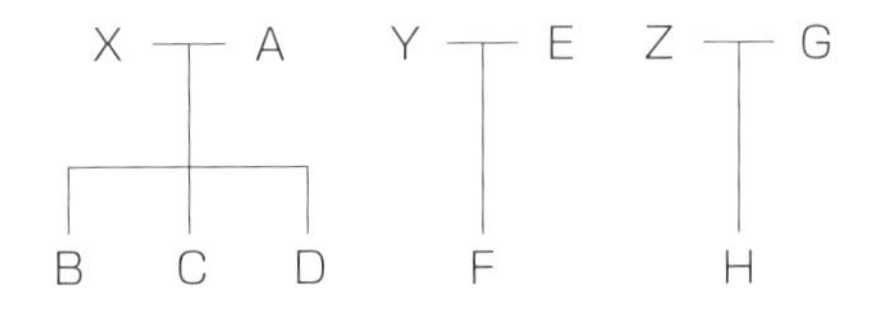

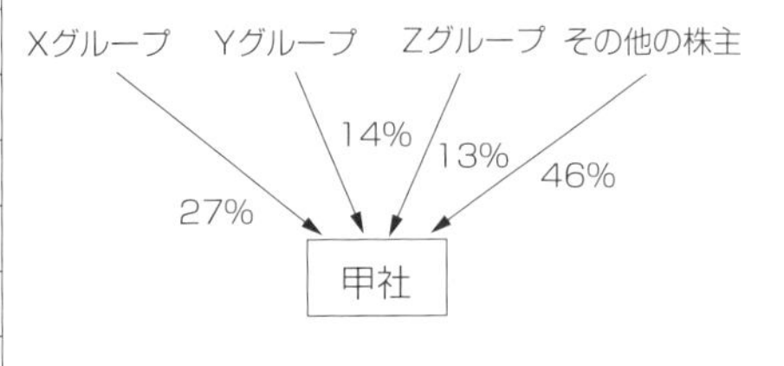

A

［1］株主グループ別の議決権割合の計算

⑴　株主Xとその同族関係者A～Dが所有する株式の合計数と議決権割合

①　10,000株（X）＋10,000株（A）＋5,000株（B）＋1,000株（C）＋1,000株（D）＝27,000株……所有株式の合計数（議決権数）

②　27,000個÷100,000個（＝議決権総数）＝27％……議決権割合

⑵　贈与者Yとその同族関係者（E、F）が所有する株式の合計数と議決権割合

①　7,000株（E）＋7,000株（F）＝14,000株……所有株式の合計数（＝議決権数）

②　14,000個÷100,000個＝14％……議決権割合

⑶　株主Zとその同族関係者（G、H）が所有する株式の合計数と議決権割合

①　5,000株（Z）＋5,000株（G）＋3,000株（H）＝13,000株……所有株式の合計数（＝議決権数）

②　13,000個÷100,000個＝13％……議決権割合

［2］同族株主の判定

Xグループは甲社の筆頭株主グループで、その議決権割合が27％（30％未満）です。したがって、甲社は筆頭株主グループの議決権割合が30％未満の会社となるので、同族株主のいない会社となります。

その結果、議決権割合が15％以上となる株主グループに属する株主が同族株主等と判定され、それ以外の株主は同族株主等以外の株主と判定されます。

この設例では、Xグループ（議決権割合27％）が同族株主等と判定され、Y及びZグループに属する株主は議決権割合15％未満ですから、同族株主等以外の株主となります。

［3］評価

受贈者E、Fが贈与により取得した甲社株式の評価は、配当還元価額となります。

Q 25 株主の判定（Ⅳ）－同族関係法人がいる場合(1)

甲社及び乙社の株主の議決権割合等は次のとおりです。Xに相続が開始したとします。

甲社（1株に付き1個の議決権とします）

株主	続柄	所有株数	議決権割合%
X	被相続人	0	0
A	Xの配偶者	20,000	20
B	Xの長男	10,000	10
C	Xの長女	10,000	10
乙社		20,000	20
Y	専務	20,000	20
D	Yの配偶者	10,000	10
E	Yの長男	6,000	6
F	Yの二男	4,000	4
	合計	100,000	100

X ― A
B　C

Y ― D
E　F

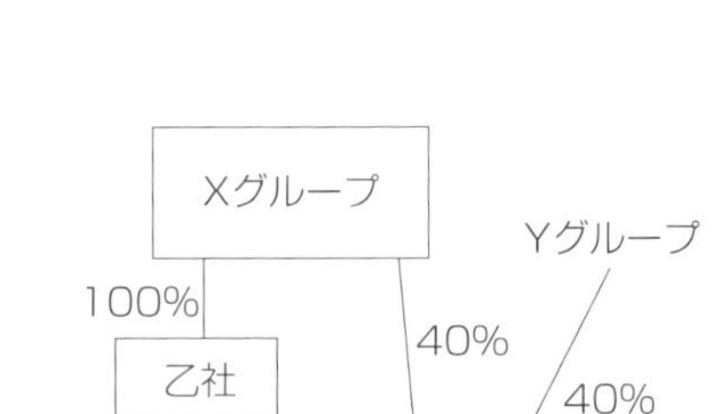

乙社（1株に付き1個の議決権とします）

株主	続柄	所有株数	議決権割合%
X	被相続人	0	0
A	Xの配偶者	50,000	50
B	Xの長男	40,000	40
C	Xの長女	10,000	10
	合計	100,000	100

A Xとその同族関係者（A～C）が所有する乙社の議決権割合は100％であり、乙社の議決権総数の50％超を所有しているので、乙社はXグループの同族関係法人となります。

したがって、Xとその同族関係法人（乙社）で所有する甲社の議決権割合は60％（50％超）となるので、Xグループは甲社の同族株主と判定されます。

Yとその同族関係者（D～F）が所有する甲社の株式は40,000株で、議決権割合40％となります。しかし、筆頭株主グループであるXグループの議決権割合が50％超のためY及びD～Fは同族株主等以外の株主となります。

相続人A、B、Cにおいては、乙社株式も甲社株式も共に原則的評価方式等になります。

Q 26 株主の判定（V）ー同族関係法人がいる場合(2)

甲社、乙社及び丙社の株主の議決権割合は、下記の設例のとおりです。
この場合、Xに相続が開始したとします。

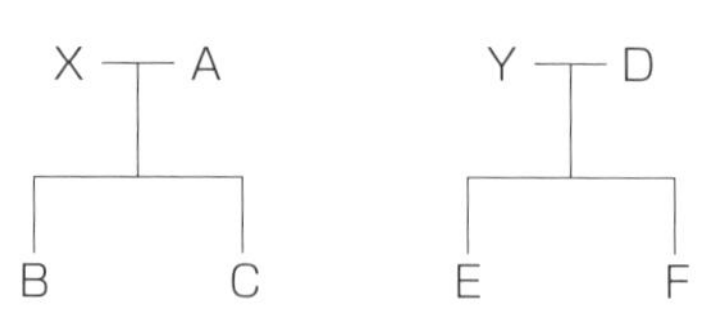

甲社（1株に付き1個の議決権とします）

株主	続柄	所有株数	議決権割合
X	被相続人	0	
A	Xの配偶者	20,000	20
B	Xの長男	10,000	10
C	Xの長女	10,000	10
乙社		20,000	20
丙社		20,000	20
Y	専務	10,000	10
D	Yの配偶者	5,000	5
E	Yの長男	3,000	3
F	Yの長女	2,000	2
	合計	100,000	100

乙社

株主	続柄	所有株数	議決権割合
X	被相続人	0	
A	Xの配偶者	30,000	30
B	Xの長男	15,000	15
C	Xの長女	15,000	15
	その他の株主	40,000	40
	合計	100,000	100

丙社

株主	続柄	所有株数	議決権割合
X	被相続人	0	
A	Xの配偶者	30,000	30
B	Xの長男	5,000	5
C	Xの長女	5,000	5
乙社		20,000	20
	その他の株主	40,000	40
	合計	100,000	100

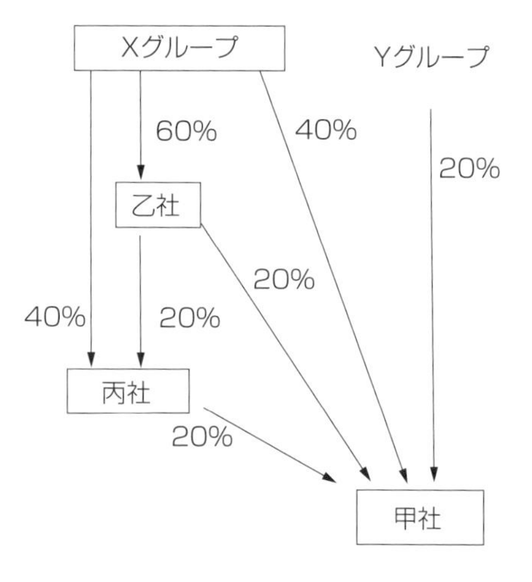

A 株主Aとその同族関係者である乙社（Xグループが乙社の議決権を60％所有）が合わせて50％超〔40％＋20％（乙社）〕の議決権を持っている丙社

は、株主Aの同族関係者となります。

その結果、株主Aとその同族関係者（乙社及び丙社）が所有する甲社の議決権の合計数は、50%超〔40%＋20%（乙社）＋20%（丙社)〕となりますから、株主A、B、Cは、甲社の同族株主となり、それぞれが相続により取得した各社株式の評価方式は原則的評価方式等となります。

Q 27｜株主の判定（Ⅵ）－同族関係法人がいる場合(3)

甲社、乙社、丙社、及び丁社の株主の議決権割合は、次のとおりです。Xに相続が開始したとします。

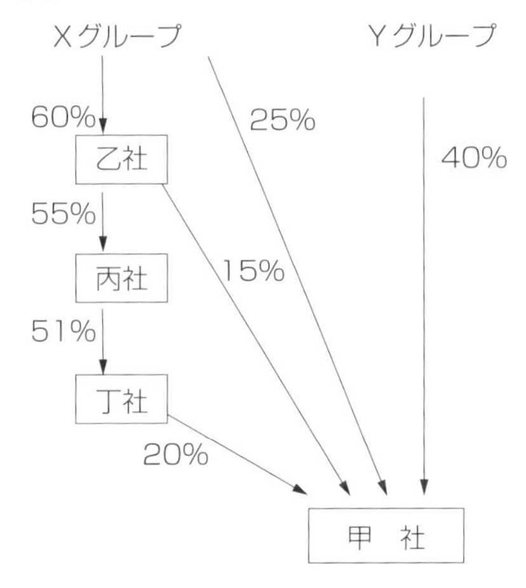

甲社（1株に付き1個の議決権とします）

株主	続柄	所有株数	議決権割合
X	被相続人	0	
A	Xの配偶者	17,000	17
B	Xの長男	4,000	4
C	Xの長女	4,000	4
乙社		15,000	15
丙社		0	
丁社		20,000	20

乙社

株主	続柄	所有株数	議決権割合
X	被相続人	0	
A	Xの配偶者	30,000	30
B	Xの長男	15,000	15
C	Xの長女	15,000	15
	その他の株主	40,000	40
	合計	100,000	100

Y	専務	20,000	20
D	Yの配偶者	10,000	10
E	Yの長男	10,000	10
	合計	100,000	100

丙社

株主	続柄	所有株数	議決権割合
乙社		55,000	55
	その他の株主	45,000	45
	合計	100,000	100

丁社

株主	続柄	所有株数	議決権割合
丙社		51,000	51
	その他の株主	49,000	49
	合計	100,000	100

A 株主Aとその同族関係者である乙社（Xグループが乙社の株式を60%所有）と丙社（Aと同族関係者である乙社が丙社の株式を55%所有）と丁社（Aと同族関係者である丙社が51%所有）は、株主Aの同族関係者になります。

したがって、株主Aとその同族関係者乙社、丁社が所有する甲社の株式の合計数は、50%超〔25%（A）＋15%（乙社）＋20%（丁社)〕となりますから、株主A、B、Cは、甲社の同族株主となります。

相続人A、B、Cが相続により取得した甲社株式及び乙社株式の評価方法は、原則的評価方式等となります。

Q 28 株主の判定（Ⅶ）－議決権のない法人がいる場合

取引相場のない株式を評価する場合、次の甲社の「同族株主等」に該当する者は誰でしょうか。

評価会社である甲社は、乙社の発行済株式総数のうち26%の株式を所有しており、また、乙社は、甲社の発行済株式総数の26%の株式を所有しています。

甲社（1株に付き1個の議決権とします）

株主	持株数	議決権割合
X	35,000株	47%
Y	25,000	33
Z	14,000	18
乙社	26,000	0
計	100,000	100

A 乙社が所有する甲社の株式は、乙社が甲社に25％以上保有されていますので、会社法308条の規定により議決権を有しないことになります。

この場合の甲社の議決権総数は、乙社の有する株式は議決権を有しないことから74,000個（100,000－26,000）とし、この議決権の数を基に、「同族株主等」に該当するかどうかを判定します。

議決権割合により判定すると以下のようになります。

Ｘ株主の株数割合　35％　→　議決権割合47％（35,000個÷74,000個）

Ｙ株主の株数割合　25％　→　議決権割合33％（25,000個÷74,000個）

Ｚ株主の株数割合　15％　→　議決権割合18％（14,000個÷74,000個）

したがって、この設例の場合には、「同族株主等」に該当する株主は、筆頭株主Ｘの議決権割合が47％、Ｙ株主も33％で「30％以上50％以下」であるため、議決権割合30％以上の株主が同族株主となり、Ｘ及びＹが共に同族株主となります。

Q 29　中心的な同族株主の範囲の判定－特別同族関係法人がいる場合

次のようなケースで、Ｘに相続が開始したとします（Ｃ、Ｄ、Ｅ、Ｇ、Ｈは遺贈により株式を取得しました。）。甲社に「中心的な同族株主」に該当する者はいるでしょうか。

甲社（1株に付き1個の議決権とします）

株主	続柄	所有株数	議決権割合
X	被相続人	0	
A	Xの配偶者	0	
B	Xの長男	10,000	10
C	Bの配偶者	5,000	5
D	Bの長女	5,000	5
E	Bの長男	5,000	5
F	Xの長女	5,000	5
G	Fの配偶者	4,000	4
H	Fの長男	4,000	4

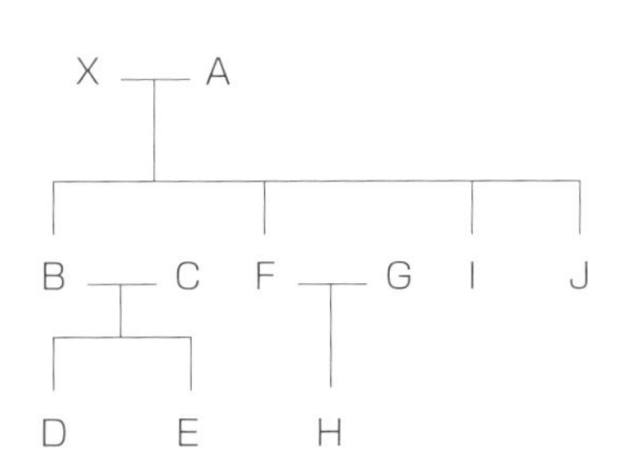

I	Xの二女　（専務）	10,000	10
J	Xの二男	3,000	3
乙社		20,000	20
	その他多数の株主合計	29,000	29
計		100,000	100

乙社（1株に付き1個の議決権とします）

株主	続柄	所有株数	議決権割合
X	被相続人	0	
A	Xの配偶者	0	
B	Xの長男　（社長）	50,000	50
C	Bの配偶者	10,000	10
D	Bの長女	6,000	6
E	Bの長男	6,000	6
F	Xの長女	0	
G	Fの配偶者	4,000	4
H	Fの長男	4,000	4
I	Xの二女	10,000	10
J	Xの二男	10,000	10
計		100,000	100

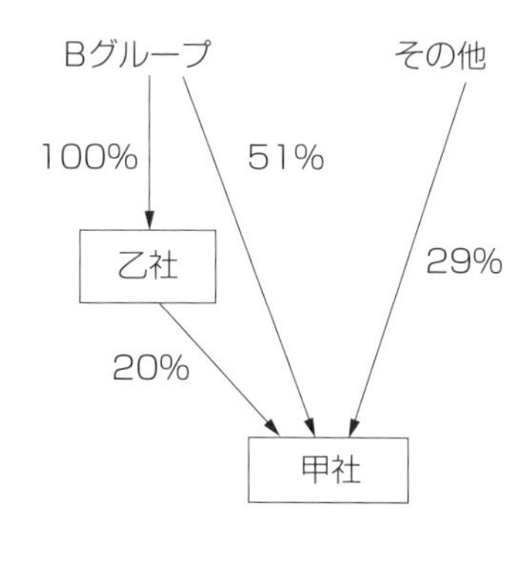

A 甲社の株主の議決権割合は、Bグループ51%、乙社20%及びその他多数の株主が29%となっています。

したがって、乙社がBグループの同族関係法人に該当しているか、またどの株主の特別同族関係法人になるかについて検討する必要があります。

乙社の株主構成をみますと、Bグループで100%所有していますので、乙社はBグループの同族関係法人となります。

次に乙社が、Bグループの株主のうちどの株主との特別同族関係法人となるかは、次の表により判定します。

会社名　乙社

グループ名	範囲／判定者	B	C	D	E	G	H	I	J	計	判定
Bグループ	Bの場合	50	10	6	6			10	10	92	○

	C　〃	50	10	6	6					72	○
	D　〃	50	10	6	6					72	○
	E　〃	50	10	6	6					72	○
	G　〃					4	4			8	×
	H　〃					4	4			8	×
	I　〃	50						10	10	70	○
	J　〃	50						10	10	70	○

判定の結果、G、Hは少数株式保有者で、中心的同族株主でなく、かつ、役員でもないので、これらの者における評価方法は、配当還元方式となります。B、C、D、E、I、Jは、乙社において中心的同族株主です。これらの者における評価方法は原則的評価方式等となります。甲社株式の評価において、乙社はB、C、D、E、I及びJと特別同族関係法人に該当することになるので、乙社の議決権数をB、C、D、E、I、Jの各議決権数に加えて、甲社の中心的な同族株主を判定します。

会社名　甲社

グループ名	範囲 判定者	B	C	D	E	F	G	H	I	J	乙社	計	判定
Bグループ	Bの場合	10	5	5	5	5			10	3	20	63	○
	C　〃	10	5	5	5						20	45	○
	D　〃	10	5	5	5						20	45	○
	E　〃	10	5	5	5						20	45	○
	F　〃	10				5	4	4	10	3		36	○
	G　〃					5	4	4				13	×
	H　〃					5	4	4				13	×
	I　〃	10				5			10	3	20	48	○
	J　〃	10				5			10	3	20	48	○

「判定」欄には、中心的な同族株主に該当する場合は「○」を、中心的な同族株主に該当しない場合は「×」を表示しました。

これによると、B、C、D、EとBの兄弟姉妹であるI、Jは中心的な同族株主に該当することになります。これらの者における評価方法は、原則的評価方式等となります。他の株主G、Hは中心的な同族株主に該当しません。

G、Hは、少数株式所有者で、かつ、役員でもないので、これらの者における評価方法は配当還元方式となります。

Q 30 少数株式所有者判定（1）－同族株主グループの中に中心的な同族株主がいる場合

甲社の同族株主Xグループである B～M は、Xの相続により株式を取得し、その取得後の議決権割合は、次のとおりとなっています。

B～Mが取得した株式はどのような方式によって評価することになりますか。

甲社の株主構成

株主	被相続人Xとの続柄	甲社における役職名	議決権割合
A	配偶者		0
B	長男	社長	20
C	Bの配偶者		10
D	Bの長男		10
E	二男	専務	20
F	Eの配偶者		0
G	Eの長女		0
H	長女		4
I	Hの配偶者		4
J	Hの長男		4
K	二女		4
L	Kの配偶者	監査役	4
M	Kの長女		4
	その他の株主		16
計			100

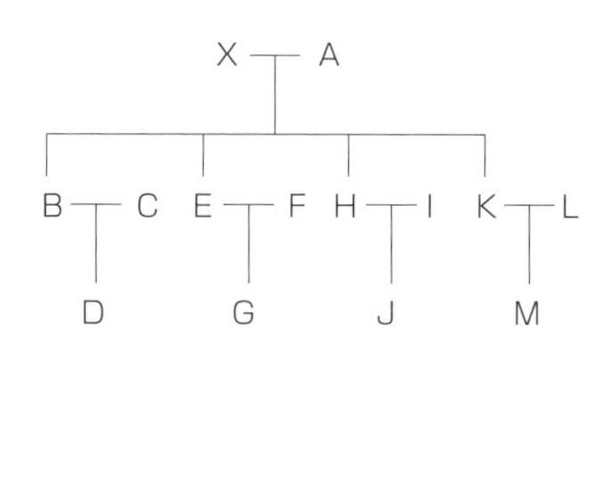

A 株主Bとその同族関係者が所有する甲社の議決権割合の合計は84％ですから、株主B～Mは同族株主となります。この同族株主グループのうち、株主B、C、D及びEの各議決権割合は５％以上ですから、これらの者における所有甲社株式の評価方法は、原則的評価方式等となります。

次に、甲社には議決権割合が５％未満の株主（以下「少数株式所有者」といいます。）がいますので、少数株式所有者であるH、I、J、K、L、Mが役員であるか否か、中心的な同族株主に該当するか否か、並びに他に中心的な同族株主がいるか否かによって、これらの少数株式所有者における株式評価方式が異なってきます。

設例の場合には、少数株式所有者のＬが役員ですので、他の少数株式所有者について中心的な同族株主に該当するかどうかを、次により判定します。

会社名　甲社

範囲 判定者	B	E	H	I	J	K	L	M	計	中心的同族株主の判定
H	20	20	4	4	4	4			56	○
I			4	4	4				12	×
J			4	4	4				12	×
K	20	20	4			4	4	4	56	○
M						4	4	4	12	×

以上により、Ｂの姉妹であるＨ及びＫは中心的な同族株主に該当しますので、これらの者が取得した株式は原則的評価方式等によって評価します。また、株主Ｉ、Ｊ、Ｍは、中心的な同族株主に該当しませんので、これらの者が取得した株式は配当還元方式によって評価します。

Q 31　少数株式所有者判定（2）－同族株主グループの中に中心的な同族株主がいない場合

甲社において、既にＸ、Ａ、Ｂ、Ｆは死亡しています。今般、Ｊの相続が開始したとします。

甲社の株主構成等

株主	Xとの続柄	甲社における役職名	議決権割合
A	故人		0
B	故人		0
C	Bの配偶者		10
D	Bの長男		4
E	Bの長女		4

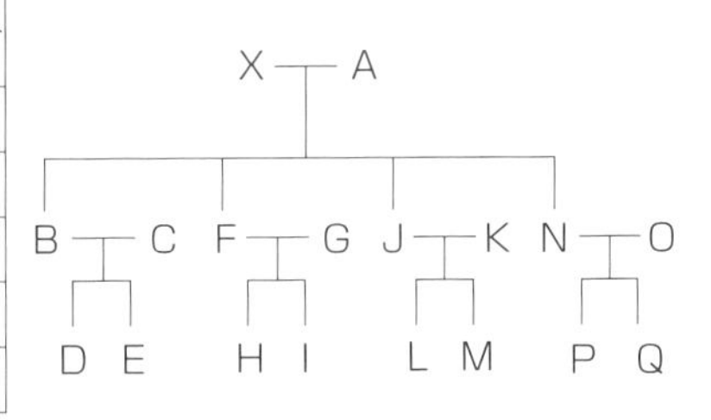

F	故人		0
G	Fの配偶者		10
H	Fの長男		4
I	Fの長女		4
J	被相続人		0
K	Jの配偶者		4
L	Jの長男		4
M	Jの長女		4
N	Xの二男	社長	10
O	Nの配偶者		4
P	Nの長男		0
Q	Nの長女		0
その他			38
計			100

A 甲社の株主構成をみると、株主Ｎグループの議決権割合の合計は62％ですから、Ｎグループは同族株主グループです。

Ｊの相続人Ｋ、Ｌ、Ｍは少数株式所有者です。しかし、この設例では、中心的同族株主が１人もいないので、相続人Ｋ、Ｌ、Ｍが取得した甲社株式の評価方法は、原則的評価方式等になります。

このように、配当還元方式を利用して少数株式所有者となる株式分散を続けた場合には、創業者からみて２代目、３代目と経過するごとに、同族株主がいても中心的同族株主が１人もいないという事態が起こり得ます。そのような場合には、すべての同族株主が取得した株式は原則的評価方式等により評価することになります。

Ｎグループの検討

範囲＼判定者	C	D	E	G	H	I	K	L	M	N	O	計	中心的同族株主の判定
C	10	4	4									18	×
D	10	4	4									18	×
E	10	4	4									18	×
G				10	4	4						18	×
H				10	4	4						18	×
I				10	4	4						18	×
K							4	4	4			12	×
L							4	4	4			12	×
M							4	4	4			12	×
N										10	4	14	×
O										10	4	14	×

Q 32 少数株式所有者判定（3）－同族株主がいない会社で他に中心的な株主がいる場合

甲社の筆頭株主グループに属していたＡは、Ｂ～Ｄに甲社株式を贈与しました。贈与後の議決権割合等は次のとおりです。

Ｂ～Ｄが取得した株式は、どのような評価方式により評価するのでしょうか。なお、他の株主グループは、いずれも15%未満の議決権割合です。

甲社の株主構成

株主	続柄	甲社における役職名	議決権割合
A	贈与者		
B	Aの長男		12
C	Aの長女		4
D	Aの二女		4
Y	Xの友人	社長	10
E	Yの配偶者		6
F	Yの長男		2

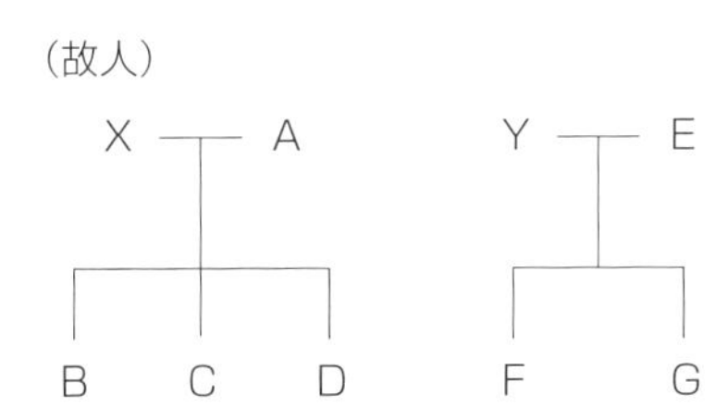

G	Yの長女		2
その他			60
計			100

A 株主Ｂ及びＹグループは、各々の議決権割合の合計が各20％であり、その他の株主グループの議決権割合は15％未満です。したがって、Ｂ及びＹグループの株主は同族株主のいない会社の議決権割合15％以上のグループに属する株主となります。また株主Ｘのグループに属する株主は同族株主等に該当します。

甲社株式の贈与を受けたＢ～Ｄのうち、株主Ｂは取得後の議決権割合は５％以上ですので、Ｂの取得した株式は原則的評価方式等を適用して評価します。

一方、株主Ｃ、Ｄの取得後の議決権割合は各々の５％未満であり、かつ、役員でもなく、他に中心的な株主（同族株主等の中の単独で議決権割合が10％以上の株主）Ｂ及びＹがいます。したがって、Ｃ及びＤが取得した株式は配当還元方式を適用して評価することになります。

Q 33 少数株式所有者判定（4）－同族株主がいない会社で他に中心的な株主がいない場合

甲社の株主のうち、議決権割合が15%以上となる株主グループはＡグループ（Ａ～Ｅ）及びＹグループ（Ｙ、Ｆ～Ｈ）の２グループです。ＸとＹは甲社を共同で創業した関係であり、同族関係はありません。
今般、Ｘの相続が開始し、相続人が相続により取得した後の株式構成等は下表のとおりです。
Ａ～Ｅが取得した株式はどのような評価方式になりますか。

甲社の株主構成

株主	Xとの続柄	甲社における役職名	議決権割合
X	被相続人		
A	Xの配偶者		4
B	Xの長男		4
C	Xの次男		4
D	Xの長女		4
E	Xの二女		4
Y	Xの友人	社長	8
F	Yの配偶者		4
G	Yの長男		4
H	Yの長女		4
その他			60
計			100

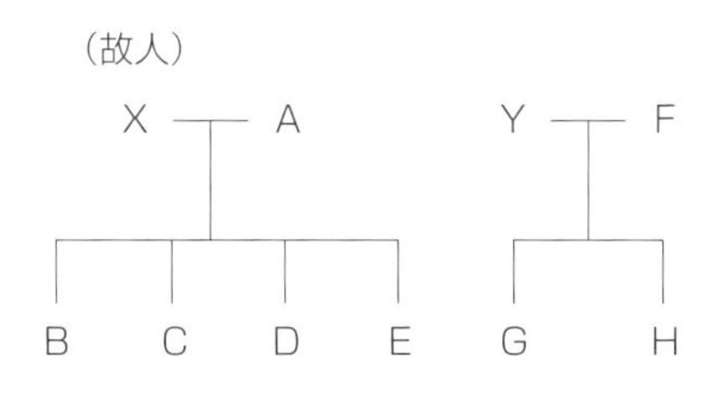

A 株主Ａグループの議決権割合合計は20％であり、株主Ｙグループの議決権割合合計も20％です。その他の株主グループの議決権割合は15％未満ですから、株主Ｘ及びＹグループに属する株主は同族株主等に該当します。

株主Ａ、Ｂ、Ｃ、Ｄ、Ｅの甲社株式取得後の議決権割合は各々５％未満であり、かつ、役員ではありませんが、他に中心的な株主がいません。したがって、各Ａ～Ｅが相続により取得した株式は、原則的評価方式等を適用して評価します。

Q 34｜株主の判定－無議決権株式を発行している場合

甲社は、Ｘに100株の株式（25株の普通株式（注）、75株の無議決権株式）のすべてを保有されていた会社です。Ｘに相続が開始し、普通株式25株をＡが、無議決権株式の25株をＢ、Ｃ、D´がそれぞれ取得した場合の各人の評価方式について教えてください。

①Ａが取得した株式25株の評価方式

②Ｂ、Ｃが取得した無議決権株式各25株の評価方式

③D´（甲社の役員ではない。）が取得した無議決権株式25株の評価方式

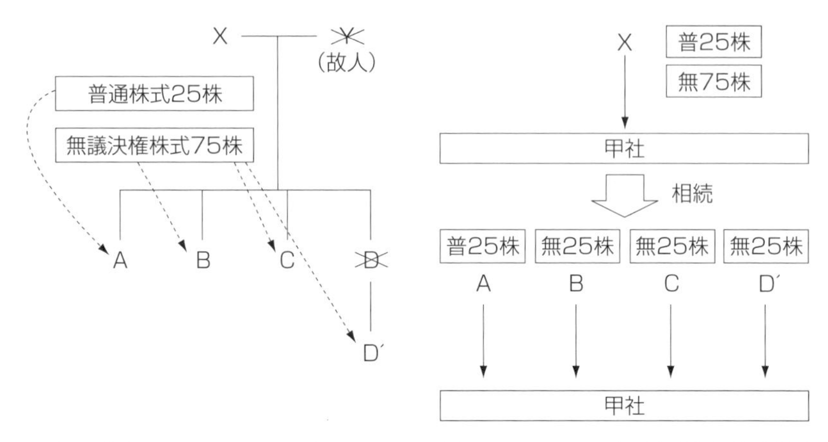

（注）株主総会においてすべての事項につき議決権はないものとする株式を無議決権株式とする。

A ①Aが取得した普通株式は、Aが中心的な同族株主に該当することになるので、原則的評価方式等により評価します。

②B、Cが取得した無議決権株式に係る議決権の数は0ですが、その兄弟姉妹であるAが甲社の議決権の100％を取得しているため、B、Cが中心的な同族株主に該当し、B、Cが取得した無議決権株式は、原則的評価方式により評価することとなります。

③D´が取得した無議決権株式に係る議決権の数は0です。また、D´は中心的な同族株主に該当せず、かつ、甲社の役員でもないため、D´が取得した無議決権株式は、特例的評価方式により評価することができます。

解　説

取引相場のない株式を評価する場合の原則的評価又は特例的評価の区分に際しては、議決権割合により判定を行います。したがって、無議決権株式係る議決権の数は0であるため、議決権割合の計算上、ゼロとして計算します。無議決権株式の発行会社が同族関係者（Q11参照）に該当するかどうかを判定するときも、同様です（財基通188－4参照）。

なお、中心的な同族株主については、Q16を参照してください。

なお、Ｂ、Ｃは相続税の法定申告期限までに、遺産分割協議が確定し、かつ、「無議決株式の評価の取扱いに係る選択届出書」をＡ、Ｂ、Ｃの合意で届出ることにより、Ｂ、Ｃは５％の評価減を行い、その評価減の合計額をＡの株式の価額に加算して申告することができます。この場合においてＤ'が相続により取得した株式は、配当還元方式により評価する株式なので、この加減算の調整計算の対象となりません。

Q 34-2 形式的には少数株主に該当する場合でも配当還元方式が適用されない場合（通達６項が適用される場合）

A 被相続人は、生前に１億円の借入をしてＡ株式会社の株式（取引相場のない株式）を１億円で取得しています。この度、相続がありましたので、納税義務者である相続人はA社の株主の判定では、「同族株主以外の株主」となりますから、配当還元方式で評価しようと考えています。

解　説

評価通達は、経済的な合理性のある取引の下に取得された資産を評価する方法を定めたものですから、税回避目的で仕組まれたスキームが介在する場合、通達を画一的に適用することによって、かえって実質的な税負担の公平を害することが明らかな特別の事情がある場合には別の評価方法が許される（土地評価についての路線価評価等について取得価額を採用した課税処分を適法とした最判平５・10・28裁判所HP、同じく鑑定評価額を採用した課税処分を適法とした最判令４・４・19など）とされており、このような場合、課税庁は通達６項を適用して、別の評価方法で課税処分をすることがあります。

このため、財産評価基本通達の仕組みを利用した租税回避スキームの実行やそれに基づいた申告については、単に通達の定めのとおりであるから大丈夫というのではなく、様々な角度から慎重な検討が必要です。

以下では財産評価基本通達188（少数株主の判定）に関するスキームに対する通達６項適用による課税処分が争われたた事例に関する裁判所の判断を２事例紹介します。

１　取引相場のない株式を発行する会社に相続開始後に買い戻すことができる

ことを前提に配当還元方式で評価できる持株割合の範囲で多額の出資を行い、相続税の申告に当たって、同出資を配当還元方式で評価して申告をしたところ、課税庁が通達６項を適用して純資産評価額により課税処分をしたことを適法とした事例（大阪地判平12・２・23日裁判所HP参照）（当時配当還元方式の判定は持株割合によっていた。）

2　A有限会社の保有する取引相場のないB評価会社（取引先13社が52%保有、同族48%保有、形式的にB社を同族関係法人に該当しない）の株式の評価について、Ａ有限会社はＢ評価会社の少数株主であるとして、配当還元方式で評価したところ、課税庁がＡ有限会社を含む同族関係グループはＢ評価会社の支配株主であるとして、通達６項を適用してＢ評価会社の株式を原則的評価方式により評価した課税処分を適法とした事例（東京地判平16・３・２、東京高判平17・１・19第１次相続事件訟務月報51巻10号、なお、東京地判平26・10・29、東京高判平27・４・27、最判平28・10・６第２次低額譲渡・贈与事件、**Q12**（同族関係法人）及び**Q106**（低額譲渡）参照）。

第2章

評価明細書
第1表の2関連

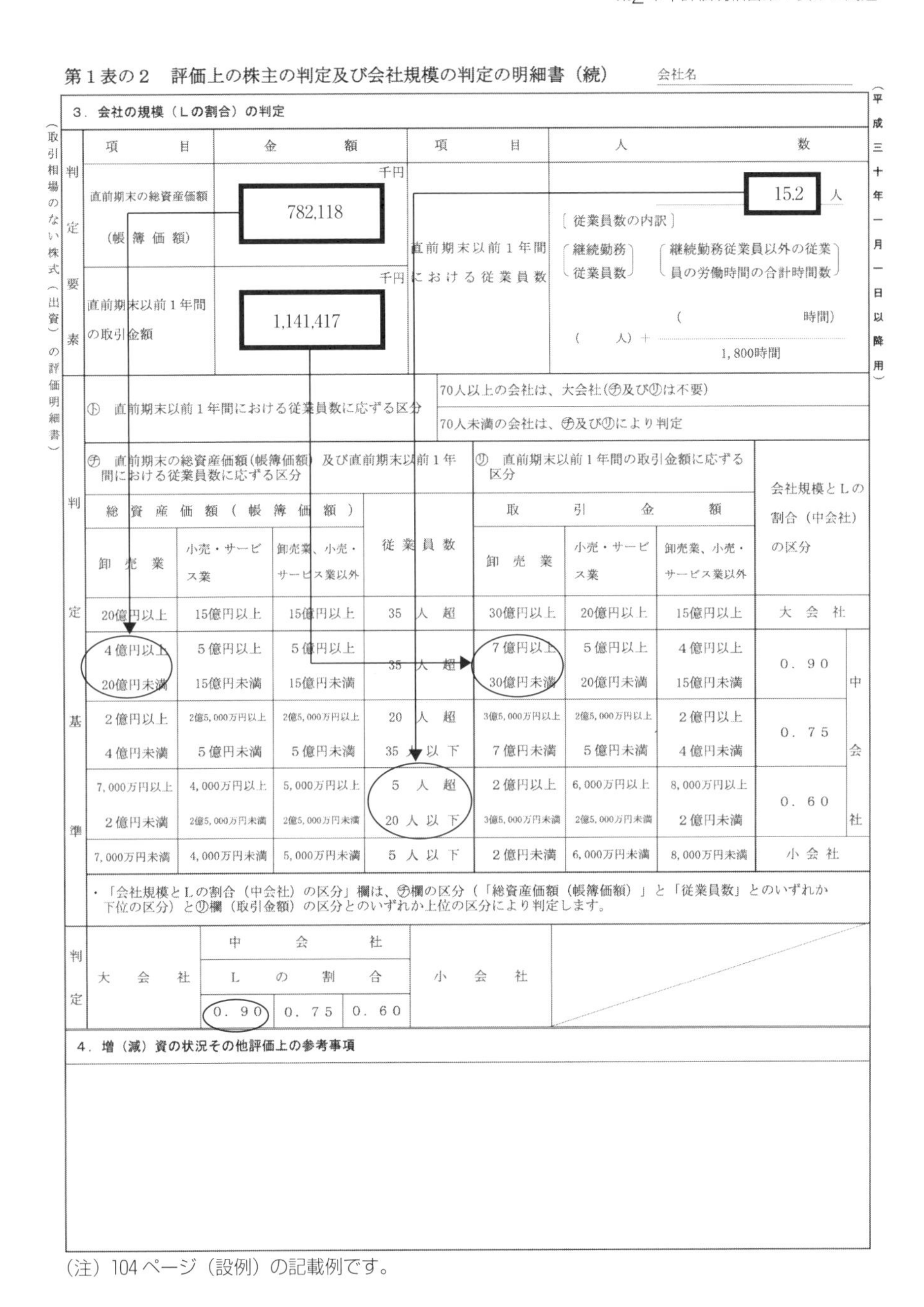

第１表の２　評価上の株主の判定及び会社規模の判定の明細書（続）　会社名

（取引相場のない株式（出資）の評価明細書）

（平成三十年一月一日以降用）

3．会社の規模（Ｌの割合）の判定

	項目	金額	項目	人数
判定要素	直前期末の総資産価額（帳簿価額）	782,118 千円	直前期末以前１年間における従業員数	15.2 人 〔従業員数の内訳〕 〔継続勤務従業員数〕（　人）＋〔継続勤務従業員以外の従業員の労働時間の合計時間数〕（　時間）／1,800時間
	直前期末以前１年間の取引金額	1,141,417 千円		

㋣ 直前期末以前１年間における従業員数に応ずる区分	70人以上の会社は、大会社（㋠及び㋷は不要）
	70人未満の会社は、㋠及び㋷により判定

㋠ 直前期末の総資産価額（帳簿価額）及び直前期末以前１年間における従業員数に応ずる区分

㋷ 直前期末以前１年間の取引金額に応ずる区分

総資産価額（帳簿価額）卸売業	総資産価額（帳簿価額）小売・サービス業	総資産価額（帳簿価額）卸売業、小売・サービス業以外	従業員数	取引金額 卸売業	取引金額 小売・サービス業	取引金額 卸売業、小売・サービス業以外	会社規模とＬの割合（中会社）の区分
20億円以上	15億円以上	15億円以上	35 人 超	30億円以上	20億円以上	15億円以上	大 会 社
4億円以上 20億円未満	5億円以上 15億円未満	5億円以上 15億円未満	35 人 超	7億円以上 30億円未満	5億円以上 20億円未満	4億円以上 15億円未満	中会社 0．90
2億円以上 4億円未満	2億5,000万円以上 5億円未満	2億5,000万円以上 5億円未満	20 人 超 35 人 以 下	3億5,000万円以上 7億円未満	2億5,000万円以上 5億円未満	2億円以上 4億円未満	中会社 0．75
7,000万円以上 2億円未満	4,000万円以上 2億5,000万円未満	5,000万円以上 2億5,000万円未満	5 人 超 20 人 以 下	2億円以上 3億5,000万円未満	6,000万円以上 2億5,000万円未満	8,000万円以上 2億円未満	中会社 0．60
7,000万円未満	4,000万円未満	5,000万円未満	5 人 以 下	2億円未満	6,000万円未満	8,000万円未満	小 会 社

・「会社規模とＬの割合（中会社）の区分」欄は、㋠欄の区分（「総資産価額（帳簿価額）」と「従業員数」とのいずれか下位の区分）と㋷欄（取引金額）の区分とのいずれか上位の区分により判定します。

判定	大 会 社	中会社 Ｌの割合			小 会 社
		0．90	0．75	0．60	

4．増（減）資の状況その他評価上の参考事項

（注）104ページ（設例）の記載例です。

Q 35 評価明細書第１表の２の書き方

第１表の２　評価上の株主の判定及び会社規模の判定の明細書（続）の役割と記載方法について説明してください。

A この表は、評価会社の規模区分を判定する場合の業種の区分（卸売業、小売・サービス業、卸売、小売・サービス業以外）と会社の規模の判定要素である評価会社の①直前期末の総資産価額、②直前期末以前１年間の取引金額、③直前期末以前１年間における従業員数を基に、評価会社の規模（大会社、中会社、小会社）を判定するとともに、中会社の規模に応じた業種比準価額の割合（Ｌの割合）を判定します。

したがって、評価会社を純資産評価方式で評価することとなる「開業前又は休業中の会社」に該当する場合及び「開業後３年未満の会社等」に該当する場合には、第１表の２の記載の必要はありません。

解　説

［1］評価会社の規模とＬの割合の判定

評価会社の規模とＬの割合の判定は、①評価会社の直前期末以前１年間における従業員数、②直前期末の簿価総資産価額、③直前期末以前１年間の取引金額という３つの要素により行います。

評価会社の従業員数が70人以上の場合には、無条件に大会社に該当します。従業員数が70人未満の場合には、卸売業、小売・サービス業、卸売・小売・サービス業以外の業種目ごとに、判定基準の表に当てはめて、会社規模とＬの割合を判定します。なお、評価会社が「開業前又は休業中の会社」に該当する場合及び「開業後３年未満の会社等」に該当する場合には、純資産価額だけで評価するので、類似業種比準価額との併用の割合である「Lの割合」の判定が不要なので、「会社の規模（Ｌの割合）判定」を行う必要はありません。

［2］直前期末以前１年間における従業員数

⑴　従業員の範囲

従業員には、社長、理事長並びに使用人兼務役員とされない役員である次に掲げる者（法令71①一、二、四）は含みません（財基通178（注））。

①　代表取締役、代表執行役、代表理事及び清算人

② 副社長、専務、常務その他これらに準ずる職制上の地位を有する役員
③ 取締役（指名委員会等設置会社の取締役及び監査等委員である取締役に限る。）、会計参与及び監査役並びに監事

⑵ 従業員数の判定

①直前期末以前１年間において評価会社に勤務していた従業員について、②日々雇い入れる者や中途入退社する者、所定労働時間が通常の者より短い者について、その労働時間によって、通常の従業員の何人分となるか人数換算をすることにより、従業員数の判定を行います。この通常の従業員のことを、直前期末以前１年間においてその期間継続して評価会社に勤務していた従業員であり、かつ、就業規則等で定められた１週間当たりの労働時間が30時間未満でない者として、「継続勤務従業員」と定義しています。

従業員の数は、①この継続勤務従業員の数に、②直前期末以前１年間において評価会社に勤務していた継続勤務従業員以外の従業員のその１年間における労働時間の合計時間数を、③従業員１人当たり年間平均労働時間数（1,800時間）で除して求めた数を加算した数により算出します（財基通178⑵）。また、この算出した人数は端数処理することなく、後述する判定基準に当てはめていきます。

例：5.1人となる場合 …… 従業員数「５人超」
　　4.9人となる場合 …… 従業員数「５人以下」

［３］直前期末の総資産価額（帳簿価額）

直前期末の総資産価額（帳簿価額）は、直前期末における各資産の確定決算上の帳簿価額の合計額となります（財基通178⑴）。その際、次の各科目については、他の処理をしている評価会社との平仄を合わせるために、下記のように取り扱います。

⑴ 固定資産の減価償却累計額を間接法によって表示している場合には、各資産の帳簿価額の合計額から減価償却累計額を控除します。
⑵ 売掛金、受取手形、貸付金等に対する貸倒引当金は控除しません。
⑶ 前払費用、繰延資産、税効果会計の適用による繰延税金資産など、確定決算上の資産として計上されている資産は、帳簿価額の合計額に含めて記載します。
⑷ 収用や特定の資産の買換え等の場合において、圧縮記帳引当金勘定に繰り入れた金額及び圧縮記帳積立金として積み立てた金額並びに翌事業年度以降

に代替資産等を取得する予定であることから特別勘定に繰り入れた金額は、帳簿価額の合計額から控除しません。

[4] 直前期末以前1年間の取引金額

直前期末以前1年間の取引金額は、直前期の事業上の収入金額（売上高）となります。この場合の事業上の収入金額とは、その会社の目的とする事業に係る収入金額（金融業・証券業については収入利息及び収入手数料）をいいます(財基通178(3))。

直前期の事業年度が1年未満であるときには、課税時期の直前期末以前1年間の実際の収入金額によります。実際の収入金額を明確に区分することが困難な期間がある場合には、その期間の収入金額を12ヶ月分だけ月数あん分して算出した金額によります。

[5] 業種区分

この場合の業種区分は、評価会社が「卸売業」、「小売・サービス業」又は「卸売業、小売・サービス業以外」の3つのうちいずれの業種に該当するかによって行います。業種区分の判定は、直前期末以前1年間の取引金額に基づいて行います。その取引金額のうちに2以上の業種に係る取引金額が含まれている場合には、それらの取引金額のうち最も多い取引金額に係る業種によって判定します。詳しくは、「Q2－2　評価会社が他業種にわたる取引をしている場合の業種目等」を参照してください。

なお、この業種区分については、日本標準産業分類の第12回改定（平成20年4月施行）に合わせて、「平成21年度の類似業種比準価額計算上の業種目及び業種目別株価等について」より大幅な見直しが行われました。（その後、前者は平成25年10月改定（第13回改定）、平成26年4月1日施行が行われています。）

[6] 判定基準による会社規模とLの割合（中会社）の区分の実際の判定

これは第1表の2の「判定基準」の欄の㋠欄の区分（「総資産価額（帳簿価額）」と「従業員数」とのいずれか下位の区分）と㋷欄（取引金額）の区分とのいずれか上位の区分により判定します。なお、大会社及びLの割合が0.90の中会社の従業員数はいずれもが「35人超」ですので、この場合の㋠欄のいずれの区分に該当するかの判定は最終的に、「総資産価額（帳簿価額）」欄によります。

[7] 増（減）資の状況その他評価上の参考事項

類似業種比準価額は、評価会社の1株当たりの配当金額、年利益金額及び純資産価額（帳簿価額）により計算します。したがって、評価会社の株式について、①直前期末の翌日から課税時期までの間に配当金交付の効力が発生した場合には配当落の価額に、②直前期末の翌日から課税時期までの間に株式の割当て等の効力が発生した場合には増資後の価額に修正する必要があります（財基通184）。

また、取引相場のない株式を、類似業種比準方式、純資産価額方式及びこれらの併用方式で評価する場合には、配当期待権の発生している株式や新株引受権等の発生している株式についても、その価額を修正する必要があります（財基通187、189－７）。

このように、価額を修正する要因がある場合には、この参考事項欄に次の例のようにその旨を記載します。

⑴　課税時期の直前期末以後における増（減）資に関する事項

例えば、増資については、次のように記載します。

増資年月日	令和○年○月○日
増資金額	○○○千円
増資内容	１：0.5（１株当たりの払込金額50円、株主割当）
増資後の資本金額	○○○千円

⑵　課税時期以前３年間における社名変更、増（減）資、事業年度の変更、合併及び転換社債型新株予約権付社債（財産評価基本通達197⑷に規定する転換社債型新株予約権付社債、以下「転換社債」といいます。）の発行状況に関する事項

⑶　種類株式に関する事項

例えば、種類株式の内容、発行年月日、発行株式数等を、次のように記載します。

種類株式の内容	議決権制限株式
発行年月日	令和○年○月○日
発行株式数	○○○○○株
発行価額	１株につき○○円(うち資本金に組み入れる金額○○円)
１単元の株式の数	○○○株
議決権	○○の事項を除き、株主総会において議決権を有しない。
転換条項	令和○年○月○日から令和○年○月○日までの間は株

主からの請求により普通株式への転換可能（当初の転換価額は○○円）

償還条項	なし
残余財産の分配	普通株主に先立ち、１株につき○○円を支払う。

⑷　剰余金の配当の支払いに係る基準日及び効力発生日

⑸　剰余金の配当のうち、資本金等の額の減少に伴うものの金額

⑹　その他評価上参考となる事項

Q 36　会社規模・総資産価額・従業員数・取引金額

取引相場のない株式の評価上の区分について説明してください。

A　⑴　取引相場のない株式の価額は、評価しようとするその株式の発行会社（以下「評価会社」といいます。）が下表の大会社、中会社又は小会社のいずれに該当するかに応じて、それぞれの定めによって評価します（財基通178）。

⑵　「総資産価額（帳簿価額によって計算した金額）」は、課税時期の直前に終了した事業年度の末日（以下「直前期末」といいます。）における評価会社の各資産の帳簿価額の合計額です。

⑶　「従業員数」は、①継続勤務従業員の数に、②直前期末以前1年間において評価会社に勤務していた従業員（継続勤務従業員を除きます。）のその１年間における労働時間の合計時間数を③1,800時間で除して求めた数を加算した数として算出します。

⑷　「直前期末以前１年間における取引金額」は、その期間における評価会社の目的とする事業に係る収入金額です。

解　説

[1]　会社の規模

規模区分	区分の内容		純資産価額（帳簿価額によって計算した金額）及び従業員数	直前期末以前１年間における取引金額
大会社	従業員が70人以上の会社又は右のいずれかに該当する会社	卸売業	20億円以上（従業員が35人以下の会社を除く。）	30億円以上
		小売・サービス業	15億円以上（従業員が35人以下の会社を除く。）	20億円以上
		卸売業、小売・サービス業以外	15億円以上（従業員が35人以下の会社を除く。）	15億円以上
中会社	従業員が70人未満の会社で右のいずれかに該当する会社（大会社に該当する場合を除く。）	卸売業	7,000万円以上（従業員が５人以下の会社を除く。）	２億円以上 30億円未満
		小売・サービス業	4,000万円以上（従業員が５人以下の会社を除く。）	6,000万円以上 20億円未満
		卸売業、小売・サービス業以外	5,000万円以上（従業員が５人以下の会社を除く。）	8,000万円以上 15億円未満
小会社	従業員が70人未満の会社で右のいずれにも該当する会社	卸売業	7,000万円未満又は従業員が５人以下	２億円未満
		小売・サービス業	4,000万円未満又は従業員が５人以下	6,000万円未満
		卸売業、小売・サービス業以外	5,000万円未満又は従業員が５人以下	8,000万円未満

（注）　「卸売業」、「小売・サービス業」又は「卸売業、小売・サービス業以外」の判定は、Q37参照。

会社規模表の概要

○　卸売業

取引金額 総資産価額及び従業員数	２億円未満	２億円以上 3.5億円未満	3.5億円以上 ７億円未満	７億円以上 30億円未満	30億円以上
・7,000万円未満 又は５人以下	小会社				
・7,000万円以上 ・５人以下を除く		中会社「小」 （L＝0.60）			
・２億円以上 ・20人以下を除く			中会社「中」 （L＝0.75）		
・４億円以上 ・35人以下を除く				中会社「大」 （L＝0.90）	
・20億円以上 ・35人以下を除く					大会社

○　小売・サービス業

取引金額 総資産価額及び従業員数	6,000万円 未満	6,000万円 以上 2.5億円未満	2.5億円以上 ５億円未満	５億円以上 20億円未満	20億円以上
・4,000万円未満 又は５人以下	小会社				
・4,000万円以上 ・５人以下を除く		中会社「小」 （L＝0.60）			
・2.5億円以上 ・20人以下を除く			中会社「中」 （L＝0.75）		
・５億円以上 ・35人以下を除く				中会社「大」 （L＝0.90）	
・15億円以上 ・35人以下を除く					大会社

○　卸売業、小売・サービス業以外の業種

取引金額 総資産価額及び従業員数	8,000万円 未満	8,000万円 以上 ２億円未満	２億円以上 ４億円未満	４億円以上 15億円未満	15億円以上
・5,000万円未満 又は５人以下	小会社				
・5,000万円以上 ・５人以下を除く		中会社「小」 （L＝0.60）			
・2.5億円以上 ・20人以下を除く			中会社「中」 （L＝0.75）		
・５億円以上 ・35人以下を除く				中会社「大」 （L＝0.90）	
・15億円以上 ・35人以下を除く					大会社

会社区分早見表（卸売業）

	従業員数	取引金額 ２億円未満	取引金額 ２億円以上 3.5億円未満	取引金額 3.5億円以上 ７億円未満	取引金額 ７億円以上 30億円未満	取引金額 30億円以上
総資産価額 7,000万円未満	５人以下	小（非）	中L＝0.60	中L＝0.75	中L＝0.90	大
	５人超20人以下	小（非）	中L＝0.60	中L＝0.75	中L＝0.90	大
	20人超35人以下	小（非）	中L＝0.60	中L＝0.75	中L＝0.90	大
	35人超70人未満	小（非）	中L＝0.60	中L＝0.75	中L＝0.90	大
総資産価額 7,000万円以上 ２億円未満	５人以下	小（90）	中L＝0.60	中L＝0.75	中L＝0.90	大
	５人超20人以下	中L＝0.60	中L＝0.60	中L＝0.75	中L＝0.90	大
	20人超35人以下	中L＝0.60	中L＝0.60	中L＝0.75	中L＝0.90	大
	35人超70人未満	中L＝0.60	中L＝0.60	中L＝0.75	中L＝0.90	大
総資産価額 ２億円以上 ４億円未満	５人以下	小（90）	中L＝0.60	中L＝0.75	中L＝0.90	大
	５人超20人以下	中L＝0.60	中L＝0.60	中L＝0.75	中L＝0.90	大
	20人超35人以下	中L＝0.75	中L＝0.75	中L＝0.75	中L＝0.90	大
	35人超70人未満	中L＝0.75	中L＝0.75	中L＝0.75	中L＝0.90	大
総資産価額 ４億円以上 20億円未満	５人以下	小（90）	中L＝0.60	中L＝0.75	中L＝0.90	大
	５人超20人以下	中L＝0.60	中L＝0.60	中L＝0.75	中L＝0.90	大
	20人超35人以下	中L＝0.75	中L＝0.75	中L＝0.75	中L＝0.90	大
	35人超70人未満	中L＝0.90	中L＝0.90	中L＝0.90	中L＝0.90	大
総資産価額 20億円以上	５人以下	小（70）	中L＝0.60	中L＝0.75	中L＝0.90	大
	５人超20人以下	中L＝0.60	中L＝0.60	中L＝0.75	中L＝0.90	大
	20人超35人以下	中L＝0.75	中L＝0.75	中L＝0.75	中L＝0.90	大
	35人超70人未満	大	大	大	大	大
従業員数 （総資産価額・取引金額を問わない）	70人以上	大	大	大	大	大

小（非）	土地保有特定会社に該当しない
小（90）	土地保有特定会社判定90％の小会社
小（70）	土地保有特定会社判定70％の小会社
中会社	土地保有特定会社判定は90％
大会社	土地保有特定会社判定は70％

（注）　会社規模と土地保有特定会社の判定の関係は、Q50参照。

会社区分早見表（小売・サービス業）

	従業員数	取引金額 6,000万円未満	取引金額 6,000万円以上 2.5億円未満	取引金額 2.5億円以上 5億円未満	取引金額 5億円以上 20億円未満	取引金額 20億円以上
総資産価額4,000万円未満	5人以下	小（非）	中L＝0.60	中L＝0.75	中L＝0.90	大
	5人超20人以下	小（非）	中L＝0.60	中L＝0.75	中L＝0.90	大
	20人超35人以下	小（非）	中L＝0.60	中L＝0.75	中L＝0.90	大
	35人超70人未満	小（非）	中L＝0.60	中L＝0.75	中L＝0.90	大
総資産価額4,000万円以上2.5億円未満	5人以下	小（90）	中L＝0.60	中L＝0.75	中L＝0.90	大
	5人超20人以下	中L＝0.60	中L＝0.60	中L＝0.75	中L＝0.90	大
	20人超35人以下	中L＝0.60	中L＝0.60	中L＝0.75	中L＝0.90	大
	35人超70人未満	中L＝0.60	中L＝0.60	中L＝0.75	中L＝0.90	大
総資産価額2.5億円以上5億円未満	5人以下	小（90）	中L＝0.60	中L＝0.75	中L＝0.90	大
	5人超20人以下	中L＝0.60	中L＝0.60	中L＝0.75	中L＝0.90	大
	20人超35人以下	中L＝0.75	中L＝0.75	中L＝0.75	中L＝0.90	大
	35人超70人未満	中L＝0.75	中L＝0.75	中L＝0.75	中L＝0.90	大
総資産価額5億円以上15億円未満	5人以下	小（90）	中L＝0.60	中L＝0.75	中L＝0.90	大
	5人超20人以下	中L＝0.60	中L＝0.60	中L＝0.75	中L＝0.90	大
	20人超35人以下	中L＝0.75	中L＝0.75	中L＝0.75	中L＝0.90	大
	35人超70人未満	中L＝0.90	中L＝0.90	中L＝0.90	中L＝0.90	大
総資産価額15億円以上	5人以下	小（70）	中L＝0.60	中L＝0.75	中L＝0.90	大
	5人超20人以下	中L＝0.60	中L＝0.60	中L＝0.75	中L＝0.90	大
	20人超35人以下	中L＝0.75	中L＝0.75	中L＝0.75	中L＝0.90	大
	35人超70人未満	大	大	大	大	大
従業員数（総資産価額・取引金額を問わない）	70人以上	大	大	大	大	大

小（非）	土地保有特定会社に該当しない
小（90）	土地保有特定会社判定90%の小会社
小（70）	土地保有特定会社判定70%の小会社
中会社	土地保有特定会社判定は90%
大会社	土地保有特定会社判定は70%

（注）　会社規模と土地保有特定会社の判定の関係は、Q50参照。

会社区分早見表（卸売業、小売・サービス業以外）

	従業員数	取引金額8,000万円未満	取引金額8,000万円以上2億円未満	取引金額2億円以上4億円未満	取引金額4億円以上15億円未満	取引金額15億円以上
総資産価額5,000万円未満	5人以下	小（非）	中L＝0.60	中L＝0.75	中L＝0.90	大
	5人超20人以下	小（非）	中L＝0.60	中L＝0.75	中L＝0.90	大
	20人超35人以下	小（非）	中L＝0.60	中L＝0.75	中L＝0.90	大
	35人超70人未満	小（非）	中L＝0.60	中L＝0.75	中L＝0.90	大
総資産価額5,000万円以上2億円未満	5人以下	小（90）	中L＝0.60	中L＝0.75	中L＝0.90	大
	5人超20人以下	中L＝0.60	中L＝0.60	中L＝0.75	中L＝0.90	大
	20人超35人以下	中L＝0.60	中L＝0.60	中L＝0.75	中L＝0.90	大
	35人超70人未満	中L＝0.60	中L＝0.60	中L＝0.75	中L＝0.90	大
総資産価額2億円以上4億円未満	5人以下	小（90）	中L＝0.60	中L＝0.75	中L＝0.90	大
	5人超20人以下	中L＝0.60	中L＝0.60	中L＝0.75	中L＝0.90	大
	20人超35人以下	中L＝0.75	中L＝0.75	中L＝0.75	中L＝0.90	大
	35人超70人未満	中L＝0.75	中L＝0.75	中L＝0.75	中L＝0.90	大
総資産価額4億円以上15億円未満	5人以下	小（90）	中L＝0.60	中L＝0.75	中L＝0.90	大
	5人超20人以下	中L＝0.60	中L＝0.60	中L＝0.75	中L＝0.90	大
	20人超35人以下	中L＝0.75	中L＝0.75	中L＝0.75	中L＝0.90	大
	35人超70人未満	中L＝0.90	中L＝0.90	中L＝0.90	中L＝0.90	大
総資産価額15億円以上	5人以下	小（70）	中L＝0.60	中L＝0.75	中L＝0.90	大
	5人超20人以下	中L＝0.60	中L＝0.60	中L＝0.75	中L＝0.90	大
	20人超35人以下	中L＝0.75	中L＝0.75	中L＝0.75	中L＝0.90	大
	35人超70人未満	大	大	大	大	大
従業員数（総資産価額・取引金額を問わない）	70人以上	大	大	大	大	大

小（非）	土地保有特定会社に該当しない
小（90）	土地保有特定会社判定90%の小会社
小（70）	土地保有特定会社判定70%の小会社
中会社	土地保有特定会社判定は90%
大会社	土地保有特定会社判定は70%

（注）　会社規模と土地保有特定会社の判定の関係は、Q50参照。

[2]「総資産価額（帳簿価額によって計算した金額）」

「総資産価額（帳簿価額によって計算した金額）」は、課税時期の直前に終了した事業年度の末日（以下「直前期末」といいます。）における評価会社の各資産の帳簿価額の合計額です。具体的には、「直前期末における各資産の確定決算上の帳簿価額の合計額」（評価明細書通達第１表の２の１(1)）としていることから、次のように計算します。

① 固定資産の減価償却累計額を間接法によって表示している場合には、各資産の帳簿価額の合計額から減価償却累計額を控除します。

② 売掛金、受取手形、貸付金等に対する貸倒引当金は控除しません。

③ 税効果会計の適用に伴い計上される繰延税金資産については、各資産の帳簿価額の合計額から控除せずに総資産価額を計算します。

④ 割引手形勘定を設けている場合であっても、各資産の帳簿価額の合計額から割引手形勘定の金額を控除せずに総資産価額を計算します。

⑤ 圧縮記帳引当金勘定に繰り入れた金額又は圧縮記帳積立金として積み立てた金額については、各資産の帳簿価額の合計額から控除せずに総資産価額を計算します。

［3］「従業員数」

① 従業員の範囲

従業員には、社長、理事長並びに次に掲げる役員は含みません。

・代表取締役、代表執行役、代表理事及び清算人
・副社長、専務、常務その他これらに準ずる職制上の地位を有する役員
・取締役（指名委員会等設置会社の取締役及び監査等委員である取締役に限る。）、会計参与及び監査役並びに監事

すなわち、使用人兼務役員とされない役員を含みません（法令71①一、二、四）。

② 従業員数の計算

「従業員数」は、①直前期末以前１年間においてその期間継続して評価会社に勤務していた従業員（就業規則等で定められた１週間当たりの労働時間が30時間未満である従業員を除く。以下「継続勤務従業員」といいます。）の数に、②直前期末以前１年間において評価会社に勤務していた従業員（継続勤務従業員を除きます。）のその１年間における労働時間の合計時間数を③従業員１人当たり年間平均労働時間数（1,800時間）で除して求めた数を加算した数として算出します。

<table>
<tr><th>従業員の区分</th><th>従業員数</th></tr>
<tr><td>継続勤務従業員</td><td>その人数</td></tr>
<tr><td>パートタイマー等で就業規則等で定められた１週間当たりの労働時間が30時間未満である者</td><td rowspan="3">これらの従業員の直前期末以前１年間における労働時間の合計時間数を1,800時間で除した数を人数とします。（注）</td></tr>
<tr><td>中途入退社した者</td></tr>
<tr><td>日々雇い入れる者</td></tr>
</table>

（注）計算した従業員数が、例えば、5.1人となる場合は「5人超」に、4.9人となる場合には「5人以下」と判定します。

③　出向中の者

従業員数基準における従業員とは、原則として、評価会社との雇用契約に基づき使用される個人で賃金が支払われる者をいいます。

評価会社（出向元）との雇用契約に基づき賃金の支払を受ける従業員は、評価会社（出向元）での従業員としてカウントします。また、出向元との雇用関係が解消され、出向先で雇用されている出向者の場合には、出向先の従業員としてカウントすることとなります。

④　人材派遣会社より派遣されている者

労働者派遣法（「労働者派遣事業の適正な運営の確保及び派遣労働者の就業条件の整備等に関する法律」）による労働者派遣事業における派遣元事業所と派遣労働者の関係は、次の２通りがあります。

イ　通常は労働者派遣の対象となる者が派遣元事業所に登録されるのみで、派遣される期間に限り、派遣元事業所と登録者の間で雇用契約が締結され賃金が支払われるケース

ロ　労働者派遣の対象となる者が派遣元事業所との雇用契約関係に基づく従業員（社員）であり、派遣の有無にかかわらず、派遣元事業所から賃金が支払われるケース

これに基づけば、従業員数基準の適用については、上記イに該当する個人は派遣元事業所の「継続勤務従業員」以外の従業員となり、ロに該当する個人は「継続勤務従業員」となり、いずれも派遣元事業所の従業員としてカウントすることになります。

⑤　派遣先事業所における従業員数基準の適用

「評価会社に勤務していた従業員」とは、評価会社において使用される個人(評価会社内の使用者の指揮命令を受けて労働に従事するという実態を持つ人をいいます。)で、評価会社から賃金を支払われる者(無償の奉仕作業に従事している者以外の者をいいます。)をいいます。しかし、現在における労働力の確保は、リストラ、人件費などの管理コスト下げのため正社員の雇用のみで対応するのではなく、臨時、パートタイマー、アルバイターの採用など多様化しており、派遣労働者の受入れもその一環であると認められ実質的に派遣先における従業員と認めても差し支えないと考えられます。このようなことから、派遣労働者を受け入れている評価会社における従業員基準の適用については、受け入れた派遣労働者の勤務実態に応じて「継続勤務従業員」と「それ以外の従業員」に区分した上で判定しても差し支えありません。

(参考)～派遣労働者の雇用関係等と従業員数基準の判定

○　派遣元従業員

派遣元における派遣労働者の雇用関係等				派遣元事業所における従業員数基準の判定
派遣時以外の雇用関係	賃金の支払い	派遣時の雇用関係	賃金の支払い	
なし	なし	あり	あり	継続勤務従業員以外
あり	あり	あり	あり	継続勤務従業員

○　派遣先従業員

勤務実態に応じて判定する。

[4]　取引金額

「直前期末以前1年間の取引金額」欄には、直前期の事業上の収入金額(売上高)を記載します。この場合の事業上の収入金額とは、その会社の目的とする事業に係る収入金額(金融業・証券業については収入利息及び収入手数料)をいいます。

直前期の事業年度が1年未満であるときには、課税時期の直前期末以前1年間の実際の収入金額によることとなります。実際の収入金額を明確に区分することが困難な期間がある場合は、その期間の収入金額を12ヶ月分だけ月数あん分して求めた金額によっても差し支えありません。

(設例)

次の評価会社(甲社)の会社規模を判定しなさい。

なお、評価会社は「卸売業」とする。

貸借対照表

令和×1年 3月31日　現在

（単位：　円）

資産の部		負債の部	
科　目	金　額	科　目	金　額
【流動資産】	665, 787, 729	【流動負債】	1, 033, 307, 439
現金及び預金	25, 410, 890	買掛金	899, 552, 456
受取手形	90, 970, 254	短期借入金	20, 136, 000
売掛金	491, 320, 586	割引手形	76, 175, 535
貸倒引当金	-5, 200, 000	未払金	12, 625, 682
商品	397, 498	未払費用	506, 466
【投資その他の資産】	1, 130, 446	利益剰余金	-278, 169, 264
長期前払費用	836, 000	その他利益剰余金	-278, 169, 264
権利金	294, 446	繰越利益剰余金	-278, 169, 264
		純資産の部合計	-268, 169, 264
資産の部合計	776, 918, 175	負債及び純資産合計	776, 918, 175

損益計算書

自 令和×0年 4月 1日
至 令和×1年 3月31日

（単位：　円）

科　目	金　額	
【売上高】		
売上高	1, 141, 417, 711	
売上高合計		1, 141, 417, 711

【継続勤務従業員】10人（総労働時間　23,000時間）

【継続勤務従業員以外】５人（総労働時間　9,500時間）

（会社規模の判定）

直前期末の総資産価額

776,918,175円＋5,200,000円（貸倒引当金）＝782,118,175円

※割引手形　76,175,635円は控除しません。

従業員数　$10人 + \frac{9,500時間}{1,800時間} = 15.2人$

Q37 「卸売業」、「小売・サービス業」、「卸売業、小売・サービス業以外」の業種区分

「卸売業」、「小売・サービス業」、「卸売業、小売・サービス業以外」の業種区分

は、どのように判定するのでしょうか。

A 「卸売業」、「小売・サービス業」、「卸売業、小売・サービス業以外」の業種区分は、実務では国税庁が公表している「業種目対比表」の「規模区分を判定する場合の業種」欄により判定します。

解　説

日本標準産業分類については、産業構造の変化に合わせた一層的確な業種目分類を行うため、平成14年３月改訂（第11回改定）に続き、平成19年12月に第12回改定（平成19年11月改定、平成20年４月施行）が行われ、大分類「学術研究、専門・技術サービス業」及び「生活関連サービス業、娯楽業」の新設などが行われました。これに伴い、「平成21年分の類似業種比準価額計算上の業種目及び業種目別株価等について」では、業種目分類の見直しが行われました。（その後、平成25年10月改定（第13回改定）、平成26年４月施行が行われています。）

国税庁は、平成21年分以降について「日本標準産業分類の分類項目と類似業種比準価額計算上の業種目との対比表」（「業種目対比表」Ｑ２参照）を公表しましたので、これによります。その後、平成27年分以降について、平成27年６月に公表され、さらに平成29年分が公表されています。）

なお、評価会社が「卸売業」、「小売・サービス業」又は「卸売業、小売・サービス業以外」のいずれの業種に該当するかは、直前期末以前１年間における取引金額に基づいて判定します。その取引金額のうちに２以上の業種に係る取引金額が含まれている場合には、それらの取引金額のうち最も多い取引金額に係る業種によって判定します（財基通178⑷)）。

詳しくは、「Ｑ２－２　評価会社が多業種にわたる取引をしている場合の業種目等」を参照してください。

Q 38 ｜増（減）資の状況その他評価上の参考事項について

第１表の２「４．増（減）資の状況その他評価上の参考事項」欄には、どのような事項を記載するのでしょうか

A 「相続税及び贈与税における取引相場のない株式等の評価明細書の様式及び記載方法等について」によると、「４．増（減）資の状況その他評価上の参考事項」欄には、あくまでも「参考事項」として、次のような事項を記載することとされています。

⑴　課税時期の直前期末以後における増（減）資に関する事項

例えば、増資については、次のように記載します。

増資年月日　令和○年○月○日
増資金額　○○○　千円
増資内容　１：0.5（１株当たりの払込金額50円、株主割当）
増資後の資本金額　○○○　千円

⑵　課税時期以前３年間における社名変更、増（減）資、事業年度の変更、合併及び転換社債型新株予約権付社債（財産評価基本通達197⑷に規定する転換社債型新株予約権付社債、以下「転換社債」といいます。）の発行状況に関する事項

⑶　種類株式に関する事項

例えば、種類株式の内容、発行年月日、発行株式数等を、次のように記載します。

種類株式の内容　議決権制限株式
発行年月日　令和○年○月○日
発行株式数　○○○○○株
発行価額　１株につき○○円（うち資本金に組み入れる金額○○円）
１単元の株式の数　○○○株
議決権　○○の事項を除き、株主総会において議決権を有しない。
転換条項　令和○年○月○日から令和○年○月○日までの間は株主からの請求により普通株式への転換可能（当初の転換価額は○○円）
償還条項　なし
残余財産の分配　普通株主に先立ち、１株につき○○円を支払う。

⑷　剰余金の配当の支払いに係る基準日及び効力発生日

⑸　剰余金の配当のうち、資本金等の額の減少に伴うものの金額
⑹　その他評価上参考となる事項

解　説

相続税及び贈与税の納税義務者は相続又は贈与を原因として財産を取得した者であり、取得者課税方式が採用されています。したがって、保有議決権割合等の判定時期や株式数・議決権数は、相続又は贈与による異動後の議決権数を基準に行います。

そこで、「4．増（減）資の状況その他評価上の参考事項」欄では、あくまでも「参考事項」として、次の事項等を掲載することとなります。

［1］増資等

相続税及び贈与税の納税義務者は相続又は贈与を原因として財産を取得した者であるので、各評価計算に当たっては、相続又は贈与の異動後の議決権数を基準に行います。

そこで直前期末から課税時期までの間に増資があった場合には、発行済株式数に異動が生じますので、その旨、内容等を参考事項として記載することとしています。

［2］減資

「4．増（減）資の状況その他評価上の参考事項」となっています。しかし、減資（資本の減少）については、会社法上は単に資本金の額を減少させるだけの手続であり、税務上は、「資本金等の額」は総額では増減しないことになっています（法令8①十二）。資本金及び資本準備金の減少とともに、株主に金銭を交付することは会社法においては廃止されています（会社法447、448）。従前の有償減資は資本剰余金の配当により行うこととなりました。

以上のように、資本金の額の減少と株数の減少は完全に無関係になっていますので、減資に関する記載すべき参考事項は発生しないものと思われます。

［3］組織再編成（合併・分割）

「相続税及び贈与税における取引相場のない株式等の評価明細書の様式及び記載方法等について」では、「合併」以外の組織再編成行為が掲載されていません。しかし、会社分割も、同じく発行済株式数及び議決権の変動が生じている場合には掲載が望ましいものと考えます。

なお、合併・会社分割の前後で評価会社の実態に変化がない場合は別として、類似業種比準方式の適用の可否及びいわゆる合算方式の適用の可否及び単体方式での計算の可能性がありますので留意が必要です。

[4] 種類株式

評価通達188－５（種類株式がある場合の議決権総数等）では、「評価会社が会社法第108条第１項に掲げる事項について内容の異なる種類の株式を発行している場合における議決権の数又は議決権総数の判定に当たっては、種類株式のうち株主総会の一部の事項について議決権を行使できない株式に係る議決権の数を含めるものとする。」と規定しています。

また、「種類株式の評価について（情報）」（平成19年３月９日付け資産評価企画官情報第１号）において、

① 第１類型　配当優先の無議決権株式
② 第２類型　社債類似株式
③ 第３類型　拒否権付株式

の３類型のみの評価方法が明示されました。

したがって、**A**の(3)（107ページ）で示した内容等を記載することになりますが、掲載欄のスペースが足りない場合には、定款又は登記事項証明書の写しを添付すれば足ります。

[5] 株式に関する権利の評価と当該権利が発生している株式の価額の修正

株式に関する権利は、株式そのものではありません。しかし、新株の発行や配当に際して発生するものであり、株式の価額をその権利に相当する価額分だけ控除して低く評価するため、この権利の価額を別途評価することとなっています。

したがって、課税時期において株式の割当てを受ける権利や配当期待権を評価するに当たり基礎となる情報を、この欄に記載します。

株式に関する権利には、たとえば次のものがあります（財基通168）。

① 株式の割当てを受ける権利（財基通187、189－７、190）
② 株主となる権利の評価（財基通191）
③ 株式無償交付期待権の評価（財基通192）
④ 配当期待権の評価（財基通193）
⑤ ストックオプションの評価（財基通193－２）

例えば、増資に際しての株式の割当てを受ける権利の評価に関しての記載内容は、

イ　課税時期　令和×1年7月3日

ロ　株式の割当て基準日　令和×1年5月31日

ハ　株式の割当ての日　令和×1年7月31日

ニ　株式1株当たりの払込額　500円

ホ　株式1株当たりの割当数　0.5株

等であり、第3表「一般の評価会社の株式評価明細書」における「株式の価額の修正」及び「株式に関する権利の価額」、「株式及び株式に関する権利の価額」欄に計算結果を記載することとなります。

［6］剰余金の配当

「財産評価基本通達の一部改正について（平成18年12月22日資産評価企画官情報第2号）」によれば、次のとおり解説がなされています。

会社法の規定では、「配当」は旧商法が採っていた各事業年度の決算で確定した「利益処分による配当」ではなく、「剰余金の配当」とされ、株主総会の決議があればいつでも何回でも株主に配当することができることになりました。また、取締役会設置会社は、一事業年度の途中において一回に限り取締役会の決議によって剰余金の配当（配当財産が金銭であるものに限る。以下この項において「中間配当」という。）をすることができる旨を定款で定めることができます（会社法454五）。

これに伴い、類似業種比準方式の計算における「1株当たりの配当金額」については「直前期末以前2年間における剰余金の配当金額」を基に計算することに改められました。直前期末の翌日から課税時期までの間に配当金交付の効力が発生した場合や、直前期末の翌日から課税時期までの間に株式の割当て等の効力が発生した場合には、類似業種比準価額の修正（財基通184）が発生します。

また、会社法の規定による「配当」は、株主に対する利益の配当だけでなく、資本の払戻しも「剰余金の配当」に含めることとされたため、「1株当たりの配当金額」を計算する場合には、剰余金の配当のうち資本の払戻しに該当するものを除くこととされましたので、 これらの情報を記載することとなります。

［7］自己株式の取扱い

取引相場のない株式の評価上の区分（原則的評価・特例的評価）の基礎となる同族株主等の判定は、旧来の持株割合基準から、平成13年の商法改正等により、平成15年６月に財産評価基本通達が改正され、現在は保有議決権割合基準となっています。したがって、会社法の自己株式には議決権がないものとする規定が、当然保有議決権割合の計算に反映されることとなります。

また、平成18年度税制改正に伴い、評価会社が有していた自己株式については、これを資産の部に計上することなく、資本金等の額を減少することとなりました。これに伴って類似業種比準方式の計算においても「１株当たりの純資産額（法人税法上の金額を基礎）」である「D」及び「Ⓓ」から自己株式の金額は減算されていました。併せて発行済株式数からも自己株式を控除することになりました。

純資産方式における「１株当たりの純資産価額（相続税評価額によって計算した金額）（第５表）」の計算を行う場合の発行済株式総数は、直前期末ではなく、課税時期における発行済株式数（自己株式控除後）です。

なお、評価会社が直前期末から課税時期までの間に自己株式を取得し、かつ、課税時期の直前期末における純資産額を基準として計算する場合には、評価の簡便性に配慮して、課税時期現在の純資産額から自己株式の取得のために支出した金額を控除して評価できます。

以上のとおり、評価方式の判定は、課税時期における議決権数（自己株式に係るものを除く。）を、類似業種比準価額の計算は、直前期末における発行済株式数（自己株式を除く。）を、純資産評価額の計算は、課税時期における発行済株式数（自己株式を除く。）を基に行うこととなりますから、直前期末の翌日から課税時期までに評価会社が自己株式を取得した場合には、取得時期、取得数、取得総額の情報を記載することが望ましいと考えます。

第3章

評価明細書第2表関連

Q 39 ｜第２表（特定の評価会社の判定の明細書）の書き方

取引相場のない株式（出資）の評価明細書第２表の記載の仕方を説明してください。

A ［1］この表は、評価会社が特定の評価会社に該当するか否かを判定するために使用します。

特定の評価会社とは、「１．比準要素数１の会社」、「２．株式等保有特定会社」、「３．土地保有特定会社」、「４．開業後３年未満の会社等」、「５．開業前又は休業中の会社」及び「６．清算中の会社」のことで、一般の評価会社株式の評価に適用される評価方式によらず、特別な評価方法により評価します。

したがって、評価会社が特定の評価会社に明らかに該当しない場合には、記載する必要はありません。

また、配当還元方式を適用する株主について、原則的評価方式等の計算を省略する場合（原則的評価方式等による評価額>配当還元価額である場合）には、記載する必要はありません。

［2］この表は、「第１表」、「第４表」及び「第５表」に基づいて記載します。

［3］「１．比準要素数１の会社」欄

⑴　「判定要素」の「⑴直前期末を基とした判定要素」及び「⑵直前々期末を基とした判定要素」の各欄

第４表の「２．比準要素等の金額の計算」の各欄の金額を記載します。

⑵　「判定基準」欄

「⑴直前期末を基とした判定要素」欄の判定要素のいずれか２つが０で、かつ、「⑵直前々期末を基とした判定要素」欄の判定要素のいずれか２つ以上が０の場合には、「である（該当）」を○で囲んで表示します。

（注）「⑴直前期末を基とした判定要素」欄の判定要素がすべて０である場合は、「４．開業後３年未満の会社等」欄の「⑵比準要素数０の会社」に該当することに留意してください。

［4］「２．株式等保有特定会社」及び「３．土地保有特定会社」の「総資産価額」欄

課税時期における評価会社の各資産を財産評価基本通達の定めにより評価した金額（第５表の①の金額等）を記載します。

ただし、１株当たりの純資産価額（相続税評価額）の計算について、第５表の記載方法等の２の⑷により直前期末における各資産及び各負債に基づいて計算を行っている場合には、その直前期末において計算した第５表の各欄の金額により記載します（これらの場合には、株式等保有特定会社及び土地保有特定会社の判定時期と純資産価額及び株式等保有特定会社のＳ２の計算時期を同一とします。）。

なお、「２．株式等保有特定会社」欄は、評価会社が「３．土地保有特定会社」から「６．清算中の会社」のいずれかに該当する場合には記載する必要はなく、「３．土地保有特定会社」欄は、評価会社が「４．開業後３年未満の会社等』から「６．清算中の会社」のいずれかに該当する場合には、記載する必要はありません。

（注）「２．株式等保有特定会社」の「株式等保有割合」の③欄の割合及び「３．土地保有特定会社」の「土地保有割合」の⑥欄の割合は、１％未満の端数を切り捨てて記載します。

［5］「4．開業後３年未満の会社等」欄

「⑵比準要素数０の会社」の「判定要素」の「直前期末を基とした判定要素」の各欄が示している第４表の「２．比準要素等の金額の計算」の各欄の金額（第２表の「１．比準要素数１の会社」の「判定要素」の「⑴直前期末を基とした判定要素」の各欄の金額と同一となります。）を記載します。

なお、評価会社が「⑴開業後３年未満の会社」に該当する場合には、「⑵比準要素数０の会社」の各欄は記載する必要はありません。

また、評価会社が「５．開業前又は休業中の会社」又は「６．清算中の会社」に該当する場合には、「４．開業後３年未満の会社等」の各欄は、記載する必要はありません。

［6］「5．開業前又は休業中の会社」欄

「開業前の会社」とは、会社は設立されたが、未だ事業活動を開始していない会社をいいます。

「休業中の会社」とは、課税時期の前後において相当期間にわたり、休業している場合をいいます。その休業が一時的なもので、近く事業が再開されることが見込まれる場合は該当しません。

評価会社が「６．清算中の会社」に該当する場合には、記載する必要はあり

ません。

[7]「6．清算中の会社」欄

清算中の会社に該当するか否かで記載します。

[8]「7．特定の評価会社の判定結果」欄

該当する特定の評価会社に○をします。

この表に基づき判定した結果、２つ以上の特定の評価会社に該当する場合には、後者の特定の評価会社が優先されます。

Q 40｜特定の評価会社の範囲

取引相場のない株式において、特定の評価会社の株式に該当する場合には、特別に評価方法が定められていますが、特定の評価会社の株式には、どのような会社が該当しますか。

A 特定の評価会社とは、評価会社の資産の保有状況、営業の状態等が一般の評価会社とは異なるものと認められる評価会社をいい、次のように区分し定めています（財基通189）。

① 比準要素数１の会社
② 株式等保有特定会社
③ 土地保有特定会社
④ 開業後３年未満の会社等（開業後３年未満の会社及び比準要素数０の会社）
⑤ 開業前又は休業中の会社
⑥ 清算中の会社

解　説

[1] 比準要素数１の会社

比準要数１の会社とは、類似業種比準方式の３つの比準要素のそれぞれの金額のうち、いずれか２つが０であり、かつ、直前々期末を基準にしてそれぞれの金額を計算した場合に、それぞれの金額のうち、いずれか２つ以上が０である会社（次の[2]から[6]のいずれかに該当するものを除きます。）をいいます（財基通189(1)、189－２）。

[2] 株式等保有特定会社

課税時期において評価会社の総資産価額に占める株式等の価額の合計額の保有割合が50％以上の会社（次の[3]から[6]のいずれかに該当するものを除きます。）を「株式等保有特定会社」といいます（財基通189⑵、189－３）。

[3] 土地保有特定会社

課税時期における評価会社の総資産価額に占める土地等の価額の合計額の保有割合が次の基準に該当する会社（次の[4]から[6]のいずれかに該当するものを除きます。）を「土地保有特定会社」といいます（財基通189⑶、189－４）。

<table>
<tr><th>会社規模</th><th colspan="2">土地等の保有割合</th></tr>
<tr><td>大会社</td><td colspan="2">70%以上</td></tr>
<tr><td>中会社</td><td colspan="2">90%以上</td></tr>
<tr><td rowspan="2">小会社</td><td>大会社の総資産基準に該当するもの</td><td>70%以上</td></tr>
<tr><td>中会社の総資産基準に該当するもの</td><td>90%以上</td></tr>
</table>

[4] 開業後３年未満の会社等

「開業後３年未満の会社等」とは、

① 課税時期において開業後３年未満である会社

② 比準要素数０の会社（直前期末を基とした１株当たりの「配当金額」「利益金額」「純資産価額（帳簿価額）」がいずれもゼロの会社）

をいいます（財基通189⑷、189－４）。

[5] 開業前又は休業中の会社

⑴ 「開業前の会社」とは、会社設立の登記は完了したが、現に事業活動を開始するまでに至っていない会社をいいます。

⑵ 「休業中の会社」とは、課税時期において相当長期間にわたって休業中であるような会社をいいます（財基通189⑸、189－５）。

[6] 清算中の会社

「清算中の会社」とは、解散手続が完了し、課税時期において清算段階に入っている会社をいいます（財基通189⑹、189－６）。

<table>
<tr><th colspan="3">特定の評価会社の株式</th></tr>
<tr><th>特定の評価会社の区分</th><th>原則的評価方式</th><th>特例的評価方式（注）</th></tr>
<tr><td>清算中の会社</td><td>清算分配見込額の複利現価による評価方式</td><td rowspan="2"></td></tr>
<tr><td>開業前又は休業中の会社</td><td rowspan="4">純資産価額方式</td></tr>
<tr><td>開業後3年未満の会社</td><td rowspan="5">配当還元方式</td></tr>
<tr><td>比準要素数0の会社</td></tr>
<tr><td>土地保有特定会社</td></tr>
<tr><td>比準要素数1の会社</td><td>純資産価額方式又はL＝0.25とする併用方式</td></tr>
<tr><td>株式等保有特定会社</td><td>純資産価額方式（「S1＋S2」方式の選択可）</td></tr>
</table>

（注）「清算中の会社」及び「開業前又は休業中の会社」以外の評価会社については、同族株主以外の株主等に該当する場合には、配当還元方式が適用されます。

Q 41 特定の評価会社の判定順序

評価会社の株式が、株式等保有特定会社の株式にも該当し、かつ、開業前又は休業中の会社の株式にも該当する場合のように、2以上の特定の評価会社の株式に該当するときには、どのように判定したらよいのでしょうか。

A 評価会社の株式が、株式等保有特定会社の株式にも該当し、かつ、開業前又は休業中の会社の株式にも該当する場合のように、２以上の特定の評価会社の株式に該当するときには、次の①～⑥の順序により判定を行います。

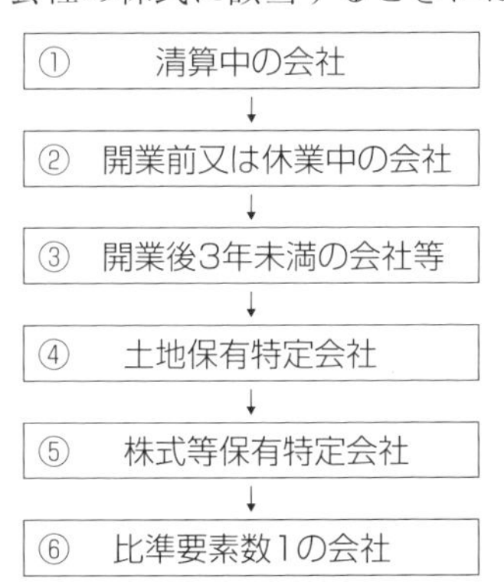

解　説

特定の評価会社の判定をフローチャートにすると、次のとおりとなります。

【判定の順序】

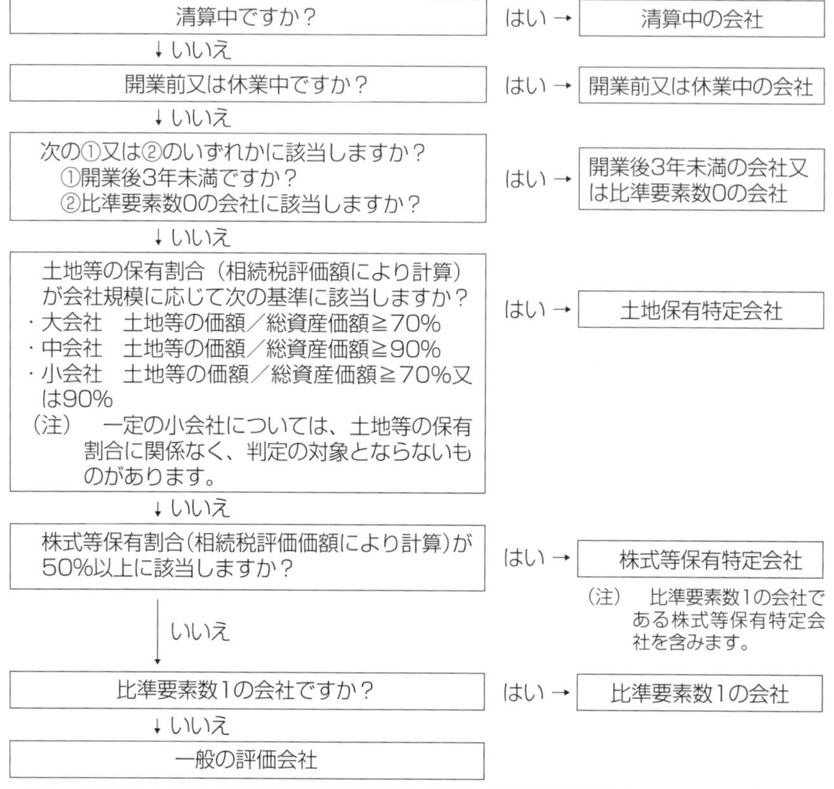

（注）　「清算中の会社」及び「開業前又は休業中の会社」以外の評価会社については、同族株主以外の株主等に該当する場合には、配当還元方式が適用されます。

※平成25年５月27日付課評２－20他２課共同「財産評価基本通達の一部改正について」等により大会社の株式保有割合基準は、25%から50%に改正されました。（判決による通達改正）

Q 42 ｜比準要素数１の会社

比準要素数１の会社とは、具体的にどのような会社をいうのですか。

A 比準要素数１の会社とは、類似業種比準方式の３つの比準要素である「１株当たりの年配当金額」、「１株当たりの年利益金額」及び「１株当たりの純資産価額（帳簿価額によって計算した金額）」のそれぞれの金額のうち、いずれか２つが０であり、かつ、直前々期末を基準にしてそれぞれの金額を計算した場合に、それぞれの金額のうち、いずれか２以上が０である会社をいいます（財基通189(1)）。

第４表「類似業種比準価額等の計算明細書」において、第４表の計算上は、Ⓑ、Ⓒ、Ⓓの数値によりますが、この表で計算したⒷ$_1$、Ⓒ$_1$、Ⓓ$_1$、Ⓑ$_2$、Ⓒ$_2$、Ⓓ$_2$の数値により比準要素数１の会社の判定をします。

なお、比準要素数１の会社が他の種類の特定の評価会社に該当する場合には、他の種類の特定の評価会社に該当するものとして判定します。

解　説

[1]「比準要素数１の会社」の判定上の留意点

① 判定要素の金額の計算

・１株当たりの年配当金額Ⓑ$_1$、Ⓑ$_2$は、２年間の配当金額の平均額により判定します。

・１株当たりの年利益金額Ⓒ$_1$、Ⓒ$_2$は、納税義務者の選択により１年間の利益金額又は２年間の利益金額の平均額により判定（有利選択）を行うことができます。

また、計算上の年利益金額Ⓒも同様に１年間の利益金額又は２年間の利益金額の平均額により有利選択を行うことができます。選択の結果として、Ⓒの金額とⒸ$_1$の金額が異なる数値とすることができます。

・１株当たりの純資産価額Ⓓ$_1$、Ⓓ$_2$は、２年間の平均額によらず、直前（直前々）期末の金額により判定します。

② 判定要素の金額の端数処理

「１株当たりの利益金額」等が少額なため、端数処理を行って０円となる場合は、その要素は０とします。

なお、端数処理は、評価明細書第４表の各欄の表示単位未満の端数を切り捨てします。

１株当たりの年配当金額	10銭未満を切り捨てて0となるか否かを判定します。 0.06円→0円、0.56円→0.5円
１株当たりの年利益金額	円未満を切り捨てて0となるか否かを判定します。 0.5円→0円、1.5円→1円
１株当たりの純資産価額	円未満を切り捨てて0となるか否かを判定します。 0.5円→0円、1.5円→1円

各期ごとの年配当金額、年利益金額及び簿価純資産価額の計算に当たっては、千円未満の端数は切り捨てます。

③　判定要素の金額が負数の場合

「１株当たりの年利益金額」等が負数のときは、その要素は０とします。

なお、資本金等の額がマイナスであり、１株当たりの資本金等の額がマイナスとなることから比準要素等の金額がマイナスとなる場合は、そのマイナスのままで計算をすることになります。

[２]「比準要素数１の会社」の判定の具体例

直前期末の資本金等の額　100,000千円

直前期末の発行済株式数　2,000株

１株当たりの資本金等の額　50,000円（100,000千円÷2,000株）

１株当たりの資本金等の額を50円とした場合の発行済株式数　2,000,000株（100,000千円÷50円）

（事例1）

	直前期	直前々期	直前々々期
年配当金額	0千円	0千円	0千円
年利益金額	−4,000千円	8,000千円	2,000千円
純資産価額	−2,000千円	2,000千円	

⇒

直前期末基準		直前々期末基準	
B_1	0.0円	B_2	0.0円
C_1	1円	C_2	4円
D_1	0円	D_2	1円

⇩

一般の評価会社

直前期末を基準とした１株当たりの年利益金額Ⓒ_1金額は、納税者有利の選択をすることができるため０とならならず、「比準要素数１の会社」に該当しません。

（Ⓒ₁の金額）

①　　－4,000千円÷2,000,000株＝－２円→０円（負数のときは0とします。）

②　（－4,000千円＋8,000千円）÷２÷2,000,000株＝１円

③　　①（0円）＜②（１円）　∴１円（有利選択）

なお、類似業種比準価額を計算する１株当たりの年利益金額Ⓒは、Ⓒ₁とは異なる０円を選択することができます。

（事例2）

	直前期	直前々期	直前々々期
年配当金額	0千円	0千円	200千円
年利益金額	−2,000千円	600千円	1,000千円
純資産価額	8,000千円	10,000千円	

⇒

直前期末基準		直前々期末基準	
Ⓑ₁	0.0円	Ⓑ₂	0.0円
Ⓒ₁	0円	Ⓒ₂	0円
Ⓓ₁	4円	Ⓓ₂	5円

⇩

比準要素数１の会社

１株当たりの年配当金額Ⓑ₂、１株当たりの年利益金額Ⓒ₂が、端数処理により０となるため、「比準要素数１の会社」に該当します。

（Ⓑ₂の金額）

（０千円＋200千円）÷2÷2,000,000株＝0.05円→0.0円（10銭未満端数切捨）

（Ⓒ₂の金額）

①　　600千円÷2,000,000株＝0.3円→0円（円未満端数切捨）

②　（600千円＋1,000千円）÷2÷2,000,000株＝0.4円→0円（円未満端数切捨）

③　　①、②がいずれも０の為、Ⓒ₂は０となります。

（事例3）

	直前期	直前々期	直前々々期
年配当金額	0千円	0千円	0千円
年利益金額	−3,000千円	1,000千円	−2,000千円
純資産価額	1,000千円	4,000千円	

⇒

直前期末基準		直前々期末基準	
Ⓑ₁	0.0円	Ⓑ₂	0.0円
Ⓒ₁	0円	Ⓒ₂	0円
Ⓓ₁	0円	Ⓓ₂	2円

⇩

比準要素数0の会社

１株当たりの年利益金額Ⓒ₁が負数となるため０となります、また１株当たりの純資産価額Ⓓ₁も端数処理により０となります。直前期末を基準にして、３要素のいずれもが0となりますので、比準要素数０の会社に該当します。この場合は、「開業後３年未満の会社等の株式等」に該当します。

（Ⓒ1の金額）

① －3,000千円÷2,000,000株＝－1.5円→0円（負数のため）

② （－3,000千円＋1,000千円）÷2÷2,000,000株＝－0.5円→0円（負数のため）

③ ①、②のいずれも0円の為、Ⓒ1は0円となります。

（Ⓓ1の金額）

1,000千円÷2,000,000株＝0.5円→0円（円未満端数切捨）

Q 43 比準要素数1の会社の評価方法

比準要素数1の会社の株式の評価はどのように行うのですか。

A 比準要素数1の会社の株式は、次のように評価します。

	評価方法	留意点
原　則	純資産価額方式	議決権割合が50%以下の同族株主グループに属する株主は、その80%相当額により評価します。
納税者の選択	類似業種比準方式との併用方式	ただし、Lの割合を0.25として計算します。
例　外	配当還元方式	同族株主以外の株主等

解　説

［1］原則

比準要素数1の会社の株式は、原則として純資産価額によって評価します。

この場合において、議決権割合が50%以下の同族株主等グループに属する株主が取得した株式の価額については、1株当たりの純資産価額（相続税評価額）の80%相当額の金額によって評価します。

［2］納税者の選択

ただし、納税義務者の選択により、類似業種比準方式の適用割合（Lの割合）を0.25として類似業種比準方式と純資産価額方式との併用方式により評価することもできます。

（併用方式の算式）

（Ｌの割合）　　　　　　　（Ｌの割合）
類似業種比準価額×　0.25　＋純資産価額×（1　−0.25）
　→（相続税評価額によって計算した金額
　　80%評価可）

なお類似業種比準方式と純資産価額方式との併用により評価する場合の類似業種比準方式の算式は次のようになります。

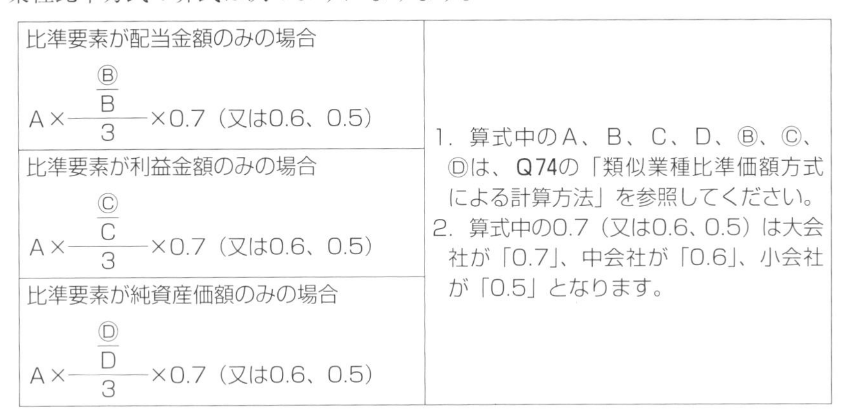

<table>
<tr><td>比準要素が配当金額のみの場合
$A\times\dfrac{\frac{\textcircled{B}}{B}}{3}\times 0.7$（又は0.6、0.5）</td><td rowspan="3">1．算式中のＡ、Ｂ、Ｃ、Ｄ、Ⓑ、Ⓒ、Ⓓは、Q74の「類似業種比準価額方式による計算方法」を参照してください。
2．算式中の0.7（又は0.6、0.5）は大会社が「0.7」、中会社が「0.6」、小会社が「0.5」となります。</td></tr>
<tr><td>比準要素が利益金額のみの場合
$A\times\dfrac{\frac{\textcircled{C}}{C}}{3}\times 0.7$（又は0.6、0.5）</td></tr>
<tr><td>比準要素が純資産価額のみの場合
$A\times\dfrac{\frac{\textcircled{D}}{D}}{3}\times 0.7$（又は0.6、0.5）</td></tr>
</table>

［3］同族株主以外が取得した場合

株式が「同族株主以外の株主等が取得した株式」の場合には、配当還元方式によって評価します。

ただし、原則的評価方法による金額又は納税者がLの割合を0.25とした併用方式を選択した場合には、その方法により計算した金額を上限とします（財基通189－２なお書）。

Q 44　比準要素数１の会社が粉飾決算をした場合の評価方法

当社は、業績が悪く赤字ですが、取引先や銀行等の関係で赤字決算を組むことができず、やむを得ず粉飾決算を行っています。なお、配当は行っていません。このような場合、「１株当たりの利益金額」及び「１株当たりの純資産価額」はどのように算定したらよいでしょうか。正しい決算では比準要素が１か０に

なると思われます。会社規模からすると、当社は純資産価額方式と類似業種比準方式の併用方式の評価となりますが、どのように対応したらよいでしょうか。

A 法人税の更正の請求等により、粉飾が立証されない限り、粉飾による当初申告を基に特定の評価会社に該当するか否かを判定し、その区分に従い評価会社の株式評価を行います。

解　説

相続税における取引相場のない株式の評価は、課税時期現在において行うのが原則です。したがって、純資産価額方式の場合は、課税時期において仮決算するのが原則です。

しかし、直前期決算を基とする類似業種比準方式の場合には特殊です。

類似業種比準方式による評価は、直前期の申告された法人税申告書・決算書の内容を基に行います。

法人税法129条２項では、粉飾決算法人については、法人がその粉飾事項を修正経理し、その修正経理に基づく確定申告書の提出があるまでの間、税務署長は、更正をしないことができます。

法人税の申告内容が粉飾されているということは、税務署長の更正によらなければ立証されません。単に粉飾決算だったので、事実の正確な決算に基づき評価するということはできないと考えます。

Q 45　株式等保有特定会社

株式等保有特定会社とは、具体的にどのような会社をいうのですか。

A 株式等保有特定会社に該当するか否かの判定は、評価会社の有する各資産の価額の合計額のうちに占める株式等の価額の合計額の割合により行います。

解　説

［１］株式等保有特定会社とは

株式等保有特定会社とは、課税時期において評価会社の有する各資産を財産評価基本通達の定めにより評価した価額の合計額のうちに占める株式、出資及び新株予約権付社債の価額の合計額の割合が、大会社・中会社・小会社ともに50％以上である評価会社をいいます。

ただし、その評価会社が、土地保有特定会社、開業後３年未満の会社等、開業前又は休業中の会社、清算中の会社のいずれかに該当する場合は除きます。

［2］株式等の保有割合

株式等の保有割合とは、評価会社の有する各資産の価額（相続税評価額により計算）の合計額のうちに占める株式等の価額（相続税評価額により計算）の割合をいいます。

<株式等保有特定会社の判定>

会社区分	総資産に占める株式等の保有割合	
大会社	50%以上	株式等保有特定会社
中会社		
小会社		

（注1） 上記の総資産及び株式等の価額は、いずれも相続税評価額により計算します。
（注2） 大会社・中会社・小会社とは、取引相場のない株式の評価上の区分に定める、それぞれの会社をいいます。
※東京高裁平成25年２月28日判決により、大会社の株式等保有割合判定基準は50%に改正されました。

［3］資産構成に変動があった場合

⑴ 評価会社が株式等保有特定会社であるかどうかを判定する場合において、「課税時期前」において「合理的な理由」もなく評価会社の資産構成に変動があり、その変動が株式等保有特定会社と判定されることを免れるためのものと認められるときは、その変動はなかったものとして上記の判定を行います。

⑵ 「課税時期前」とは

財産評価基本通達には、「課税時期前３年以内」というような具体的な期間の定めがないところから、「合理的な理由もなく」資産構成に変動があった場合には、相当期間前であっても不合理と認められるときは、その変動がなかったものとされると考えられます。

⑶ 「合理的な理由」とは

評価会社の資産構成の変動が株式等保有特定会社の判定を免れるためのものであり、合理的な理由のないものに該当するかどうかは、個々の事例ごとに判断します。

なお、次のような事例が、合理的な理由のないものに該当すると考えられます。
① 借入金とひも付きで預金や公社債等に運用している場合
② 借入金とひも付きで事業関連性の低い不動産等を購入している場合
⑷ 新株発行により、証券投資信託及び外国債券の取得（約23億円）、低解約返戻金型逓増定期保険の契約締結（2.7億円）の事案があります。このような資産構成を変動させた事案について、以下の財基通189のなお書きに該当する「なお、評価会社が、次の⑵又は⑶に該当する評価会社かどうかを判定する場合において、課税時期前において合理的な理由もなく評価会社の資産構成に変動があり、その変動が次の⑵又は⑶に該当する評価会社と判定されることを免れるためのものと認められるときは、その変動はなかったものとして当該判定を行うものとする。」とされた事例（純資産価額方式によって算定された。）（関信裁決　令和３年８月27日、F0-3-765）

Q 46 株式等保有特定会社の判定の基礎となる株式等の範囲

株式等保有特定会社に該当するか否かを判定する際の「株式等」にはどのようなものが含まれますか。

A 株式等保有特定会社の株式に該当するか否かの判定の基礎となる「株式、出資及び新株予約権付社債」（以下「株式等」といいます。）は次のとおりです。

「株式等」に該当するもの	「株式等」に該当しないもの
① 証券会社が保有する商品としての株式	⑧ 匿名組合の出資
② 外国株式	⑨ 証券投資信託の受益証券
③ 株式制のゴルフ会員権	⑩ 自己株式
④ Ｊリート	⑪ 米国LLP
⑤ 特定金銭信託	
⑥ 米国LLC	
⑦ 新株予約権付社債	

株式等保有特定会社の株式に該当するか否かの判定の基礎となる株式等とは、所有目的又は所有期間の如何にかかわらず、評価会社が有する株式（株式会社の株主たる地位）のすべて、評価会社の法人に対する出資（法人に対する出資

者たる地位）及び新株予約権付社債（会社法２二十二）のすべてをいいます。例えば、中小企業等協同組合法、農業協同組合法、信用金庫法、中小企業団体の組織に関する法律等による事業協同組合等の出資も、これに該当します。

（注）「株式等」には、法人税法第12条（信託財産に属する資産及び負債並びに信託財産に帰せられる収益及び費用の帰属）の規定により、評価会社が信託財産に属する株式等を有するとみなされる場合も含まれます。

ただし、信託財産のうちに株式等が含まれている場合であっても、評価会社が明らかに当該信託財産の収益の受益権のみを有している場合は除かれます。

解　説

具体的には、次のとおりです。

<table>
<tr><td rowspan="6">判定の基礎となる株式等の範囲</td><td>①　証券会社が保有する商品としての株式
商品であっても、株式会社の社員たる地位を取得することに変わりがなく、判定の基礎となる株式及び出資に該当します（注）。</td></tr>
<tr><td>②　外国株式
外国株式であっても、外国法人の社員たる地位を取得することに変わりがなく、判定の基礎となる株式及び出資に該当します。</td></tr>
<tr><td>③　株式制のゴルフ会員権
ゴルフ場経営法人等の株主であることを前提としているものであり、判定の基礎となる株式及び出資に該当します。</td></tr>
<tr><td>④　Ｊリート
不動産投資法人の投資口は、株式等保有特定会社に該当するか否かの判定において、株式保有割合計上の分子に当たる「株式及び出資」に含まれます。なお、現在、証券取引所に上場しているＪリートは、すべて不動産投資法人です。</td></tr>
<tr><td>⑤　特定金銭信託
「特定金銭信託」とは、運用方法や運用先、金額、期間、利率などを委託者が特定できる金銭信託であり、評価会社が実質的に信託財産を構成している株式を所有していると認められます。</td></tr>
<tr><td>⑥　米国LLC
国税庁による法人税の質疑応答により、原則的に我が国の私法上、外国法人に該当するものと回答されています（「米国LLCに係る税務上の取扱い」（国税庁ホームページ））。これは「①LLCは、商行為をなす目的で米国の各州のLLC法に準拠して設立された事業体であり、外国の商事会社であると認められること。②事業体の設立に伴いその商号等の登録（登記）等が行われること。③事業体が自らが訴訟の当事者等になれるといった法的主体となることが認められていること。④統一LLC法においては、「LLCは構成員（member）と別個の法的主体（a legal entity）である」、「LLCは事業活動を行うための必要かつ十分な、個人と同等の権利能力を有する。」と規定されていること。」を理由としています。</td></tr>
</table>

判定の基礎となる株式等の範囲	したがって、相続税においても、アメリカのLLCの持分は、原則として、外国株式に該当するものと思われます。ただし、先の質疑応答において「米国のLLC法は個別の州において独自に制定され、その規定振りは個々に異なることから、個々のLLCが外国法人に該当するか否かの判断は、個々のLLC法（設立準拠法）の規定に照らして個別に判断する必要がある」とされていますので、個別の判断が必要になります。
	⑦　新株予約権付社債 株価と連動して価額が形成されるものの、株式等保有特定会社の判定基準（分数式の分子）に含まないことの弊害が指摘され、平成30年1月1日以後を課税時期とするものから「株式等」に含むものとされました。
株式等に該当しないもの	⑧　匿名組合の出資 「匿名組合」とは、商法における匿名組合契約に基づくもので「共同出資による企業形態」の一種であり、出資者（匿名組合員）が営業者の営業に対して出資を行い、営業者はその営業から生ずる利益を匿名組合員に分配することを要素とするものです。匿名組合契約により出資したときは、その出資は、営業者の財産に帰属するものとされており（商法536①）、匿名組合員の有する権利は、利益分配請求権と契約終了時における出資金返還請求権が一体となった匿名組合契約に基づく債権的権利ということにならざるを得ません。したがって、判定の基礎となる株式及び出資に該当するものとはいえません。
	⑨　証券投資信託の受益証券 「証券投資信託」とは、不特定多数の投資家から集めた小口資金を大口資金にまとめ、運用の専門家が投資家に代わって株式や公社債など有価証券に分散投資し、これから生じる運用収益を出資口数に応じて分配する制度です。出資者は、運用収益の受益者の立場に留まりますので、証券投資信託の受益証券（ＥＴＦ等の上場投資信託を含みます。）は、判定の基礎となる株式及び出資に該当するものとはいえません。
	⑩　自己株式 自己株式を保有している場合には、その自己株式の発行会社は評価会社自体であることから、その自己株式の価値は評価会社の自己株式以外の資産の価値に帰属すると考えられるため、このような評価会社が株式等保有特定会社に該当するかどうかについては、自己株式を除いたところで判定することとしています。
	⑪　米国LLP 国税庁等においてその取扱いは明確にされていません。通常、LLPは我が国における組合に類似すると考えられることから、個別に設立準拠法の規定を確認する必要がありますが、原則として、アメリカのLLPの持分についても「出資」に含まれないと考えられます。

（注）　株式等保有特定会社に該当するか否かを判定する場合において、評価会社が証券業を営む会社であるときには、評価会社の有する株式及び出資の価額には「保管有価証券勘定」に属する株式及び出資の価額を含めないことに留意してください。

Q 47 株式等保有特定会社が自己株式を有する場合の判定

評価会社が自己株式を有している場合には、株式等保有特定会社に該当するか否かの判定はどのようにするのですか。

A 評価会社が自己株式を有している場合には、評価会社が株式等保有特定会社に該当するか否かの判定は、自己株式を除いた各資産に基づいて行うことになります。

解　説

評価会社が自己株式を有している場合には、その自己株式の発行会社は評価会社自体であることから、その自己株式の価値は評価会社の自己株式以外の資産の価値に帰属すると考えられるため、このような評価会社が株式等保有特定会社に該当するかどうかについては、自己株式を除いたところで判定することとしています。

なお、株式等保有特定会社の株式の評価に当たって、純資産価額方式により評価する場合には、自己株式をないものとして評価します。納税義務者の選択により純資産価額方式に代えて、「$S_1 + S_2$」方式により評価する場合において、①「S_2の金額」を純資産価額方式により算定するときには、自己株式を除いたところで評価します。また、②「S_1の金額」を類似業種比準方式で算定する場合の各資産のうち株式等に対応する簿価純資産価額を求めるときの「総資産価額（帳簿価額によって計算した金額）」及び「株式及び出資の帳簿価額」については、他の比準要素を按分するための受取配当金収受割合の算定の基となる受取配当金には自己株式に対応する受取配当金はない（会社法453条の規定により自己株式については配当しないこととされている）ことから、自己株式を含まないこととされています。

Q 48 評価会社が株式等保有特定会社の株式を保有する場合

Ａ社はそのＢ子会社の発行済株式数の100%に相当する株式を保有しています。このため、まずＢ社株式を評価しなければなりませんが、Ｂ社の各資産を相続

税評価額で評価したところ、総資産のうちに占める株式等の割合が60%になりました。A社株式を評価するためのB社株式の評価の方法はどうなりますか。

A B子会社株式は、株式等保有特定会社の株式として評価します。

なお、評価会社が取引相場のない株式を保有している場合において、その保有する株式を純資産価額方式により評価するときは、財産評価基本通達186－2に定める相続税評価額と帳簿価額との評価差額に対する法人税額等に相当する金額は控除しないことになっています（財基通186－3）。

解　説

[1] 評価会社A社が保有する株式等保有特定会社であるB社株式の相続税評価額を純資産価額方式により計算する場合には、B社の評価差額に対する法人税額等に相当する金額の控除はできません。

[2] また、株式等保有特定会社の株式は、納税者の選択により「$S_1 + S_2$」の方式によることもできることになっています。評価会社A社の保有するB社株式を「$S_1 + S_2$」の方式により評価する場合のS_1の純資産価額部分及びS_2の金額を計算する場合にも、相続税評価額と帳簿価額との評価差額に対する法人税額等に相当する金額の控除はできません。

[3] 上記の方法で評価したB社株式の相続税評価額を基にA社株式を評価します。A社の株式の純資産価額又は「$S_1 + S_2$」方式のS_1の純資産価額及びS_2の金額を計算するときには、財産評価基本通達186－2に定めるA社の各資産の相続税評価額と帳簿価額との評価差額に対する法人税額等に相当する金額を控除することができます。

Q 49 ｜ 株式等保有特定会社の評価方法

当社は、株式等保有特定会社に該当しますが、純資産価額方式以外の評価方法があるとのことですがどのような方法でしょうか。

A 株式等保有特定会社の株式は、原則として純資産価額によって評価します。

ただし、納税者の選択により、簡易評価方式（$S_1 + S_2$）により評価することもできます。

解　説

［1］　株式等保有特定会社の株式は、原則として純資産価額によって評価します。

この場合において、議決権割合が50％以下の同族株主グループに属する株主が取得した株式の価額については、１株当たりの純資産価額（相続税評価額）の80％相当額の金額によって評価します。

［2］　なお、同族株主以外の株主等が取得した株式に該当する場合には、この特例は適用されず、従来どおり配当還元価額により評価します（財基通189－３）。

［3］　ただし、納税義務者の選択により、次の「S_1の金額」と「S_2の金額」との合計額によって評価することもできます。

（S_1の金額）		（S_2の金額）		
株式等保有特定会社が所有する株式等とその株式等の受取配当がないものとして計算した場合のその株式の原則的評価方法による評価額	＋	株式等保有特定会社が所有する株式等についての財産評価基本通達によって評価した価額（評価差額に対する37％控除の適用可）（注）	＝	株式等保有特定会社の株式

【評価方法】

同族株主等が取得	同族株主等の議決権割合が50％超	純資産価額 選択でS_1＋S_2方式
	同族株主等の議決権割合が50％以下	純資産価額×80％ 選択でS_1＋S_2方式
同族株主以外の株主等が取得		配当還元価額

（注）　平成27年４月１日以後平成28年３月31日までの相続等は38％です。

Q 50　土地保有特定会社

土地保有特定会社に該当するか否かは具体的にどのように判定しますか。

A　土地保有特定会社に該当するか否かの判定は、評価会社の有する各資産の価額の合計額のうちに占める土地等の価額の合計額の割合により行います。

解　説

［1］意義

土地保有特定会社とは、課税時期において評価会社の有する各資産を財産評価基本通達の定めにより評価した価額の合計額のうちに占める土地等の価額の合計額の割合が、大会社は70％以上、中会社は90％以上、小会社で次の①に該当する会社については70％以上、小会社で次の②に該当する会社については90％以上である評価会社をいいます。

① 総資産価額（帳簿価額）が、卸売業に該当する場合には20億円以上、卸売業以外に該当する場合には15億円以上の会社

② 総資産価額（帳簿価額）が、卸売業に該当する場合には7,000万円以上、小売・サービス業に該当する場合には4,000万円以上、卸売業、小売・サービス業以外に該当する場合には5,000万円以上で、上記①に該当しない会社

ただし、その評価会社が、開業後３年未満の会社、比準要素０の会社、開業前又は休業中の会社、清算中の会社のいずれかに該当する場合は除きます。

［2］土地等の保有割合

土地等の保有割合は、評価会社の有する各資産の価額（相続税評価額により計算）の合計額のうちに占める土地等の価額（相続税評価額により計算）の割合をいいます。

＜土地保有特定会社の判定＞

会社区分	総資産に占める土地等の保有割合	
・大会社	70％以上	土地保有特定会社
・特定の小会社（［1］①）		
・中会社	90％以上	
・特定の小会社（［1］②）		

（注1） 総資産及び土地等の価額は、いずれも相続税評価額により計算します。
（注2） 1①及び②の特定の小会社は、従業員数5人以下で次の要件を満たす会社をいいます。

	総資産価額（帳簿価額により計算した金額）		
	卸売業	小売・サービス業	その他の業種
［1］①の小会社	20億円以上	15億円以上	15億円以上
［1］②の小会社	7,000万円以上20億円未満	4,000万円以上15億円未満	5,000万円以上15億円未満

上記の[１]①及び②に該当しない小会社（総資産価額、従業員数及び年間取引金額のいずれの基準で判定しても小会社となる場合）は、土地保有特定会社の判定は不要です。

（注）土地保有特定会社の判定と会社規模の判定（Ｌの割合）との関係（一覧表）は、Q36の会社区分早見表を参照。

［３］資産構成に変動があった場合

⑴　評価会社が土地保有特定会社であるかどうかを判定する場合において、「課税時期前」において「合理的な理由」もなく評価会社の資産構成に変動があり、その変動が土地保有特定会社と判定されることを免れるためのものと認められるときは、その変動はなかったものとして上記の判定を行います。

⑵　「課税時期前」とは

財産評価基本通達には、「課税時期前３年以内」というような具体的な期間の定めがないところから、「合理的な理由もなく」資産構成に変動があった場合には、相当期間前であっても不合理と認められるときは、その変動はなかったものとされると考えられます。

⑶　「合理的な理由」とは

評価会社の資産構成の変動が土地保有特定会社の判定を免れるためのものであり、合理的な理由のないものに該当するかどうかは、個々の事例ごとに判断します。

なお、次のような事例が、合理的な理由のないものに該当すると考えられます。

①　借入金とひも付きで預金や公社債等に運用している場合

②　借入金とひも付きで事業関連性の低い株式等を購入している場合

Q 51｜土地保有特定会社の判定の基礎となる土地等の範囲

土地保有特定会社に該当するか否かを判定する際の「土地等」にはどのようなものが含まれますか。また、不動産販売会社が、たな卸資産として所有する土地等もこの判定の基礎に含まれますか。

A 総資産の価額のうちに占める土地等の価額の合計額の割合を判定するときの土地等とは、土地及び土地の上に存する権利をいいます（財基通185）。

解説

土地保有特定会社の判定の基礎となる土地等には、所有目的や所有期間の如何にかかわらず、評価会社が有しているすべての土地及び土地の上に存する権利を含むとされています。したがって、たな卸資産に該当する土地等も含まれます。

なお、たな卸資産である土地等の価額は、通常の評価方法（路線価方式又は倍率方式）ではなく、たな卸資産としての評価方法による評価額となります。

<table>
<tr><td rowspan="3">土地等の範囲</td><td>土地</td><td>宅地、田・畑、山林、原野、雑種地等</td></tr>
<tr><td>土地の上に存する権利</td><td>地上権・永小作権、借地権、耕作権・賃借権等</td></tr>
<tr><td colspan="2">（留意点）
① 判定の基礎となる土地等（土地及び土地の上に存する権利）は、所有目的や所有期間の如何にかかわらず、評価会社が有しているすべてのものを含むこととしているので、たな卸資産に該当する土地等も含まれることになります。
② なお、建物、建物附属設備及び構築物については土地ではありませんので判定の基礎には含まれません。
③ たな卸資産である土地等を含みます。</td></tr>
</table>

Q 52 ｜土地保有特定会社の評価方法

土地保有特定会社の株式の評価は、具体的にどのようにすればよいのでしょうか。

A 原則として、純資産価額方式により評価します。

解説

土地保有特定会社の株式の価額は、１株当たりの純資産価額（相続税評価額によって計算した金額）によって評価します。

この場合において、議決権割合が50％以下の同族株主グループに属する株主が取得した株式の価額については、１株当たりの純資産価額（相続税評価額）の80％相当額の金額によって評価します。

ただし、その株式が同族株主等以外の株主等が取得した株式に該当する場合には、配当還元価額により評価します（財基通189－４）。

【評価方法】

同族株主等が取得	属する株主グループの議決権割合が50％超	純資産価額
	属する株主グループの議決権割合が50％以下	純資産価額×80％
同族株主等以外の株主等が取得		配当還元価額

Q 53 開業後３年未満の会社

開業後３年未満の会社の意義及びその評価方法等について教えてください。

A 開業後３年未満の会社とは、課税時期において開業後３年未満である会社をいい、その会社の株式は、純資産価額によって評価します。

この場合において、議決権割合が50％以下の同族株主等グループに属する株主等が取得した株式の価額については、１株当たりの純資産価額（相続税評価額）の80％相当額の金額によって評価します。

ただし、その株式が同族株主等以外の株主等が取得した株式に該当する場合には、配当還元価額により評価します（財基通189－４）。

解　説

［1］開業の意義

開業とは、評価会社がその事業目的たる業務を開始している状態をいい、会社の登記上の設立とはその意味が異なります。

業務は、評価会社の事業目的である業務が会社の定款記載のものであるか否かは問いません。しかし、その業務については相当の実態（各種の経営指標から経営活動を行っていると認めるに足るもの）を具備している必要があります。

［2］開業後の期間

開業後３年未満の会社であるかどうかの判定は、開業時から課税期間までの期間（暦に従って計算し、期間の端数処理は行いません。）によって計算します。

［3］評価の方法

開業後３年未満の会社の株式は、課税時期における純資産価額（類似業種比準方式は採用できません。）により評価します。

なお、１株当たりの純資産価額の計算においては、同族株主等の議決権割合が50％以下である場合には20％減の適用を受けることができます。

また、同族株主以外の株主等が取得した株式については、配当還元方式により評価します。

【評価方法】

同族株主等が取得	属する株主グループの議決権割合が50％超	純資産価額
	属する株主グループの議決権割合が50％以下	純資産価額×80％
同族株主以外の株主等が取得		配当還元価額

Q 54 開業後３年未満の会社の株式（課税時期が会社設立後の１期目中、２期目中にある場合）

開業後３年未満の会社です。課税時期が会社設立後１期目及び２期目にある場合において、同族株主以外の株主等が取得する株式については、配当還元方式により評価しますが、「年配当金額」はどのように計算したらよいでしょうか。なお、第１期目の決算による配当金額は２円50銭（１株当たり資本金等50円）でした。

A 設立１期目中の場合には、通常配当実績がありませんので、１株当たりの配当金額を２円50銭として評価します。

設立２期目中の場合には、直前期末以前１年間の実績配当を基にして評価します。

なお、１株当たり年配当金額２円50銭未満のもの又は無配の場合には、１株当たりの配当金額を２円50銭として評価します（財基通188－２）。

解　説

(1)　課税時期において開業後３年未満の会社の株式を同族株主以外の株主等が取得した場合には、配当還元方式により評価することができます。

配当還元方式により評価する場合の「年配当金額」は、評価すべき会社の直前期末以前２年間における剰余金の配当金額の合計額の２分の１に相当する金額を直前期末における発行済株式数で除して計算した金額とする旨を定めています。

一方では、年配当金額が１株の資本金等の額を50円とした場合に２円50銭に満たないとき又は無配であるときには、年配当金額を２円50銭として計算することとされています。

(2)　設立１期目中の場合

会社設立後第１期の決算期到来前に課税時期がある場合には、評価会社に配当実績がないのが通常です。したがって、設立後の１期目中に配当還元方式により株式を評価するときには、その株式に係る１株当たりの配当金額は、通常は、原則として、財産評価基本通達188－２かっこ書に準じて２円50銭として評価することとなります。

なお、会社法施行後は、設立後第１期中であっても、期中に臨時決算を組み、分配可能額を確定させて、期中配当を行うことができれば、配当実績を作ることが可能です。

(3)　設立２期目中の場合

会社設立後２年間に満たないため、直前期末前２年間における剰余金の配当額の平均額を算定することができません。この場合は、直前期末以前１年間の実績配当金額を基に評価します。

なお、年配当金額が１株の資本金等の額を50円とした場合において、年配当金額が、２円50銭に満たないとき又は無配であるときには、年配当金額を２円50銭として評価します。

Q 55 ｜比準要素数０の会社

比準要素数０の会社の意義及びその評価方法等について教えてください。

A

[1] 比準要素数0の会社

比準要素数０の会社とは、類似業種比準方式の計算の基となる「Ⓑ１株当たりの配当金額」、「Ⓒ１株当たりの利益金額」及び「Ⓓ１株当たりの純資産価額（帳簿価額によって計算した金額）」のそれぞれの金額が、いずれも０である会社をいいます（配当金額及び利益金額については、直前期末以前２年間の実績を反映して判定します。）。

ただし、その評価会社が、開業前又は休業中の会社及び清算中の会社に該当する場合は、比準要素数０の会社から除きます。

<table>
<tr><td colspan="3">（事業年度）</td><td>（直前々期）</td><td>（直前期）</td></tr>
<tr><td>Ⓑ配　当</td><td colspan="2">直前期基準</td><td colspan="2">直前期末以前2年間の平均により計算</td></tr>
<tr><td rowspan="2">Ⓒ利　益</td><td rowspan="2">直前期基準
（選択）</td><td>単年度</td><td>－</td><td>直前期（1年間）で計算</td></tr>
<tr><td>2年平均</td><td colspan="2">直前期末以前2年間の平均により計算</td></tr>
<tr><td>Ⓓ純資産</td><td colspan="2">直前期末基準</td><td>－</td><td>直前期末で計算</td></tr>
</table>

[2] 評価方法

比準要素数０の会社の株式は、特定の評価会社のうち開業３年未満の会社等に区分され、課税時期のおける純資産価額（類似業種比準方式は採用できません。）により評価します。

このように、比準要素数０の会社について類似業種比準方式が採用されないのは、類似業種比準方式が、上場会社を標本会社として、比準３要素（配当・利益・純資産）及びその平均株価に比準して評価会社の株価を算定する評価方法です。比準要素のすべてが０である会社（比準要素数０の会社）については、類似業種比準方式を適用する前提を欠いているものと考えられますので、原則として、純資産価額方式により評価します（財基通189⑷ロ）。

なお、１株当たりの純資産価額の計算においては、同族株主等の議決権割合が50％以下である場合には20％減の適用を受けることができます。

また、同族株主以外の株主等が取得した株式については、配当還元方式により評価します。

【評価方法】

<table>
<tr><td rowspan="2">同族株主等が取得</td><td>属する株主グループの議決権割合が50%超</td><td>純資産価額</td></tr>
<tr><td>属する株主グループの議決権割合が50%以下</td><td>純資産価額×80%</td></tr>
<tr><td colspan="2">同族株主以外の株主等が取得</td><td>配当還元価額</td></tr>
</table>

Q 56 ｜開業前、休業中の会社

開業前、休業中の会社の意義及びその評価方法等について教えてください。

A 評価会社が開業前、休業中である場合のその株式の価額は、１株当たりの純資産価額（相続税評価額によって計算した金額）によって評価します。

解　説

［１］開業前、休業中の会社とは

(1)　開業前の会社

開業前の会社とは、会社設立の登記は完了したが、その会社が目的とする事業活動を開始するまでに至っていない会社をいいます。

その後、開業（事業活動を開始）したとしても、開業後３年間は、「開業後３年未満の会社」となり、特定の評価会社に該当しますので注意が必要です。

(2)　休業中の会社

①　休業中の会社とは、課税時期の前後を通じて相当長期間にわたって休業中であるような会社をいい、一時的な休業は含みません。

②　一時的休業の場合

休業したものであっても、近く事業が再開されるような一時的な休業である場合には、休業中の会社には該当しません。一時的休業の会社の評価は、その休業前における事業活動の実績を基にして原則的評価方式や配当還元方式によって評価します。

［２］評価方法

開業前又は休業中の会社の株式は、課税時期における純資産価額（類似業種比準方式は採用できません。）により評価します（財基通189－５）。

［３］評価の留意点

(1)　開業前又は休業中の会社の株式の価額における１株当たりの純資産価額の計算においては、同族株主等の議決権割合が50％以下である場合の20％減の適用はありません。

(2)　評価会社が課税時期前３年以内に取得又は新築した土地等又は家屋等を有する場合並びに評価会社が取引相場のない株式等を保有する場合（財基

通186－３）には、それらの取扱いが適用されます。

(3)　評価会社の会社規模にかかわらず、純資産価額で評価します。

(4)　同族株主以外の株主等が取得した株式についても、配当還元方式によらず、純資産価額方式によって評価します。

【評価方法】

<table>
<tr><td rowspan="2">同族株主等が取得</td><td>属する株主グループ議決権割合が50%超</td><td rowspan="3">純資産価額</td></tr>
<tr><td>属する株主グループの議決権割合が50%以下</td></tr>
<tr><td colspan="2">同族株主以外の株主等が取得</td></tr>
</table>

〈参考〉　株式の取得者とその同族関係者の議決権割合が50%以下である場合の純資産価額方式

<table>
<tr><th>80%評価ができる</th><th>80%評価ができない</th></tr>
<tr><td>小会社</td><td rowspan="2">大会社、中会社において、
類似業種比準価額＞純資産価額のときに、類似業種比準価額に代えて純資産価額を用いる場合</td></tr>
<tr><td>中会社における（1－L）を乗じる純資産価額</td></tr>
<tr><td>株式等保有特定会社</td><td>S_1+S_2方式のS_1の純資産価額部分とS_2の計算</td></tr>
<tr><td>土地保有特定会社
比準要素数1の会社
比準要素数0の会社
開業後3年未満の会社</td><td>開業前又は休業中の会社</td></tr>
</table>

第4章

評価明細書第3表関連

Q 57 第3表（一般の評価会社の株式及び株式に関する権利の価額の計算明細書）の書き方

取引相場のない株式（出資）の評価明細書第３表の役割と記載方法について説明してください。

A 第３表は、
(1) 原則的評価方式による株式の価額（修正がある場合は修正後の価額）
(2) 配当還元方式による株式の価額
(3) (1)の原則的評価額を修正する場合に生じる株式に関する権利の価額
(4) 株式及び株式に関する権利の価額
を計算します。つまり、特定の評価会社に該当しない一般の評価会社については、この第３表で結論である株式評価額が表示されます（特定の評価会社については、第６表で計算します）。

解説

［1］原則的評価方式による株式の価額の記載

「1．原則的評価方式による価額」の「株式の価額の修正」欄の「1株当たりの割当株式数又は交付株式数」は、1株未満の株式数を切り捨てずに実際の株式数を記載します。

株式の価額の修正については、後記Q59以降をご参照ください。

［2］配当還元方式による株式の価額の記載

「2．配当還元方式による価額」欄は、第1表の1の「1．株主及び評価方法の判定」欄又は「2．少数株式所有者の評価方法の判定」欄の判定により納税義務者が配当還元方式を適用する株主に該当する場合には、次により記載します。

(1) 「1株当たりの資本金等の額、発行済株式数等」の「直前期末の資本金等の額」の⑨欄の金額は、法人税申告書別表五（一）［利益積立金額及び資本金等の額の計算に関する明細書］の「差引翌期首現在資本金等の額」の「差引合計額」欄の金額を記載します。

(2) 「直前期末以前２年間の配当金額」欄は、評価会社の年配当金額の総額を基に、第４表の記載方法に準じて記載します。

(3) 「配当還元価額」の⑳欄の金額の記載に当たっては、原則的評価方式により計算した価額が配当還元価額よりも高いと認められるときには、「1．原則的評価方式による価額」欄の計算を省略できます。

[3] 株式及び株式に関する権利の価額の記載

(1) 「株式の評価額」欄には、①欄から⑳欄までにより計算したその株式の価額を記載します。

(2) 「株式に関する権利の評価額」欄には、㉑欄から㉔欄までにより計算した株式に関する権利の価額を記載します。

なお、株式に関する権利が複数発生している場合には、それぞれの金額ごとに別に記載します（配当期待権の価額は、円単位で円未満２位（銭単位）により記載します。）。

（注） 上記(1)と(3)②以外の各欄の金額は、各欄の表示単位未満の端数を切り捨てて記載します。

ただし、令和６年１月１日以後の相続又は贈与の評価に当たっては、この表の各欄の金額のうち他の欄から転記するものは、転記元の金額を（端数を切り捨てないで）そのまま記載します（巻末〈付録５〉参照）。

Q 58 原則的評価方式による評価方法

原則的評価方式により評価することとなった場合には、具体的にはどのように計算するのでしょうか。

A 原則的評価方式による取引相場のない株式は、一般の評価会社と、特定の評価会社とに区分して、それぞれ下表に掲げる方法により評価します。

一般の評価会社については、前述の会社規模（大・中・小）に応じて評価方法が異なりますが、特定の評価会社については、原則として会社規模に関わりなく、一律に評価方法が定められています（財基通179、189）。

<table>
<tr><th>株主の態様</th><th colspan="2">会社区分</th><th colspan="2">評価方式（評価額）</th></tr>
<tr><td rowspan="12">支配株主（同族株主等）</td><td rowspan="5">一般の評価会社</td><td>大会社</td><td colspan="2">類似業種比準価額と純資産価額のいずれか少</td></tr>
<tr><td rowspan="3">中会社</td><td>大</td><td>類似業種比準価額(注1)×0.90＋純資産価額(注2)×0.10</td></tr>
<tr><td>中</td><td>類似業種比準価額(注1)×0.75＋純資産価額(注2)×0.25</td></tr>
<tr><td>小</td><td>類似業種比準価額(注1)×0.60＋純資産価額(注2)×0.40</td></tr>
<tr><td>小会社</td><td colspan="2">（類似業種比準価額(注1)×0.50＋純資産価額(注2)×0.50）
と純資産価額(注2)のいずれか少</td></tr>
<tr><td rowspan="7">特定の評価会社</td><td>比準要素数１の会社</td><td colspan="2">（類似業種比準価額(注1)×0.25＋純資産価額(注2)×0.75）
と純資産価額(注2)のいずれか少</td></tr>
<tr><td>株式等保有特定会社</td><td colspan="2">「Ｓ１＋Ｓ２」と純資産価額(注2)のいずれか少</td></tr>
<tr><td>土地保有特定会社</td><td colspan="2" rowspan="3">純資産価額(注2)</td></tr>
<tr><td>開業後３年未満の会社</td></tr>
<tr><td>比準要素数０の会社</td></tr>
<tr><td>開業前・休業中の会社</td><td colspan="2">純資産価額</td></tr>
<tr><td>清算中の会社</td><td colspan="2">清算分配見込額の複利現価額相当額</td></tr>
</table>

（注1）　類似業種比準価額に代えて純資産価額をとることもできます。

（注2）　議決権割合50％以下の同族株主グループに属する株主については、通常の純資産価額の80％相当額で評価します。ただし、上記（注１）で類似業種比準価額に代えて純資産価額をもって計算した場合には、その純資産価額の部分について80％相当額では評価できません。

解　説

［1］大会社の評価方法の考え方

大会社には、規模・内容ともに上場会社に匹敵する会社が多く、その株式が取引されるとすれば、上場株式等に準じた要因による価格形成が想定されることから、その株式の評価についても現実の市場で流通している株式の価額に比準して行うことが合理的と考えられます。

そのため、大会社については、原則として類似業種比準価額方式が採用されることになりますが、類似業種比準価額は仮定計算であるため、評価の安全性を考慮して、現実的資産価値ともいえる１株当たりの純資産価額を基に計算することを容認しています。

［2］中会社の評価方法の考え方

中会社は、大会社と小会社の双方の要素を併せ持つと考えられますので、その株式の評価に当たっては、収益性や配当性向を加味した類似業種比準価額（大会社に適した評価）と現実的財産価値評価である純資産価額（小会社に適した評価）とを併用して計算することとしています。

中会社は規模によって更に３種類に区分し、Ｌの割合を0.90、0.75、0.60とすることで、大会社に近いものには類似業種比準価額を、小会社に近いものには純資産価額をより加重配分しています。

なお、算式中、類似業種比準価額に代えて純資産価額の適用を認めているのは、類似業種比準価額が仮定計算であるために、現実計算である純資産価額をもって評価の安全性を確保するという、上記(1)大会社の評価の場合と同じ理由によるものです。

また、議決権割合50％以下の同族株主グループに属する株主について、通常の純資産価額の80％相当額で評価することとしているのは、次の取扱いを準用したものです（財基通185）。

すなわち、小会社の評価において、複数の同族株主グループにより所有されているものは、50％以下の一つの同族株主グループの議決権割合では会社を完全支配できないので、単独グループにより会社を支配している場合の支配力との格差を考慮して20％評価減をすることとされています。

［３］小会社の評価方法の考え方

小会社は、一般的には事業規模・経営実態ともに個人企業と類似しているものが多いと考えられます。このような小規模な会社の株主は、株式保有を通じて会社の財産を支配しているという性質が強いことから、株式の評価においても、評価会社の正味財産（純資産）に着目した評価方法を採用されています。

また、選択によって類似業種比準価額の要素を50％加味することが認められているのは、純資産価額方式が一時点の財産状態にのみ着目して計算され、収益性や配当性向を全く加味していないことから、収益性等も考慮した類似業種比準価額と純資産価額とを同じ割合で平均させて評価することも、合理的と考えられるからです。

つまり、類似業種比準価額を50％加味することで、規模的には個人事業者と大差ないとは言えども、会社組織で事業活動を行う会社に対する株式評価上の均衡を保っているといえます。

Q 59 配当がある場合の原則的評価額の修正と類似業種比準価額の修正

課税時期が直前期末と配当金交付効力発生日の前日までにある場合又は配当金交付効力発生日以後にある場合において、必要となるそれぞれの株式の価額の修正について説明してください。

A 原則的評価方式により取引相場のない株式を評価する場合において、

(1) 課税時期が直前期末の翌日から配当金交付の効力発生日の前日までの間にあるときは、原則的評価額を修正し、配当期待権を別に評価します。

(2) 課税時期が配当金交付の効力発生日以後であるときは、類似業種比準価額を修正します。

解　説

［1］原則的評価額の修正と権利の評価…Aの期間

① 配当金交付の基準日　令和Ｘ１年３月31日（直前期末）

② 配当金交付の効力発生日　令和Ｘ１年５月31日（定時株主総会決議日）

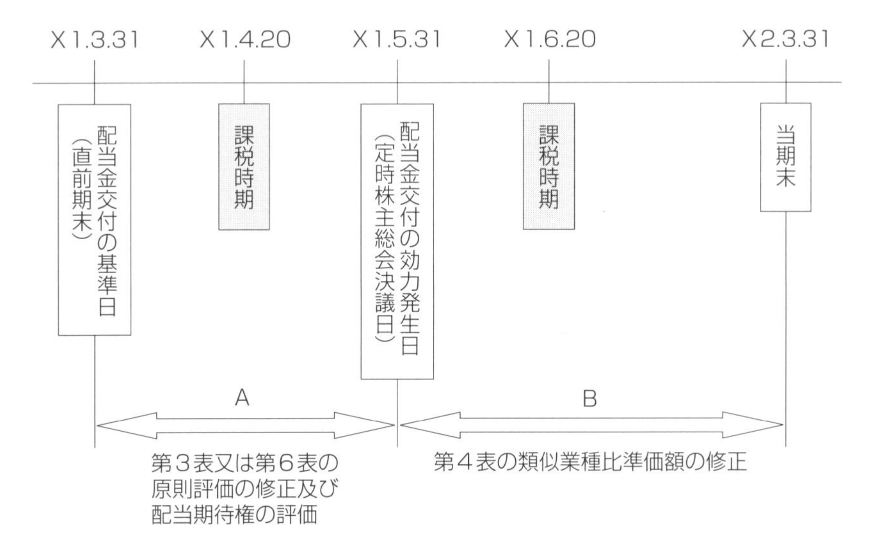

課税時期が配当金交付の基準日の翌日から配当金交付の効力が発生する日の前日までの間にある場合（課税時期がAの期間：RX１.４.１～RX１.５.31）に

は、課税時期において配当の効果は生じていませんが、配当期待権が発生しています。この配当期待権については、財産評価基本通達193により株式とは別に独立評価します。

上場株式であれば、配当期待権の発生と同時に株式の価格が配当落ちにより低下しますが、取引相場のない株式の場合は、この時点での課税時期現在では配当含みであるため、上記の配当期待権と二重に評価される結果になってしまいます。

そこで、財基通179による原則的評価額から１株当たりの予想配当金額を控除して、修正後の原則的評価額とします（財基通187）。

［2］類似業種比準価額の修正…Ｂの期間

直前期末の翌日から課税時期までの間に配当金交付の効力が発生した場合（課税時期がＢの期間：ＲＸ１.６.１～ＲＸ２.３.31）には、類似業種比準価額を配当落ちの価額に修正します。

これは、類似業種比準価額を計算する際の３要素が、課税時期の直前期末時点で計算されているために、権利控除後の価額に修正して評価の均衡を保つ必要から行われるものです。（なお、純資産価額は、課税時期の純資産総額を課税時期の発行済株式数で除して計算するため、配当の権利含み・落ちが常に反映されます。）

そこで、財基通180による類似業種比準価額から、１株当たりの配当金額を控除して、修正後の類似業種比準価額とします（財基通184）。

［3］配当還元方式と修正

上記Ａの期間の修正は、原則的評価の修正に限られており、配当還元価額については、修正計算はありません（Q63参照）。

Q 60　１事業年度につき２回以上配当がある場合の修正について

Q59では、配当が一度しか行われていませんが、１事業年度中に２度配当がある場合に必要となる株式の価額の修正について説明してください。

A 会社法454条１項において、株式会社は剰余金の配当をしようとするときは、その都度、株主総会の決議によって、剰余金配当の効力発生日等を定めなければならないと規定しています。また、同条５項は、取締役会設置会社については１事業年度の途中において１回に限り取締役会の決議によって配当財産が金銭である剰余金の配当（いわゆる中間配当）ができる旨を定款で定めることができるとしており、臨時配当や中間配当が行い易くなっています。

このようなケースでは、配当の基準日及び効力発生日を境として、前問Q59で解説した修正が必要となります。

解　説

(1)　配当金交付の基準日　①　令和Ｘ１年３月31日（直前期末）
②　令和Ｘ１年９月30日（中間配当基準日）

(2)　配当金交付の効力発生日　①　令和Ｘ１年５月31日（定時株主総会決議日）
②　令和Ｘ１年11月30日（取締役会等決議日）

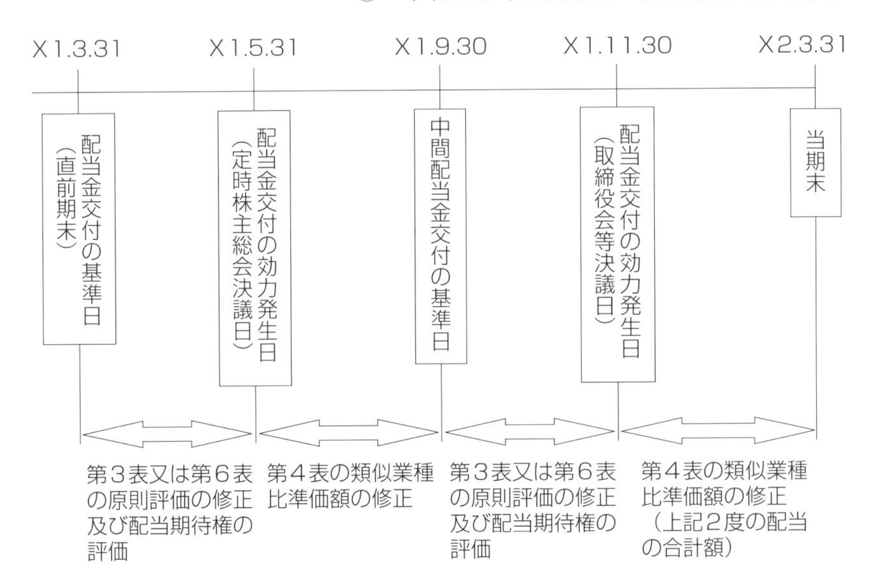

Q 61 募集株式の発行の場合の原則的評価額の修正

直前期末と課税時期の間に新株式の効力発生日がある場合など、課税時期と新株発行に関連して必要となる株式の価額の修正について説明してください。

A 原則的評価方式により取引相場のない株式を評価する場合において、

(1) 課税時期が直前期末の翌日から新株式の募集等があった日までの間にあるときは、修正は不要です。

(2) 課税時期が新株式の割当の基準日、新株式の募集等があった日又は株式無償交付の基準日のそれぞれ翌日から新株式の効力発生日までの間にあるときは、原則的評価額を修正し、株主となる権利等を別に評価します。

(3) 課税時期が新株式の効力発生日の翌日以後であるときは、類似業種比準価額を修正します。

解　説

① 新株式の払込期間の開始の日　令和Ｘ１年８月23日（取締役会等決議日）
② 新株式の払込期日　令和Ｘ１年８月26日
③ 新株式の効力発生日　令和Ｘ１年８月26日

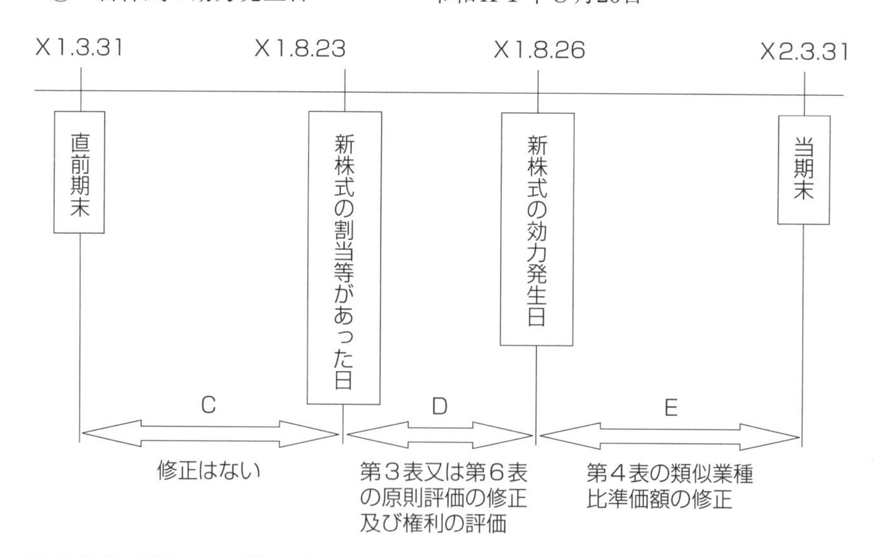

［1］課税時期がCの期間（RX 1.4.1～RX 1.8.23）にある場合については、株式に関する権利が実現していないので、修正は不要です。

［2］原則的評価額の修正と権利の評価…Ｄの期間

課税時期がＤの期間（ＲＸ１.８.24～ＲＸ１.８.26）にある場合については、次により評価します。

⑴　原則的評価額の修正（財基通187⑵）

新株引受権等の発生している株式として、原則評価について、次の算式で計算した価額に修正します。

（取引相場のない株式の評価額＋割当を受けた新株式１株につき払い込むべき金額×株式１株に対する新株式の割当数）

÷（１＋株式１株に対する新株式の割当数又は交付数）

⑵　株主となる権利の評価（財基通191）

評価通達の定めにより評価した、いわゆる新株権利落後の株式の価額（上記⑴により修正した価額）－新株式１株につき払い込むべき金額

＝株主となる権利の価額

（注）その他の権利の評価については、後記Ｑ62をご参照ください。

［3］類似業種比準価額の修正と純資産価額の計算…Ｅの期間

直前期末の翌日から課税時期までの間に新株式発行の効力が発生した場合（課税時期がＢの期間：ＲＸ１.８.27～ＲＸ２.３.31）は、

⑴　類似業種比準価額の修正

課税時期の発行済株式数は直前期末の発行済株式数より増加しているので、次の算式により、類似業種比準価額を増資後の価額に修正します（財基通184）。

（類似業種比準価額の計算式によって計算した金額＋新株式１株当たりの払込金額×株式１株当たりの新株式の割当数）÷（１＋株式１株当たりの新株式の割当数又は交付数）＝修正後の類似業種比準価額

⑵　純資産価額の計算

課税時期の直前期末から課税時期までに払込による増資があったときには、直前期末の資産及び負債を基として評価した純資産価額に、増資払込金額を加算し、増資後の発行済株式数で除して計算します。

これを算式で示せば次のとおりです。

（直前期末における資産及び負債を基として評価した純資産価額＋増資払込金額の総額）

÷課税時期における発行済株式数（増資後）＝１株当たりの純資産価額

［4］配当還元方式と修正

上記Ｄの期間の修正は、原則的評価の修正に限られています。配当還元価額については、修正計算は不要です（Q63参照）。同じくＥの期間についても必要ありません。

Q 62 株式に関する権利の評価

原則的評価額を修正する場合に別個計算する株式に関する権利について、その種類と評価方法について説明してください。

A Q59・Q61に登場した「配当期待権」「株主となる権利」のほかに
①　株式の割当てを受ける権利、②　株式無償交付期待権
があり、それぞれ下記のように評価します。

解　説

［1］株式の割当てを受ける権利（財基通190）

株式の割当てを受ける権利とは、増資に際して新株式割当基準日（会社法124）を設けた場合に、その日の翌日から割当日までの間の権利をいいます。その計算方法は次の算式のとおり「株主となる権利」と同じです。

会社法では、株主総会等の決議で基準日の株主に株式の割当てを受ける権利を与えます（会社法202）。

評価通達の定めにより評価したいわゆる新株権利落後（修正後）の株式の価額－新株式１株につき払い込むべき金額＝株式の割当てを受ける権利の価額

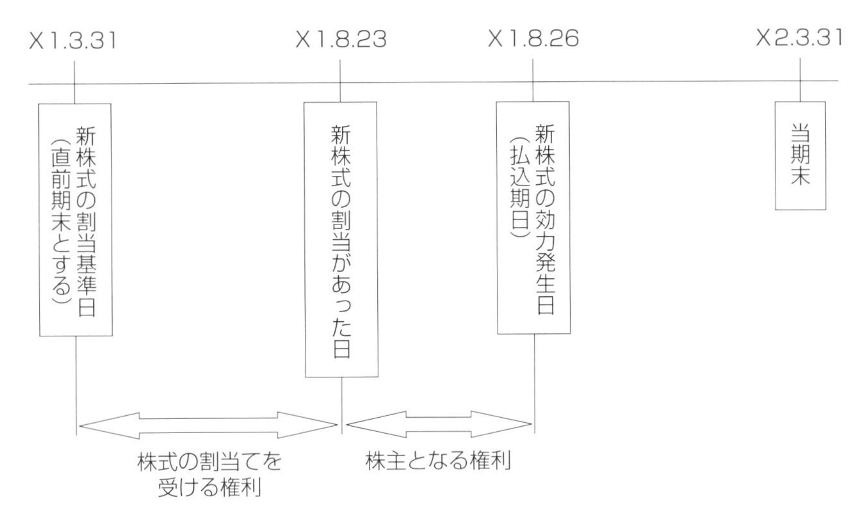

［2］株式無償交付期待権（財基通192）

株式無償交付期待権とは、株式無償交付の基準日の翌日から株式無償交付の効力が発生する日までの間における、株式の無償交付を受けることができる権利をいいます。

評価方法は、株式無償交付期待権が発生している株式について、その株式の区分に応じて、それぞれ財産評価基本通達の定めにより評価した価額に相当する価額、つまり、その元となる株式の評価額そのものとなります（財基通192）。

会社法185条の株式無償割当ては、割当て基準日がない場合は、株式無償交付期待権が発生する余地がありません。

会社法185条の株式無償割当及び会社法183条の株式の分割、会社法180条の株式の併合については、純資産価額の計算については、これらの行為後の発行済株式数で計算し、類似業種比準価額の計算については、修正比準価額の㉘の欄で計算するものと考えられます。

なお、配当還元価額についても適宜修正することが考えられます。

これらは単に株数の増減であって、結果として、各株主の評価合計額に影響を与えるものではありません。単に株数の増減に伴う、単価の改訂を行うものにすぎません。

なお、種類株式発行会社において、ある種類株式にのみ無償割当てを行う場合の問題は個別の検討となります。

Q 63 配当還元方式の計算方法

少数株主の評価方法とされている配当還元方式とはどのような計算方法でしょうか。

A 平成19年分以降においては、直前期末２年間に配当金交付の効力が発生した剰余金の配当金額の合計額を基として計算します。

解　説

［1］ 配当還元方式の計算方法

同族株主以外の株主及び同族株主等のうち少数株式所有者（同族株主以外の株主等）が取得した株式については、その株式の発行会社が大会社であるか、中会社であるか、また、小会社であるかの会社規模にかかわらず、次に掲げる算式（配当還元方式）で計算した金額（配当還元価額）によって評価します（財基通178本文ただし書、188、188－２）。

$$\frac{\text{その株式に係る年配当金額}}{10\%} \times \frac{\text{その株式の１株当たりの資本金等の額}}{50\text{円}}$$

さらに、特定の評価会社のうち、例えば、比準要素数１の会社、株式保有特定会社、土地保有特定会社又は開業後３年未満の会社等に該当する場合には、同族株主以外の株主等が取得した株式については、配当還元方式によって評価します（財基通189－２なお書、189－３なお書、189－４なお書）。

ただし、特定の評価会社であっても「開業前又は休業中の会社の株式」及び「清算中の会社の株式」については、この配当還元方式を適用することはできません（財基通189－５、189－６）。

上記算式中の「その株式に係る年配当金額」等とは、それぞれ次のとおりです。

① 「その株式に係る年配当金額」

その株式に係る年配当金額は、直前期末以前２年間に配当金交付の効力が発生した剰余金の配当金額（ただし、その他資本剰余金を原資とするものを除く）から、特別配当、記念配当等の名称による配当金額のうち、将来毎期継続することが予想できない金額を控除した金額の合計額の２分の１に相当する金額を、１株当たりの資本金等の額を50円とした場合の発行済株式数で除して計算した金額です。つまり、この場合の年配当金額は、類似業種比準価額を計算する場合の１株当たりの配当金額と同じ方法で算出します。

ただし、この計算によって求めた金額が２円50銭未満のもの及び無配のものにあっては、２円50銭とします。この年配当金額を最低２円50銭とする理由は、取引相場のない株式の発行会社については、実際に分配可能額があるにもかかわらず、政策的にこれを留保し配当しない例も見受けられることが考慮されたことによります。

なお、会社法によると、「配当」は旧商法が採用していた各事業年度の決算で確定した「利益処分による配当」ではなく「剰余金の配当」とされ、株主総会の決議があればいつでも何回でも株主に配当できるように変更されました。これに伴い、評価上も平成19年１月１日以後に課税時期がある場合には「直前期末以前２年間における剰余金の配当金額」を基に計算することに改められましたが、会社法の規定による「配当」は株主に対する利益の配当だけでなく、資本剰余金の配当（法人税法上資本金等の額の減少によるもの）も「剰余金の配当」に含めることとされたため、「１株当たりの配当金額」を計算する場合には、剰余金の配当のうち資本剰余金の配当（法人税法上資本金等の額の減少によるもの）に該当するものを除くこととなります。

② 10%の理由

算式中の分母の10%は、取引相場のない株式は、将来の値上り期待その他配当金の実績による利回り以外の要素がある上場株式とは異なっていること、また、収益が確定的であり安定している預金、公社債とは異なることなどから、比較的高い還元率を採用することによって評価の安全性及び安定性を図ることとしたものです。

③ その株式の１株当たりの資本金等の額÷50円

算式において「その株式の１株当たりの資本金等の額÷50円」を乗ずることとしているのは、上記①において、１株当たりの資本金等の額を50円とした場合の金額としているため、評価会社のその株式に係る年配当金額は１株当たりの評価額を計算するために評価会社の直前期末における１株当たりの資本金等の額の50円に対する倍率を乗じて、評価会社の状態に戻す必要があるからです。

改正前は、配当還元方式により評価する場合は「１株当たりの資本金の額を50円とした場合の年配当金額及び株式数」を基に計算することとしていましたが、会社法の施行により、株式会社の資本金の額が1,000万円を下回ることを禁止した最低資本金制度が廃止され、資本金を資本準備金等に振替え、資本金の額をゼロとすることも可能となったこと等から、平成19年以後は「資本金の額」ではなく、法人税法２条16号に規定する「資本金等の額」により計算することとされました。

［2］ 配当還元方式の特例

同族株主以外の株主等が取得した株式については、原則として、上記［1］で述べたように直前期末以前２年間の剰余金の配当金額を基とする配当還元方式により評価することとしています。ただし、その配当還元価額が、その株式について同族株主等が取得した場合に適用される原則的評価方法によって評価した価額を超えることとなる場合には、その原則的評価方式によって計算した金額により評価します（財基通188－２ただし書、189－２なお書のかっこ書、189－３なお書のかっこ書、189－４なお書のかっこ書）。

つまり、配当還元価額>原則的評価方式による評価額の場合には、原則的評価方式による評価額となります。

これは、会社の支配権を有する同族株主等の所有する株式の価額に比して、支配権を有しない同族株主等以外の株主の所有する株式の価額の方が低くなるのが通常であるからです。また、一般的にも配当還元方式による評価額の方が原則的評価方法による評価額を下回るものと考えられますが、例えば、収益力を無視して異常な高額配当を行っている場合などには、適正な評価額が算定されず、評価の公正を損なう結果となることから採られた措置であると考えられています。

Q 64 無配の場合

私の持っている株式は配当還元方式により評価できる株式です。直前期に効力の生じた配当金は１株当たり40円でしたが、直前期の前期は無配でした。この場合、その株式に係る年配当金額はどのような計算をすればよいのでしょうか。なお、評価会社は年１回決算で、１株当たりの資本金等の額は500円です。

A 配当還元方式で評価する株式の１株（50円）当たりの年配当金額は、その株式に係る直前期末以前２年間に配当金交付の効力が発生した剰余金の配当金額（ただし、その他資本剰余金を原資とするものを除く。）から、特別配当、記念配当等の名称による配当金額のうち、将来毎期継続することが予想できない金額を控除した金額の合計額の２分の１に相当する金額を、直前期末の発行済株式数（１株当たりの資本金等の額が50円以外の金額である場合には、直前期末における資本金等の額を50円で除して計算した数によるものとします。）で除して計算した金額です。

ただし、その金額が２円50銭未満のもの及び無配のものにあっては、２円50銭とします（財基通188－２ただし書）。

ご質問の場合の「その株式の１株当たりの資本金等の額を50円とした場合の年配当金額」は、下記のように２円50銭未満となるため、２円50銭とします。

（40円＋0円）×１／２×50円／500円＝2.0円＜2.5円　∴2.5円

したがって、配当還元方式による株式の評価額は、次の計算により250円となります。

$$\frac{２円50銭}{10\%} \times \frac{500円}{50円} = 250円$$

この2.5円の趣旨は、無配株式について、0円評価となることは、適当ではなく、１株当たりの資本金等の額の1／2を評価の下限とする意味です。

Q 65｜資本金等の額がマイナスの場合

資本金等の額がマイナスになっている場合は、配当還元方式による評価はどのように行うのでしょうか。

A 会社法の施行に伴う平成18年度法人税法の改正により、法人が自己株式を取得する場合は、資本金等の額から、取得した自己株式に対応する資本金等の額を控除しなければなりません。このことから、資本金等の額がマイナスの値になるケースが考えられ、資本金等の額を計算要素とする類似業種比準価額や配当還元価額が計算できなくなるとの意見もありました。

この点について、国税庁は平成18年12月22日付情報により、資本金等の額がマイナスになったとしても、その結果算出された株価（１株当たりの資本金等の額を50円とした場合の株価…マイナスの値）に、同じ資本金等の額を基としたマイナスの値（１株当たりの資本金等の額を50円とした場合の倍数）を乗ずることで、結果として適正な評価額が算出されるという見解を示しています。

この点は、平成18年12月22日資産評価企画官情報第２号の「４　取引相場のない株式等の評価の改正（類似業種比準方式の計算）」に、次の記載があります。

（参考２）「資本金等の額」がマイナスとなる場合

資本金等の額から、取得した自己株式に対応する資本金等の額を控除した結果、「資本金等の額」が負の値となる可能性がある。

その主な原因としては、上場されている自己株式を市場取引により取得した場合に、その取得対価の全額を「資本金等の額」から控除することとなるため、「資本金等の額」を上回る価額で取得したようなときには、「資本金等の額」が負の値となることが考えられる。

しかし、仮に「資本金等の額」が負の値となったとしても、その結果算出された株価（１株当たりの資本金等の額を50円とした場合の株価）に、同じ資本金等の額を基とした負の値（１株当たりの資本金等の額の50円に対する倍数）を乗ずることにより約分されるため、結果として適正な評価額が算出されることとなる。

この場合、「取引相場のない株式（出資）の評価明細書」の「第４表　類似業種比準価額等の計算明細書」の作成に当たっては、「１株当たりの資本金等の額」、「２．比準要素等の金額の計算」及び「比準割合の計算」の欄は、マイナスのまま計算することに留意する（配当還元方式により評価する場合及び株式保有特定会社の株式の評価並びに医療法人の出資の評価の場合においても同様に計算する。）。

平成18年度の会社法改正及び平成18年度法人税法改正により、類似業種比準価額及び配当還元価額の計算において、旧商法の50円額面換算の基となる金額を「資本金額」から、改正前の法人税法上の「資本金額+資本積立金額」の合計額としての「資本金等の額」に改正されました。

改正前の商法上及び会社法上の「資本金額」は常に、＞０であったが、財基通改正後の「資本金等の額」は、法人税においてマイナスの場合、そのまま計算することされました。

実務においてよくあるのは、他社を時価で買収して100％等の子会社としたのちに吸収合併した場合の合併法人や、完全支配関係法人内で、持合い関係の整理などの理由で金庫株を実施した場合に譲渡株主法人は、みなし配当とともに譲渡損が計算される場合がありますが、この譲渡損は、平成22年法人税法改正以後は、譲渡損相当額＝資本金等の額の減算額として計算されます。

「資本金等の額」がマイナスであった場合の取扱いは、平成25年版財基通逐条解説において、「マイナスのまま計算することに留意する（配当還元方式により評価する場合及び株式保有特定会社の株式の評価並びに医療法人の出資の評価の場合においても同様に計算する。）とされました。

「１株当たりの資本金等の額」が計算される場合は、マイナスであっても、類似業種比準価額の計算では特段の問題ありません。

しかし配当還元価額の計算では、「１株（50円）当たりの年配当金額の計算が、50円換算で２円50銭未満となる場合に、標準的な税務ソフトにおいては、マイナス２円50銭とされるので、マイナスの資本金等の額が絶対値でもとの資本金額の２倍以上となる場合に、実際の配当利回りではなく、「１株当たりの資本金等の額」の1/2として計算されることになります。

上記は今後の逐条解説等の議論により検討が望まれます。資本金等の額がマイナスで、特例評価が配当利回りを大きく超える場合については、実際の売買事例がある場合は実際の配当利回りで評価することが考えられます。

本件は財基通188の２において通達及び逐条解説の記載として明確にされていることに注意する必要があります。

Q65-2 資本金等の額がゼロの場合

資本金等の額がゼロの場合は、配当還元方式及び類似業種比準方式の評価はどうなりますか。

A 法人税法施行令第８条の規定により、法人税法上の資本金等の額は減算されます。この減算が法人税法第24条第１項第４号の資本の払戻し等の場合、資本金等の額がゼロとなった場合が考えられます。この資本金等の額がゼロとなる資本の払戻しについては、混合配当事件として令和３年３月11日最高裁判決により政令の改正を求められ、令和４年度改正で改正されました。この結果、今後ゼロとなる可能性は低くなりましたが、過年度の資本の払戻し等においてゼロとなった場合が考えられます。

この場合は、資産税においては、配当還元価額方式も類似業種比準価額方式も計算は困難となります。

このような場合、対応は、過年度の資本の払戻し等について、令和４年改正後の政令条文により、資本金等の額を再計算し、その訂正ができないか、法人税法上の問題として検討し、今後の申告で誤記であったとして訂正する方法が考えられます。

しかし、法人税法上の検討の結果、法人税法上において、資本金等の額が正しくゼロである場合も考えられます。

このような場合は、主要な株主が、仮にゼロでないとして計算される相続税評価額等で１株以上の増資等を実行し、資本金等の額の増加を検討してください。

Q65-3　１株当たりの資本金等の額の計算の改正案の概要

評価明細書通達が改正される予定と聞きましたが、資本金等の金額の計算などの端数処理の扱いが変更されたと聞きましたがその内容を教えてください。

A　令和５年８月現在開示されている評価明細書通達の改正案（パブリックコメント中）は、「１株当たりの資本金等の額」の計算に原則として分数表記が導入され、端数処理により「１株当たりの資本金等の額」が０円となることは法人税法上の資本金等の金額が０円でない限りないとするものです。

解　説

［1］　取引相場のない株式の評価明細書の記載については一部の例外を除き、各欄の表示単位未満の端数を切り捨てて記載しますが、評価明細書第４表の「１株当たりの資本金等の額」の欄について、表示単位の端数を切り捨てると０となる場合は、端数を切り捨てず原則として分数で記載することとし、納

税者の選択により少数表記ができ、その場合の端数処理の例は以下のとおりとされています。

（小数を選択した場合の端数処理の例）

① 直前期末の資本金等の額 10,000 千円

② 直前期末の発行済株式数 123,400,000 株（９桁）

③ 直前期末の自己株式数 0 株

④ １株当たりの資本金等の額（①÷（②－③））0.081037277 円

（注） この場合、上記の②のとおり株式数の桁数が９桁であるため、その桁数に１を加えた10桁以下の端数を切り捨てた金額を記載します。

10,000 千円 ÷（123,400,000 株－0 株）＝ 0.08103727714……

［2］現行の端数処理では、発行済株式数が123,400,000株（自己株式数０）で資本金等の額が０の評価会社（Q65－２参照）を１株当たりの資本金等の額を１円以上とするために、123,400,000円以上の増資又はマイナスの資本金等の額の減少をしなければならなかったものが、上記改正後は、１株１万円の増資を実行すれば、

① 直前期末の資本金等の額 10千円

② 直前期末の発行済株式数 123,400,001 株（９桁）

③ 直前期末の自己株式数 0 株

④ １株当たりの資本金等の額（①÷（②－③））0.000081037 円

となり、これにより、第４表類似業種比準価額、第３表配当還元価額等の計算ができることになります。

［3］このように少数表記が、「「直前期末の発行済株式数」欄の②の株式数の桁数に１を加えた数に相当する数の位以下の端数を切り捨てたものを記載することができます。」とされたことにより、理論上は、法人税法上の資本金等の額が１円以上又はマイナスの１円以下である場合に、「１株当たりの資本金等の額」が０円となることはありません。

［4］今回の改正案は、上記の端数処理の扱いが主な内容で、パブリックコメントを経て評価明細書通達が改正され、令和６年１月１日からの相続又は贈与について適用が予定されています（巻末〈付録５〉参照）。

Q 66 株式の割当てを受ける権利等が発生している場合の価額修正の要否

課税時期において株式の割当てを受ける権利や配当期待権等などの権利が発生している場合には、配当還元方式で計算した株式の価額について、原則的評価方式によって評価するときのように株式の価額を修正しなければなりませんか。

A ［1］課税時期が新株式の割当の基準日からその新株式の効力が発生する日までの間にある場合は、原則的評価方式によって評価した取引相場のない株式の価額を修正し、権利の価額を別途評価するのは、Q59で述べたとおりです。

一方、配当還元方式による配当還元価額は、課税時期の直前期末以前２年間に効力の発生した剰余金の配当（資本の払い戻しに該当するものを除く。）の金額だけを株価の価値算定の要素としているものであり、かつ、その配当金は企業の実績からみた安定配当に基づくものです。

例えば、新株式の交付は、一般的に企業効率の向上を図るために行われるものであり、新株式の交付による払込資金は、通常事業活動に投下され相応の収益を生むことになります。一般に、新株式の交付による株式数の増加分だけ１株当たりの配当金が減少するとは限らず、むしろ維持されるのが普通です。

このようなことから、安定配当の金額を基礎として評価した株式の価額は、株式の割当てを受ける権利等の権利が発生している場合であっても、１株当たりの純資産価額や類似業種比準価額などの原則的評価方式による方法で評価する株式の場合と同一に考えることは適当ではありません。そこで、配当還元方式により計算した株式については、課税時期において株式の割当てを受ける権利が発生していても、配当還元価額の修正は行いません。

［2］上記と同様に、配当期待権が発生している場合においても、その株式の価額の修正はしないことになっています。

すなわち、仮に新株式の交付に伴い株式数が増加した場合であっても、それだけ、１株当たりの配当金額が減少するとは限らず、新株式の交付後においても新株式の交付前の配当率を持続するケースが多い実情にあることから、課税時期に配当期待権が発生していても配当還元価額の修正は行わないことにしたのです。

Q 67　配当還元方式による計算例－評価会社が記念配当を行っている場合

以下の取引相場のない株式のケースで、この会社の評価額はどうなりますか。

(1)　課税時期　令和Ｘ２年７月１日

(2)　直前期末の資本金等の額　5,000万円

(3)　１株当たりの資本金等の額　500円

(4)　直前期末の発行済株式数　100,000株

(5)　評価会社の直前期末以前２年間の配当金額

直前期	（自ＲＸ１.４.１至ＲＸ２.３.31）	普通配当	9,000千円
直前々期	（自ＲＸ０.４.１至ＲＸ１.３.31）	普通配当	10,000千円
		創立20周年記念配当	5,000千円

(6)　原則的評価方式を適用して計算した株式の価額　１株当たり　1,250円

A　設例の会社の評価金額は以下のようになります。

(1)　年平均配当金額

（9,000千円＋10,000千円）÷２＝9,500千円…①

記念配当は、将来、毎期継続して行われることが予想できないので、年配当金額の計算上除外します。

(2)　１株当たりの資本金等の額を50円とした場合の発行済株式数

50,000千円÷50円＝1,000,000株…②

(3)　１株（50円）当たりの年配当金額

①÷②＝９円50銭…③

(4)　１株当たりの資本金等の額

50,000千円÷100,000株＝500円…④

(5)　配当還元価額

③÷10％×④÷50円＝950円

(6)　評価額

950円＜原則的評価額1,250円

よって、この評価会社の特例的評価方法による１株当たりの配当還元価額は950円となります。

Q 68 直前々期末の後で合併した場合の配当還元価額の計算

合併法人の株式評価に当たり、次の設例のように直前期末の後で合併を行った評価会社の配当還元価額の計算はどのようにするのですか。

[設例]

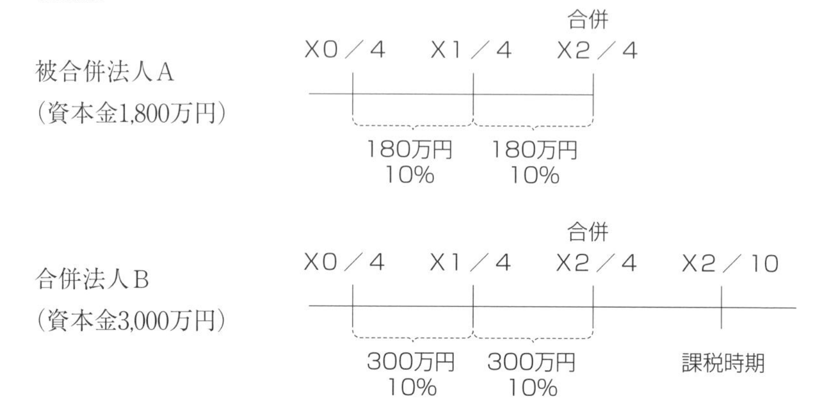

（注） 令和X２年４月１日合併　合併比率１：１（合併後の資本金等の額4,800万円、合併後の発行済株式数９万６千株）なお、図表内は配当金額。いずれも年１回決算。

A 旧Ａ社株主には新Ｂ社株が交付されていますので、Ｂ社株の配当金は、課税時期直前のＢ社の決算期からさかのぼって、２年間内にＡ社、Ｂ社が支払った配当の総額の２分の１相当額を年平均配当金額とみなして、次の算式により計算してよいと考えられます。

年平均配当金額　$\dfrac{180万円+300万円+180万円+300万円}{2}$ ＝ 480万円

１株当たりの資本金等の額を50円とした場合の発行済株式数　$\dfrac{4{,}800万円}{50円}$ ＝ 96万株

１株当たりの資本金等の額　$\dfrac{4{,}800万円}{9万6千株}$ ＝ 500円

１株（50円）当たりの配当金額　$\dfrac{480万円}{96万株}$ ＝ ５円

配当還元価額　$\dfrac{5円}{10\%} \times \dfrac{500円}{50円}$ ＝ 500円

Q 69 配当優先株式を発行している場合で、普通株式が無配の場合の配当還元価額

普通株式と配当優先株式を発行している場合において、優先株式について配当をし、普通株式については無配であったときの配当還元価額はどのように計算しますか。

A 財産評価基本通達188－２（同族株主以外の株主等が取得した株式の評価）における「その株式に係る年配当金額」は、同通達183の⑴に定める「１株当たりの配当金額」をいいます。つまり、配当優先株式についても、類似業種比準方式で評価する場合の比準要素のうちの「１株当たりの配当金額」の計算方法に従うことになります。

なお、平成19年３月９日付資産評価企画官情報第１号において、配当優先株式の評価方法について、「配当について優先・劣後のある株式を発行している会社の株式を類似業種比準方式により評価する場合には、株式の種類ごとにその株式に係る配当金（資本金等の額の減少によるものを除く。）によって評価する」との見解が示されました。

この情報と上記通達とを総合して判断すれば、配当還元価額についても株式の種類ごとに「１株当たりの配当金額」を計算して、各種類株式ごとの配当還元価額を計算するものと考えられます。

[設例]

			１年目	２年目
普通株式	100,000株	配当	０円	０円
配当優先株式	100,000株	配当	100万円	100万円

発行済株式数　200,000株

直前期末の資本金等の額　1,000万円

１株当たり資本金等の額　50円

⑴　普通株式についての１株（50円）当たりの年配当金額

０円／２年÷100,000株＝０円＜２円50銭　　∴２円50銭

⑵　配当優先株式についての１株（50円）当たりの年配当金額

200万円／２年÷100,000株＝10円≧２円50銭　　∴10円

第3表　一般の評価会社の株式及び株式に関する権利の価額の計算明細書

会社名　種類株式発行法人【普通株式】

（取引相場のない株式（出資）の評価明細書）

（平成三十年一月一日以降用）

1．原則的評価方式による価額

1株当たりの価額の計算の基となる金額	類似業種比準価額（第4表の㉖、㉗又は㉘の金額）	1株当たりの純資産価額（第5表の⑪の金額）	1株当たりの純資産価額の80%相当額（第5表の⑫の記載がある場合のその金額）
	① 円	② 円	③ 円

	区分	1株当たりの価額の算定方法	1株当たりの価額
1株当たりの価額の計算	大会社の株式の価額	①の金額と②の金額とのいずれか低い方の金額（②の記載がないときは①の金額）	④ 円
	中会社の株式の価額	①と②とのいずれか低い方の金額　Lの割合　②の金額（③の金額があるときは③の金額）　Lの割合 （　円×0.　）＋（　円×（1－0.　））	⑤ 円
	小会社の株式の価額	②の金額（③の金額があるときは③の金額）と次の算式によって計算した金額とのいずれか低い方の金額 ①の金額　②の金額（③の金額があるときは③の金額） （　円×0.50）＋（　円×0.50）＝　円	⑥ 円

			修正後の株式の価額
株式の価額の修正	課税時期において配当期待権の発生している場合	株式の価額（④、⑤又は⑥）　1株当たりの配当金額 円－　円　銭	⑦ 円
	課税時期において株式の割当てを受ける権利、株主となる権利又は株式無償交付期待権の発生している場合	株式の価額（④、⑤又は⑥（⑦があるときは⑦））　割当株式1株当たりの払込金額　1株当たりの割当株式数　1株当たりの割当株式数又は交付株式数 （　円＋　円×　株）÷（1株＋　株）	⑧ 円

2．配当還元方式による価額

1株当たりの資本金等の額、発行済株式数等	直前期末の資本金等の額	直前期末の発行済株式数	直前期末の自己株式数	1株当たりの資本金等の額を50円とした場合の発行済株式数（⑨÷50円）	1株当たりの資本金等の額（⑨÷（⑩－⑪））
	⑨ 千円 10,000	⑩ 内 100,000 株 200,000	⑪ 株	⑫ 100,000 株 200,000	⑬ 円 50

直前期末以前2年間の配当金額	事業年度	⑭ 年配当金額	⑮ 左のうち非経常的な配当金額	⑯ 差引経常的な年配当金額（⑭－⑮）	年平均配当金額
	直前期	千円 0	千円	㋑ 千円	⑰ （㋑＋㋺）÷2　千円 0
	直前々期	千円 0	千円	㋺ 千円	

1株（50円）当たりの年配当金額	年平均配当金額（⑰）　⑫の株式数　⑱ 0千円 ÷ 100,000株 ＝ 2円 50銭	この金額が2円50銭未満の場合は2円50銭とします。

配当還元価額	⑱の金額　⑬の金額　⑲ $\frac{2円\ 50銭}{10\%} \times \frac{50円}{50円}$ ＝ 25円	⑳ 円 25	⑲の金額が、原則的評価方式により計算した価額を超える場合には、原則的評価方式により計算した価額とします。

3．株式に関する権利の価額（1．及び2．に共通）

配当期待権	1株当たりの予想配当金額　源泉徴収されるべき所得税相当額 （　円　銭）－（　円　銭）	㉑ 円 銭
株式の割当てを受ける権利（割当株式1株当たりの価額）	⑧（配当還元方式の場合は⑳）の金額　割当株式1株当たりの払込金額 円－　円	㉒ 円
株主となる権利（割当株式1株当たりの価額）	⑧（配当還元方式の場合は⑳）の金額（課税時期後にその株主となる権利につき払い込むべき金額があるときは、その金額を控除した金額）	㉓ 円
株式無償交付期待権（交付される株式1株当たりの価額）	⑧（配当還元方式の場合は⑳）の金額	㉔ 円

4．株式及び株式に関する権利の価額（1．及び2．に共通）

株式の評価額	25 円
株式に関する権利の評価額	円（円　銭）

第3表　一般の評価会社の株式及び株式に関する権利の価額の計算明細書

会社名　種類株式発行法人【配当優先株式】

（取引相場のない株式（出資）の評価明細書）

（平成三十年一月一日以降用）

1．原則的評価方式による価額

1株当たりの価額の計算の基となる金額	類似業種比準価額（第4表の㉖、㉗又は㉘の金額）	1株当たりの純資産価額（第5表の⑪の金額）	1株当たりの純資産価額の80%相当額（第5表の⑫の記載がある場合のその金額）
	①　円	②　円	③　円

1株当たりの価額の計算 区分	1株当たりの価額の算定方法	1株当たりの価額
大会社の株式の価額	①の金額と②の金額とのいずれか低い方の金額（②の記載がないときは①の金額）	④　円
中会社の株式の価額	（①と②とのいずれか低い方の金額　円×0.　Lの割合）＋（②の金額（③の金額があるときは③の金額）　円×（1－0.　Lの割合））	⑤　円
小会社の株式の価額	②の金額（③の金額があるときは③の金額）と次の算式によって計算した金額とのいずれか低い方の金額 （①の金額　円×0.50）＋（②の金額（③の金額があるときは③の金額）　円×0.50）＝　円	⑥　円

株式の価額の修正	算式	修正後の株式の価額
課税時期において配当期待権の発生している場合	株式の価額（④、⑤又は⑥）　円－1株当たりの配当金額　円　銭	⑦　円
課税時期において株式の割当てを受ける権利、株主となる権利又は株式無償交付期待権の発生している場合	（株式の価額〔④、⑤又は⑥（⑦があるときは⑦）〕　円＋割当株式1株当たりの払込金額　円×1株当たりの割当株式数　株）÷（1株＋1株当たりの割当株式数又は交付株式数　株）	⑧　円

2．配当還元方式による価額

1株当たりの資本金等の額、発行済株式数等	直前期末の資本金等の額	直前期末の発行済株式数	直前期末の自己株式数	1株当たりの資本金等の額を50円とした場合の発行済株式数（⑨÷50円）	1株当たりの資本金等の額（⑨÷（⑩－⑪））
	⑨　10,000千円	⑩ 内 100,000株　200,000株	⑪　株	⑫ 100,000株　200,000株	⑬　50円

直前期末以前2年間の配当金額 事業年度	⑭ 年配当金額	⑮ 左のうち非経常的な配当金額	⑯ 差引経常的な年配当金額（⑭－⑮）	年平均配当金額
直前期	1,000千円	千円	㋑ 1,000千円	⑰（㋑＋㋺）÷2　1,000千円
直前々期	1,000千円	千円	㋺ 1,000千円	

1株（50円）当たりの年配当金額	年平均配当金額（⑰）1,000千円 ÷ ⑫の株式数 100,000株 ＝ ⑱ 10円　0銭	この金額が2円50銭未満の場合は2円50銭とします。
配当還元価額	⑱の金額 10円 0銭 / 10% × ⑬の金額 50円 / 50円 ＝ ⑲ 100円　⑳ 100円	⑲の金額が、原則的評価方式により計算した価額を超える場合には、原則的評価方式により計算した価額とします。

3．株式に関する権利の価額（1．及び2．に共通）

配当期待権	1株当たりの予想配当金額（　円　銭）－源泉徴収されるべき所得税相当額（　円　銭）	㉑　円　銭
株式の割当てを受ける権利（割当株式1株当たりの価額）	⑧（配当還元方式の場合は⑳）の金額　円－割当株式1株当たりの払込金額　円	㉒　円
株主となる権利（割当株式1株当たりの価額）	⑧（配当還元方式の場合は⑳）の金額（課税時期後にその株主となる権利につき払い込むべき金額があるときは、その金額を控除した金額）	㉓　円
株式無償交付期待権（交付される株式1株当たりの価額）	⑧（配当還元方式の場合は⑳）の金額	㉔　円

4．株式及び株式に関する権利の価額（1．及び2．に共通）

株式の評価額	100円
株式に関する権利の評価額	円（円　銭）

Q 70 種類株式の評価の概要

種類株式の評価について、明示されている評価方法には、どのようなものがあるのでしょうか。

A 平成18年5月1日に施行された会社法では、108条において、株式会社は下記の①から⑨に掲げる事項について異なる定めをした内容の異なる2以上の種類の株式を発行することができるとしています。

① 剰余金の配当（剰余金配当優先・劣後株式）

② 残余財産の分配（残余財産分配優先・劣後株式）

③ 株主総会において議決権を行使することができる事項（議決権制限株式）

④ 譲渡によるその種類の株式の取得についてその株式会社の承認を要すること（譲渡制限株式）

⑤ その種類の株式について、株主がその株式会社に対してその取得を請求することができること（取得請求権付株式）

⑥ その種類の株式について、その株式会社が一定の事由が生じたことを条件としてこれを取得することができること（取得条項付株式）

⑦ その種類の株式について、その株式会社が株主総会の決議によってその全部を取得すること（全部取得条項付種類株式）

⑧ 株主総会（取締役会設置会社にあっては株主総会又は取締役会、清算人設置会社（会社法478⑧）にあっては株主総会又は清算人会）において決議すべき事項のうち、その決議のほか、その種類の株式の種類株主を構成員とする種類株主総会の決議があることを必要とするもの（拒否権付株式）

⑨ その種類の株式の種類株主を構成員とする種類株主総会において取締役（監査等委員会設置会社にあっては、監査等委員である取締役又はそれ以外の取締役。）又は監査役を選任すること（取締役・監査役選任権付株式）

上記の種類株式については、内容を十分に考慮し、個別に評価する必要性があるとの見解から、これまで財産評価基本通達その他で評価方法が明らかにされてきませんでしたが、一方では、これを明確化することが望まれてきました。

国税庁は、平成19年2月26日付文書回答事例「相続等により取得した種類株式等の評価について」及び平成19年3月9日付資産評価企画官情報第1号「種類株式の評価について」を公開し、平成19年１月１日以降に相続、遺贈又は贈与により取得した下記３種類の種類株式について、原則的評価方式が適用される同族株主等が取得した場合の評価方法を明示しました。

⑴　配当優先の無議決権株式

⑵　社債類似株式

⑶　拒否権付株式

以下、この３種類の種類株式の評価方法をみていきます。

Q 71　配当優先の無議決権株式の評価

配当優先の無議決権株式について、原則的評価方式により評価する場合は、どのように評価するのでしょうか。

A

［1］配当優先の株式の評価

⑴　類似業種比準価額方式で評価する場合

配当について優先・劣後のある株式を発行している会社の株式を類似業種比準方式により評価する場合は、株式の種類ごとにその株式に係る配当金（資本金等の額の減少によるものを除く。以下同じ。）によって評価することとされました。

つまり、配当優先株式と普通株式を発行している会社の場合は、評価会社の比準要素を配当優先株式と普通株式とのそれぞれで算出し、類似業種比準価額を配当優先株式のものと普通株式のものとの２種類の計算をすることになります（Q87参照）。

⑵　純資産価額方式で評価する場合

純資産価額方式で評価する場合には、配当金の多寡が評価の要素になっていないことから、配当優先の有無に関わらず、従来どおり財基通185（純資産価額）の定めによって評価します。

［2］無議決権株式の評価

上記［1］の配当優先株は、類似業種比準価額を株式の種類ごとに評価するという趣旨でした。一方、無議決権株式の評価は、原則的評価額について調整計算をすることを選択できるという内容になっています。

⑴　無議決権株式の評価の原則

無議決権株式については、原則として議決権の有無を考慮せずに評価します。よって、議決権の有無により、評価額に差異は生じないことになります。

⑵　無議決権株式の評価の特例

議決権の有無によって株式の価値に差が生じるのではないかという考え方もあることが考慮され、同族株主が無議決権株式（社債類似株式を除く。）を相続又は遺贈により取得した場合において、次のすべての要件を満たすときは、前記［1］又は原則的評価方式により評価した金額からその５％相当額を控除した金額で評価するとともに、その控除した５％相当額をその相続又は遺贈により同族株主が取得したその会社の議決権株式の価額に加算して評価することもできます。

【特例の適用要件】

イ　当該会社の株式について、相続税の法定申告期限までに、遺産分割協議が確定していること。

ロ　その相続又は遺贈により、その会社の株式を取得したすべての同族株主から、相続税の法定申告期限までに、上記⑵の調整計算を行うことについての届出書が所轄税務署長に提出されていること。

ハ　その相続税の申告に当たり、評価明細書に、調整計算の算式に基づく無議決権株式及び議決権株式の評価額の算定根拠を適宜の様式に記載し、添付していること。

【調整計算の算式】

無議決権株式の評価額（単価）＝Ａ×0.95

議決権のある株式への加算額＝(Ａ×無議決権株式総数(注１)×0.05)……Ｘ

議決権のある株式の評価額＝（Ｂ×議決権のある株式総数(注１)＋Ｘ）÷議決権のある株式総数(注１)

Ａ……調整計算前の無議決権株式の１株当たりの評価額

Ｂ……調整計算前の議決権のある株式の１株当たりの評価額

（注１）「株式総数」は、同族株主がその相続又は遺贈により取得したその株式の総数をいいます（配当還元方式により評価する株式及び社債類似株式を除く）

（注２）Ａ・Ｂについては、その会社が社債類似株式を発行している場合には、次

のQ72に掲げる社債類似株式を社債として、議決権株式及び無議決権株式を評価した後の評価額

Q 72 社債類似株式の評価

社債類似株式について、原則的評価方式により評価する場合は、どのように評価するのでしょうか。

A

[1] 社債類似株式の意義

次の要件を満たす株式を社債類似株式といいます。

イ　配当金については優先して分配する。
　また、ある事業年度の配当金が優先配当金に達しないときは、その不足額は翌事業年度以降に累積することとするが、優先配当金を超えて配当しない。
ロ　残余財産の分配については、発行価額を超えて分配は行わない。
ハ　一定期日において、発行会社は本件株式の全部を発行価額で償還する。
ニ　議決権を有しない。
ホ　他の株式を対価とする取得請求権を有しない。

[2] 社債類似株式の評価

上記 [1] のように、社債類似株式はその経済的実質が社債に類似していると認められますので、評価通達197－2の(3)に準じて発行価額により評価します。しかし、株式であることから既経過利息に相当する配当金の加算は行いません。

上記 [1] に該当する社債類似株式は社債に準じて評価することが明確にされたわけですが、これ以外の社債類似株式（社債類似的な要素はあるものの上記 [1] の要件のすべてを満たさない株式）については、評価方法が明示されていません。期日において発行価額で償還する旨が定められていないなど、株式になる可能性のあるものについては、原則的評価額により評価するものと考えられます。

[3] 社債類似株式発行会社の社債類似株式以外の株式の評価

社債類似株式発行会社の社債類似株式以外の株式は、社債類似株式を社債で

あるとみなし、①類似業種比準方式においてはその計算要素となる各指標から控除し、②純資産価額方式においては社債類似株式数を除外するなど、次に掲げる調整を行って評価します。

(1) 類似業種比準方式

① １株当たりの資本金等の額と株式数の計算について

……社債類似株式に係る資本金等の額及び株式数はないものとします。

② 比準要素について

……１株（50円）当たりの年配当金額・年利益金額・純資産価額ともに、社債類似株式に係る金額はないものとして計算します。

(2) 純資産価額

① 社債類似株式の発行価額の総額を負債（相続税評価額及び帳簿価額）に計上します。

② 社債類似株式の株式数は発行済株式数から除外します。

Q 73 拒否権付株式の評価

拒否権付株式について、原則的評価方式により評価する場合は、どのように評価するのでしょうか。

A 拒否権付株式（会社法108①八に規定する拒否権付株式をいいます。Q70参照。）については、拒否権を考慮せずに、普通株式と同様に評価します。したがって、普通株式との間で評価額に差異は生じません。

第5章

評価明細書第4表関連

Q 74｜類似業種比準方式による計算方法

類似業種比準方式による取引相場のない株式の価額の計算方法を教えてください。

A 類似業種比準方式とは、評価しようとする取引相場のない株式の発行会社（以下「評価会社」という。）と事業内容が類似する業種目に属する複数の上場会社（以下「類似業種」という。）の株価の平均値に、評価会社と類似業種の1株当たりの配当金額、1株当たりの年利益金額及び1株当たりの純資産価額の比準割合を乗じて、取引相場のない株式の価額を求める評価方式です。

解　説

[1] 株式の価格形成要因には、1株当たりの配当金額、1株当たりの年利益金額及び1株当たりの純資産価額はもちろんのこと、事業の内容、その将来性、資本系列、経営者の手腕、業界の経済的環境等、様々な要因が考えられます。

株式評価に当たっては、これらの株価形成要因のすべてを考慮することが望ましいのですが、計算が煩雑となることや、計数化して捉えることが困難なものもあります。そこで、類似業種比準方式においては、最も基本的な株価形成要因である、1株当たりの配当性、1株当たりの収益性及び1株当たりの資産性の3要素を基として比準計算した価額によることとしています。

なお、類似業種比準方式による株式の価額は、株式の様々な価格形成要因のうち基本的な3つを比準要素としていること、現実の取引市場を有していない株式の評価であることなどの理由から、評価の安全性を図るために、比準価額に斟酌を加え、大会社については比準価額の70%相当額、中会社については比準価額の60%相当額、小会社については比準価額の50%相当額で評価することとしています。

[2] 類似業種比準方式による株式の価額の計算式（財基通180）

類似業種比準価額は、類似業種の株価並びに1株当たりの配当金額、1株当たりの年利益金額及び1株当たりの純資産価額（帳簿価額によって計算した金額）を基とし、次の区分に応じた算式によって計算します。

大会社	$\dfrac{A\times\left(\dfrac{Ⓑ}{B}+\dfrac{Ⓒ}{C}+\dfrac{Ⓓ}{D}\right)}{3}\times 0.7$
中会社	$\dfrac{A\times\left(\dfrac{Ⓑ}{B}+\dfrac{Ⓒ}{C}+\dfrac{Ⓓ}{D}\right)}{3}\times 0.6$
小会社	$\dfrac{A\times\left(\dfrac{Ⓑ}{B}+\dfrac{Ⓒ}{C}+\dfrac{Ⓓ}{D}\right)}{3}\times 0.5$

「A」＝類似業種の株価

「Ⓑ」＝評価会社の１株当たりの配当金額

「Ⓒ」＝評価会社の１株当たりの利益金額

「Ⓓ」＝評価会社の１株当たりの純資産価額（帳簿価額によって計算した金額）

「B」＝課税時期の属する年の類似業種の１株当たりの配当金額

「C」＝課税時期の属する年の類似業種の１株当たりの利益金額

「D」＝課税時期の属する年の類似業種の１株当たりの純資産価額（帳簿価額によって計算した金額）

（注）類似業種比準価額の計算に当たっては、Ⓑ、Ⓒ及びⒹの金額は財基通183≪評価会社の１株当たりの配当金額等の計算≫により１株当たりの資本金等の額を50円とした場合の金額として計算し、B、C、Dの金額は財基通183－２≪類似業種の１株当たりの配当金額等の計算≫に準じて各標本会社の１株当たりの資本金の額等（資本金の額及び資本剰余金の額の合計額から自己株式の額を控除した金額をいう。）を50円とした場合の金額として計算することに留意する。

［３］平成29年の財産評価基本通達改正前後の取扱い

上記算式による類似業種比準価額は、平成29年１月１日以後の相続、遺贈又は贈与により取得した財産の評価に適用します。これは平成29年の財産評価基本通達の改正によるものです。

なお、同日前、かつ、平成28年12月31日以前に相続、遺贈又は贈与により取得した財産の評価には、次の区分に応じた次の算式により評価した類似業種比準価額が適用されていました。

大会社	$\dfrac{A\times\left(\dfrac{Ⓑ}{B}+\dfrac{Ⓒ}{C}\times 3+\dfrac{Ⓓ}{D}\right)}{5}\times 0.7$
中会社	$\dfrac{A\times\left(\dfrac{Ⓑ}{B}+\dfrac{Ⓒ}{C}\times 3+\dfrac{Ⓓ}{D}\right)}{5}\times 0.6$

小会社	$\dfrac{A\times\left(\dfrac{Ⓑ}{B}+\dfrac{Ⓒ}{C}\times3+\dfrac{Ⓓ}{D}\right)}{5}\times0.5$

上記の算式のように、平成29年の財産評価基本通達改正前は類似業種比準方式における３つの比準要素である配当金額、利益金額及び簿価純資産価額の比重は、１：３：１として計算されていました。平成12年の財産評価基本通達改正前においては、３つの比準要素の株価形成に与える影響度は等しいものと取り扱って、比重は１：１：１として計算していましたが、平成12年の評価通達の改正時に、上場会社のデータに基づき、これらの要素の比重を１：３：１とした場合が最も適正に株価の算定がなされると認められたことから、以降この比重により計算していました。

平成29年の財産評価基本通達の改正では平成12年の評価通達の改正時と同様に、上場会社のデータに基づき、個別の上場会社について、これらの要素の比重をどのようにすると最も当該上場会社の株価に近似する評価額を導くか、それぞれの要素の比重を変えて検証作業を行った結果、１：１：１という比重が最も実際の株価と評価額との乖離が少なく、適正に「時価」が算出されると認められたことから、類似業種比準方式の算式が改正され平成12年の評価通達改正前の比重に戻りました。

なお、類似業種比準方式における算式の改正に伴い、株式保有特定会社の株式の評価におけるS_1の金額を計算する場合の算式（Q160参照）及び医療法人の出資の評価における算式（Q165参照）についても、それぞれ同様の改正がされました。

また、類似業種比準方式におけるA、B、C、Dの類似業種の比準要素等の金額は、１株当たりの資本金の額等（資本金の額及び資本剰余金の額の合計額から自己株式の額を控除した金額をいう。）を50円として場合の金額として計算します。

これは平成29年の財産評価基本通達の改正により類似業種の比準要素について標本会社の連結決算を反映させるため財務諸表に基づく数値とすることとのバランスから変更されました（Q76-2参照）。改正前はⒷ、Ⓒ及びⒹの金額同様に１株当たりの資本金等の額を50円とした場合の金額として計算していました。

［4］計算式における１株当たりの資本金等の額と調整計算

ところで、類似業種比準方式における上記算式のA、B、C、D、Ⓑ、Ⓒ及び㋓の金額は、１株当たりの資本金等の額を50円とした場合の金額として計算します。

したがって、評価会社の１株当たりの資本金等の額が50円以外の金額である場合には、上記の類似業種比準方式の算式により計算した金額に、評価会社の１株当たりの資本金等の額を50円で除した数値を乗じて計算した価額が評価会社の１株当たりの評価額となるように定められています。

$$\text{比準価額} \times \frac{\text{1株当たりの資本金等の額}}{\text{50円}} = \text{1株当たりの類似業種比準価額}$$

これは、類似業種の株価を基として、評価会社の１株当たりの配当金額、１株当たりの年利益金額及び１株当たりの純資産価額と、類似業種の１株当たりの配当金額、１株当たりの年利益金額及び１株当たりの純資産価額を比較して評価会社の株式の価額を計算するに当たり、１株当たりの資本金等の額の多寡による相違をなくすための調整です。

ところで、「１株当たりの資本金等の額」の「資本金等の額」とは、法人税法２条《定義》16号に規定する資本金等の額をいいます。これは、平成18年度法人税法改正により、改正前の「資本の金額」と「資本積立金額」の合計額と同様の概念として、新たに「資本金等の額」として定義されたものです。

類似業種の株価及び各比準要素の数値の計算は、平成19年１月１日前は、「資本金の額」により「１株当たりの資本金の額を50円とした場合の株式数」を計算し、その株式数を基に算出するとされていました。

改正後は、平成19年１月１日以後の相続、遺贈又は贈与については、法人税法２条《定義》16号に規定する「資本金等の額」により「１株当たりの資本金等の額を50円とした場合の株式数」を計算し、その株式数を基に算出することと改められました。

この改正理由としては、平成18年５月１日に会社法が施行されたことにより、1,000万円という株式会社最低資本金制度が廃止され、さらに、資本金を資本準備金やその他資本剰余金に振り替え、資本金の額をゼロとすることも可能となったため、従来の「資本金の額」を基準に計算するのでは、計算不能になってしまうこともあり、不合理であるからだと説明されています。

[5] 令和６年１月１日以降の相続又は贈与に係る評価に当たっては、表示単位未満の金額に係る端数処理の取扱いが変更されますのでご注意ください（巻末〈付録５〉参照）。

Q 75 「直前期末の資本金等の額」がマイナスである場合の類似業種比準価額の計算方法

当社は、平成13年度税制改正前に取得した自己株式が相当額あったため、「直前期末の資本金等の額」がマイナスとなっています。このように「直前期末の資本金等の額」がマイナスとなっている場合の類似業種比準価額の計算は、どのように行うのでしょうか。

A 「直前期末の資本金等の額」がマイナスである場合における類似業種比準価額は、その計算過程中の数値がマイナスになったとしても、最終的に、同じ資本金等の額を基としたマイナスの値（１株当たりの資本金等の額の50円に対する倍数）を乗ずることにより約分されるため、結果として、プラスの適正な評価額が算出されることになります。

解　説

［1］資本金等の額は、組織再編行為や自己株式の取得によっては、マイナスとなる場合があり得ます。

特に、自己株式の取得に関連して、次の理由から、その取得の対価の多寡によっては、「資本金等の額」がマイナスとなってしまっている事例が、少なからず、存在します。

① 平成13年度法人税法改正前に取得した自己株式に関しては、自己株式の取得の対価の全額がその税務上の帳簿価額とされていたこと。

② しかし、平成18年度改正により、同改正法人税法施行令附則第４条第１項の規定によって、平成18年４月１日に有する自己株式の帳簿価額と資本金等の額のその帳簿価額相当額を減額する旨の経過措置が規定されたこと。

［2］このような理由等から、「直前期末の資本金等の額」がマイナスである場合には、類似業種比準価額は、たとえ、次のように計算過程中の数値がマイナスになったとしても、最終的に、同じ資本金等の額を基としたマイナスの値（１株当たりの資本金等の額の50円に対する倍数）を乗ずることにより約分されるため、結果として適正な評価額が算出されることになると説明されています。

(1) １株当たりの資本金等の額等の計算

「第４表　類似業種比準価額等の計算明細書」の「1.1株当たりの資本金等の額等の計算」においては、「直前期末の資本金等の額」の①欄の金額は、法人税申告書別表五（一）（(利益積立金額及び資本金等の額の計算に関する明細書)）（以下「別表五（一）」といいます。）の「差引翌期首現在資本金等の額」の「差引合計額」欄の金額を記載します。

したがって、この金額が上記の理由からマイナスである場合には、マイナスのままその後の計算を進め、「１株当たりの資本金等の額」の④欄の金額も、マイナスとなります。

さらに、「１株当たりの資本金等の額を50円とした場合の発行済株式数」の⑤欄の株数も、「直前期末の資本金等の額」の①欄の金額を50円で除して得た数値として計算しますので、「直前期末の資本金等の額」の①欄の金額がマイナスの場合は、この⑤欄の株数も、「マイナスの発行済株式数」として算出されます。

⑵　比準要素等の金額の計算

比準要素等の金額の計算における「１株（50円）当たりの年配当金額」、「１株（50円）当たりの年利益金額」及び「１株（50円）当たりの純資産価額」の計算においても、それぞれ「直前期末以前２年間の年平均配当金額」、「直前期末以前２年間の利益金額」及び「直前期末の純資産価額」を上記で求めた「マイナスの発行済株式数」で除して得た数字として計算します。

そうすると、「直前期末以前２年間の年平均配当金額」、「直前期末以前２年間の利益金額」及び「直前期末の純資産価額」がプラスである場合には、「１株（50円）当たりの年配当金額」、「１株（50円）当たりの年利益金額」及び「１株（50円）当たりの純資産価額」は、それぞれマイナスの数値として算出されます。

なお、「１株（50円）当たりの年配当金額」の計算上、配当金額にマイナスの配当という概念がないこと、「１株（50円）当たりの年利益金額」及び「１株（50円）当たりの純資産価額」も、「１株当たりの資本金等の額を50円とした場合の発行済株式数」で除す前の金額がマイナスの場合はゼロとすることとされています。

したがって、これらの比準要素を計算する上で、マイナスの数値を「マイナスの発行済株式数」で除した結果、プラスの金額が算出されるということはありません。

⑶　１株（50円）当たりの比準価額の計算

上記⑵で示したように、「直前期末の資本金等の額」の①欄の金額がマイナスである場合には、各比準要素がマイナスのまま計算されますので、「１株（50円）当たりの比準価額」の㉒欄又は㉕欄の金額も、マイナスの値として算出されます。

⑷　１株当たりの比準価額

「１株当たりの比準価額」の㉖欄の金額は、マイナスである「１株（50円）当たりの比準価額」の㉒欄又は㉕欄の金額に、同じ資本金等の額を基としたマイナスの値（１株当たりの資本金等の額の50円に対する倍数（＝④欄の金額÷50円））を乗じて計算します。その結果、最終的に得た「１株当たりの比準価額」の㉖欄の金額は、約分されるため、結果としてプラスの適正な評価額が算出されると説明されています。

［3］直前期末の資本金等の額がマイナスである場合の類似業種比準方式の計算例

①　発行済株式数　　30,000株
②　資本金等の額　　▲15,000千円
③　１株当たりの資本金等の額　　▲500円（＝▲15,000千円÷30,000株）
④　１株当たりの資本金等の額を50円とした場合の発行済株式数
　　▲300,000株（▲15,000千円÷50円）
⑤　年配当金額
　　直前期　　1,000千円　　直前々期　　1,000千円
⑥　年利益金額　　24,000千円
⑦　利益積立金額　　60,000千円
⑧　類似業種比準株価等　Ａ＝488円　Ｂ＝4.4円　Ｃ＝31円　Ｄ＝285円

【計算】

1　１株当たりの年配当金額（Ⓑ）の計算
　（1,000千円＋1,000千円）÷２÷▲300,000株＝▲３円30銭
2　１株当たりの年利益金額（Ⓒ）の計算
　24,000千円÷▲300,000株＝▲80円
3　１株当たりの純資産価額（Ⓓ）の計算
　（▲15,000千円＋60,000千円）÷▲300,000株＝▲150円
4　類似業種比準価額の計算
　イ　１株（50円）当たりの比準価額

$$488円\times\frac{\frac{▲3.3}{4.4}+\frac{▲80}{31}+\frac{▲150}{285}}{3}\times0.7（大会社）\fallingdotseq ▲437.24円（10銭未満切捨て）$$

　ロ　１株当たりの比準価額
　▲437.24円×▲500円（１株当たりの資本金等の額）÷50円＝4,372円

なお、「直前期末の純資産価額」の計算上、資本金等の額がマイナスである場合には、そのマイナスに相当する金額を利益積立金額から控除するものとし、その控除後の金額がマイナスとなる場合には、その控除後の金額は０として計算すると説明されています。

Q 76 ｜ 類似業種の株価及びその適用方法

類似業種比準方式を適用して株式を評価する場合の類似業種の「株価」の適用方法について説明してください。

A 類似業種比準方式を適用して株式を評価する場合、類似業種の株価は、課税時期の属する月以前３ヶ月間の各月の類似業種の株価のうち最も低いものとすることになります。ただし、納税義務者の選択により、類似業種の前年平均株価又は課税時期の属する月以前２年間の平均株価によることもできます（財基通182）。

解　説

[1] 類似業種の株価「A」は、国税庁長官が定める一定の業種目に該当する各上場会社（以下「標本会社」といいます。）の株価の前年、各月以前２年間及び各月の平均額（１株当たりの資本金の額等を50円として計算した金額）を業種目別に平均して算出した金額です。具体的には国税庁から公表される法令解釈通達「令和○○年分の類似業種比準価額計算上の業種目及び業種別株価等」の株価となります。また、類似業種の株価等の計算の基となる標本会社は、次の金融商品取引所に株式を上場しているすべての会社を対象としています。

<金融商品取引所名及び取引市場名>

金融商品取引所名	取引市場名
東京証券取引所	プライム、スタンダード、グロース、TOKYO PRO Market
名古屋証券取引所	プレミア、メイン、ネクスト
福岡証券取引所	福岡、Q−Board
札幌証券取引所	札幌、アンビシャス

なお、類似業種の株価等を適正に求められない次の会社は標本会社から除外されています。

<標本会社から除外される会社と除外する理由>

標本会社から除外される会社	除外する理由
イ　その年中に上場廃止することが見込まれる会社	その年中のその会社の株式の毎日の最終価格の各月ごとの平均額を12月まで求められないことから、除外している。
ロ　前々年中途（前々年３月以降）に上場した会社	課税時期の属する月以前２年間の平均株価を求められないことから、除外している。

ハ　設立後２年未満の会社	１株当たりの配当金額は、直前期末以前２年間における剰余金の年配当金額の平均としているが、設立後２年未満の会社については、２年分の配当金額の平均が計算できず、類似業種の１株当たりの配当金額を求められないことから、除外している。
ニ　１株当たりの配当金額、１株当たりの利益金額及び１株当たりの純資産価額のいずれか２以上が０又はマイナスである会社	類似業種比準方式の計算において評価会社と比較する１株当たりの配当金額、１株当たりの利益金額及び１株当たりの純資産価額の３要素のうち過半を欠く会社を含めて類似業種の株価等を計算することは不適当と考えられることから、除外している。
ホ　資本金の額等が０又はマイナスである会社	各標本会社の株価、１株当たりの配当金額、１株当たりの利益金額及び１株当たりの簿価純資産価額は、１株当たりの資本金の額等を50円とした場合の金額として算出することから、資本金の額等が０又はマイナスの場合はこれらの金額も０又はマイナスとなる。このような０又はマイナスの会社の株価等を含めて類似業種の株価等を計算することは不適当と考えられることから、除外している。
ヘ　他の標本会社に比し、業種目の株価等に著しく影響を及ぼしていると認められる会社	類似業種の株価等は、業種目ごとに各標本会社の株価等の平均額に基づき算出していることから、特定の標本会社の株価等が、他の標本会社の株価等と比較し、著しく高い株価等となっている場合、当該特定の標本会社の株価等が、業種目の株価等に著しい影響を及ぼすこととなる。このような場合、当該特定の標本会社の個性が業種目の株価等に強く反映されることとなることから、このような影響を排除するため、統計的な処理に基づき株価等が外れ値（注）となる会社を除外している。

（注）一般的な統計学の手法に基づき、株価等について対数変換した上で、平均値と標準偏差を求め、平均値から標準偏差の３倍を超える乖離のある株価等を外れ値としている。

また、標本会社は毎年暦年ごとに改定されているため、類似業種の株価を適用する場合に当たっては、必ず課税時期と同じ年分の「類似業種比準価額計算上の業種目及び業種別株価等」を用いる必要があります。

［2］類似業種の株価は、次の⑴～⑸のうち最も低いものを適用することになります。

⑴　課税時期の属する月の類似業種の株価

⑵　課税時期の属する月の前月の類似業種の株価

⑶　課税時期の属する月の前々月の類似業種の株価

⑷　課税時期の属する年の前年平均の類似業種の株価

⑸　課税時期の属する月以前２年間平均の類似業種の株価

類似業種の株価のうち⑸の２年間の平均株価は、平成29年の財産評価基本通達の改正により選択が可能となりました。従来から、類似業種の株価については類似業種比準価額の計算において、上場会社の株価の急激な変動による影響を緩和する趣旨から、⑴〜⑷のうち最も低いものを選択できましたが、株価の急激な変動を平準化するには、２年程度必要と考えられること及び課税時期が12月の場合には、前年平均株価の計算上、前年の１月までの株価を考慮しており、実質的に２年間の株価を考慮していることから、課税時期の属する月以前２年間の平均株価を選択可能となりました。

［3］評価会社の業種目の判定に当たっては、①類似業種が小分類による業種目にあってはその小分類による業種目とその業種目の属する中分類の業種目、②類似業種が中分類による業種目にあってはその中分類による業種目とその業種目の属する大分類の業種目を選択することが可能であるため、それぞれの業種目について上記［2］の株価を判定することになります。

［4］類似業種株価等通達の業種目分類等

類似業種株価等通達の業種目及び標本会社の業種目は、原則として、日本標準産業分類（第13回改定：平成26年４月施行）に基づいて区分されています。

なお、標本会社の事業が該当する業種目は、これまで単体決算による取引金額に基づいて判定していましたが、平成29年の財産評価基本通達の改正により、類似業種の比準要素については、財務諸表の数値を基に計算することとした上で、連結決算を行っている会社については、その数値を反映させることとしたことから、標本会社の事業が該当する業種目についても、連結決算を行っている会社については、連結決算による取引金額に基づいて判定することになりました。また、業種目の判定を行った結果、標本会社が少数となる業種目については、特定の標本会社の個性が業種目の株価等に強く反映されることとなることから、このような影響を排除するため、業種目の統合が行われ平成29年分は113業種目となりました。

［5］業種目別標本会社名簿

業種目別標本会社名簿は、情報公開法による行政文書開示請求（請求先国税庁）により入手できます。本書においては、初版において平成15年分を、二訂版において平成19年分を、三訂版において平成23年分、四訂版において平成27年分、五訂版において平成29年分、六訂版において令和４年分をそれぞれ巻末に掲載しています。

なお、平成29年分より連結財務諸表及び財務諸表による標本会社となりました。

Q76-2 類似業種の配当金額、年利益金額、純資産価額及びその適用方法

類似業種比準方式を適用して株式を評価する場合の類似業種の「配当金額」、「年利益金額」、「純資産価額」とその適用方法について説明してください。

A 類似業種比準方式を適用して株式を評価する場合、類似業種の配当金額、年利益金額、純資産価額は、各標本会社の財務諸表（連結決算の場合は、連結決算に基づく財務諸表。以下同じ。）に基づき各比準要素を業種目別に平均して計算します。

解　説

［1］類似業種の比準要素の計算方法

(1)　類似業種の１株当たりの配当金額「B」

各標本会社の財務諸表（連結決算の場合は、連結決算に基づく財務諸表。以下同じ。）から、２年間の剰余金の配当金額の合計額の２分の１に相当する金額を、発行済株式数（自己株式を有する場合には、自己株式の数を控除した株式数。なお、１株当たりの資本金の額等が50円以外の金額であるときは、資本金の額等を50円で除して計算した数。以下同じ。）で除した金額について、業種目別に平均して計算します。

(2)　類似業種の１株当たりの利益金額「C」

各標本会社の財務諸表から、税引前当期純利益（連結決算の場合、税金等調整前当期純利益）の額を発行済株式数で除した金額について、業種目別に平均して計算します。

(3)　類似業種の１株当たりの簿価純資産価額「D」

各標本会社の財務諸表から、純資産の部の合計額を発行済株式数で除した金額について、業種目別に平均して計算します。

具体的には国税庁から公表される法令解釈通達「令和〇〇年分の類似業種比準価額計算上の業種目及び業種別株価等」の比準要素となります。

[2] 平成29年の財産評価基本通達改正後の取扱い

上記の計算方法は、平成29年の財産評価基本通達の改正によるもので平成29年１月１日以後に相続、遺贈又は贈与により取得した財産の評価に適用します。

改正前の平成28年12月31日以前の類似業種比準方式による類似業種の比準要素の計算方法は、評価会社の１株当たりの配当金額Ⓑ、年利益金額Ⓒ、純資産価額Ⓓと同様に、標本会社の単体決算及び申告数値で計算されていましたが、各標本会社の財務諸表に基づく計算に変更されました。

類似業種比準方式により株価を算定する場合には、標本会社と評価会社について同一の数値に基づき計算することが適正な比準価額を可能にすると考えていましたが、上場企業のグローバル連結経営の進展により上場企業の海外の利益や資産などの影響が反映されない単体決算の比準要素を用いた類似業種比準方式による株式の評価が想定外に高く評価され、海外進出をあまりしていない中小企業の実力を適切に反映しない評価額となる背景から見直しがされました。

(参考)

類似業種比準価額計算上の業種目及び業種目別株価等（平成29年分）

（単位：円）

業種目 大分類／中分類／小分類	番号	内容	B 配当金額	C 利益金額	D 簿価純資産価額	A（株価） 平成28年平均	28年11月分	28年12月分
建設業	1		*4.0*	*39*	*272*	*213*	*223*	*236*
総合工事業	2		3.5	39	245	212	223	236

業種目 大分類／中分類／小分類	番号	A（株価）【上段：各月の株価、下段：課税時期の属する月以前２年間の平均株価】 平成29年1月分	2月分	3月分	4月分	5月分	6月分	7月分	8月分	9月分	10月分	11月分	12月分
建設業	1	*242* *217*	*244* *218*	*256* *220*	*245* *221*								
総合工事業	2	241 216	241 218	251 220	241 221								

（注）「A（株価）」は、業種目ごとに平成29年分の標本会社の株価を基に計算しているので、標本会社が平成28年分のものと異なる業種目については、平成28年11月分及び12月分の金額は、平成28年分の評価に適用する平成28年11月分及び12月分の金額とは異なることに留意してください。また、平成28年平均及び課税時期の属する月以前２年間の平均株価についても、平成29年分の標本会社を基に計算しています。

業種目別株価等一覧表（平成29年3・4月分）

（単位：円）

業種目（大分類／中分類／小分類）	番号	B 〔配当金額〕	C 〔利益金額〕	D 〔簿価純資産価額〕	A(株価) 3月分 ① 課税時期の属する月以前２年間の平均株価	3月分 ② 前年平均株価	3月分 ③ 課税時期の属する月の前々月	3月分 ④ 課税時期の属する月の前月	3月分 ⑤ 課税時期の属する月	4月分 ① 課税時期の属する月以前２年間の平均株価	4月分 ② 前年平均株価	4月分 ③ 課税時期の属する月の前々月	4月分 ④ 課税時期の属する月の前月	4月分 ⑤ 課税時期の属する月
建　設　業	1	***4.0***	***39***	***272***	***220***	***213***	***242***	***244***	***256***	***221***	***213***	***244***	***256***	***245***
総合工事業	2	3.5	39	245	220	212	241	241	251	221	212	241	251	241

第４表　類似業種比準価額等の計算明細書

会社名

1　1株当たりの資本金	直前期末の資本	直前期末の	直前期末の	1株当たりの資本金等の額	1株当たりの資本金等の額を50円とした場合の発行済株式数

3．類似業種比準価額の計算

1株（50円）当たりの比準価額の計算

類似業種と業種目番号	建設業 (No.　1　)	
類似業種の株価：課税時期の属する月	4 月	㋷ 245 円
類似業種の株価：課税時期の属する月の前月	3 月	㋦ 256 円
類似業種の株価：課税時期の属する月の前々月	2 月	㋸ 244 円
類似業種の株価：前年平均株価		㋾ 213 円
類似業種の株価：課税時期の属する月以前２年間の平均株価		㋻ 221 円
A〔㋷、㋦、㋸、㋾及び㋻のうち最も低いもの〕		⑳ 213 円

比準割合の計算：区分	1株(50円)当たりの年配当金額		1株(50円)当たりの年利益金額	1株(50円)当たりの純資産価額	1株(50円)当たりの比準価額	
評価会社	Ⓑ　円	0 銭	Ⓒ　円	Ⓓ　円	⑳×㉑×0.7 ※ ※〔中会社は0.6 小会社は0.5 とします。〕	
類似業種	B　円	0 銭	C　円	D　円		
要素別比準割合	Ⓑ/B　.		Ⓒ/C　.	Ⓓ/D　.		
比準割合	$\frac{\frac{Ⓑ}{B}+\frac{Ⓒ}{C}+\frac{Ⓓ}{D}}{3}$ = ㉑　.				㉒　円	0 銭

類似業種と業種目番号	総合工事業 (No.　2　)	
類似業種の株価：課税時期の属する月	4 月	㋕ 241 円
類似業種の株価：課税時期の属する月の前月	3 月	㋵ 251 円
類似業種の株価：課税時期の属する月の前々月	2 月	㋟ 241 円
類似業種の株価：前年平均株価		㋹ 212 円
類似業種の株価：課税時期の属する月以前２年間の平均株価		㋡ 221 円
A〔㋕、㋵、㋟、㋹及び㋡のうち最も低いもの〕		㉓ 212 円

比準割合の計算：区分	1株(50円)当たりの年配当金額		1株(50円)当たりの年利益金額	1株(50円)当たりの純資産価額	1株(50円)当たりの比準価額	
評価会社	Ⓑ　円	0 銭	Ⓒ　円	Ⓓ　円	㉓×㉔×0.7 ※ ※〔中会社は0.6 小会社は0.5 とします。〕	
類似業種	B　円	0 銭	C　円	D　円		
要素別比準割合	Ⓑ/B　.		Ⓒ/C　.	Ⓓ/D　.		
比準割合	$\frac{\frac{Ⓑ}{B}+\frac{Ⓒ}{C}+\frac{Ⓓ}{D}}{3}$ = ㉔　.				㉕　円	0 銭

1株当たりの比準価額	比準価額（㉒と㉕	④の金額　円	㉖　円

Q 77 課税時期の属する年分と直前期末以前とでは、評価会社の営む事業種目が全く異なる場合

次のＡ社のように、課税時期直前に業種変更に伴う事業実態の大幅な変化が認められる場合には、Ａ社株式を財産評価基本通達の取扱いに基づいて評価する際に、どのような点に注意すべきでしょうか。

課税時期直前に業種変更を行ったＡ社の株式

［課税時期］令和Ｘ１年10月８日

［直前期］第Ｘ１期（令和Ｘ０年４月１日～令和Ｘ１年３月31日）

［業種変更］第Ｘ１期の末日（令和Ｘ１年３月31日）までは、Ａ社は、婦人服製造業（従業員数100人以上）を営んでいたが、経営者の高齢化と新興国からの輸入品に押され業績が急速に悪化したため、婦人服製造業を廃業し、第Ｘ２期からは不動産賃貸業（従業員数５人）に転業した。

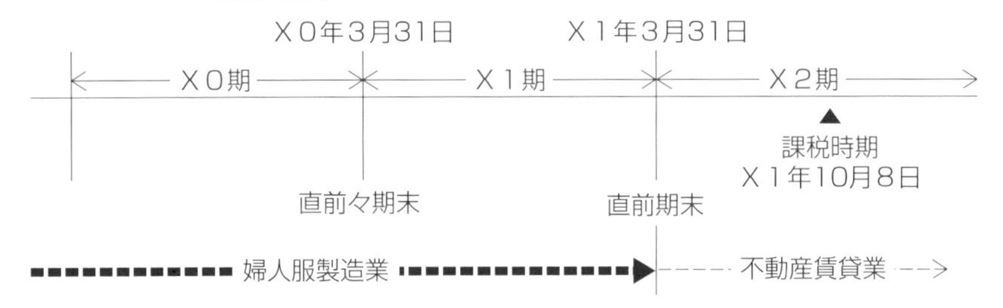

A 会社規模や主たる業種に大きな変化があり、類似業種比準価額方式の適用上の限界があると認められる場合には、課税時期の直前に合併した場合の取扱いと同様に、課税時期における１株当たりの純資産価額（相続税評価額によって計算した金額）によって評価するべきということもあり得ます。

解　説

現行の財産評価基本通達の取扱いでは、会社規模区分の判定は、(1)直前期末以前１年間における従業員数、(2)直前期末における総資産価額と(1)の従業員数の併用、(3)直前期末以前１年間における取引金額、という課税時期の直前期末又は直前期末以前１年間のデータで行います。

その結果、単純に、Ａ社に現行の財産評価基本通達の取扱いを適用すると、Ａ社株式は、次のとおりに評価することとなります。

会社規模区分	大会社（従業員数100人以上）
業　種　目	（大分類）製造業、（中分類）繊維工業
適用評価方式	（原則）類似業種比準価額
	（特則）純資産価額（相続税評価額によって計算した金額）

しかし、Ａ社については、①課税時期直前に婦人服製造業から不動産賃貸業へと業種を変更していること、②これに伴い、従業員数も100人以上から５人へと大幅に削減していることから、事業実態の大幅な変更という特殊な状況が認められます。

このような状況は、後述の「**Q105**　課税時期の直前に合併した場合の取扱い」で取り上げている「合併の前後で会社実態に変化がある場合」と同様に、「会社規模や主たる業種に変化がある場合」に該当するため、類似業種比準価額方式の適用上の限界があるものと考えられます。

現行における課税庁の取扱いでは、このような状況にある会社の株式の評価方法について、具体的な取扱いは明示されていません。

しかし、評価対象株式であるＡ社株式について、その評価額に客観的に影響を与えると認められる課税時期におけるすべての事情を総合的に考慮する必要があります。その結果、その状況次第では、「**Q105**　課税時期の直前に合併した場合の取扱い」と同様に、課税時期における１株当たりの純資産価額（相続税評価額によって計算した金額）によって評価するべきであるという結論に達する場合もあり得ると考えます。

Q 78 評価会社が課税時期の直前期中に卸売業から小売業に業種変更している場合の業種区分

評価会社が課税時期の直前期中に、次のように卸売業から小売業に業種変更を行っていた場合には、会社の業種判定は、卸売業と小売・サービス業とのいずれで行うべきでしょうか。

① 課税時期　Ｘ２年10月９日
② 直前期　　Ｘ１年４月１日～Ｘ２年３月31日
③ 業種変更　Ｘ１年11月１日　卸売業から小売業に業種変更
④ 取引金額　卸売業に係る取引金額　15億円
　　　　　　小売業に係る取引金額　５億円

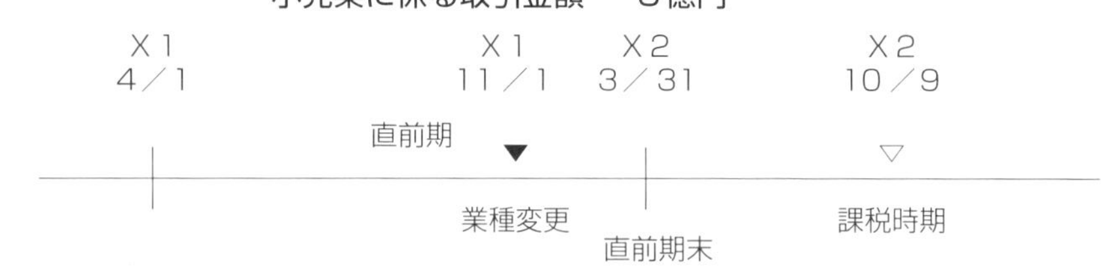

A このような場合には、課税時期の直前期末以前１年間における取引金額を卸売業に係るものと小売業に係るものとに区分し、区分した卸売業と小売業との取引金額のいずれか多い方の業種に評価会社は属するものとして取り扱います。

解　説

現行の取扱いでは、課税時期の直前期中に評価会社が卸売業から小売業に業種変更をしているときには、原則として、次のように取り扱うことが相当とされているようです。

① 課税時期の直前期末以前１年間における取引金額を卸売業に係るものと小売業に係るものとに区分する。
② 区分した卸売業と小売業との取引金額のいずれか多い方の業種に評価会社は属するものとして取り扱う。

ご質問の場合には、

卸売業に係る取引金額　15億円　＞　小売業に係る取引金額　５億円

となっていますので、上記の判断基準から考えると、原則として、卸売業として会社業種の判定を行うことが相当と考えられます。

Q 79 いわゆる「製造問屋」が卸売業に該当するか否かの判定

いわゆる製造問屋は、株式の評価上は、「卸売業」・「小売・サービス業」・「卸売業、小売・サービス業以外」のどの業種に該当しますか。

A 製造問屋は、日本標準産業分類上、卸売業に区分されていますので、株式の評価に際しては、卸売業として会社の規模区分の判定等を行います。

解　説

いわゆる製造問屋とは、自らは製造を行わないで自己の所有に属する原材料を下請工場などに支給して製品を作らせ、これを自己の名称で卸売りするものをいいます。

ところで、株式の評価に際しての業種目の分類は、原則として日本標準産業分類に基づいて行うこととされています。

製造問屋は、この日本標準産業分類によれば、次のように卸売業に分類されています。

> 大分類Ｅ－製造業
> 総説
> 　製造業と他産業との関係
> 　　(3) 卸売業、小売業との関係
> 　　　(ウ) 自らは製造を行わないで、自己の所有に属する原材料を下請工場などに支給して製品をつくらせ、これを自己の名称で販売する製造問屋は製造業とせず、大分類Ｉ－卸売・小売業に分類される。

よって、株式の評価に際しても、卸売業として会社の規模区分の判定等を行って評価することになります。

なお、いわゆる製造問屋を卸売業として取扱うのは、財産評価基本通達上だけのことであり、次に示すとおり、法人税法や消費税法上は、製造業として取り扱うので、これらを混同しないように注意が必要です。

① 法人税法上、いわゆる製造問屋が、製造業かどうかは、自ら加工行為を行っているかどうかだけではなく、その原材料の購入、最終製品の完成、販売等の一連の過程を専ら自己の計算において行っているかどうかという観点から判断する必要があるとして、中小企業等の貸倒引当金の特例を定めた、租税特別措置法通達（法人税関係）57の９－５（いわゆる製造問屋の繰入率）において、製造問屋の行為を製造業として取り扱うこととしています。

② また、消費税法上も、消費税基本通達13－２－５（製造業等に含まれる範囲）において、製造問屋の事業は、第三種事業に該当するものとして取り扱うとして、製造業等に含まれることを明らかにしています。

Q 80 直後期末の方が課税時期に近い場合の株式の価額の計算

当社の事業年度は毎年４月１日から翌年３月31日となっています。期末も押し迫った３月25日に株主の相続が発生し、類似業種比準方式で株式を評価することになりました。この場合、１年も前となる直前期末よりも直後期末を基に計算した方がより実態が反映されて望ましいと思いますので、直後期末の数値を採用したいのですが、よろしいでしょうか。

A 類似業種比準価額の計算では必ず直前期末を用いることとし、直後期末は用いないこととしています（財基通180）。

解　説

[1] 上場会社の株式の価額は、不特定多数の当事者間において自由な取引が行われた場合に成立する客観的な交換価値としての「時価」を表していると考えられています。一方、取引相場のない株式に関しては、不特定多数の当事者間において自由な取引が成立することがほとんどないため、財産評価基本通達では、類似業種の上場株式の平均株価に比準する形で株式の価額を求める方法が採用されており、これが類似業種比準価額方式となります。

[2] 類似業種比準方式により株価を算定する場合には、標本会社と評価会社に

ついて次の要件を満たすことが、より適正な比準価額の算定を可能にすると考えられます。

⑴　数値算定時期（決算時期）の同一性

⑵　数値算定目的（基準）の同一性

[3] 類似業種比準価額の計算において、その年に適用される具体的比準数値は、前年の10月末日以前の直近１年間に事業年度が終了した標本会社の決算数値と所得申告数値を基に平均数値として算出されます。

これを上記 [2] に当てはめると、評価会社の数値についても次のことが重要となります。

①　決算時期を近づけるためには直前期末の数値であること

②　決算及び所得申告目的で算定された数値であること

したがって、直後期末の方が課税時期に近い場合、あるいは決算期末と課税時期が重なった場合であっても、課税時期の直前期末の決算数値を使うこととなります。また、決算及び所得申告目的で算定した数値ではない、仮決算による数値を用いることはできません。

[4] また、課税時期後における利益操作等の影響要因を排除することをも考慮していますので、類似業種比準価額の計算上は必ず直前期末を用いることとし、直後期末の数値は用いないこととしています。

Q 81 類似業種比準価額よりも純資産価額が低い場合

私が相続により取得した株式の発行法人は大会社に該当します。この法人の株式は、類似業種比準価額方式による評価額よりも純資産価額方式による評価額の方が低く算出されました。そこで、相続税の申告は、純資産価額により行おうと考えています。なお、私と私の同族関係者で保有する株式の議決権割合は50%以下です。よって、純資産価額による評価額に、更に80%を乗じた額で申告しようと思いますが、このように評価することは可能でしょうか。

A 類似業種比準価額が、１株当たりの純資産価額（相続税評価額によって計算した金額）を超える場合において、類似業種比準価額に代えて、１株当たりの純資産価額（相続税評価額によって計算した金額）を採用するときは、たとえ、株式取得者が議決権割合50％以下の株主グループに属する場合でも、その純資産価額（相続税評価額によって計算した金額）にさらに80％を乗ずることはできません（財基通185）。

解　説

［1］取引相場のない株式は、原則として、大会社においては類似業種比準価額により、また中会社においては類似業種比準価額と１株当たりの純資産価額（相続税評価額によって計算した金額）とをＬの割合によって加重平均した金額により評価します。

この場合、類似業種比準価額よりも１株当たりの純資産価額（相続税評価額によって計算した金額）が低い場合には、それぞれの評価方法において類似業種比準価額に代えて、１株当たりの純資産価額（相続税評価額によって計算した金額）を採用して評価することができます（財基通179⑴⑵）。

［2］また、原則的評価方法において１株当たりの純資産価額（相続税評価額によって計算した金額）を計算する場合に、その株式の取得者とその同族関係者の有する議決権の合計数が、評価会社の議決権総数の50％以下であるときには、１株当たりの純資産価額（相続税評価額によって計算した金額）に80％を乗じて計算するとされています（財基通185）。

しかし、これは、小会社の評価及び中会社の評価における算式中の１株当たりの純資産価額（相続税評価額によって計算した金額）を求める際に適用されるもので、類似業種比準価額に代えて、１株当たりの純資産価額（相続税評価額によって計算した金額）を採用する部分には適用がありません。

その理由は、(1)この減価割合が、個人事業とその実質が変わらない小会社における同族株主グループの会社支配力の較差に着目して採用されたものであること、(2)上場会社の株式価額に比準して評価すべき大会社の株式評価に用いるべき性質のものではないことから、類似業種比準価額の安全性を図るための純資産価額（相続税評価額ベース）には適用されない、とされているものです。

したがって、中会社の株式の評価額のうち類似業種比準方式により評価すべき部分についても適用されません。

[3] 以上をまとめると、株式の取得者とその同族関係者の有する議決権の合計数が、評価会社の議決権総数の50%以下である場合の大会社、中会社、小会社の原則的評価による株式の価額は、次のようになります。

(1) 大会社の株式の価額

類似業種比準価額（A）

又は納税者の選択により（A＞Bの場合）

１株当たりの純資産価額（B）

(2) 中会社の株式の価額

類似業種比準価額(A)×L＋１株当たりの純資産価額（B）×0.8×(１－L)

又は納税者の選択により（A＞Bの場合）

１株当たりの純資産価額(B)×L＋１株当たりの純資産価額(B)×0.8×(１－L)

上記(1) (2)の算式中、「１株当たりの純資産価額」は相続税評価額によって計算した金額であり、類似業種比準価額に代えて選択する場合には、80%を乗じない金額となります。

(3) 小会社の株式の価額

１株当たりの純資産価額×0.8

又は納税者の選択により

類似業種比準価額×0.5＋１株当たりの純資産価額×0.8×（１－0.5）

[4] なお、財産評価基本通達の価額と時価とに大きな乖離があることを利用することで、純資産価額より低くなる場合には、同通達第６項の適用について検討する必要があります。

Q 82 記念配当がある場合

次のような配当があった場合には、類似業種比準価額を算定する際に必要な１株当たりの年配当金額は、どのように計算すればいいでしょうか。

（例）

① 課税時期　Ｘ４年５月10日
② 直前期末の資本金等の額　２億円
③ 直前期末における発行済株式数　40万株
④ １株当たりの資本金等の額　500円
⑤ 評価会社の直前期末以前２年間の剰余金の配当金額

直前期　（自Ｘ３年４月１日　至Ｘ４年３月31日）23,000千円
直前々期　（自Ｘ２年４月１日　至Ｘ３年３月31日）30,000千円
（含む創立25周年記念配当10,000千円）
直前々期の前期（自Ｘ１年４月１日　至Ｘ２年３月31日）20,000千円

A 次のとおり計算します。

① 直前期末以前２年間の年平均配当金額

（直前期）　（直前々期）
{23,000千円＋（30,000千円－10,000千円）}　÷２＝21,500千円

（注）特別配当、記念配当等の名称による配当金額のうち、将来、毎期継続することが予想できない金額を除きます。

② １株当たりの資本金等の額を50円とした場合の発行済株式数
200,000千円÷50円＝４,000千株

③ １株（50円）当たりの年配当金額
21,500千円÷４,000千株＝５円30銭（10銭未満の端数切捨）

解　説

［1］類似業種比準価額の計算で用いる「１株当たりの配当金額」は、直前期末以前２年間におけるその会社の剰余金の配当金額の合計額の２分の１に相当する金額を、直前期末における発行済株式数（１株当たりの資本金等の額が50円以外の金額である場合には、直前期末における資本金等の額を50円で除して計算した数によるものとする。）で除して計算した金額とします（財基通183(1)）。

[2] 上記計算は、過去2年間の評価会社の配当実績に基づいて比準要素を計算するものです。この計算からは、その配当のうち、特別配当、記念配当等の名称による配当金額のうち、将来毎期継続することが予想できない非経常的な配当は除きます。

一方、毎年のように特別配当、記念配当等の名称により配当を行っており、実態は経常的配当と変わらない金額については、経常的な配当として「1株当たりの年配当金額」に含めます。

[3] また、非適格の合併や会社分割、自己株式の取得による譲渡などにより受け取る「みなし配当」については、会社法上の剰余金の配当に該当しないため、これらの金額は、「1株当たりの配当金額」Ⓑの計算上、剰余金の配当金額に含める必要はありません(Q85参照)。

[4] なお、「剰余金の配当金額」は、各事業年度中に配当金交付の効力が発生した剰余金の配当金額を基として計算します。また、この「剰余金の配当金額」からは、資本金等の額の減少によるもの(その他資本剰余金からの配当)を除きますので、注意が必要です。

Q 83 事業年度の変更があった場合

評価会社が課税時期前に事業年度を変更している場合、１株当たりの配当金額はどのように計算するのでしょうか。

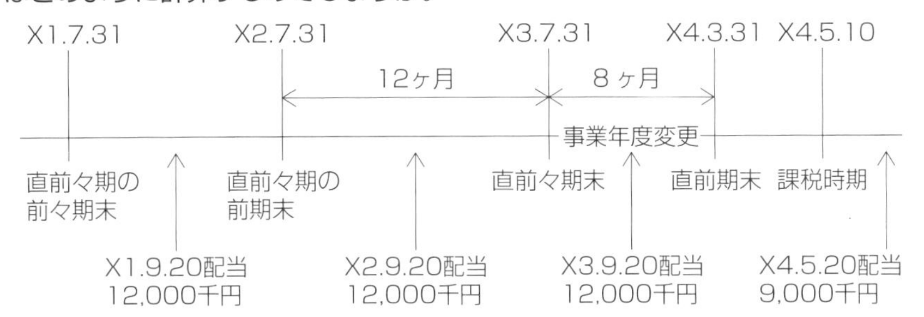

A 次のとおり計算します。

	(直前期の配当金額)		(直前々期の配当金額)
直前期	12,000千円	直前々期	12,000千円

年配当金額　$\dfrac{12{,}000\text{千円}+12{,}000\text{千円}}{2}=12{,}000\text{千円}$

解　説

[1]「１株当たりの配当金額」にいう「直前期末以前２年間におけるその会社の剰余金の配当金額の合計額」は、直前期末以前２年間の期間に配当金交付の効力が発生した剰余金の配当金額（資本金等の額の減少によるものを除く。）をいいます。

[2] この場合において、直前期が１年未満の事業年度である場合には、直前期末以前１年間に対応する期間に配当金交付の効力が発生した剰余金の配当金額の総額が直前期の配当金として計算します。直前々期及び直前々期の前期についても、これに準じます。

[3] したがって、設問の例における直前期末以前２年間は、X2年４月１日からX4年３月31日までの間となり、その期間に対応する年配当金額の計算は、上記のとおり行います。

Q 84 1株当たりの配当金額（1）－直前期末以前2年間のうちに募集株式の発行等や自己株式の取得があった場合

直前期末以前２年間のうちに募集株式の発行等や自己株式の取得があった場合には、１株当たりの配当金額の計算は、どのように行うのでしょうか。

〔設例〕

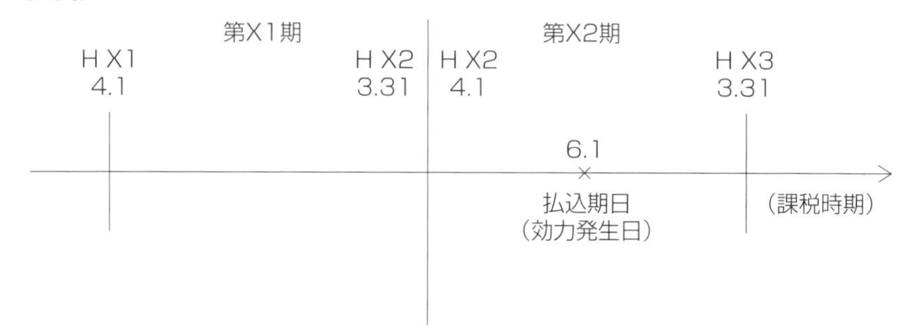

期日	第X1期 （RX1.4.1～RX2.3.31）	第X2期 （RX2.4.1～RX3.3.31）
配当金額	１株当り150円 （配当金総額：6,000,000円）	１株当り200円 （配当金総額：12,000,000円）
資本金等の額	20,000,000円	40,000,000円

発行済株式数……40,000株（ＲX2年３月31日現在）
60,000株（ＲX3年３月31日現在）

A １株当たりの配当金額の計算対象期間中に募集株式の発行等や自己株式の取得があった場合には、期中における発行済株式数（自己株式数の控除後）に変動が生じますが、直前期末以前２年間におけるその会社の剰余金の配当金額の合計額の２分の１に相当する金額を、直前期末における発行済株式数で除して計算した金額として計算します。

解　説

設例の場合でも、次の算式で計算した金額を、１株当たりの年平均配当金額とします。

（算式）

$$\frac{\dfrac{\text{直前期の年配当金額}+\text{直前々期の年配当金額}}{2}}{\text{1株当たりの資本金等の額を50円とした場合の発行済株式総数}}=\text{1株当たりの年平均配当金額}$$

設例の場合には、次のように１株当たりの年平均配当金額は11円20銭となります。

$$\frac{\dfrac{\text{6,000,000円（第X１期）}+\text{12,000,000円（第X２期）}}{2}}{\text{40,000,000円}\div\text{50円}}=\frac{\text{9,000,000円}}{\text{800,000株}}$$

$$=\text{11.20円（10銭未満切捨て）}$$

なお、募集株式の発行等の効力発生の日は、旧商法においては、募集株式の発行等に係る払込期日の翌日（旧商法280ノ９①）と規定されていましたが、会社法においては、払込期日と規定されました（会社法209一）。

また、旧商法時代には、「日割配当は出資額と期間に応じて実質的に平等を達成する措置であり、旧商法293条（株主平等原則）に反しない。」と解され、増資等に係る旧株と新株との間で１株当たりの配当金額に差を設ける日割り配当が行われてきました。

しかし、会社法は、配当は、その事業年度に生じた利益だけでなく、それ以前の事業年度に生じた利益のうち配当していないものも含めた剰余金を対象とするものであるから、日割配当には合理性がないとして、これを禁止しました。条文上の根拠は、旧商法280条の20第２項11号に該当する規定を削除したことが、それであると言われています。

Q85 １株当たりの配当金額（２）－自己株式の取得によるみなし配当の金額がある場合

自己株式を取得することにより、その株式を譲渡した法人に法人税法24条１項の規定により配当等とみなされる部分（みなし配当）の金額が生じた場合に

は、類似業種比準方式により株式取得法人（株式発行法人）の株式を評価するに当たっては、「1株当たりの配当金額Ⓑ」の計算上、そのみなし配当の金額を剰余金の配当金額に含める必要がありますか。

A 国税庁の質疑応答事例では、下記のように回答しています。

みなし配当の金額は、「1株当たりの配当金額Ⓑ」の計算上、剰余金の配当金額に含める必要はありません。この場合、「取引相場のない株式（出資）の評価明細書」の記載に当たっては、「第4表　類似業種比準価額等の計算明細書」の（2．比準要素等の金額の計算）の「⑥年配当金額」欄にみなし配当の金額控除後の金額を記載します。

解　説

[1]「1株当たりの配当金額Ⓑ」の計算上、「⑥年配当金額」欄には、剰余金の配当金（資本金等の額の減少によるものを除く）を記載します。そのため、剰余金の配当に含まれない自己株式取得等により生じたみなし配当の金額は、含まれません。

[2] 同様に非適格の合併や会社分割、自己株式の取得による譲渡等により生じるみなし配当は、剰余金の配当として決議されたものではないため、剰余金の配当ではありません。

[3] 以上からこれらみなし配当は「1株当たりの配当金額Ⓑ」の計算上、「⑥年配当金額」に含まれません。

〔設例〕

① 直前々期の年配当金額

20,000千円（毎期継続している利益剰余金の配当）

② 直前期の年配当金額

20,000千円（毎期継続している利益剰余金の配当）+10,000千円（自己株式取得によるみなし配当金額）＝30,000千円

評価明細書第４表

直前期末以前２(3)年間の年平均配当金額				
事業年度	⑥年配当金額	⑦左のうち非経常的な配当金額	⑧差引経常的な年配当金額（⑥－⑦）	年平均配当金額
直前期	20,000千円	０千円	20,000千円	20,000千円
直前々期	20,000千円	０千円	20,000千円	

Q 86 １株当たりの配当金額（3）－現物分配により資産の移転をした場合

現物分配により評価会社が資産の移転をした場合には、類似業種比準方式における「１株当たりの配当金額Ⓑ」の計算上、その移転した資産の価額を剰余金の配当金額に含めるのでしょうか。

A 国税庁の質疑応答事例では、下記のように回答しています。

「１株当たりの配当金額Ⓑ」の計算上、現物分配により評価会社が移転した資産の価額を剰余金の配当金額に含めるかどうかは、その現物分配の起因となった剰余金の配当が将来毎期継続することが予想できるかどうかにより判断します。

なお、その配当が将来毎期継続することが予想できる場合には、その現物分配により移転した資産の価額として株主資本等変動計算書に記載された金額を剰余金の配当金額に含めて計算します。

（注） 現物分配のうち法人税法第24条第１項第３号から第６号までに規定するみなし配当事由によるものについては、会社法上の剰余金の配当金額には該当しないので、通常は、「１株当たりの配当金額Ⓑ」の計算上、剰余金の配当金額に含める必要はありません。

解 説

［1］ 現物分配とは法人（公益法人等及び人格のない社団等を除きます。）がそ

の株主等に対して、その法人の次に掲げる事由により金銭以外の資産を交付することをいいます（法法２十二の六）。

① 剰余金の配当（株式又は出資に係るものに限るものとし、資本剰余金の額の減少に伴うもの及び分割型分割によるものを除きます。）若しくは利益の配当（分割型分割によるものを除きます。）又は剰余金の分配（出資に係るものに限ります。）

② みなし配当事由（法人税法24条１項３号から６号までに掲げる事由）

［2］「１株当たりの配当金額Ⓑ」の計算からは、特別配当、記念配当等の名称による配当金額のうち、将来、毎期継続することが予想できない金額は除くものとされています（評基通183(1)）。現物分配についても同様に将来、毎期継続することが予想できない金額は１株当たりの配当金額の計算からは除かれます。

［3］組織再編成を目的として現物分配を行った場合には、その現物分配は被現物分配法人（評価会社）を含むグループ法人全体の臨時偶発的な行為であるため、将来にわたって配当することが予想できるとはいえないと考えられます。この場合には、現物分配による金額を評価明細書第４表（類似業種比準価額等の計算明細書）の「⑦非経常的な配当金額」に記載し、「１株当たりの配当金額Ⓑ」から除かれます。

〔設例１〕

図のような完全支配関係がある２社間において、完全支配関係があるS社が、剰余金の配当として、土地による適格現物分配を行ったとします。

この場合に、現物分配法人Ｓ社は次のような会計処理を行います。

［その他利益剰余金　500百万円　／　土地（簿価）　500百万円］

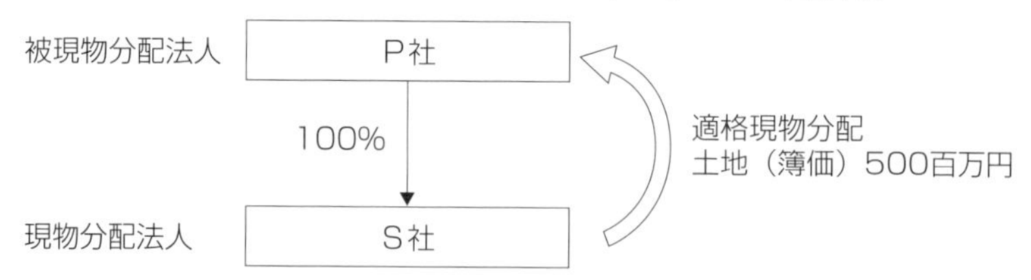

上記のような会計処理が行われている場合には、法人税申告書別表４は下記のとおりの記載となっています。

直前期の法人税申告書（別表４）

区分	総額	留保	社外流出	
当期利益又は当期欠損の額	円 *****	円	配当	500,000,000円
			その他	

本事例のように、土地を現物配当するような場合には、通常の金銭配当に比べ、一般的には、金額が多額になることが想定されます。このような現物配当の場合には、通常の金銭配当とは性格が異なり、将来、毎期継続することが見込まれないことが一般的です。

したがって、このような場合には、評価明細書第４表（類似業種比準価額等の計算明細書）の「１株当たりの配当金額Ⓑ」を計算する際の「⑥年配当金額」及び「⑦左のうち非経常的な配当金額」の記載は次のとおりとなります。

評価明細書第４表

直前期末以前２⑶年間の年平均配当金額				
事業年度	⑥年配当金額	⑦左のうち非経常的な配当金額	⑧差引経常的な年配当金額（⑥－⑦）	年平均配当金額
直前期	500,000千円	500,000千円	０千円	*****千円
直前々期	*****千円	*****千円	*****千円	

［4］株主への配当を目的として現物分配が行われることがあります。例えば、直前期の前期までは金銭配当を行っていたが、直前期だけ現物分配による金銭以外の資産を株主に交付しているが、会社は将来も毎期現物配当を計画している場合等が考えられます。このような場合には、直前期の現物分配により移転した資産の価額も「１株当たりの配当金額Ⓑ」に含めて計算します。

〔設例２〕

① 直前々期の年配当金額
10,000千円（利益剰余金の金銭配当）

② 直前期の年配当金額
10,000千円（利益剰余金の現物配当） 将来毎期継続することが予想できるものである場合

直前期の法人税申告書（別表４）

区分	総額	留保	社外流出	
当期利益又は当期欠損の額	円 *****	円	配当	10,000,000円
			その他	

（評価明細書第４表）

直前期末以前２⑶年間の年平均配当金額				
事業年度	⑥年配当金額	⑦左のうち非経常的な配当金額	⑧差引経常的な年配当金額（⑥－⑦）	年平均配当金額
直前期	10,000千円	０千円	10,000千円	10,000千円
直前々期	10,000千円	０千円	10,000千円	

［5］その他資本剰余金を原資とした現物分配が行われた場合には、１株当たりの配当金額の計算上、これを除外して計算します。（Q87参照）

〔設例３〕

① 直前々期の年配当金額

500千円（利益剰余金の金銭配当）

② 直前期の年配当金額

500千円（その他資本剰余金の現物配当）

※減少する資本金等の額を200千円、減少する利益積立金額を300千円とする。

直前期の法人税申告書（別表４）

区分		総額	留保	社外流出	
当期利益又は当期欠損の額		円 *****	円	配当	０円
				その他	
加算	みなし配当	300,000		配当	300,000
減算	資本金等の額	300,000	300,000		

（評価明細書第４表）

直前期末以前２⑶年間の年平均配当金額				
事業年度	⑥年配当金額	⑦左のうち非経常的な配当金額	⑧差引経常的な年配当金額（⑥－⑦）	年平均配当金額
直前期	０千円	０千円	０千円	250千円
直前々期	500千円	０千円	500千円	

［6］自己株式の取得事由による現物分配が行われた場合は上記［5］と同様に、１株当たりの配当金額の計算上、これを除外して計算します。

［7］以上をまとめると、下記のとおりとなります。

<table>
<tr><th>現物分配の事由</th><th>配当の原資</th><th>将来毎期継続性</th><th>１株当たりの配当金額の計算に含めるか？</th></tr>
<tr><td>みなし配当事由
（自己株式の取得等）</td><td>－</td><td>通常なし</td><td rowspan="3">含めない</td></tr>
<tr><td rowspan="3">剰余金の配当</td><td>その他資本剰余金</td><td>－</td></tr>
<tr><td rowspan="2">その他利益剰余金</td><td>なし</td></tr>
<tr><td>あり</td><td>含める</td></tr>
</table>

Q 87 ｜配当優先株式を発行している場合

会社法108条（異なる種類の株式）の規定による、いわゆる配当優先株式を発行している評価会社の普通配当株式を相続により取得した場合の「１株当たりの配当金額」の計算方法を教えてください。

A 配当について優先・劣後のある株式を発行している評価会社の株式を類似業種比準方式により評価する場合には、株式の種類ごとにその株式に係る配当金によって評価します。

解　説

［1］配当金の多寡は、比準要素のうち「１株当たりの配当金額（Ⓑ）」に影響します。したがって、評価会社が配当優先株式を発行している場合の「１株当たりの配当金額」の計算では、その配当について内容の異なる株式の種類ごとに、直前期末以前２年間における利益の配当金額を合計することが合理的です。

［2］そこで、配当について優先・劣後のある株式を発行している評価会社の株式の評価に当たっては、「１株当たりの配当金額（Ⓑ）」は、株式の種類ごとにその株式に係る実際の配当金により計算します。

［3］類似業種比準方式の計算例

≪設例≫

① 発行済株式数 30,000株
　うち配当優先株式 10,000株
　　普通株式（配当劣後株式）20,000株

② 資本金等の額 15,000千円

③ １株当たりの資本金等の額 500円（15,000千円÷30,000株）

④ １株当たりの資本金等の額を50円とした場合の発行済株式数
　300,000株（15,000千円÷50円）

⑤ 年配当金額

直前期	配当優先株式	1,000千円
	普通株式	1,800千円
直前々期	配当優先株式	1,000千円
	普通株式	1,800千円

⑥ 年利益金額 24,000千円

⑦ 利益積立金額 60,000千円

⑧ 類似業種比準株価等
　A＝488円
　B＝4.4円
　C＝31円
　D＝285円

【計算】

1　１株当たりの年配当金額（Ⓑ）の計算

⑴ 配当優先株式
　（1,000千円＋1,000千円）÷2÷（300,000株×10,000株÷30,000株）
　＝10円00銭

⑵ 普通株式
　（1,800千円＋1,800千円）÷2÷（300,000株×20,000株÷30,000株）
　＝9円00銭

2　１株当たりの年利益金額（Ⓒ）の計算
　24,000千円÷300,000株＝80円

3　１株当たりの純資産価額（Ⓓ）の計算
　（15,000千円＋60,000千円）÷300,000株＝250円

4　類似業種比準価額の計算

⑴ 配当優先株式
　イ　１株（50円）当たりの比準価額

$$488円\times\frac{\frac{10.0}{4.4}+\frac{80}{31}+\frac{250}{285}}{3}\times0.7（大会社）\fallingdotseq649.04円$$

（10銭未満切捨て）

ロ　１株当たりの比準価額

649円0銭×500円÷50円＝6,490円

⑵　普通株式

イ　１株（50円）当たりの比準価額

$$488円\times\frac{\frac{9.0}{4.4}+\frac{80}{31}+\frac{250}{285}}{3}\times0.7（大会社）\fallingdotseq625.12円$$

（10銭未満切捨て）

ロ　１株当たりの比準価額

625円10銭×500円÷50円＝6,251円

［4］評価明細書の記載方法

(イ)　類似業種比準方式（「取引相場のない株式（出資）の評価明細書」（以下「評価明細書」という。）第４表）　種類株式ごとに以下のとおり記載します。

Ａ　「1.1株当たりの資本金等の額等の計算」

種類株式ごとに区分せず、資本金等の額又は株式数を記載します。この場合、「②　直前期末の発行済株式数」欄及び「③　直前期末の自己株式数」欄については、評価する種類株式の株式数を内書きします。

Ｂ　「2.比準要素等の金額の計算」

(A)　「１株（50円）当たりの年配当金額」

種類株式ごとに記載します。この場合、「１株（50円）当たりの年配当金額Ⓑ（Ⓑ1、Ⓑ2）」を計算する場合の株式数は、「1.1株当たりの資本金等の額等の計算」の「⑤　１株当たりの資本金等の額を50円とした場合の発行済株式数」欄の株式数に、発行済株式の総数（自己株式数控除後）に占める各種類株式数（自己株式数控除後）の割合を乗じたものとします。

(B)　「１株（50円）当たりの年利益金額」及び「１株（50円）当たりの純資産価額」　種類株式ごとに区分せず記載します。

第４表　類似業種比準価額等の計算明細書

会社名　種類株式発行法人【配当優先株式】

（取引相場のない株式（出資）の評価明細書）

（平成三十年一月一日以降用）

１．１株当たりの資本金等の額等の計算	直前期末の資本金等の額	直前期末の発行済株式数	直前期末の自己株式数	１株当たりの資本金等の額（①÷（②−③））	１株当たりの資本金等の額を50円とした場合の発行済株式数（①÷50円）
	① 15,000千円	② 内 10,000株 30,000	③ 株	④ 500円	⑤ 内 10,000株 30,000

２．比準要素等の金額の計算

１株（50円）当たりの年配当金額

直前期末以前２（３）年間の年平均配当金額

事業年度	⑥ 年配当金額	⑦ 左のうち非経常的な配当金額	⑧ 差引経常的な年配当金額（⑥−⑦）	年平均配当金額
直前期	1,000千円	千円	㋑ 1,000千円	⑨（㋑＋㋺）÷２ 1,000千円
直前々期	1,000千円	千円	㋺ 1,000千円	
直前々期の前期	千円	千円	㋩ 千円	⑩（㋺＋㋩）÷２ 千円

比準要素数１の会社・比準要素数０の会社の判定要素の金額

⑨/⑤	®₁	10円 0銭
⑩/⑤	®₂	円 銭

１株（50円）当たりの年配当金額（®₁の金額）：® 10円 0銭

１株（50円）当たりの年利益金額

直前期末以前２（３）年間の利益金額

事業年度	⑪法人税の課税所得金額	⑫非経常的な利益金額	⑬受取配当等の益金不算入額	⑭左の所得税額	⑮損金算入した繰越欠損金の控除額	⑯差引利益金額（⑪−⑫＋⑬−⑭＋⑮）
直前期	24,000千円	千円	千円	千円	千円	㊁ 24,000千円
直前々期	千円	千円	千円	千円	千円	㋭ 千円
直前々期の前期	千円	千円	千円	千円	千円	㋬ 千円

比準要素数１の会社・比準要素数０の会社の判定要素の金額

㊁/⑤ 又は（㊁＋㋭）÷２/⑤	©₁	80円
㋭/⑤ 又は（㋭＋㋬）÷２/⑤	©₂	円

１株（50円）当たりの年利益金額〔㊁/⑤ 又は（㊁＋㋭）÷２/⑤ の金額〕：© 80円

１株（50円）当たりの純資産価額

直前期末（直前々期末）の純資産価額

事業年度	⑰ 資本金等の額	⑱ 利益積立金額	⑲ 純資産価額（⑰＋⑱）
直前期	15,000千円	60,000千円	㋣ 75,000千円
直前々期	千円	千円	㋠ 千円

比準要素数１の会社・比準要素数０の会社の判定要素の金額

㋣/⑤	Ⓓ₁	250円
㋠/⑤	Ⓓ₂	円

１株（50円）当たりの純資産価額（Ⓓ₁の金額）：Ⓓ 250円

３．類似業種比準価額の計算

１株（50円）当たりの比準価額の計算（1）

類似業種と業種目番号（No.　）

類似業種の株価		
課税時期の属する月	6月	㋷ 488円
課税時期の属する月の前月	5月	㋦ 488円
課税時期の属する月の前々月	4月	㋸ 488円
前年平均株価		㋾ 488円
課税時期の属する月以前２年間の平均株価		㋻ 488円
A（㋷、㋦、㋸、㋾及び㋻のうち最も低いもの）		⑳ 488円

比準割合の計算

区分	１株（50円）当たりの年配当金額		１株（50円）当たりの年利益金額		１株（50円）当たりの純資産価額		１株（50円）当たりの比準価額
評価会社	®	10円 0銭	©	80円	Ⓓ	250円	⑳×㉑×0.7 ※中会社は0.6、小会社は0.5とします。
類似業種	B	4円 40銭	C	31円	D	285円	
要素別比準割合	®/B	2・27	©/C	2・58	Ⓓ/D	0・87	
比準割合	（®/B＋©/C＋Ⓓ/D）/3 ＝ ㉑ 1・90						㉒ 649円 0銭

１株（50円）当たりの比準価額の計算（2）

類似業種と業種目番号（No.　）

類似業種の株価		
課税時期の属する月	6月	㋕ 円
課税時期の属する月の前月	5月	㋵ 円
課税時期の属する月の前々月	4月	㋟ 円
前年平均株価		㋹ 円
課税時期の属する月以前２年間の平均株価		㋡ 円
A（㋕、㋵、㋟、㋹及び㋡のうち最も低いもの）		㉓ 円

比準割合の計算

区分	１株（50円）当たりの年配当金額		１株（50円）当たりの年利益金額		１株（50円）当たりの純資産価額		１株（50円）当たりの比準価額
評価会社	®	10円 0銭	©	80円	Ⓓ	250円	㉓×㉔×0.7 ※中会社は0.6、小会社は0.5とします。
類似業種	B	円 0銭	C	円	D	円	
要素別比準割合	®/B	.	©/C	.	Ⓓ/D	.	
比準割合	（®/B＋©/C＋Ⓓ/D）/3 ＝ ㉔ .						㉕ 円 0銭

１株当たりの比準価額	比準価額（㉒と㉕とのいずれか低い方）		④の金額/50円	
	649円 0銭	×	500円/50円	㉖ 6,490円

比準価額の修正

区分	計算	修正比準価額
直前期末の翌日から課税時期までの間に配当金交付の効力が発生した場合	比準価額（㉖）円 − １株当たりの配当金額 円 銭	㉗ 円
直前期末の翌日から課税時期までの間に株式の割当て等の効力が発生した場合	（比準価額（㉖）（㉗があるときは㉗）円＋割当株式１株当たりの払込金額 円 銭×１株当たりの割当株式数 株）÷（１株＋１株当たりの割当株式数又は交付株式数 株）	㉘ 円

第４表　類似業種比準価額等の計算明細書

会社名　種類株式発行法人【普通株式】

（取引相場のない株式（出資）の評価明細書）

（平成三十年一月一日以降用）

1．1株当たりの資本金等の額等の計算	直前期末の資本金等の額	直前期末の発行済株式数	直前期末の自己株式数	1株当たりの資本金等の額（①÷（②−③））	1株当たりの資本金等の額を50円とした場合の発行済株式数（①÷50円）
	① 15,000 千円	② 内 20,000 株 30,000	③ 株	④ 500 円	⑤ 内 20,000 株 30,000

2．比準要素等の金額の計算

1株（50円）当たりの年配当金額

直前期末以前２（３）年間の年平均配当金額

事業年度	⑥ 年配当金額	⑦ 左のうち非経常的な配当金額	⑧ 差引経常的な年配当金額（⑥−⑦）	年平均配当金額
直前期	1,800 千円	千円	㋑ 1,800 千円	⑨（㋑＋㋺）÷２ 1,800 千円
直前々期	1,800 千円	千円	㋺ 1,800 千円	
直前々期の前期	千円	千円	㋩ 千円	⑩（㋺＋㋩）÷２ 千円

比準要素数1の会社・比準要素数0の会社の判定要素の金額		
⑨/⑤	Ⓑ₁ 9 円	0 銭
⑩/⑤	Ⓑ₂ 円	0 銭
1株（50円）当たりの年配当金額（Ⓑ₁の金額）	Ⓑ 9 円	0 銭

1株（50円）当たりの年利益金額

直前期末以前２（３）年間の利益金額

事業年度	⑪法人税の課税所得金額	⑫非経常的な利益金額	⑬受取配当等の益金不算入額	⑭左の所得税額	⑮損金算入した繰越欠損金の控除額	⑯差引利益金額（⑪−⑫＋⑬−⑭＋⑮）
直前期	24,000 千円	千円	千円	千円	千円	㊁ 24,000 千円
直前々期	千円	千円	千円	千円	千円	㋭ 千円
直前々期の前期	千円	千円	千円	千円	千円	㋬ 千円

比準要素数1の会社・比準要素数0の会社の判定要素の金額	
㊁/⑤ 又は （㊁＋㋭）÷２/⑤	Ⓒ₁ 80 円
㋭/⑤ 又は （㋭＋㋬）÷２/⑤	Ⓒ₂ 円
1株（50円）当たりの年利益金額［㊁/⑤ 又は （㊁＋㋭）÷２/⑤ の金額］	Ⓒ 80 円

1株（50円）当たりの純資産価額

直前期末（直前々期末）の純資産価額

事業年度	⑰ 資本金等の額	⑱ 利益積立金額	⑲ 純資産価額（⑰＋⑱）
直前期	15,000 千円	60,000 千円	㋣ 75,000 千円
直前々期	千円	千円	㋠ 千円

比準要素数1の会社・比準要素数0の会社の判定要素の金額	
㋣/⑤	Ⓓ₁ 250 円
㋠/⑤	Ⓓ₂ 円
1株（50円）当たりの純資産価額（Ⓓ₁の金額）	Ⓓ 250 円

3．類似業種比準価額の計算

1株（50円）当たりの比準価額の計算

類似業種と業種目番号		（No.　　）
類似業種の株価	課税時期の属する月 6月	㋷ 488 円
	課税時期の属する月の前月 5月	㋦ 488 円
	課税時期の属する月の前々月 4月	㋸ 488 円
	前年平均株価	㋾ 488 円
	課税時期の属する月以前２年間の平均株価	㋻ 488 円
	A（㋷、㋦、㋸、㋾及び㋻のうち最も低いもの）	⑳ 488 円

比準割合の計算 区分	1株（50円）当たりの年配当金額	1株（50円）当たりの年利益金額	1株（50円）当たりの純資産価額	1株（50円）当たりの比準価額
評価会社	Ⓑ 9 円 0 銭	Ⓒ 80 円	Ⓓ 250 円	⑳×㉑×0.7 ※
類似業種	B 4 円 40 銭	C 31 円	D 285 円	※中会社は0.6、小会社は0.5とします。
要素別比準割合	Ⓑ/B 2・04	Ⓒ/C 2・58	Ⓓ/D 0・87	
比準割合	(Ⓑ/B＋Ⓒ/C＋Ⓓ/D)/3 ＝ ㉑ 1・83			㉒ 625 円 10 銭

類似業種と業種目番号		（No.　　）
類似業種の株価	課税時期の属する月 6月	㋕ 円
	課税時期の属する月の前月 5月	㋵ 円
	課税時期の属する月の前々月 4月	㋟ 円
	前年平均株価	㋹ 円
	課税時期の属する月以前２年間の平均株価	㋡ 円
	A（㋕、㋵、㋟、㋹及び㋡のうち最も低いもの）	㉓ 円

比準割合の計算 区分	1株（50円）当たりの年配当金額	1株（50円）当たりの年利益金額	1株（50円）当たりの純資産価額	1株（50円）当たりの比準価額
評価会社	Ⓑ 9 円 0 銭	Ⓒ 80 円	Ⓓ 250 円	㉓×㉔×0.7 ※
類似業種	B 円 0 銭	C 円	D 円	※中会社は0.6、小会社は0.5とします。
要素別比準割合	Ⓑ/B .	Ⓒ/C .	Ⓓ/D .	
比準割合	(Ⓑ/B＋Ⓒ/C＋Ⓓ/D)/3 ＝ ㉔ .			㉕ 円 0 銭

1株当たりの比準価額	比準価額（㉒と㉕とのいずれか低い方） 625 円 10 銭 × ④の金額 500 円 / 50円	㉖ 6,251 円

比準価額の修正			
直前期末の翌日から課税時期までの間に配当金交付の効力が発生した場合	比準価額（㉖） 円 − 1株当たりの配当金額 円 銭		修正比準価額 ㉗ 円
直前期末の翌日から課税時期までの間に株式の割当て等の効力が発生した場合	（比準価額（㉖）（㉗があるときは㉗） 円＋ 割当株式1株当たりの払込金額 円 銭× 1株当たりの割当株式数 株）÷（1株＋ 1株当たりの割当株式数又は交付株式数 株）		修正比準価額 ㉘ 円

Q 88 株式優待利用券等による経済的利益相当額がある場合

株式優待利用券等による経済的利益相当額は、類似業種比準方式により株式を評価する場合の「1株当たりの配当金額Ⓑ」の計算に当たって、評価会社の剰余金の配当金額に加算する必要がありますか。

A 株主優待利用券等による経済的利益相当額は、評価会社の剰余金の配当金額に加算する必要はありません。

解　説

[1] 会社が株主に対して自社のサービスや製品を提供する制度を株主優待制度といいます。これは、会社が、個人株主の安定化などを目的として取り組んでいる株主優遇策の一つです。

[2] 所得税基本通達24－2（配当等に含まれないもの）では、この株主優待制度によって供与された経済的利益について、法人が株主に対してその株主である地位に基づいて供与した経済的な利益であっても、法人の利益の有無にかかわらず供与することとしている次に掲げるようなもの（これらのものに代えて他の物品又は金銭の交付を受けることができることとなっている場合におけるその物品又は金銭を含む。）は、法人が剰余金又は利益の処分として取り扱わない限り、配当等には含まれないものとする、としています。

⑴　旅客運送業を営む法人が自己の交通機関を利用させるために交付する株主優待乗車券等

⑵　映画、演劇等の興行業を営む法人が自己の興行場等において上映する映画の観賞等をさせるために交付する株主優待入場券等

⑶　ホテル、旅館業等を営む法人が自己の施設を利用させるために交付する株主優待施設利用券等

⑷　法人が自己の製品等の値引販売を行うことにより供与する利益

⑸　法人が創業記念、増資記念等に際して交付する記念品

[3] したがって、株主優待制度によって供与された経済的利益については、法人の利益の有無にかかわらず供与され、株式に対する剰余金の配当又は剰余金の分配とは認め難いとされていますので、評価会社の剰余金の配当金額に加算する必要はありません。

Q 89 ｜その他資本剰余金からの配当がある場合

その他資本剰余金からの配当がある場合、１株当たりの配当金額は、どのように計算するのですか。

A 従来からの取扱いとの平仄を考慮して、その他利益剰余金を原資とした配当だけを計算の対象とし、その他資本剰余金を原資とした配当は除外して計算します。

解　説

［1］会社法における「剰余金の配当」の原資

会社法では、株主に対する配当は、旧商法が採っていた各事業年度の決算で確定した「利益の処分」による配当という考え方を採っていません。

会社法における配当の原資は、それ以前の事業年度に生じた利益のうち、未だ配当していないものも含めた「その他利益剰余金」だけでなく、株主が払い込んだ資本のうち、拘束性が要求される資本金と法定準備金である資本準備金以外の「その他資本剰余金」も対象となっています。

つまり、会社法における剰余金の配当には、①その他利益剰余金を原資とした配当と、②その他資本剰余金を原資とした配当との２つが存在します。

［2］１株当たりの配当金額を計算する上での「剰余金の配当」の範囲

１株当たりの配当金額を計算する上での「剰余金の配当金額」は、各事業年度中に配当金交付の効力が発生した剰余金の配当金額を基として計算します。

財産評価基本通達における取引相場のない株式の評価上、この「剰余金の配当金額」からは、資本金等の額の減少によるもの（その他資本剰余金からの配当）を除きます。

その理由は、次の２つが考えられます。

① その他資本剰余金を原資とした「剰余金の配当」は、旧商法における「利益の配当」ではない「資本の払戻し」であるため、従来からの取扱いとの平仄を考慮して、剰余金の配当のうち、資本の払戻しに該当するものを除くこととした。

② 類似業種の株価等の計算の基となる標本会社において、その他資本剰余金を原資とした配当をしている会社は、ベンチャー企業を中心としたごく

少数の会社であること。

Q 90 1株当たりの利益金額（1）－事業年度の変更があった場合

評価会社が、課税時期の直前期末以前１年間において事業年度の変更をしている場合の直前期末以前１年間の利益金額はどのように計算することとなるのでしょうか。

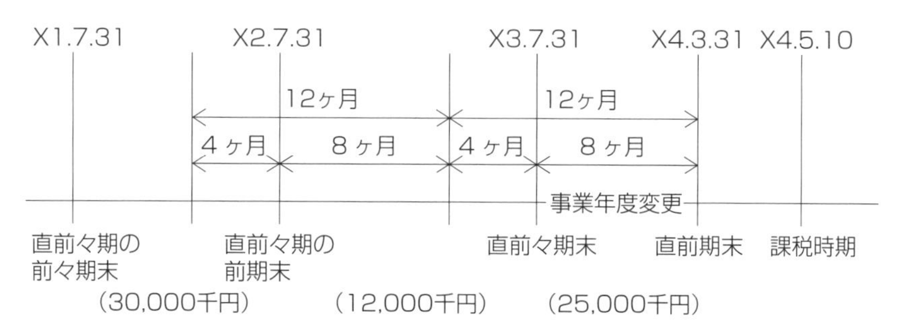

１株当たりの資本金等の額を50円とした場合における直前期末の発行済株式数　400,000株

※　設問中課税所得金額の数値は、１株当たりの利益金額計算上の必要な調整を加えた後の金額とする。

A 次のとおり計算します。

(1)　直前期末以前１年間の課税所得金額より計算する場合

（直前期の課税所得金額）　（直前々期の課税所得金額）

$$25{,}000\text{千円} + 12{,}000\text{千円} \times \frac{4\text{ヶ月}}{12\text{ヶ月}} = 29{,}000\text{千円}$$

$$29{,}000\text{千円} \div 400{,}000\text{株} = 72\text{円（円未満切捨）}$$

(2)　直前期末以前２年間の課税所得金額の合計額より計算する場合

（上記(1)の金額）　（直前々期の課税所得金額）（直前々期の前期の課税所得金額）

$$29{,}000\text{千円} + 12{,}000\text{千円} \times \frac{8\text{ヶ月}}{12\text{ヶ月}} + 30{,}000\text{千円} \times \frac{4\text{ヶ月}}{12\text{ヶ月}}$$

$$= 47{,}000\text{千円}$$

$$\frac{47{,}000\text{千円}}{2} \quad \div \quad 400{,}000\text{株} \quad = \quad 58\text{円（円未満切捨）}$$

解　説

[1] 類似業種比準価額の計算で用いる「１株当たりの利益金額」は、直前期末以前１年間における法人税の課税所得金額（固定資産売却益、保険差益等の非経常的な利益の金額を除く。）に、その所得の計算上益金に算入されなかった剰余金の配当（資本金等の額の減少によるものを除く。）等の金額（所得税額に相当する金額を除く。）及び損金に算入された繰越欠損金の控除額を加算した金額（その金額がマイナスのときは、０とする。）を、直前期末における発行済株式数で除して計算した金額です。

ただし、納税義務者の選択により、直前期末以前２年間の各事業年度について、それぞれ法人税の課税所得金額を基とし上記に準じて計算した金額の合計額（その合計額がマイナスのときは、０とする。）の２分の１に相当する金額を直前期末における発行済株式数で除して計算した金額とすることができます（評基通183⑵）。

[2] 設問の例における直前期末以前１年間あるいは２年間は、平成X1年４月１日からX2年３月31日まで、あるいはX1年４月１日からX3年３月31日までの間となり、その期間に対応する法人税の課税所得金額の計算は、上記の月割計算で行うことが合理的と考えられます。

[3] ただし、評価会社の営む事業について季節による利益変動が激しい場合、上記月割計算では評価会社の実態を反映しないことも考えられるので、この点を留意する必要があります。

（月割計算による金額が不合理となる場合）

９ヶ月間	３ヶ月間	９ヶ月間	３ヶ月間
年間売上の２割程度	年間売上の８割が集中	年間売上の２割程度	年間売上の８割が集中
イ	ロ	ハ	ニ

直前々期の前期末　　直前々期末　　直前期末

この場合、実際の直前期末１年間の課税所得金額は「（ロ＋ハ）＝（イ＋ロ）×80％＋ハ」です。一方、月割計算による直前期末１年間の課税所得金額は、「（イ＋ロ）×３ヶ月／12ヶ月＋ハ」となり、月割計算による値が明らかに小さくなってしまいます。

Q 91 １株当たりの利益金額（2）①－非経常的な利益の範囲

評価会社に固定資産売却益、保険差益などがある場合は、常に非経常的な利益として除外していいのですか。
また、非経常的な利益（損失）が、複数ある場合はどのように計算するのですか。

A 1　評価会社の利益が「非経常的な利益」に当たるかどうかについては、その利益が単に固定資産売却益又は保険差益に該当するか否かのみにより判断すべきではなく、評価会社の事業の内容、当該利益の発生 原因、その発生原因たる行為の反復継続性又は臨時偶発性等を考慮した上で、実質的に判断しますので、固定資産売却益、保険差益に当たるからという理由だけでそれを非経常的な利益と判断することはできません。
２　「１株当たりの利益金額」の計算に当たり除外される「非経常的な利益」とは非経常的な利益の総体いいますので、非経常的な利益や損失がある場合はそれを差し引きしたものが非経常的な利益（マイナスの場合は０）となります。

解　説

[1]「１株当たりの利益金額」の計算において「非経常的な利益」を控除するのは、類似業種比準方式における比準要素としての利益金額について、評価会社の経常的な収益力を表すものを採用し、これと類似業種の利益金額とを比較対照して、評価会社の経常的収益力を株式の価額に反映させるためであり、そのために評価会社の利益から偶発的な利益を除外することを定めたものです。

[2] ところで、評価通達183(2)が評価会社の「１株当たりの利益金額」の算定に際して除外される「非経常的な利益」として固定資産売却益や保険差益を挙げていますが、これは、このような利益は、通常は偶発的な取引によるものであることから、その例として示されたもので、これらの利益については偶発的な取引による非経常的な利益に当たらない場合は、除外されないこともあります（東京地判令元・５・14 税資 第269号－46（順号13269）参照）。

[3] したがって、その利益が非経常的な利益であるかどうかの判断は、形式的

な経理上の区分によるのではなく、それが偶発的な取引によるものであるかどうかをしっかりと判定することとなります。

以下若干の判定例を掲げますが、レバレッジドリース、保険差益については、項を改めて解説します。

i　有価証券売却益

評価会社において有価証券の売買が相当の期間において反復継続的に行われている場合には、その売却益は非経常的な利益に該当しないものとして取り扱います。なお、その有価証券が投資有価証券勘定に計上されている場合であっても同様に、売買活動の実態により判断します。

ii　退職引当金制度廃止に伴う益金

退職給与引当金制度廃止に伴い、平成15年３月31日以後最初に終了する事業年度開始の時において有する退職給与引当金勘定の金額は段階的に取崩す必要があります（平成14年７月７改正法人税法附則８②）。

この益金に算入される金額は、税制改正によって臨時偶発的に発生したものであり、非経常的な利益として「１株当たりの利益金額」の計算の際に控除します。

iii　前期損益の修正

前期損益修正益とは、本来、前期において予測に基づいていったん損益に計上したものの、当期に確定的に発生ないし確認された金額との間に生じた差額を特別利益として計上するものです。

よって、前期損益修正益が、経常性のものかどうかの判断はそもそもの利益が経常的なものかどうかにより行うこととなります。

一方、評価会社がその事業年度に当然計上すべき収益を計上しなかったため、法人税の修正申告を提出したような場合は、その修正申告書に記載された金額に基づいて年利益金額を計算します。

iv　保険金から支給された役員退職金

保険金から支給された役員退職金がある場合には、保険金を受けとったことを基因として、役員退職金が支給されると考えられることから、両者は相殺関係にあると言えます。その結果、非経常的な利益金額としては、受け取った保険金額から支給した役員退職金を減算した金額により計算するのが合理的であると考えられます。

v　店舗休業に伴う収益補償金

店舗の休業等に伴い、収益補償金を受け取る場合があります。この収益補償金は、臨時的、かつ、偶発的な利益であることは確かです。しかし、その実質は、店舗の休業によりその会社の主たる事業である小売業に係る収益の減少を補てんするものです。

この点に着目した場合には、営業をしていれば得られたはずの利益が、休業を強いられたことにより収益補償金の名目で交付されたに過ぎず、両者は同等のものであるとして取り扱うことに合理性があるという考え方が成り立ちます。

以上の考え方に立てば、店舗の休業等に伴う収益補償金は、経常的な収益として計上するのが合理的であると考えられます。

［4］計算例

非経常的な利益（損失）に該当する固定資産の譲渡が期中に数回あり、個々の譲渡に売却益と売却損があるときは、これらの損益を通算した後の利益の金額を非経常的な利益として控除します。その際、買換特例等の適用による圧縮損の金額がある場合は、その金額も合わせて通算することとなります。

（例１）

課税所得金額	8,500万円
その事業年度中の固定資産の売却損益等	
X固定資産売却益	4,200万円
X固定資産圧縮損	△3,800万円
Y固定資産売却益	2,500万円

年利益金額

8,500万円－（4,200万円－3,800万円＋2,500万円）＝5,600万円

（例２）

課税所得金額	9,200万円
その事業年度中の固定資産の売却損益	
X固定資産売却益	3,200万円
Y固定資産売却損	△4,700万円

年利益金額

9,200万円－（3,200万円－4,700万円）＝9,200万円

なお、通算後の非経常的な利益金額がマイナスとなる場合には、０とします。そのマイナスの金額は、課税所得金額9,200万円に反映されています。

[5] レバレッジドリースによる損益は、経常的な利益ですので「１株当たりの利益金額」の計算上、調整する必要はありません。リース終了時に発生する物件処分益も、一連の想定された処分益なので経常的な利益として取扱われます。

Q 92 １株当たりの利益金額（2）②－レバレッジドリース取引

評価会社の「１株当たりの利益金額」を計算する場合、レバレッジドリース取引による分配金は、非経常的な利益に当たるのでしょうか。

A レバレッジドリース取引による分配金は、臨時偶発的でないことから非経常的な利益に該当しません。

解　説

[1]「１株当たりの利益金額」の計算の際に、非経常的利益に該当するかどうかは、評価会社の事業の内容、その利益の発生原因、その発生原因たる行為の反復継続性又は臨時偶発性等を考慮して判断します。

[2] ところで、レバレッジドリース取引とは、リース会社等が、設立した会社（営業者）と各出資者が、匿名組合契約を結び、出資者からの出資金と、金融機関等からの借入金にて航空機等のリース物件を取得し、営業者（賃貸人）と航空会社等（賃借人）がリース契約を締結し、リース取引を行います。

[3] 航空機等の賃貸による損益及びリース契約終了時における航空機等の売却による損益について出資割合に応じて出資者に分配されます。

匿名組合契約から分配される分配金に係る損益は、匿名組合員（出資者）の各決算期において、金額の多寡はあるものの、毎期継続的に発生しています。

またリース契約終了時におけるリース物件の売却についても、一般的な固定資産の売却と異なり、匿名組合契約時に予定されていた場合は、リース物件の所有、賃貸及び売却が一体の事業であり、臨時偶発的なものでないと考えられます。

[4] これらのことから、レバレッジドリース取引のよる分配金は、非経常的な利益に該当しないこととなります。

Q92-2 1株当たりの利益金額（3）非経常的利益の保険差益

非経常的な利益として取り扱われる保険差益は、被保険者の死亡により法人が受け取る生命保険金や偶然な事故に基因する死亡に伴い支払われる損害保険金に係るものに限定されるのでしょうか。それとも、火災による建物等の焼失等に対する火災保険金や損害賠償責任保険金、養老保険の満期保険金、さらには、いわゆる節税保険と言われるような長期平準定期保険、逓増定期保険等の解約返戻金に係る差益も含まれるのでしょうか。

A 非経常的な利益として取り扱われる保険差益には、ご質問のものも含まれます。しかし、いわゆる節税保険の解約に基づき生じた保険差益については、契約者の任意の意思と所得の繰延効果を意図して解約を行うところから、資金繰りの都合上等、真にやむを得ない事情がある場合等以外は、通常は臨時偶発的なものではないと考えられるので、非経常的な利益として取り扱わないことが適切であると考えられます。

解　説

[1] 非経常的利益を「1株当たりの利益金額」の計算から除外する趣旨

「1株当たりの利益金額ⓒ」の計算に際して、非経常的な利益の金額を除外することとしているのは、評価会社に臨時偶発的に生じた収益力を排除し、評価会社の営む事業に基づく経常的な収益力を株式の価額に反映させるためです。

[2] 非経常的利益に該当するか否かの判断基準の原則

その際、非経常的利益に該当するかの判断は、評価会社の事業の内容、その利益の発生原因、発生原因たる行為の反復継続性又は臨時偶発性等を考慮して行うとされています。

［3］保険差益への当てはめ

1　生命保険契約と損害保険契約

先ず、保険差益が生じる保険契約には、ａ）被保険者が死亡や満期時などに保険金が支払われる生命保険契約等とｂ）火災等の発生や損害賠償等に対して保険金が支払われる損害保険契約とがありますが、財産評価基本通達では、いずれかの契約から生じる保険金に係る保険差益に限定してはいません。

したがって、「１株当たりの利益金額ⓒ」の計算に際して、非経常的な利益として除外する保険差益は、ａ）生命保険契約又はｂ）損害保険契約のいずれの契約により支払われる保険金に係るものも該当します。

2　保険差益の非経常性の判断

次に、その保険差益が非経常的な利益に該当するか否かは、上記［2］の非経常的利益に該当するか否かの判断基準の原則に照らして行うことになります。

具体的には、判断基準の原則により、イ）その利益の発生原因、ロ）その発生原因たる行為の反復継続性又はハ）臨時偶発性等に照らして、これを行うことになります。

ところで、保険差益に係る「イ）その利益の発生原因」には、保険金の受給原因であるⅰ）保険事故の発生、ⅱ）保険期間の満了（満期）、ⅲ）解約の３つがあります。

ⅰ）保険事故の発生

保険事故の発生とは、生命保険の場合は人の死亡、火災保険の場合は火災による建物等の焼失、損害賠償責任保険の場合は一定の事由による損害賠償責任の発生などが該当し、これらはすべて臨時的かつ偶発的に生じるものです。

ⅱ）保険期間の満了（満期）

保険期間の満了（満期）とは、保険契約によって定められた保険期間の満了のことをいいます。また、満期に関する受給金としては「満期返戻金」と「満期保険金」とがあります。

満期返戻金とは、保険金が支払われる事態が発生しないまま、満期を迎えた場合に契約者に返される金銭です。

また、満期保険金とは、被保険者が満期時まで生存して満期を迎えることにより受け取ることのできる保険金のことをいいます。

保険期間の満了（満期）は、必ず到来するという意味では偶発性はありませんが、保険期間中、常に発生するわけではないという点で臨時性があります。

iii）解約

他方、iii）解約は、契約者の任意の意思で行うことができるところから、臨時偶発性の判断については慎重に行わなくてなりません。また、保険契約の締結と解約を繰り返しているような場合には、「ロ）その発生原因たる行為の反復継続性」の面からも、その非経常性が問われることになります。

＜保険差益に関する非経常性の判断要素＞

<table>
<tr><th colspan="2"></th><th>ロ）反復継続性</th><th>ハ）臨時偶発性</th></tr>
<tr><td rowspan="3">イ）発生原因</td><td>i）保険事故の発生</td><td rowspan="2">なし</td><td>臨時偶発性あり</td></tr>
<tr><td>ii）保険期間の満了（満期）</td><td>臨時性あり</td></tr>
<tr><td>iii）解約</td><td>要確認</td><td>保険契約者の任意の意思で解約可能</td></tr>
</table>

3　いわゆる節税保険の解約返戻金

保険契約の中には、本来の保険事故発生時の補償目的のものの他に、保険料を法人の経費として損金算入して法人税の負担を減少させる一方、中途解約しても損金算入した保険料の大半が解約返戻金として戻ってくる、いわゆる節税保険というものも存在します。

このような節税保険は、固定資産の火災など臨時偶発的な保険事故発生時に受け取る保険に係る保険差益とは異なり、保険契約時に解約返戻金がピークとなる時期を予見して、その時期に保険契約を解約することにより、所得の繰延効果を享受できるものです。

したがって、このような所得の繰延効果を意図して締結した節税保険の解約に基づき生じた保険差益については、契約者の任意の意思と所得の繰延効果を意図して解約を行うところから、資金繰りの都合上等、真にやむを得ない事情がある場合等以外は、通常は臨時偶発的なものではないと考えられます。

したがって、このような節税保険の解約返戻金に係る保険差益は、非経常的な利益として取り扱わないことが適切であると考えられます。

Q 93 １株当たりの利益金額（4）－固定資産の売却益に対して圧縮記帳等の課税繰延措置を適用する場合の非経常的な利益の金額の計算

評価会社が、次のようにその所有する土地を譲渡し、圧縮特別勘定を経由して、最終的にその譲渡対価の一部で買換資産を取得したことにより、その買換部分について圧縮記帳を行っている場合には、その評価会社の１株当たりの利益金額の計算上、各期の非経常的な利益の金額は、どのように計算するのでしょうか。

4/1 〜 3/31	4/1 〜 3/31	4/1 〜 3/31
X1期	X2期	X3期
土地売却益　1,500 買換資産特別勘定繰入損　1,200	買換資産特別勘定戻入益　800 買換資産圧縮損　800	買換資産特別勘定戻入益　400

A 非経常的な利益の発生原因が固定資産である土地の売却等である場合に、その固定資産売却益に基因する、①買換資産の取得予定に伴う特別勘定繰入損や、②買換資産の取得に伴う圧縮損がある場合には、これらの損金算入額をその固定資産売却益等から控除した残額が、その固定資産の売却に係る非経常的な利益金額となります。

例えば、固定資産である土地を売却した事業年度において、買換資産の取得予定による圧縮特別勘定を繰り入れた場合には、その事業年度においては、その土地売却益の金額から買換資産に係る圧縮特別勘定繰入損の額を控除した金額が、その固定資産売却益に係る非経常的な利益金額となります。

さらに、次の事業年度において、その土地の売却代金の一部で買換資産を取得したことにより、その買換部分について圧縮記帳を行った場合には、その圧縮記帳による損金算入額と、これに伴う圧縮特別勘定の戻入益を通算した金額が、その事業年度におけるその固定資産売却益に係る非経常的な利益金額となります。

最終的に、その土地の売却代金の全部を買換資産の取得に充てられなかったことにより、残額の圧縮記帳特別勘定の戻入益が生じれば、その額はその事業年度における非経常的な利益金額とされます。

ご質問の場合、評価会社の各事業年度（X１期からX３期まで）の固定資産の売却に係る非経常的な利益金額を示すと、それぞれ、次のとおりとなります。

期	差引固定資産の売却に係る非経常的な利益金額の計算
X1期	固定資産売却益1,500－買換資産特別勘定繰入額1,200＝300
X2期	買換資産特別勘定戻入額800－買換資産圧縮損800　＝0
X3期	買換資産特別勘定戻入額　400
通算	合計（300＋0＋400）＝700
検算	固定資産売却益1,500－買換資産圧縮損800　＝700

Q 94　１株当たりの利益金額（5）－受取配当等の益金不算入額から控除する所得税額

評価明細書第４表（類似業種比準価額等の計算明細書）の「１株当たりの利益金額」を計算するときに、「⑪法人税の課税所得金額」に「⑬受取配当等の益金不算入額」を加算し、同時に「⑭左の所得税額」を控除しますが、この所得税額はどのように計算しますか。

直前期末以前２⑶年間の利益金額						
事業年度	⑪法人税の課税所得金額	⑫非経常的な利益金額	⑬受取配当等の益金不算入額	⑭左の所得税額	⑮損金算入した繰越欠損金の控除額	⑯差引利益金額（⑪－⑫＋⑬－⑭＋⑮）

A　配当等について源泉徴収された所得税額として法人税額から控除を受ける金額のうち、受取配当等の益金不算入の対象となる金額に対応する金額を計算します。

解　説

［1］法人税法上、内国法人が各事業年度において内国法人から受けた利益の配当等のうち、下表の株式等の区分に応じた益金不算入割合を乗じた金額については、各事業年度の所得の計算上、これを益金の額に算入しないこととされています（法法23）。

株式等の区分	益金不算入割合
完全子法人株式等（株式等保有割合100%）	100分の100
関連法人株式等（株式等保有割合3分の1超）	
その他の株式等（株式等保有割合5%超3分の1以下）	100分の50
非支配目的株式等（株式等保有割合5%以下）	100分の20

なお、関連法人株式等については、負債利子がある場合元本の取得に要した負債利子相当額を控除します。。

[2] 取引相場のない株式の年利益金額を計算する上では、その所得の計算上益金に算入されなかった剰余金の配当（資本金等の額の減少によるものを除く。）等の金額の控除額（受取配当等の益金不算入額）を加算します。その際、所得税額に相当する金額を除きます。法人税法上、配当等に係る所得税については、その元本を所有していた期間に対応する部分の所得税額のみを控除しますので、「控除した所得税額」のうち、「受取配当等の益金不算入額」の計算の対象となる配当に対応する部分の金額の計算が必要となります。

なお、所得税と併せて源泉徴収される復興特別所得税ついては、法人税法上、損金の額に算入しないため、「⑭左の所得税額」の金額の計算においては、復興特別所得税額は所得税額と同様に取り扱うのが相当と考えられます。

［3］第４表 類似業種比準価額等の計算明細書の各欄への転記例

1株（50円）当たりの年利益金額	直前期末以前２（３）年間の利益金額					
事業年度	⑪法人税の課税所得金額	⑫非経常的な利益金額	⑬受取配当等の益金不算入額	⑭左の所得税額	⑮損金算入した繰越欠損金の控除額	⑯差引利益金額（⑪－⑫＋⑬－⑭＋⑮）
直前期	30,000 千円	千円	600 千円	382 千円	千円	㊁ 30,218 千円
直前々期	15,000 千円	千円	400 千円	306 千円	千円	㊭ 15,094 千円
直前々期の前期	12,000 千円	千円	360 千円	275 千円	千円	㊃ 12,085 千円

比準要素数１の会社・比準要素数０の会社の判定要素の金額	
㊁/⑤ 又は (㊁+㊭)÷2/⑤	Ⓒ 23 円
㊭/⑤ 又は (㊭+㊃)÷2/⑤	Ⓒ2 13 円
1株（50円）当たりの年利益金額〔㊁/⑤ 又は (㊁+㊭)÷2/⑤ の金額〕	
Ⓒ	22 円

「⑬受取配当等の益金不算入額」
法人税申告書別表八㈠の「13」又は「26」の金額うち法人税申告書別表四の「14受取配当等の益金不算入額」欄に記載された金額に対応する金額を記載します。

その他株式等に係る受取配当等の額（別表八（一）付表一「26の計」）	11		その他株式等に係る受取配当等の額（別表八（一）付表一「26の計」）	24	
非支配目的株式等に係る受取配当等の額（別表八（一）付表一「33の計」）	12	3,000,000	非支配目的株式等に係る受取配当等の額（別表八（一）付表一「33の計」）	25	3,000,000
受取配当等の益金不算入額 (1)＋((2)－(10))＋(11)×50%＋(12)×(20%[illegible])	13	600,000	受取配当等の益金不算入額 (14)＋((15)－(23))＋(24)×50%＋(25)×(20%[illegible])	26	600,000

「⑭左の所得税額」
法人税申告書別表六㈠の「12」、「19」又は「21」の金額のうち、同別表八㈠付表一に記載された株式等に係る金額（「16」、「26」又は「33」の金額）の合計額に対応する金額を記載します。
ただし、その金額が「⑬受取配当等の益金不算入額」を超えるときは、⑬の金額を限度とします。

銘柄	収入金額	所得税額	配当等の計算期間	(9)のうち元本所有期間	所有期間割合 (10)/(9)（小数点以下3位未満切上げ）	控除を受ける所得税額 (8)×(11)
	7	8	9	10	11	12
A社㈱	2,000,000 円	306,300 円	12 月	12 月	1.000	306,300 円
B社㈱	1,000,000	102,100	12	9	0.750	76,575

［4］短期保有株式等に係る配当等の益金不算入の不適用があった場合

受取配当等の益金不算入の規定は、配当等の額（みなし配当を除く。）の元本である株式等をその配当等の額に係る基準日以前１月以内に取得し、かつ、その株式等をその基準日後２月以内に譲渡した場合には、その配当等の額については適用されません。（法法23②）

「左の所得税額」の金額は、短期保有株式等に係る配当等の益金不算入の不適用がある場合は、受取配当等の益金不算入の対象となる配当に対応する部分の金額の計算が必要となります。

別表六㈠抜粋

銘柄別簡便	銘柄	収入金額	所得税額	配当等の計算期末の所有元本数等	配当等の計算期首の所有元本数等	(15)－(16) / 2又は12 (マイナスの場合は0)	所有元本割合 (16)＋(17) / (15) (小数点以下3位未満切上げ)(1を超える場合は1)	控除を受ける所得税額 (14)×(18)
		13	14	15	16	17	18	19
	C社㈱	円 1,500,000	円 229,725	5,000,000	2,000,000	1,500,000	0.700	円 160,807

別表八㈠抜粋

その他株式等に係る受取配当等の額 (別表八（一）付表一「26の計」)	11		その他株式等に係る受取配当等の額 (別表八（一）付表一「26の計」)	24	
非支配目的株式等に係る受取配当等の額 (別表八（一）付表一「33の計」)	12	960,000	非支配目的株式等に係る受取配当等の額 (別表八（一）付表一「33の計」)	25	960,000
受取配当等の益金不算入額 (1)＋((2)－(10))＋(11)×50%＋(12)×(20% [illegible])	13	192,000	受取配当等の益金不算入額 (14)＋((15)－(23))＋(24)×50%＋(25)×(20% [illegible])	26	192,000

支給された別表八㈠にこの部分なし

評価明細書第4表の各欄への転記

⑬受取配当等の益金不算入額　192千円

⑭左の所得税額

$$160{,}807円 \times \frac{960{,}000円}{1{,}500{,}000円} = 102{,}916円 \rightarrow 102千円$$

〔設例〕事業年度（令和４年４月１日～令和５年３月31日）

下記別表記載のように、A社㈱及びB社㈱からの配当金があった場合の、評価明細書第４表の記載は次のとおりです。

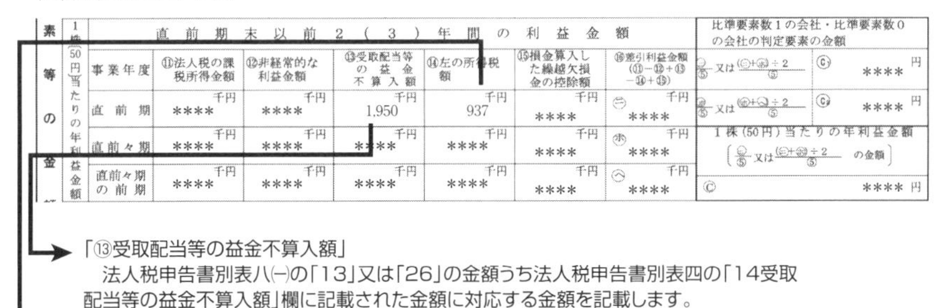

1株(50円)当たりの年利益金額	直前期末以前２（３）年間の利益金額							比準要素数１の会社・比準要素数０の会社の判定要素の金額	
	事業年度	⑪法人税の課税所得金額	⑫非経常的な利益金額	⑬受取配当等の益金不算入額	⑭左の所得税額	⑮損金算入した繰越欠損金の控除額	⑯差引利益金額 (⑪－⑫＋⑬－⑭＋⑮)	㊁/⑤ 又は (㊁＋㊭)÷2/⑤	Ⓒ ****円
	直前期	千円 ****	千円 ****	千円 1,950	千円 937	千円 ****	㊁ 千円 ****	㊭/⑤ 又は (㊭＋㊬)÷2/⑤	Ⓒ2 ****円
	直前々期	千円 ****	千円 ****	千円 ****	千円 ****	千円 ****	㊭ 千円 ****	1株(50円)当たりの年利益金額 〔㊁/⑤ 又は (㊁＋㊭)÷2/⑤ の金額〕	
	直前々期の前期	千円 ****	千円 ****	千円 ****	千円 ****	千円 ****	㊬ 千円 ****	Ⓒ ****円	

「⑬受取配当等の益金不算入額」

法人税申告書別表八㈠の「13」又は「26」の金額うち法人税申告書別表四の「14受取配当等の益金不算入額」欄に記載された金額に対応する金額を記載します。

「⑭左の所得税額」（※1）

法人税申告書別表六㈠の「12」、「19」又は「21」の金額のうち、同別表八㈠付表一に記載された株式等に係る金額（「16」、「26」又は「33」の金額）の合計額に対応する金額を記載します。

ただし、その金額が「⑬受取配当等の益金不算入額」を超えるときは、⑬の金額を限度とします。

〔計算例〕

A社㈱　612,600円

B社㈱　$147{,}024 \times \dfrac{1{,}050{,}000}{1{,}400{,}000} = 110{,}268$円

C社㈱　214,410円

合計　937,278円　→　937千円

（※１）　平成28年4月1日から令和4年3月31日までに終了する事業年度については、法人税申告書別表八㈠の様式が異なるため、「⑭左の所得税額」は下記をご参照ください。
　法人税申告書別表六㈠の「12」、「19」又は「21」の金額のうち、同別表八㈠に記載された株式等に係る金額（「34」、「37」又は「43」の金額）の合計額に対応する金額を記載します。
　ただし、その金額が「⑬受取配当等の益金不算入額」を超えるときは、⑬の金額を限度とします。

所得税額の控除に関する明細書

事業年度	令和 4．4．1 令和 5．3.31	法人名	株式会社 〇〇

別表六(一)　令四・四・一以後終了事業年度分

区分		収入金額 ①	①について課される所得税額 ②	②のうち控除を受ける所得税額 ③
公社債及び預貯金の利子、合同運用信託、公社債投資信託及び公社債等運用投資信託（特定公社債等運用投資信託を除く。）の収益の分配並びに特定公社債等運用投資信託の受益権及び特定目的信託の社債的受益権に係る剰余金の配当	1	円	円	円
剰余金の配当（特定公社債等運用投資信託の受益権及び特定目的信託の社債的受益権に係るものを除く。）、利益の配当、剰余金の分配及び金銭の分配（みなし配当等を除く。）	2	5, 600, 000	1, 010, 790	974, 034
集団投資信託（合同運用信託、公社債投資信託及び公社債等運用投資信託（特定公社債等運用投資信託を除く。）を除く。）の収益の分配	3	内	内	内
割引債の償還差益	4			
その他	5			
計	6	5, 600, 000	1, 010, 790	内 974, 034

剰余金の配当（特定公社債等運用投資信託の受益権及び特定目的信託の社債的受益権に係るものを除く。）、利益の配当、剰余金の分配及び金銭の分配（みなし配当等を除く。）、集団投資信託（合同運用信託、公社債投資信託及び公社債等運用投資信託（特定公社債等運用投資信託を除く。）を除く。）の収益の分配又は割引債の償還差益に係る控除を受ける所得税額の計算

個別法による場合	銘柄	収入金額 7	所得税額 8	配当等の計算期間 9	(9)のうち元本所有期間 10	所有期間割合 (10)/(9)（小数点以下3位未満切上げ） 11	控除を受ける所得税額 (8)×(11) 12
		円	円	月	月		円

銘柄別簡便法による場合	銘柄	収入金額 13	所得税額 14	配当等の計算期末の所有元本数等 15	配当等の計算期首の所有元本数等 16	(15)−(16) / 2又は12（マイナスの場合は0） 17	所有元本割合 (16)+(17) / (15)（小数点以下3位未満切上げ）（1を超える場合は1） 18	控除を受ける所得税額 (14)×(18) 19
	A社㈱	円 3, 000, 000	円 612, 600	1, 000. 000	1, 000. 000	0. 000	1. 000	円 612, 600
	B社㈱	1, 200, 000	183, 780	4, 000. 000	2, 400. 000	800. 000	0. 800	147, 024
	C社㈱	1, 400, 000	214, 410	7, 000. 000	10, 000. 000	0. 000	1. 000	214, 410

その他に係る控除を受ける所得税額の明細

支払者の氏名又は法人名	支払者の住所又は所在地	支払を受けた年月日	収入金額 20	控除を受ける所得税額 21	参考
		・ ・	円	円	
		・ ・			
		・ ・			
		・ ・			
		・ ・			
計					

別表八(一)

受取配当等の益金不算入に関する明細書

事業年度	令和　4．4．1 令和　5．3.31	法人名	株式会社　○○

当年度実績により負債利子等の額を計算する場合			基準年度実績により負債利子等の額を計算する場合		
完全子法人株式等に係る受取配当等の額 （別表八（一）付表一「9の計」）	1	円	完全子法人株式等に係る受取配当等の額 （別表八（一）付表一「9の計」）	14	円
関連法人株式等　受取配当等の額 （別表八（一）付表一「16の計」又は「20の計」）	2		関連法人株式等　受取配当等の額 （別表八（一）付表一「16の計」）	15	
負債利子等の額の計算　当期に支払う負債利子等の額	3		負債利子等の額の計算　当期に支払う負債利子等の額	16	
連結法人に支払う負債利子等の額	4		国外支配株主等に係る負債の利子等の損金不算入額、対象純支払利子等の損金不算入額又は恒久的施設に帰せられるべき資本に対応する負債の利子の損金不算入額 （別表十七（一）「35」と別表十七（二の二）「29」のうち多い金額）又は（別表十七（二の二）「34」と別表十七の三（二）「17」のうち多い金額）	17	
国外支配株主等に係る負債の利子等の損金不算入額、対象純支払利子等の損金不算入額又は恒久的施設に帰せられるべき資本に対応する負債の利子の損金不算入額 （別表十七（一）「35」と別表十七（二の二）「29」のうち多い金額）又は（別表十七（二の二）「34」と別表十七の三（二）「17」のうち多い金額）	5		超過利子額の損金算入額 （別表十七（二の三）「10」）	18	
超過利子額の損金算入額 （別表十七（二の三）「10」）	6		計 （16）－（17）＋（18）	19	
計 （3）－（4）－（5）＋（6）	7		平成27年4月1日から平成29年3月31日までの間に開始した各事業年度の負債利子等の額の合計額	20	
総資産価額 （29の計）	8		同上の各事業年度の関連法人株式等に係る負債利子等の額の合計額	21	
期末関連法人株式等の帳簿価額 （30の計）	9		負債利子控除割合 $\frac{(21)}{(20)}$ （小数点以下3位未満切捨て）	22	
受取配当等の額から控除する負債利子等の額 $(7) \times \frac{(9)}{(8)}$	10		受取配当等の額から控除する負債利子等の額 （19）×（22）	23	円
その他株式等に係る受取配当等の額 （別表八（一）付表一「26の計」）	11	3,000,000	その他株式等に係る受取配当等の額 （別表八（一）付表一「26の計」）	24	
非支配目的株式等に係る受取配当等の額 （別表八（一）付表一「33の計」）	12	2,250,000	非支配目的株式等に係る受取配当等の額 （別表八（一）付表一「33の計」）	25	
受取配当等の益金不算入額 (1)＋((2)－(10))＋(11)×50％＋(12)×20％	13	1,950,000	受取配当等の益金不算入額 (14)＋((15)－(23))＋(24)×50％＋(25)×　％	26	

当年度実績による場合の総資産価額等の計算

区分	総資産の帳簿価額	連結法人に支払う負債利子等の元本の負債の額等	総資産価額 （27）－（28）	期末関連法人株式等の帳簿価額
	27	28	29	30
前期末現在額	円	円	円	円
当期末現在額				
計				

令四・四・一以後終了事業年度分

支払利子等の額及び受取配当等の額に関する明細書	事業年度	令和　4．4．1 令和　5．3．31	法人名	株式会社　○○

別表八(一)付表一　令四・四・一以後終了事業年度分

支払利子等の額の明細

項目	番号	金額	項目	番号	金額
令第19条第2項の規定による支払利子控除額の計算	1	適用・不適用			
当期に支払う利子等の額	2	円	超過利子額の損金算入額 （別表十七（二の三）「10」）	4	円
国外支配株主等に係る負債の利子等の損金不算入額、対象純支払利子等の損金不算入額又は恒久的施設に帰せられるべき資本に対応する負債の利子の損金不算入額 （別表十七（一）「35」と別表十七（二の二）「29」のうち多い金額）又は（別表十七（二の二）「34」と別表十七の三（二）「17」のうち多い金額）	3		支払利子等の額の合計額 （2）－（3）＋（4）	5	

受取配当等の額の明細

区分	項目	番号					計
完全子法人株式等	法人名	6					計
	本店の所在地	7					
	受取配当等の額の計算期間	8					
	受取配当等の額	9	円	円	円	円	円
関連法人株式等	法人名	10					計
	本店の所在地	11					
	受取配当等の額の計算期間	12					
	保有割合	13					
	受取配当等の額	14	円	円	円	円	円
	同上のうち益金の額に算入される金額	15					
	益金不算入の対象となる金額 （14）－（15）	16					
	（1）が「不適用」の場合又は別表八（一）付表二「13」が「非該当」の場合 （16）×	17					
	同の上場以合外 （16）／（16の計）	18					
	同の上場以合外 支払利子等の10％相当額 （（（5）×0.1）又は（別表八（一）付表二「14」））×（18）	19	円	円	円	円	円
	支払利子等控除後の受取配当等の額 （16）－（（17）又は（19））	20					
その他株式等	法人名	21	A社㈱				計
	本店の所在地	22	○県○市○町				
	保有割合	23	20.00％				
	受取配当等の額	24	円 3,000,000	円	円	円	円 3,000,000
	同上のうち益金の額に算入される金額	25	0				0
	益金不算入の対象となる金額 （24）－（25）	26	3,000,000				3,000,000
非支配目的株式等	法人名又は銘柄	27	B社㈱	C社㈱			計
	本店の所在地	28	○県○市○町	○県○市○町			
	基準日等	29	令和　4．3．31	令和　4．12．31			
	保有割合	30	0.30％	0.10％			
	受取配当等の額	31	円 1,400,000	円 1,200,000	円	円	円 2,600,000
	同上のうち益金の額に算入される金額	32	350,000	0			350,000
	益金不算入の対象となる金額 （31）－（32）	33	1,050,000	1,200,000			2,250,000

Q 95 １株当たりの利益金額（6）－源泉徴収された復興特別所得税の額がある場合の受取配当等の益金不算入額から控除する所得税額

評価明細書第４表（類似業種比準価額等の計算明細書）の「１株当たりの利益金額」を計算するときに、「⑪法人税の課税所得金額」に「⑬受取配当等の益金不算入額」を加算し、同時に「⑭左の所得税額」を控除しますが、源泉徴収された復興特別所得税がある場合には、この復興特別所得税額はどのように計算しますか。

A 次の金額の合計額が「⑭左の所得税額」の金額となります。

① 配当等について源泉徴収された所得税額として法人税額から控除を受ける金額のうち、受取配当等の益金不算入の対象となる金額に対応する金額を計算します。

② 配当等について源泉徴収された復興特別所得税額として法人税額から控除を受ける金額がある場合には、受取配当等の益金不算入の対象となる金額に対応する金額を計算します。

解　説

［1］法人税法上、「内国法人が各事業年度において内国法人から剰余金の配当等を受けた場合には、その配当等の額のうち一定の金額は、その内国法人の各事業年度の所得の金額の計算上、益金の額に算入しない」（法法23①）こととされています。

［2］取引相場のない株式の年利益金額を計算する上では、その所得の計算上、益金に算入されなかった利益の配当等の金額の控除額（受取配当等の益金不算入額）を加算します。その際、所得税に相当する金額を除きます。配当等に係る所得税額については、その元本を所有していた期間に対応する部分の所得税額のみを控除しますので、「控除した所得税額」のうち、「受取配当等の益金不算入額」の計算の対象となる配当に対応する部分の金額の計算が必要となります。

［3］また、平成25年１月１日から平成49年12月31日までの25年間に生ずる所得については、復興特別所得税を通常の所得税と併せて源泉徴収することとされています。配当等について源泉徴収された復興特別所得税額については、

所得税の額の取扱いに準じて、復興特別法人税の額から控除することになります。なお、平成26年４月１日以後に開始する事業年度は、復興特別法人税の廃止により、源泉徴収された復興特別所得税の額は法人税の額から控除します。この場合に、この控除される復興特別所得税額については、法人税法上、損金の額に算入しないため、「⑭左の所得税額」の金額の計算においては、復興特別所得税額は所得税額と同様に取り扱うのが相当と考えられます。

なお、評価明細書第４表の記載例については、Q94〔設例〕をご参照ください。

Q 96　１株当たりの利益金額（7）－受取配当等の益金不算入額より控除所得税額の方が大きい場合

１株当たりの利益金額の計算に際して、下記のように受取配当等の益金不算入額より控除所得税額の方が大きい場合には、第４表の「⑪法人税の課税所得金額」に加減算する「⑬受取配当等の益金不算入額」と「⑭左の所得税額」の金額は、それぞれいくらと計算するのでしょうか。

A	受取配当等の益金不算入額の対象となる受取配当金等	80,000千円
B	受取配当等の益金不算入額計算上の控除対象の負債利子	72,000千円
C	受取配当等の益金不算入額（＝A－B）	8,000千円
D	Aに係る控除対象所得税額（＝A×20.42%）	16,336千円

A　「⑭左の所得税額」は、「⑬受取配当等の益金不算入額」を限度とします。

解　説

類似業種比準価額算定上の１株当たりの利益金額の計算に際しては、第４表の「⑪法人税の課税所得金額」に「⑬受取配当等の益金不算入額」及び「⑭左の所得税額」を加減算します。

この場合、「⑭左の所得税額」は、「受取配当等の益金不算入額の計算の基礎となる受取配当金」A（80,000千円）と「控除対象所得税額」D（16,336千円）

との間に「A＞D」という対応関係が存在することから、「⑬受取配当等の益金不算入額」を限度とします。

したがって、ご質問の場合の「⑬受取配当等の益金不算入額」と「⑭左の所得税額」とは、次のとおり計算します。

「⑬受取配当等の益金不算入額」

80,000千円　－　72,000千円　＝　8,000千円

「⑭左の所得税額」

（受取配当等の益金不算入額C）

16,336千円　＞　8,000千円

∴　「⑭左の所得税額」＝8,000千円

Q 97　1株当たりの利益金額（8）－自己株式取得によりみなし配当の金額が生じた場合の類似業種比準方式の計算

会社が所有する株式をその株式発行法人に譲渡（自己株式取得）することにより、法人税法第24条第1項の規定により配当等とみなされる部分（みなし配当）の金額が生じた場合において、そのみなし配当の金額は、類似業種比準方式により株式の評価をする場合に、「1 自己株式取得法人の株式を評価する場合」、「2 株式譲渡法人の株式を評価する場合」のそれぞれの場合について、どのように取り扱われますか。

A　国税庁の質疑応答事例では、それぞれ下記のように回答しています。

1　自己株式取得法人の株式を評価する場合

（1株当たりの配当金額Ⓑ－自己株式の取得によるみなし配当の金額がある場合）

みなし配当の金額は、「1株当たりの配当金額Ⓑ」の計算上、剰余金の配当金額に含める必要はありません。

この場合、「取引相場のない株式（出資）の評価明細書」の記載に当たっては、「第4表類似業種比準価額等の計算書」の（2. 比準要素等の金額の計算）の「⑥年配当金額」欄にみなし配当の金額控除後の金額を記載します。

2　株式譲渡法人の株式を評価する場合

（1株当たりの利益金額Ⓒ－みなし配当の金額がある場合）
みなし配当の金額は、原則として、「1株当たりの利益金額Ⓒ」の計算上、「益金に算入されなかった剰余金の配当等」の金額に含める必要はありません。
この場合、「取引相場のない株式（出資）の評価明細書」の記載に当たっては、「第4表類似業種比準価額等の計算書」の（2．比準要素等の金額の計算）の「⑬受取配当等の益金不算入額」欄にみなし配当の金額控除後の金額を記載します。

解　説

［1］自己株式取得法人の株式を評価する場合

国税庁質疑応答事例の回答の理由によると、みなし配当の金額は、会社法上の剰余金の配当金額には該当せず、また、通常は、剰余金の配当金額から除くこととされている、将来毎期継続することが予想できない金額に該当すると考えられるとされています。そのため、「1株当たりの配当金額Ⓑ」の計算上、剰余金の配当に含める必要はありません。

［2］株式譲渡法人の株式を評価する場合

「みなし配当」の金額は、法人税法上、受取配当等の益金不算入の対象となります。受取配当等の益金不算入額として課税所得から控除された金額は、「1株当たりの利益金額Ⓒ」の「⑯差引利益金額」の計算において、「⑬受取配当等の益金不算入額」の欄で加算することになっています。ただし、みなし配当の金額は、原則として、「1株当たりの利益金額Ⓒ」の計算上、「⑬受取配当等の益金不算入額」の金額に含める必要はないとされています。

国税庁質疑応答事例の回答の理由によると、「1株当たりの利益金額Ⓒ」の計算の際に、非経常的な利益の金額を除外することとしているのは、評価会社に臨時偶発的に生じた収益力を排除し、評価会社の営む事業に基づく経常的な収益力を株式の価額に反映させるためとしています。

「みなし配当」の基因となる合併や株式発行法人への株式の譲渡等は、通常、臨時偶発的なものと考えられるため、財産評価基本通達上、法人税の課税所得から除外している「非経常的な利益」と同様に取り扱うことが相当です。そのため、原則として、「みなし配当」の金額は「１株当たりの利益金額Ⓒ」の計算において、法人税の課税所得金額に加算する「益金に算入されなかった剰余金の配当等」の金額に該当しませんと解説しています。

例えば、毎期継続することが予想できる場合など、反復継続性や臨時偶発性等を考慮した結果、経常的な利益に該当すると認められるようなものについては、「⑬受取配当等の益金不算入額」に含めて計算するのが妥当と考えられます。

Q 98 １株当たりの利益金額（9）−適格現物分配により資産の移転を受けた場合

適格現物分配により資産の移転を受けたことにより生ずる収益の額は、法人税法62条の５第４項により益金不算入とされていますが、類似業種比準方式における「１株当たりの利益金額Ⓒ」の計算上、この額を「益金に算入されなかった剰余金の配当等」の金額に加算する必要がありますか。

国税庁の質疑応答事例では、下記のように回答しています。

適格現物分配により資産の移転を受けたことによる収益の額は、原則として、「１株当たりの利益金額Ⓒ」の計算上、「益金に算入されなかった剰余金の配当等」の金額に加算する必要はありません。

解　説

国税庁の質疑応答事例は、次のとおり、その理由を解説しています。

（理由）

「１株当たりの利益金額Ⓒ」の計算の際に、非経常的な利益の金額を除外することとしているのは、評価会社に臨時偶発的に生じた収益力を排除し、評価会社の営む事業に基づく経常的な収益力を株式の価額に反映させるためです。また、ある利益が、経常的な利益又は非経常的な利益のいずれに該当するかは、評価会社の事業の内容、その収益の発生原因、その発生原因たる行為の反復継続性又は臨時偶発性等を考慮し、個別に判断します。

剰余金の配当による適格現物分配として資産の移転を受けたことにより生ずる収益の額は、法人税法第62条の５第４項により益金不算入とされていることから、「１株当たりの利益金額Ⓒ」の計算上、「益金に算入されなかった剰余金の配当等」に該当するとも考えられます。しかし、適格現物分配は組織再編成の一形態として位置づけられており、形式的には剰余金の配当という形態をとっているとしても、その収益の発生原因である現物分配としての資産の移転は、通常、組織再編成を目的としたもので、被現物分配法人（評価会社）を含むグループ法人全体の臨時偶発的な行為であるため、通常、その収益の金額は非経常的な利益であると考えられます。

したがって、法人税法第62条の５第４項により益金不算入とされる適格現物分配により資産の移転を受けたことによる収益の額は、「１株当たりの利益金額Ⓒ」の計算上、原則として「益金に算入されなかった剰余金の配当等」の金額に加算する必要はありません。

［1］適格現物分配があった場合の評価明細書第４表の記載例

〔設例〕

下図のような完全支配関係がある２社間において、S社から、剰余金の配当として、土地による適格現物分配を受けたとします。

この場合に、被現物分配法人P社は次のような会計処理を行います。

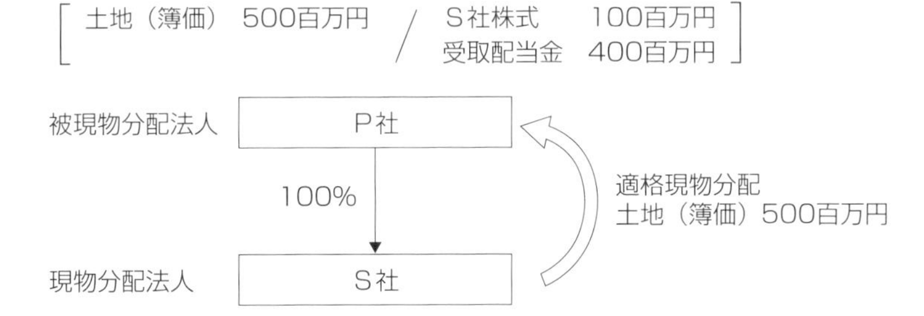

上記のような会計処理が行われた場合には、法人税申告書別表４で下記のような申告調整を行います。

申告調整（別表４）

区分		総額	留保	社外流出	
減算	適格現物分配に係る益金不算入額	400,000,000		※	400,000,000

本事例のように、土地を現物配当するような場合には、通常の金銭配当に比

べ、一般的に、金額が多額になることが想定されます。このような現物配当の場合には、通常の金銭配当とは性格が異なり、将来、毎期継続することが見込まれていないと思われますので、適格現物分配は、臨時偶発的な行為であるため、その益金の額は非経常的な利益に該当すると考えられます。

そのため、この減算調整した400百万円は、評価会社P社の株価計算する際に用いる「⑬受取配当等の益金不算入額」に加算しないこととなります。

評価明細書第４表

直前期末以前２(３)年間の利益金額						
事業年度	⑪法人税の課税所得金額	⑫非経常的な利益金額	⑬受取配当等の益金不算入額	⑭左の所得税額	⑮損金算入した繰越欠損金の控除額	⑮差引利益金額（⑪－⑫＋⑬－⑭＋⑮）
	*****千円	0千円	0千円	0千円	０千円	******千円

本事例のケースにおいては、「⑬受取配当等の益金不算入額」の欄に記載する金額はありません。

［２］　適格現物分配により資産の移転を受けたことにより生ずる利益であっても、その剰余金の配当が、将来、毎期継続することが予想できる場合など、反復継続性や臨時偶発性等を考慮した結果、経常的な利益に該当すると認められるようなときは、金銭に換えて現物により配当を行っているだけであり、通常の金銭配当と区別して取り扱う理由がないと考えられます。そのため、このような場合は、通常の金銭配当と同様に益金不算入額を「⑬受取配当等の益金不算入額」として１株当たりの利益金額を加算して計算することとなります。

Q 99　１株当たりの利益金額（10）－譲渡損益調整資産の譲渡等があった場合

評価会社が、完全支配関係がある法人に対して、譲渡損益調整資産（法法61の13）を譲渡した場合には、類似業種比準方式における「１株当たりの利益金額Ⓒ」の計算上、法人税法上繰り延べられた譲渡損益を、法人税の課税所得金額に加減算する必要がありますか。

また、その後において、その完全支配関係がある法人が、その譲渡損益調整

資産を減価償却した場合や、その譲渡損益調整資産を他に再譲渡した場合には、「１株当たりの利益金額Ⓒ」の計算上、法人税法において益金又は損金の額に算入する譲渡損益調整勘定の戻入損益を、控除する必要がありますか。

A 国税庁ホームページの質疑応答事例では、次のように回答しています。

１　繰り延べられた譲渡益は、「１株当たりの利益金額Ⓒ」の計算上、法人税の課税所得金額に加算する必要はありません。
２　譲渡損益調整勘定の戻入益は、原則として、「１株当たりの利益金額Ⓒ」の計算上、非経常的な利益として法人税の課税所得金額から控除します
　なお、譲渡損益調整勘定の戻入益と戻入損の両方がある場合は、それぞれ他の非経常的な損益と合算の上、その損益を通算し、利益の金額があればその金額を課税所得金額から控除します。
３　この場合、「取引相場のない株式（出資）の評価明細書」の記載に当たっては、「第４表　類似業種比準価額等の計算明細書」の（２．比準要素等の金額の計算）の「⑫非経常的な利益金額」欄にその譲渡損益調整勘定の戻入益の金額を加算して計算します。

解　説

[1] 理由

国税庁ホームページの質疑応答事例では、上記の取扱いの理由を次のように解説しています。

(理由)
「１株当たりの利益金額Ⓒ」の計算では、評価会社の直前期末以前１年間における法人税の課税所得金額を基にしますが、非経常的な利益を除外することとしています。
譲渡損益調整資産とは、固定資産、土地、有価証券（売買目的有価証券を除きます。)、金銭債権及び繰延資産のうち一定のものをいい、通常これらの資産の譲渡益は、非経常的な利益に該当すると考えられることから、「１株当たりの利益金額Ⓒ」の計算上、法人税の課税所得金額に加算する必要はありません。

また、譲受法人の譲渡損益調整資産に係る償却費の損金算入やその資産の再譲渡があった場合には、繰り延べられていた譲渡利益額又は譲渡損失額の一部又は全部が譲渡損益調整勘定の戻入益又は戻入損として評価会社の法人税の課税所得金額に計上されることになりますが、このうち、戻入益は非経常的な利益に該当すると考えられることから、「1株当たりの利益金額」の計算上、他の非経常的な利益と同様に、その金額を法人税の課税所得金額から控除します。

なお、棚卸資産である土地で一定のものも、譲渡損益調整資産に該当します。法人税法上、完全支配関係がある法人に対する土地に係る譲渡益は繰り延べられますが、棚卸資産の譲渡益は、通常、非経常的な利益ではないため、「1株当たりの利益金額Ⓒ」の計算上、戻入益に係る調整は不要です。

[2] 事例による解説

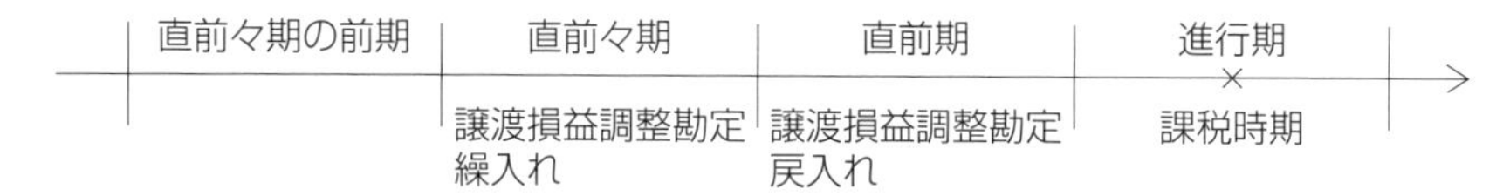

(1) 直前々期に、A社が、固定資産である土地（簿価80,000千円）を100％兄弟会社であるB社へ100,000千円で譲渡した場合

A社の法人税法上の仕訳　（単位：千円）

借方		貸方	
現金	100,000	土地	80,000
		土地譲渡益	20,000
譲渡損益調整勘定繰入額（損金）	20,000	譲渡損益調整勘定	20,000

この場合において、法人税の課税所得金額が300,000千円である場合の⑯ホ（直前々期差引利益金額）の計算は、次のとおりとなります。

事業年度	⑪法人税の課税所得金額	⑫非経常的な利益金額	⑬受取配当等の益金不算入額	⑭左の所得税額	⑮損金算入した繰越欠損金の控除額	⑯差引利益金額（⑪－⑫＋⑬－⑭＋⑮）
直前々期	千円 （※1）300,000	千円 （※2）0	千円	千円	千円	㋭ 千円 300,000

（※1）　譲渡益（益金）20,000千円と譲渡損益調整勘定繰入額（損金）20,000千円が計上され、本件土地売却に係る所得は生じない。
（※2）　譲渡益分の加算をする旨の調整は不要。

(2)　上記(1)の翌期（直前期）に、B社がその譲り受けた土地を外部の第三者に売却した場合

A社の法人税法上の仕訳　　　　　　　　　　　　　　　（単位：千円）

譲渡損益調整勘定	20,000	譲渡損益調整勘定戻入額（益金）	20,000

この場合において、法人税の課税所得金額が420,000円である場合の⑯㊁（直前期差引利益金額）の計算は、次のとおりとなります。

事業年度	⑪法人税の課税所得金額	⑫非経常的な利益金額	⑬受取配当等の益金不算入額	⑭左の所得税額	⑮損金算入した繰越欠損金の控除額	⑯差引利益金額（⑪－⑫＋⑬－⑭＋⑮）
直前期	千円 (※3)420,000	千円 (※4)20,000	千円	千円	千円	㊁　千円 400,000

（※３）　譲渡損益調整勘定戻入額（益金）20,000千円が計上されている。
（※４）　固定資産である土地に係る譲渡損益調整勘定戻入額（益金）は、非経常的な利益に該当するため、ここで控除する。

Q100　1株当たりの利益金額(11)－外国子会社等から剰余金の配当等がある場合

類似業種比準方式により株式を評価するに当たり、評価会社の「1株当たりの利益金額Ⓒ」の計算上、外国子会社等から受ける剰余金の配当等の額があるときは、どのように計算するのでしょうか。

A　国税庁の質疑応答事例では、下記の様に回答しています。

法人税法第23条の２第１項の規定の適用を受ける外国子会社から剰余金の配当等の額がある場合には、その評価会社の「１株当たりの利益金額Ⓒ」の計算上、受取配当等の益金不算入額を加算して計算します。

この場合、「取引相場のない株式（出資）の評価明細書」の記載に当たっては、「第４表　類似業種比準価額等の計算明細書」の（２.比準要素等の金額の計算）の「⑬受取配当等の益金不算入額」欄に当該受取配当等の益金不算入額

を加算し、加算した受取配当等に係る外国源泉税等の額の支払がある場合には、当該金額を「⑭左の所得税額」に加算して計算します。

ただし、租税特別措置法第66条の８第１項又は同条第２項に規定する外国法人から受ける剰余金の配当等の額のうち、その外国法人に係る特定課税対象金額に達するまでの金額については、すでに評価会社の法人税法上の課税所得金額とされているので、この部分については、類似業種比準株価計算上の「1株当たりの利益金額Ⓒ」に加算しません(同法第66条の９の４第１項及び同条第２項の規定により益金の額に算入しない剰余金の配当等の額についても同様です。)。

解　説

評価会社の「1株当たりの利益金額Ⓒ」の計算上、その所得の計算上益金に算入されなかった利益の配当等の金額の控除額（「受取配当等の益金不算入額」）を加算します。これは、評価会社と比較する類似業種の利益金額は、所得ではなく財務諸表上の税引前当期純利益を使用しているため、所得に受取配当等の益金不算入額を加算することで、評価会社の所得を財務諸表上の税引前当期純利益の金額と同様の水準とするためです。

したがって、益金不算入とされた外国子会社等から受ける剰余金の配当も、受取配当等の益金不算入額の取扱いと同様に、評価会社の「１株当たりの利益金額Ⓒ」の計算上、加算することとなります。

ただし、外国子会社から受ける剰余金の配当等のうち、外国子会社合算税制の適用により、既に法人税法上所得とされている金額がある場合には、既に所得に加算されているため、当該金額については、評価会社の「１株当たりの利益金額Ⓒ」の計算上の調整は不要です。

［1］外国子会社配当等の益金不算入額制度を適用している場合

⑴　制度の概要

内国法人が外国子会社から受ける剰余金の配当等の額について、一定の申告手続を要件にその剰余金の配当等の額からその剰余金の配当等の額に係る費用の額に相当する金額（剰余金の配当等の額の５％相当額）を控除した金額は、その内国法人の各事業年度の所得の計算上、益金の額に算入されません（法法23の２①)。また、その適用を受けた配当等に係る外国源泉税等の額はその内国法人の各事業年度の所得の計算上、損金に算入されません(法法39の２)。これを外国子会社配当等の益金不算入制度といいます。

⑵　外国子会社配当等の益金不算入額制度適用時の「１株当たりの利益金額Ⓒ」の調整

この外国子会社配当等益金不算入制度により、法人税の課税所得の計算上、益金の額に算入されなかった外国子会社の受取配当等の金額がある場合には、他の内国法人から配当等を受け、受取配当等の益金不算入（法法23①）の規定の適用がある場合の、「１株当たりの利益金額Ⓒ」の調整と同様に、その益金不算入額に相当する金額を「⑬受取配当等の益金不算入額」欄に加算するとともに、損金不算入とされた、「⑬受取配当等の益金不算入額」欄に加算した受取配当等に係る外国源泉税等の金額を「⑭左の所得税額」に加算して計算します。なお、本制度のおける「外国子会社」とは、内国法人が発行済株式等の25％以上の株式等を配当等の支払義務確定日以前６か月以上継続して保有している場合のその外国法人をいいます（法令22の4①）。

［2］外国子会社合算税制を適用している場合

⑴　制度の概要

内国法人が持分の50％超を直接又は間接に所有する外国法人（外国関係会社（措法66の６②一））で、その本店又は主たる事務所の存在する国又は地域におけるその所得に対して課される税の負担が、日本において課される税の負担に比して著しく低いもの（特定外国子会社等（措令39の14①））について、その適用対象金額のうち、株主である内国法人の保有する株主等に対応する部分の金額（課税対象金額（措令39の15））をその内国法人の収益の額とみなすことにより、その内国法人の所得金額に合算して課税する制度を、外国子会社合算税制といい（措法66の６）、タックス・ヘイブンを利用した租税回避行為に対処するために創設された税制です。

⑵　外国子会社合算税制適用時の「１株当たりの利益金額Ⓒ」の調整

外国子会社合算税制の適用により、特定外国子会社等に該当した外国子会社から配当等を受け取った場合であっても、外国子会社配当等の益金不算入額制度が適用されます。特定外国子会社から配当等を受け取った場合も外国子会社から配当等を受け取った場合と同様に、益金不算入となりますが、特定外国子会社等（措法66の８①、②）から受ける剰余金の配当等のうち、特定課税対象金額に達するまでの金額については、既に評価会社の過年度の法人税法上の課税所得金額とされているため、類似業種比準株価計算上の「１株当たりの利益金額Ⓒ」への加算は不要です。

したがって、法人税確定申告書の別表四で特定外国子会社合算所得として加算された金額が、特定外国子会社より受け取る剰余金の配当の益金不算入額として減算された金額より大きい場合には、類似業種比準株価の計算上調整は不要であり、反対に当該加算金額が当該減算金額より小さい場合には、当該加算金額と当該減算金額の差額を、評価会社の「１株当たりの利益金額Ⓒ」の計算上、加算することとなります。

〔設例〕

内国法人A社（課税所得金額：100,000千円）は、×16年３月期（×15年４月１日から×16年３月31日）に次の外国法人から剰余金の配当等を受けています。

国名	外国法人名	保有割合	剰余金の配当等の額	外国源泉税等の額	換算レート
B国	B社	30%	50,000＄	2,500＄	100円／＄
C国	C社	100%	100,000元	10,000元	12円／元

⑴　各法人の概要

①　内国法人Ａ社

・Ｂ社からの配当等支払義務確定日までのＢ社株式保有期間：５年

・Ｃ社からの配当等支払義務確定日までのＣ社株式保有期間：10年

②　外国法人Ｂ社

・剰余金の配当等の支払義務確定日：×16年２月28日

・剰余金の配当等はＢ社において損金に算入されないものとします。

③　外国法人Ｃ社

・剰余金の配当等の支払義務確定日：×15年12月31日

・特定外国子会社等に該当し、適用除外要件を満たさないものとします。

・剰余金の配当等はＣ社において損金に算入されないものとします。

・特定課税対象金額：120,000元

⑵　外国子会社の判定

外国法人Ｂ社、Ｃ社ともに内国法人Ａ社の株式等の保有割合が25％以上であり、かつ剰余金の配当等の額の支払義務確定日以前６月以上保有しているため外国子会社に該当します。

⑶　法人税申告調整

益金不算入額

・B社　（50,000＄－50,000＄×５％）×100円＝4,750,000円

・C社　①100,000元＜120,000元（特定課税対象金額）　∴100,000元

②100,000元×12円＝1,200,000円

合計　4,750,000円＋1,200,000円＝5,950,000円

外国源泉税等の額の損金不算入額

・B社　2,500＄×100円＝250,000円

・C社　０円

C社は特定外国子会社等に該当するため剰余金の配当等の額に係る外国源泉税等の額については、損金不算入の適用はありません（措法66の８②）。

法人税法申告書別表四

<table>
<tr><th colspan="2">区分</th><th>総額</th><th>留保</th><th colspan="2">社外流出</th></tr>
<tr><td rowspan="2">加算</td><td>特定外国子会社合算所得金額</td><td>720,000</td><td></td><td></td><td>720,000</td></tr>
<tr><td>外国源泉税等の損金不算入額</td><td>250,000</td><td></td><td></td><td>250,000</td></tr>
<tr><td>減算</td><td>外国子会社から受ける剰余金の配当等の益金不算入額</td><td>5,950,000</td><td>／</td><td>※</td><td>5,950,000</td></tr>
</table>

法人税申告書別表八㈡

<table>
<tr><td rowspan="6">外国子会社の名称等</td><td colspan="4">名称</td><td>1</td><td>B社</td><td>C社</td></tr>
<tr><td colspan="3" rowspan="2">本店又は主たる事務所の所在</td><td>国名又は地域名</td><td>2</td><td>B国</td><td>C国</td></tr>
<tr><td>所在地</td><td>3</td><td>×××</td><td>×××</td></tr>
<tr><td colspan="4">主たる事業</td><td>4</td><td>小売業</td><td>製造業</td></tr>
<tr><td colspan="4">発行済株式等の保有割合</td><td>5</td><td>30%</td><td>100%</td></tr>
<tr><td colspan="4">発行済株式等の通算保有割合</td><td>6</td><td></td><td></td></tr>
<tr><td rowspan="10">益金不算入額等の計算</td><td colspan="4">支払義務確定日</td><td>7</td><td>×16・2・28</td><td>×15・12・31</td></tr>
<tr><td colspan="4">支払義務確定日までの保有期間</td><td>8</td><td>5年</td><td>10年</td></tr>
<tr><td colspan="4">剰余金の配当等の額</td><td>9</td><td>(50,000＄)
5,000,000円</td><td>(100,000元)
1,200,000円</td></tr>
<tr><td colspan="4">(9)の剰余金の配当等の額に係る外国源泉税等の額</td><td>10</td><td>(2,500＄)
250,000円</td><td>(10,000元)
120,000円</td></tr>
<tr><td colspan="4">法第23条の２第２項第１号に掲げる剰余金の配当等の額の該当の有無</td><td>11</td><td>無</td><td>無</td></tr>
<tr><td rowspan="5">益金不算入の対象とならない損金算入配当等の額の計算</td><td colspan="3">法第23条の２第３項又は第４項の適用の有無</td><td>12</td><td></td><td></td></tr>
<tr><td rowspan="3">損金算入対応受取配当等の額の計算</td><td colspan="2">(9)の元本である株式又は出資の総数又は総額につき外国子会社により支払われた剰余金の配当等の額</td><td>13</td><td></td><td></td></tr>
<tr><td colspan="2">(13)のうち外国子会社の所得の金額の計算上損金の額に算入された金額</td><td>14</td><td></td><td></td></tr>
<tr><td colspan="2">損金算入対応受取配当等の額
$(9)\times\frac{(14)}{(13)}$</td><td>15</td><td></td><td></td></tr>
<tr><td colspan="3">益金不算入の対象とならない損金算入配当等の額
((9)又は(15))</td><td>16</td><td></td><td></td></tr>
</table>

(16)に対応する外国源泉税等の額 ((10)又は(10)×$\frac{(14)}{(13)}$)	17		
剰余金の配当等の額に係る費用相当額（(9)－(16)）×5％	18	250,000円	60,000円
法第23条の2の規定により益金不算入とされる剰余金の配当等の額(9)－(16)－(18)	19	4,750,000円	1,140,000円
措法第66条の8第2項又は第8項の規定により益金不算入とされる剰余金の配当等の額（別表十七（三の七）「23」＋「24」）	20		60,000円
(16)のうち措法第66条の8第3項又は第9項の規定により益金不算入とされる損金算入配当等の額（別表十七（三の七）「25」）	21		
(9)のうち益金不算入とされる剰余金の配当等の額 (19)＋(20)＋(21)	22	4,750,000円	1,200,000円
法第39条の2の規定により損金不算入とされる外国源泉税等の額 (10)－(17)	23	250,000円	120,000円
(23)のうち措法第66条の8第14項の規定により損金不算入の対象外とされる外国源泉税等の額（別表十七（三の七）「28」）	24		120,000円
(10)のうち損金不算入とされる外国源泉税等の額 (23)－(24)（マイナスの場合は0）	25	250,000円	0
益金不算入とされる剰余金の配当等の額の合計（(22)欄の合計）	26	5,950,000円	
損金不算入とされる外国源泉税等の額の合計（(25)欄の合計）	27	250,000円	

法人税申告書別表十七（三の七）

外国法人の名称	1	C社	国名又は地域名	3	C国
外国法人の事業年度	2	×15・1・1 ×15・12・31	所在地	4	×××
支払義務確定日	5	×15・12・31			
支払義務確定日までの保有期間	6	10年			
発行済株式等の保有割合	7	100%			
発行済株式等の通算保有割合	8	%			
剰余金の配当等の額	9	100,000元			
(9)に係る外国源泉税等の額	10	10,000元			
(9)が損金算入配当に該当する場合：(9)のうち外国子会社配当益金不算入の対象とならない損金算入配当等の額（別表八（二）「16」）	11				
(9)が損金算入配当に該当する場合：外国子会社配当益金不算入の対象となる剰余金の配当等の額 (9)－(11)	12				
特定課税対象金額	13	(31)の合計 120,000元			
((9)又は(11)）と(13)のうち少ない金額	14	100,000元			
差引(13)－(14)	15	20,000元			
(11)と(15)のうち少ない金額	16				
差引(15)－(16)	17	20,000元			
間接特定課税対象金額	18	（別表十七（三の五）「23」）			

		番号				
((9)又は(12))と(18)のうち少ない金額		19				
差引(18)－(19)		20				
(11)と(20)のうち少ない金額		21				
差引(20)－(21)		22				
益金不算入額の計算	損金算入配当以外の外国子会社配当に係る益金不算入額 (14)×５%+(19)×５%	23	(60,000円) 5,000元			
	当期損金算入配　(14)×５%+(19)×５%	24				
	当期損金算入配　(16)+(21)	25				
	当期損金算入配　益金不算入額 (24)＋(25)	26				
	上記以外の配当に係る益金不算入額 (14)+(19)	27				
(23)及び(24)に係る外国源泉税等の額 (10)×$\frac{(14)+(19)}{(9)}$		28	(120,000円) 10,000元			
特定課税対象金額の明細	請求権等勘案直接保有株式等の保有割合	29	100%	当期発生額	30	20,000元

特定課税対象金額の明細	前期繰越額又は当期発生額	当期控除額	翌期繰越額 (31)－(32)
事業年度	31	32	33
×14・1・1 ×14・12・31	20,000元	20,000元	0
×15・1・1 ×15・12・31	40,000元	40,000元	0
計	60,000元	60,000元	0
当期分	60,000元	40,000元	20,000元
合計	120,000元	100,000元	20,000元

第４表　類似業種比準価額等の計算明細書

事業年度	⑪法人税の課税所得金額	⑫非経常的な利益金額	⑬受取配当等の益金不算入額	⑭左の所得税額	⑮損金算入した繰越欠損金の控除額	⑯差引利益金額（⑪－⑫＋⑬－⑭＋⑮）
直前期	千円 100,000	千円 0	千円 （※１）4,750	千円 （※２）250	千円 0	千円 104,500

（※１）　法人税法別表四「外国子会社から受ける剰余金の配当等の益金不算入額」の5,950千円から特定課税対象金額に係る配当等益金不算入額（1,200千円）を差し引いた額（この事例ではB国分）を記載します。

（※２）　法人税法別表四「外国源泉税等の損金不算入額」の250千円を記載します。

Q 101　1株当たりの利益積立金額－寄附修正により利益積立金額が変動する場合

評価会社である親法人から内国法人であるその100%子法人に対して寄附があった場合には、類似業種比準方式における「1株当たりの純資産価額Ⓓ」の計算上、寄附修正により、利益積立金が増加した分を減算するなどの調整を行う必要がありますか。

A　調整を行う必要はありません。財産評価基本通達において、調整を行うべき旨が定められていません。また、国税庁ホームページの質疑応答事例においても、法人税法上の処理が適正なものである限り、法人税法上計算される利益積立金額をそのまま用いるとの見解が示されています。

解　説

[1]　寄附修正の概要

法人税法上の法人が有する完全支配関係がある法人（以下「子法人」といいます。）の株式等について次のイ又はロに掲げる事由（以下「寄附修正事由」といいます。）が生じた場合には、下記の算式により計算した金額を、利益積立金額及びその寄附修正事由が生じた時の直前の子法人株式等の法人税法上の帳簿価額に加算しなければなりません（法令9①七、119の3⑥）。

イ　子法人が法人による完全支配関係のある他の内国法人から益金不算入の対象となる受贈益の額を受けたこと

ロ　子法人が法人による完全支配関係のある他の内国法人に対して損金不算入の対象となる寄附金の額を支出したこと

<算式>

子法人が受けた益金不算入の対象となる受贈益の額 × 持分割合 － 子法人が支出した損金不算入の対象となる寄附金の額 × 持分割合

［2］寄附修正に係る税務上の仕訳（100%親子法人間）

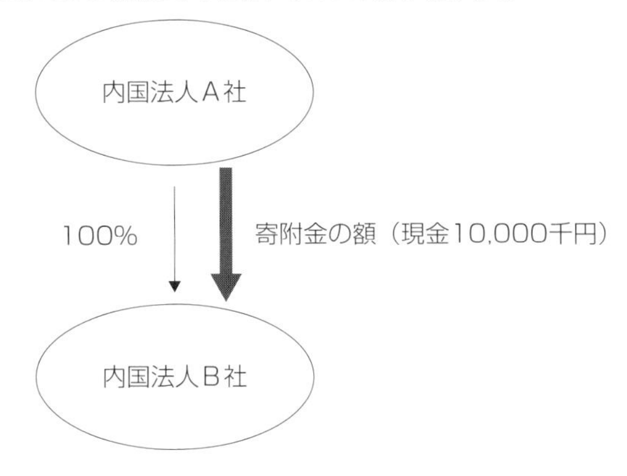

Ａ社おける法人税法上の仕訳　（単位：千円）

借方	金額	貸方	金額
寄附金 （損金不算入）	10,000	現金預金	10,000
B社株式	10,000	利益積立金	10,000

［3］調整が不要である理由

国税庁ホームページの質疑応答事例では、調整が不要である理由を次のように解説しています。

（理由）

「１株当たりの純資産価額Ⓓ」は、直前期末における法人税法に規定する資本金等の額及び利益積立金額に相当する金額の合計額によることとしていますが、これは、評価会社と上場株式の発行会社との純資産価額の計算方法の統一性及びその計算方法の簡便性を図るためのものです。そのため「１株当たりの純資産価額Ⓓ」は、法人税法上の処理が適正なものである限り、法人税法の規定による資本金等の額又は利益積立金額の加減算は、基本的に法人税法の処理どおりに取り扱うことが相当です。

したがって、完全支配関係にある法人間の寄附に伴う税務調整により、評価会社である親法人の利益積立金額が寄附金に相当する金額だけ増減が生ずる場合でも、「１株当たりの純資産価額Ⓓ」の計算上、その利益積立金額の増減についての調整は必要ありません。

［4］評価会社がその100%子法人から寄附を受けた場合の寄附修正

評価会社がその100％子法人から寄附を受けた場合には、評価会社において、その子法人株式の法人税法上の帳簿価額を減算させる寄附修正を行います。

法人税法上の仕訳　　　　　　　　　　　　　　　　（単位：千円）

現金預金等	×××	受贈益 （益金不算入）	×××
利益積立金	×××	B社株式	×××

この場合にも、寄附修正により減算させた利益積立金を増加させる調整は、不要です。

Q 102　資本金等の額・利益積立金額

評価会社の「１株当たりの純資産価額（帳簿価額によって計算した金額）」の計算における「資本金等の額」及び「利益積立金額」について説明してください。

A　「１株当たりの純資産価額（帳簿価額によって計算した金額）」の計算における「資本金等の額」及び「利益積立金額」は、直前期末における法人税法２条（定義）16号に規定する資本金等の額及び同条18号に規定する利益積立金額に相当する金額です（財基通183(3)）。

解　説

［1］法人税法第２条（定義）第16号に規定する資本金等の額とは、法人税申告書別表五（一）「利益積立金額及び資本金等の額の計算に関する明細書」の「36④　差引翌期首現在資本金等の額の差引合計額」です。

また、法人税法第２条第18号に規定する利益積立金額とは、同別表五（一）の「31④　差引翌期首現在利益積立金額の差引合計額」です。

［2］資本金等の額は、組織再編行為や自己株式の取得によっては、マイナスとなる場合があり得ます。

特に、平成13年度法人税法改正前に取得した自己株式に関しては、自己株式の取得の対価の全額がその税務上の帳簿価額とされていましたが、平成18年度改正法人税法施行令附則第４条第１項により、平成18年４月１日に有する自己株式の帳簿価額と資本金等の額のその帳簿価額相当額を減額する旨の経過措置が規定されました。

その結果、例えば、資本金の額が旧商法において規定されていた最低資本金額１千万円であった株式会社において、平成13年度法人税法改正前に取得した自己株式の税務上の帳簿価額が５千万円であるような場合は、法人税法第２条第16号に規定する「資本金等の額」は、マイナス４千万円となってしまっています。

また、平成13年度改正後においても、上場されている自己株式を市場取引により取得した場合には、その取得対価の全額を「資本金等の額」から控除するため、「資本金等の額」を上回る価額で取得したようなときには、「資本金等の額」がマイナスとなることがありえます。

[3] しかし、資本金等の額に相当する金額がマイナスである場合には、そのマイナスに相当する金額を利益積立金額から控除するものとし、その控除後の金額がマイナスとなる場合には、その控除後の金額は０とします。

[4] 利益積立金額に相当する金額がマイナスである場合には、そのマイナスに相当する金額を資本金等の額から控除するものとし、その控除後の金額がマイナスとなる場合には、その控除後の金額は０とします。

[5]「１株当たりの純資産価額（帳簿価額によって計算した金額）」は、この直前期末における資本金等の額及び利益積立金額の合計額を、直前期末における１株当たりの資本金等の額を50円とした場合の発行済株式数で除して計算した金額となります。

Q 103｜比準割合の計算

類似業種比準価額の計算において比準割合はどのように計算するのでしょうか。

A 比準割合の計算は、評価会社の比準要素及び類似業種の比準要素が確定することにより、その平均値として求めることとなります。

解　説

[1] 評価会社の比準要素（Ⓑ、Ⓒ、Ⓓ）

評価会社の比準要素である「Ⓑ」評価会社の直前期末以前２年間における１

株当たりの年平均配当金額、「Ⓒ」評価会社の直前期末以前1年間における1株当たりの利益金額、及び「Ⓓ」評価会社の直前期末における1株当たりの純資産価額（帳簿価額によって計算した金額）は、法人税の申告書などの実数値により求めた数値を用います。

この場合において、評価会社の直前期末における「1株当たりの資本金等の額」が50円以外の金額であるときは、その計算した金額に、1株当たりの資本金等の額の50円に対する倍数を乗じて計算した金額とします。

なお、1株当たりの資本金等の額とは、その評価会社の資本金等の額を直前期末における発行済株式数（自己株式を有する場合には、その自己株式の数を控除した株式数）で除した金額です。

[2] 類似業種の比準要素

類似業種の比準要素である「B」1株当たりの年配当金額、「C」1株当たりの年利益金額、及び「D」1株当たりの純資産価額は、法令解釈通達「平成○○年分の類似業種比準価額計算上の業種目及び業種別株価等」に示された数値を使用します。これらの値は1年間変更がありません。「B」、「C」、及び「D」の数値は、業種目を確認できれば、特定されることになります。

[3] 要素別比準割合

類似業種の各比準要素に対する評価会社の各比準要素の割合が要素別比準割合となります。

$\frac{Ⓑ}{B}$、$\frac{Ⓒ}{C}$、$\frac{Ⓓ}{D}$の計算に当たってはそれぞれ小数点以下2位未満を切り捨てます。

[4] 比準割合の計算

比準割合は次の算式により計算します。その際、小数点以下2位未満を切り捨てます。

$$\frac{\frac{Ⓑ}{B}+\frac{Ⓒ}{C}+\frac{Ⓓ}{D}}{3}$$

評価会社における各比準要素のうちにゼロとなる要素がある場合には、その区分の比準割合は、0としてその平均値を計算することになり、その平均値は圧縮されることになります。

なお、直前期末又は直前々期末を基として比準要素に0がある場合は、比準要素数1の会社又は比準要素数0の会社に該当する可能性があります。

また、平成29年改正前は比準割合の算式中、利益比準値「$\frac{Ⓒ}{C}$」は「$\frac{Ⓒ}{C}\times 3$」、分母は「３」を「５」として計算することとなっていましたが、平成29年改正により平成29年１月１日以後に相続、遺贈又は贈与により取得した財産の評価は、上記の計算式により計算するようになりました。

Q 104｜株式の価額の修正と株式に関する権利の評価

直前期末の翌日から課税時期までの間に配当や株式の割当て等がある場合の類似業種比準価額の修正とこれらの権利の評価について説明してください。

A

(1)　配当金交付については、①課税時期において配当期待権が発生している場合には、原則的評価方式により評価した価額から株式１株に対して受ける予想配当の金額を控除した金額に修正し、②直前期末の翌日から課税時期までの間に配当金交付の効力が発生した場合には、類似業種比準価額から株式１株に対して受けた配当の金額を控除した金額に修正します（財基通184、187）。

(2)　株式の割当て等については、①課税時期が株式の割当ての基準日、株式の割当てのあった日又は株式無償交付の基準日のそれぞれ翌日からこれらの株式の効力が発生する日までの間にある場合には、原則的評価方式により評価した価額を修正し、②直前期末の翌日から課税時期までの間に株式の割当て等の効力が発生した場合には、類似業種比準価額を修正します（財基通184、187）。

(3)　上記(1)、(2)において、解説のＡ、Ｃ、Ｄの期間については、原則的評価方式により評価した価額を修正します。この期間においては、①配当については、配当期待権を別途評価し、②株式の割当等については株式の割当を受ける権利、株主となる権利、株式無償交付期待権をそれぞれ別途評価します（財基通190、191、192、193、168）。

解　説

[1] 配当金交付と株価の修正の事例

①　１株当たりの配当の金額　　50円

②　配当金交付の基準日　　令和X1年３月31日

③　配当金の効力発生日　　　　　　　　令和X1年５月31日（株主総会で決議した効力発生日）

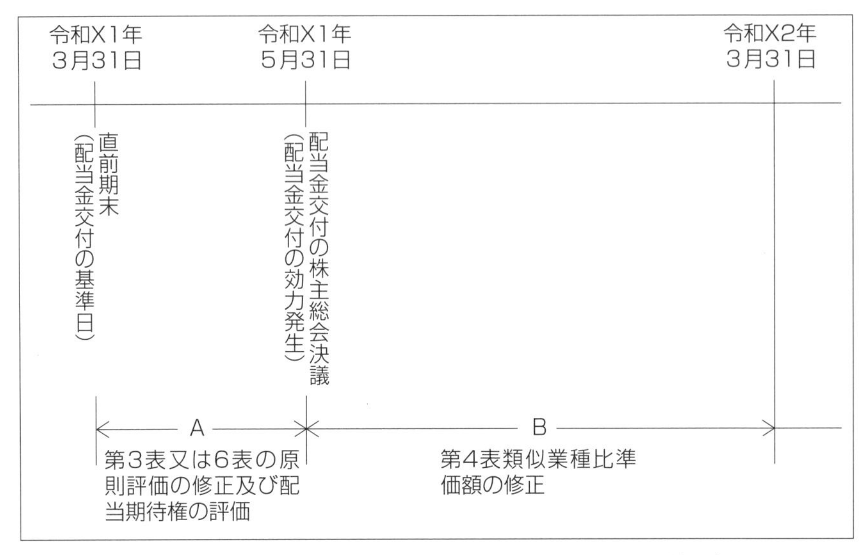

A⑴　配当期待権の発生している株式（第３表又は第６表で修正）

配当金交付の基準日の翌日から配当金交付の効力が発生する日までの間にある場合（X1.4.1～X1.5.31）

$$\left(\begin{array}{l}\text{取引相場のない株}\\\text{式の原則評価額}\end{array} - \begin{array}{l}\text{株式１株に対して受}\\\text{ける予想配当の金額}\end{array}\right)$$

A⑵　配当期待権の評価（X1.4.1～X1.5.31）

１株当たりの予想配当金額－源泉徴収されるべき所得税相当額

B　直前期末の翌日から課税時期までの間に配当金交付の効力が発生した場合（第４表で修正）（X1.6.1～X2.3.31）

$$\begin{array}{l}\text{類似業種比準方式に}\\\text{よって計算した金額}\end{array} - \begin{array}{l}\text{株式１株当た}\\\text{りの配当金額}\end{array} = \text{修正比準価額}$$

［2］株式の割当て等と株価の修正（基準日がある場合）

①　株式の割当ての基準日　　　　令和X1年３月31日

②　株式の割当ての日　　　　　　令和X1年８月23日

③　株式の効力発生日　　　　　　令和X1年８月26日（株式の払込期日）

④　株式の割当条件　　　　　　　旧株式１株に対し新株式１株

⑤　株式１株当たりの払込金額　　500円

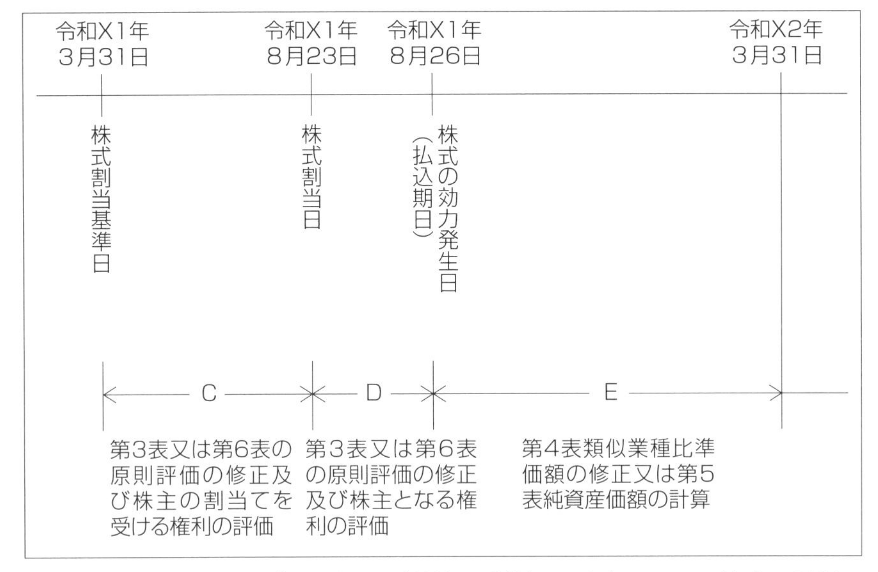

C⑴　株式の割当てを受ける権利（新株引受権）の発生している株式の価額の修正

課税時期が株式の割当ての基準日の翌日から株式の効力が発生する日までの間にある場合（X1.4.1～X1.8.23）

（原則的評価方式により評価した価額＋割当を受けた株式１株につき払い込むべき金額×株式１株に対する株式の割当数）÷（１＋株式１株に対する株式の割当数）

C⑵　株式の割当てを受ける権利（新株引受権）の評価（X1.4.1～X1.8.23）

評価通達の定めにより評価したいわゆる新株権利落後の株式の価額（上記C⑴により修正した価額）－割当てを受けた株式１株につき払い込むべき金額＝株式の割当てを受けた権利（新株引受権）の価額

D⑴　株主となる権利の発生している株式の価額の修正

課税時期が株式の割当てのあった日の翌日から株式の効力が発生する日までの間にある場合（X1.8.24～X1.8.26）

（原則的評価方式により評価した価額＋割当を受けた株式１株につき払い込むべき金額×株式１株に対する株式の割当数）÷（１＋株式１株に対する株式の割当数）

D(2)　株主となる権利の評価（X1.8.24～X1.8.26）

評価通達の定めにより評価したいわゆる新株権利落後の株式の価額（上記D(1)により修正した価額）－課税時期の翌日以後に割当てを受けた株式1株につき払い込むべき金額＝株主となる権利の価額

なお、課税時期が株式無償交付の基準日の翌日から株式の効力が発生する日までの間にあることによって、株式無償交付期待権の発生している株式の価額の修正等は、次のように行います。

株式無償交付の基準日	株式無償交付の基準日の翌日	株式無償交付の効力発生日
	株式無償交付期待権の発生している株式の価額の修正	第4表（類似業種比準価額の修正）又は第5表（純資産価額の計算）
	←　株式無償交付期待権　→	E

(1)　株式無償交付期待権の発生している株式の価額の修正

$$\left(\text{原則的評価方式により評価した価額}\right) \div \left(1 + \text{株式1株に対する交付株式数}\right)$$

(2)　株式無償交付期待権の評価

評価通達の定めにより評価したいわゆる新株権利落後の株式の価額（上記(1)により修正した価額）＝株式無償交付期待権の価額

E　直前期末の翌日から課税時期までの間に株式の割当て等の効力が発生した場合（X1.8.27～X2.3.31）

(1)　類似業種比準価額の修正（財基通184(2)）

$$\left(\text{類似業種比準価額の計算式によって計算した金額（上記A(1)により修正した場合には、その修正後の金額）} + \text{株式1株当たりの払込金額} \times \text{株式1株当たりの株式の割当数}\right) \div \left(1 + \text{株式1株当たりの新株式の割当数又は交付数}\right)$$

＝修正比準価額

(2)　純資産価額（相続税評価額によって計算した金額）の計算（財基通　185）

1株当たりの純資産価額（相続税評価額によって計算した金額）の計算を行う場合の「発行済株式数」は、直前期末ではなく、課税時期における発行済株式数です。そこで、課税時期の直前期末から課税時期までに株式の割当て等の効力が発生した場合には、直前期末の資産及び負債を基として評価した純資産価額（相続税評価額によって計算した金額）に払込総額を加算し、株式の割当て等の後の発行済株式数で除算します。これを算式で示せば、次のとおりです。

（算式）

$$\frac{\text{直前期末における資産及び負債を基として評価した純資産価額} + \text{払込金額の総額}}{\text{課税時期における発行済株式数（株式割当て等後）}} = \text{修正後の１株当たりの純資産価額}$$

［3］以上の課税時期と株式に係る権利の発生による株式評価額の修正及び権利の評価との関係をまとめると、次のようになります。

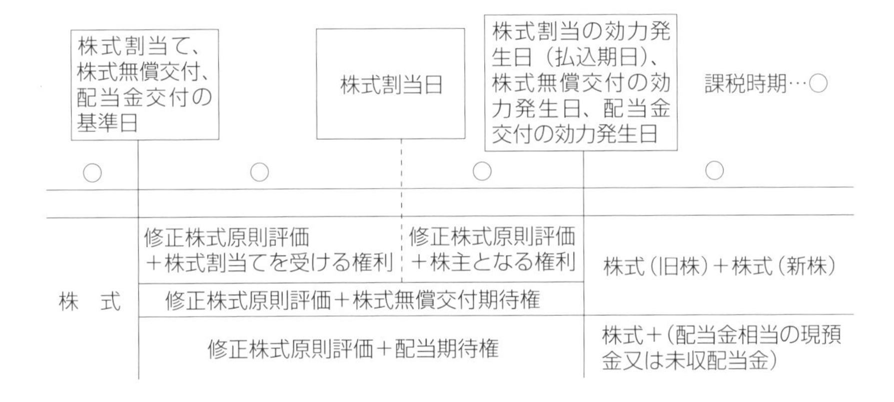

Q 105｜課税時期の直前に合併等した場合の取扱い

課税時期の直前に評価会社が吸収合併した場合の類似業種比準価額の計算について教えてください。

A (1)　従来から合算方式計算がありましたが、国税速報5528号に示された見解により、その適用をかなり、厳密に行う見解により、四訂版までのQを掲載していました。これは、かなり、実務的に運用が困難なものでありました。

(2)　平成28年７月、東京国税局資産税審理研修資料として、合併事業年度に、合併後に課税時期がある場合の明確な取扱いが示され、今後の実務はこれによると考えられるので、四訂版までの記載を差し替え、以下、原文で掲載しますので、実務はこれによることが考えられます。

〈東京国税局資産税審理研修資料・財産評価の審理上の留意点〉

○直前期末の翌日から課税時期までの間に合併等がある場合の類似業種比準方式の適用関係

取引相場のない株式を評価するに当たり、直前期末の翌日から課税時期までの間に吸収合併がある場合について、類似業種比準方式の適用はどのようになるか。

〔答〕

類似業種比準方式を直ちに適用することはできない。

合併後に課税時期がある場合において、類似業種比準方式を適用できるかどうかは、個々の事例ごとに、直前期末における比準３要素について合理的な数値が得られるかを判断する必要があることに留意する。

なお、合併の前後で会社の実態に変化がないと認められ、合併後の会社と吸収合併された会社の配当等を合算して比準要素を算定することにより、１株当たりの①配当金額、②年利益金額及び③純資産価額（帳簿価額によって計算した金額）（以下､「比準３要素」という。）それぞれについて合理的な数値を得ることができる場合には、類似業種比準方式を適用することもできる。

〔理由〕

直前期末の翌日から課税時期までの間に合併がある場合、合併後の会社は、通常、合併の前後で事業構成や財務内容が大きく変化することから、類似業種比準方式の適用の前提である「各比準要素の適切な把握」ができない。

そのため、合併後に課税時期がある場合は、類似業種比準方式を適用できるかどうかについて、個々の事例ごとに判断する必要がある。

そこで、合併後の会社の取引相場のない株式を評価するに当たり、どのような算定方法であれば適切な比準要素が得られるかを検討すると、以下のケースが考えられる。

〔前提〕

直前期末の翌日から課税時期までの間に合併がある場合において、仮に、合併後の会社（以下「A法人」という。）、合併存続会社（以下「B法人」という。）

及び吸収合併された会社（以下「C法人」という。）とする。

(1)　A法人株式の評価に当たり、B法人の合併前の決算期の配当等の実績に基づいて比準要素を算定する場合

比準要素	B法人の課税時期の直前期
B（配当）	×
C（利益）	×
D（純資産）	×
判　定	適用不可

(2)　A法人株式の評価に当たり、B法人とC法人の合併前の決算期の配当等の実績を合算して比準要素を算定する場合

比準要素	B法人及びC法人の課税時期の直前期
B（配当）	× （ただし会社実態に変化がない場合は○）
C（利益）	× （ただし会社実態に変化がない場合は○）
D（純資産）	× （ただし会社実態に変化がない場合は○）
判　定	原則適用不可

(3)　上記(1)及び(2)の結果、合併後に課税時期がある場合において、上記(1)により比準要素を算定すると、合理的な数値を得ることができず、また、上記(2)により比準要素を算定しても、合併の前後で会社の実態に変化がないと認められる場合を除き、合理的な数値を得ることはできないこととなる。

したがって、合併直後に課税時期がある場合において、合併前後の会社実態に変化がない場合を除いて、適切な比準要素を求めることが困難であることから、類似業種比準方式を適用することはできない。

この場合において、評基通189－４に準じて開業後３年未満の会社等として純資産価額方式により評価することも１つの方法であると考えられる。

<table>
<tr><td colspan="3">課税時期／評価方法</td><td>合併直後</td></tr>
<tr><td rowspan="3">類似業種比準方式</td><td colspan="2">単体方式</td><td rowspan="2">×</td></tr>
<tr><td rowspan="2">合算方式</td><td>合併の前後で会社実態に変化がある場合</td></tr>
<tr><td>合併の前後で会社実態に変化がない場合</td><td>○
（比準３要素を基に算定）</td></tr>
<tr><td colspan="3">純資産価額方式</td><td>○
（評基通189－４に準じて開業後３年未満の会社等として評価）</td></tr>
</table>

【関係法令通達】
評基通179、180
(東京国税局課税第一部資産課税課　平成28年7月　資産税審理事務研修)

以上で指摘された、会社実態に変化がない場合とは、下記のように考えられます。

> ハ　合算方式で見た場合における比準要素の検討結果（まとめ）
>
> 上記イ及びロのとおり、合算方式で各比準要素が適切に把握できるか否かを見た場合には、その算定において、合理性を欠く場合が多いものと考えられます。
>
> そうすると、一般的に2以上の会社が合併契約に基づき法に定める一定の手続を実行して1個の会社となることが会社合併の本質であることをもってしても、合併前に別個独立した人格を持っていた被合弁会社の配当、利益等について、評価会社の利益、配当等とみて加算することの合理的理由はみいだせない結果となることが多いものと考えられることになります。
>
> もっとも、会社合併の本質にに照らして、上記イ及びロで指摘した問題点をすべてクリアするような場合、すなわち、合併の前後で会社規模や主たる業種目が変わらず、かつ、合併前の各社の配当・利益・純資産をそれぞれ加算した数値と合併後の会社に配当・利益・純資産について大きな変動が認められない場合には、合算方式による類似業種比準要素の算定を認めて差し支えないものと考えられるところです。
>
> なお、合併の前後で比準要素に変化がないかどうかについては、もっぱら事実認定に属する問題ではありますが、例えば、次の①～④のすべてを満たす会社（例えば、イメージ的には、東京に本社のある運送会社（大会社）と大阪に本社のある運送会社（大会社）とが対等合併をした場合）については、これに当たるものと考えられます。
>
> ①　合併比率を対応（1：1）とし、合併会社が被合弁会社の資産、負債及び資本を一切そのままの帳簿価額で引き継ぐ。
> （注）この場合には合併差益は生じません。
>
> ②　合併の前後で会社規模や主たる業種に変化がない。
> （注）例えば、合併により主たる業種が変わってしまう場合には、類似業種株価通達における適用すべき業種目が変わってしまい問題があります。
>
> ③　合併当事会社双方の利益、配当が黒字であり、純資産が欠損でない。
>
> ④　合併前後の1株当たりの配当、利益、純資産価額に大きな変動がない。
> （注）例えば、合併により利益が倍増したような場合には、合併前の当事会社の利益を合算しても、合併後の会社の実態を的確にあらわしているとはいえないと思われます。

(以上国税速報5528号　平成15年7月　類似業種比準方式　渡邊定義・森若代志雄より引用)

上記に該当する場合においては、合算方式により類比業種比準価額を計算することが可能と考えます。

ただし、上記①については、基本的に商法時代でかつ平成13年度法人税法改正前の考え方であって、以下のように考えて差し支えないと考えます。

① 合併比率については、法基通９-１-14等により適正な時価で計算された合併比率とし、適格合併においては、帳簿価額で引き継ぐ。

Q106 同族会社に対して低額譲渡や債務免除があった場合の類似業種比準価額の計算

課税時期の直前に評価会社に低額譲渡や債務免除があった場合、類似業種比準価額の計算はどのようにするのですか。

A 同族会社に対して、資産の低額譲渡があった場合や債務免除があり、当該同族会社の株価が増加した場合、その増加した部分について、その株主にみなし贈与の課税がありますから、類似業種比準価額の計算に当たっても、所要の修正をすることとなります。

解　説

［１］低額譲渡の場合の修正

評価会社に低額譲渡、債務免除がありますと、評価会社の資産は増加しますから、それにより株式や出資の価額が増加した場合、その部分についてみなし贈与（相法９）の課税があります。

このため、類似業種比準価額についても、所要の修正をすることとなりますが、低額譲渡について、その増加益は、次のAからBを控除した計算するとされています（東京地判平26・10・29、東京高判平27・４・27，最判平28・10・６ TAINS Z264-12556、判決は最高裁まで争われましたが確定しています。Q34－２参照）。

A 課税時期の直前期末において低額譲渡がなかったものと仮定して計算した類似業種比準価額

B 課税時期の直前期末において低額譲渡があったものとして計算した類似業種比準価額

Bの金額は、類似業種比準価額計算の３要素のうち【D】（１株（50円）当たりの金額の純資産価額）の計算に当たり、利益積立金の金額に低額譲渡により増加する利益を加えた利益積立金の価額（「修正利益積立金」とします。）により計算することとなり、修正利益積立金を求める算式は次のとおりとなります。

（算式）

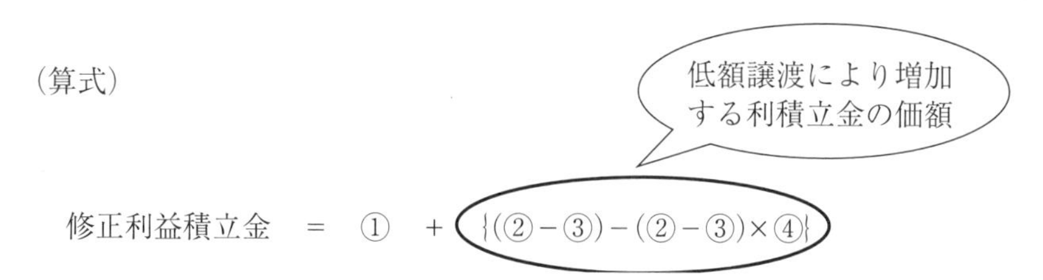

① 課税時期の直前期末の利益積立金額
② 取得した資産の時価
③ 取得した資産の実際の取得価額
④ 法人税相当の税率（別表５の評価差額に対する法人税相当額計算の税率と同じ。）

なお、類似種比準価額の修正も上記と同様に利益積立金を修正します。

［2］中会社、小会社の場合は、上記類似業種比準価額の修正のほかに、純資産評価額（第５表）の修正についても行います。
考え方は、上記と同様で、低額譲渡について、その増加益は、次のAからBを控除した計算するとされています（東京地判26・10・29）。

A 課税時期の直前期末において低額譲渡がなかったものと仮定して計算した純資産価額

B 課税時期の直前期末において低額譲渡があったものとして計算した純資産価額との差額

Bの金額は、評価明細書別表５の計算に当たり、次のとおり修正することで計算します。

i 資産欄の該当する資産の欄には、低額譲渡により取得した資産の実際の取得価額ではなくその時価※①を計上します。

ii 債務の欄には、未払金などとして、低額譲渡により取得した資産の実際の取得価額②を計上します。

iii　その上で、負債欄に（①－②）×法人税率等（別表５の評価差額に対する法人税相当額計算の税率と同じ。）の金額を未払公租公課として計上します。

なお、債務免除益の場合は、債務免除益相当額を資産欄に計上し、負債欄は、債務のうち免除部分を除いた金額を計上し、債務免除益に対する法人税相当額を負債欄に計上して計算します。

[3] 債務免除については、返済が期待されない同族会社への貸付に係るものが対象となることが多く、このような場合で、債権放棄前に純資産評価額が計算されない場合で、債権放棄後も純資産評価額が計算されないときは、みなし贈与の課税はありません。

Q 106-2　同族会社において株式の交付があった場合の類似業種比準価額の修正計算

同族会社において、課税時期の直前に、株式の交付（新株の発行又は自己株式の処分）があった場合の類似業種比準価額の修正計算はどのようにするのですか。

また、この修正計算の問題とは別に、株主割当増資が実施されましたが、失権株主がいる場合や第３者割当増資が類似業種比準価額より低額で実施された場合の贈与税又は所得税の課税はあるのですか。

A　直前期末の翌日から課税時期までの間に株式の交付があった場合は、評価明細書第４表の最下段㉘の欄で計算します。失権株主がいる場合等では、贈与税の課税も考えられます。

解　説

[1] 株式の交付があった場合（直前期末の翌日から課税時期までの間に株式の割当て等の効力が発生した場合）の類似業種比準価額の修正計算は下記算式で行います（財基通184(2)）。

（類似業種比準価額＋割当てを受けた株式１株につき払い込んだ金額×株式１株に対する割当株式数）÷（１＋株式１株に対する割当株式数又は交付株式数）

この算式は、類似事業種比準価額の計算表第４表の最下段の㉘に修正比準価額として計算されます。

［2］この場合において、同族会社において、同族株主等以外の株主が特例評価等で増資に応じた場合、この同族株主等以外の株主については、特段の課税関係はありません。このときの残存株主にも課税関係はありません。

［3］しかし、同族株主が失権株が生じる株主割当増資や第３者割当増資に、相続税評価額より低額で応じる場合、相基通９－７等があり、類似業種比準価額に係る経済的利益についてはこの算式で増資前の株数及び価額と増資後の株数及び価額により計算し、その経済的利益について贈与税を課税するという考え方があります。

この課税は基本的に贈与税の課税関係と考えられますが、所得税においては、所基通23～35共－６（株式等を取得する権利を与えられた場合の所得区分）から同共－９（株式を取得する権利の価額）（注）があり、事情によっては所得税の課税となる場合もあるので注意が必要です。最近においては、所基通59－６との差額について、給与所得とされた判例があります。

（注）令和５・７・７付で上記通達の一部改正がありました。その改正内容はＱ169-2を参照してください。

【参考判例】 自社株の処分による取得について給与所得課税がされた事例

東京地判令和４年２月14日、東京高判令和４年11月30日

※　ただし、上告受理の申立中（令和５年７月現在）

１　事実関係

ア　関係者

A社、甲、乙（甲の長男、A社取締役）、丙（A社元取締役、訴外）

イ　取引関係

取引１　甲はA社にA社発行の株式を譲渡（A社の自己株式取得）
譲渡株式数　5,000株　単価1,500円（額面500円の３倍）

訴外　丙はA社にA社発行の株式を譲渡（A社の自己株式取得）
譲渡株式数　11,460株　単価1,500円

取引２　A社は乙にA社の株式を交付（A社の自己株式処分）
　　交付株式数　5,000株　単価1,500円
取引３　A社は乙にA社の株式を交付（A社の自己株式処分）
　　交付株式数　11,460株　単価1,500円

２　課税処分
取引１　甲の譲渡所得　所得税法59条適用（低額譲渡）
取引２、３　乙の給与所得
（課税処分のA社株式の単価）
収入（譲渡）金額は、所得税基本通達59－６適用により計算
なお、甲、乙は中心的な同族株主に該当し、小会社として評価
取引１　単価17,577円　11,357×0.5+23,798×0.5（平成24年２月23日）
取引２　単価19,127円　11,357×0.5+26,898×0.5（平成24年３月31日）
取引３　単価18,985円　10,859×0.5+27,111×0.5（平成25年２月22日）

Q 106-3　同族会社が自己株式を取得した場合の類似業種比準価額の計算

同族会社にいて、退職する役員や従業員よりその保有株式を自己株式として買受けました。この場合、その同族会社の類似業種比準価額はどのようになりますか。

A　自己株式の取得では、会社の純資産の増減はわずかであっても、発行済株式数（自己株式控除後）の増減により株価が変動するものがあります。この場合は、直前期末後、株式の交付があった場合の類似業種比準価額の修正計算を参考にその経済的利益は計算することが可能です。

解　説

１．法人税法における自己株式
(1)　平成13年度改正　株式発行法人が自己株式取得時に会計の簿価から利益積立金額相当額を減算（法令9①十四）し、残余の資本金等の額は、自己株式の消却時に減算することとされました。

（2） 平成18年度改正　株式発行法人は、自己株式取得時に会計の簿価から利益積立金額及び資本金等の額を減算（法令8①二十）することとした。従って会計は自己株式の簿価はあるが、税務において簿価はありません。資産である有価証券から自己株式は除かれました（法法2二十一）

2．商法・会社法における金庫株の解禁　2001年商法改正より、2006年の会社法においては、理由等が不問となり、単に財源規制があるだけです。また自己株式の処分は、新株発行と同じ扱いとなりました。

3．財基通188の改正

平成15年６月25日（2003年）公布より、財基通188において、同族関係者の定義において、法令4の準用について、株式数を議決権におきかえ、以降同族株主等について議決権ベースで判定

4．所基通59－６の制定と改正（平成12年12月28日交付、令和２年８月28日改正）

（1） 従来の所23～35共－９(4)に定められた所得税の時価が明確となった。

（2） 個人－個人間においては１物２価（相続税原則評価額と特例評価額及び取得者基準）

（3） 個人－法人間（所基通59－６）と法人－法人間（法基通９－１－14）

個人においては譲渡前（令和２年改正）の議決権数によること、法人においては譲渡前及び取得後の議決権数によることと、１物３価（特例評価、相続税原則評価額、中心的同族株主である場合は所基通59-６の小会社評価）が明確になりました。

（4） 財基通に定める議決権数により、中心的同族株主は小会社方式、中心的同族株主以外の同族株主等は、相続税評価原則評価額、同族株主等以外は、特例評価＝配当還元方式

5．措通37の10・37の11共－22（平成28年）（旧措通37の10-27（平成15年改正～平成27年））により、個人が株式発行法人に譲渡する場合の時価は所基通59－６により算定するとされました）

6．以上により、個人株主及び法人株主が株式発行法人に株式を譲渡する場合の適正な時価は明確となりました。しかし実務は、様々な任意の価額で譲渡されます。

7．例えば、相続直後に金庫株をする場合、一般的にはその相続税申告に記載

された原則評価によることが実務上多い。この場合、兄弟の１名が中心的同族株主である場合、その兄弟姉妹である相続人は、全員が中心的同族株主となる。従って金庫株の時価は所基通59－６となるが、所基通59－６の時価が発動されるのは、所得税法第59条において明記されているように時価の１／２未満の取引において発動されるので、実際の金庫株の対価は、原則評価をベースにして所基通59－６の価額の１／２以上の価額を考慮して実行されることが多いです。

8．個人株主が持株会社に譲渡する場合は、中心的同族株主である場合は、所基通59－６の価額によります。

9．合併比率や、株式交換比率の計算においては、純資産価額非控除型で計算されることが多いです。

10．金庫株＝株式発行法人においての自己株式の取得が行われた場合の、残存株主の経済的利益については、その会社が大会社である場合の類似業種比準価額の修正は、財基通184⑵より次のように考えられます。

この財基通184⑵は、会社法において、平成18年以後、会社法において、株式の交付＝募集株式の発行は、会社法第199条において、⑴第３者割当通常発行、⑵第３者割当有利発行、⑶株主割当発行（会社法202）が定められました。このことに対応して、上記の⑵、⑶が実行された場合の、株式の交付以後の課税時期における課税価格となります。

自己株式の取得は、会社法においては、第156条のミニ公開買付、第160条の特定の株主からの取得のいずれかの方法により行います。

この場合に、大会社等においてる事業種比準価額を修正するとすれば、下記11の算式が考えられますが、他方で金庫株の実施以降の課税時期においてこの価格を課税価格とすることが確認されているわけではありません。

11．自己株式を取得した場合の修正算式は以下と考えられます。

(180《類似業種比準価額》の定めにより計算した価額-取得した自己株式の譲渡対価として支払った金額×株式１株に対する取得株式数）÷（１－株式１株に対する取得株式数）

第6章

評価明細書第5表関連

Q107 第５表（１株当たりの純資産価額（相続税評価額）の計算明細書）の書き方

「第５表　１株当たりの純資産価額（相続税評価額）の計算明細書」の記載方法について教えてください。

A 「第５表　１株当たりの純資産価額（相続税評価額）の計算明細書」の記載方法は、国税庁から公表されている取引相場のない株式（出資）の評価明細書の記載方法等に説明されています。

この「記載方法等」は、財産評価基本通達に定める取引相場のない株式（出資）の評価を補助するものとして相続税法の個別通達により定められているもので、財産評価基本通達とともに、納税者が相続税及び贈与税の申告を行うに当たり従うべきものと解されています。

この「記載方法等」には、取引相場のない株式の評価に影響する重要な事項が示されていますので、以下の解説において内容を紹介し、説明を付します。

解　説

［1］「第５表　１株当たりの純資産価額（相続税評価額）の計算明細書」の役割

「第５表　１株当たりの純資産価額（相続税評価額）の計算明細書」（以下「第５表」といいます。）は、「１株当たりの純資産価額（相続税評価額）」の計算のほか、株式保有特定会社及び土地保有特定会社の判定に必要な「総資産価額」、「株式及び出資の価額の合計額」及び「土地等の価額の合計額」の計算にも使用します。

この１株当たりの純資産価額が、どのように用いられるかについては、Q58（原則的評価方法）を参照してください。

［2］第５表における端数処理

第５表の各欄の金額は、各欄の表示単位未満の端数を切り捨てて記載します。

［3］第５表の構造

第５表は、「１．資産及び負債の金額（課税時期現在）」、「２．評価差額に対する法人税額等相当額の計算」及び「３．１株当たりの純資産価額の計算」の３つの項目により構成されています。次に第５表の様式を掲げます。

第5表　1株当たりの純資産価額（相続税評価額）の計算明細書　会社名

（取引相場のない株式（出資）の評価明細書）

（平成三十年一月一日以降用）

1. 資産及び負債の金額（課税時期現在）

資産の部				負債の部			
科　　目	相続税評価額	帳簿価額	備考	科　　目	相続税評価額	帳簿価額	備考
	千円	千円			千円	千円	
合　計	①	②		合　計	③	④	
株式等の価額の合計額	㋑	㋺					
土地等の価額の合計額	㋩						
現物出資等受入れ資産の価額の合計額	㊁	㋭					

2. 評価差額に対する法人税額等相当額の計算

相続税評価額による純資産価額（①－③）	⑤	千円
帳簿価額による純資産価額（（②＋㊁－㋭）－④）、マイナスの場合は0）	⑥	千円
評価差額に相当する金額（⑤－⑥、マイナスの場合は0）	⑦	千円
評価差額に対する法人税額等相当額（⑦×37%）	⑧	千円

3. 1株当たりの純資産価額の計算

課税時期現在の純資産価額（相続税評価額）（⑤－⑧）	⑨	千円
課税時期現在の発行済株式数（（第1表の1の①）－自己株式数）	⑩	株
課税時期現在の1株当たりの純資産価額（相続税評価額）（⑨÷⑩）	⑪	円
同族株主等の議決権割合（第1表の1の⑤の割合）が50% 以下の場合（⑪×80%）	⑫	円

［4］「１．資産及び負債の金額（課税時期現在）」の各欄の記載方法について

「１．資産及び負債の金額（課税時期現在）」の各欄は、課税時期における評価会社の各資産及び各負債について、次により記載します。

⑴　「資産の部」の「相続税評価額」欄

「資産の部」の「相続税評価額」欄には、課税時期における評価会社の各資産について、財産評価基本通達の定めにより評価した価額（以下「相続税評価額」といいます。）を記載します。

なお、この場合の留意点については、Q108に掲げます。

⑵　「資産の部」の「帳簿価額」欄

「資産の部」の「帳簿価額」欄には、「資産の部」の「相続税評価額」欄に評価額が記載された各資産についての課税時期における「税務計算上の帳簿価額」を記載します。この場合の「税務計算上の帳簿価額」は、いわゆる法人税法上の帳簿価額であり、会計上の貸借対照表に法人税別表五（一）の内容を考慮して算出します。例えば、法人税法上の否認額がある減価償却資産の「税務計算上の帳簿価額」は、会計上の帳簿価額にその否認額を加算した金額となります。

また、繰延税金資産及び譲渡損益調整資産に係る譲渡損益調整勘定の「税務計算上の帳簿価額」はないこととなります。評価の対象とならないもの（例えば、財産性のない創立費、新株発行費等の繰延資産、前払費用等）については、税務計算上の帳簿価額が存在しても、「帳簿価額」欄へ記載しません（Q108参照）。

これらについて、Q147において、事例を用いて解説していますので、参照してください。

（注１）　固定資産に係る減価償却累計額、特別償却準備金及び圧縮記帳に係る引当金又は積立金の金額がある場合には、それらの金額をそれぞれの引当金等に対応する資産の帳簿価額から控除した金額をその固定資産の帳簿価額とします。

（注２）　営業権に含めて評価の対象となる特許権、漁業権等の資産の帳簿価額は、営業権の帳簿価額に含めて記載します。

（注３）　グループ法人税制における寄附修正が生じた場合の子会社株式の帳簿価額は、修正後の帳簿価額とします。

⑶　「負債の部」の「相続税評価額」欄

「負債の部」の「相続税評価額」欄には、評価会社の課税時期における各負債の金額を記載します。

⑷　「負債の部」の「帳簿価額」欄

「負債の部」の「帳簿価額」欄には、「負債の部」の「相続税評価額」欄に評価額が記載された各負債の「税務計算上の帳簿価額」をそれぞれ記載します。この場合、貸倒引当金、退職給与引当金、納税引当金及びその他の引当金、準備金並びに繰延税金負債及び譲渡損益調整資産に係る譲渡損益調整勘定に相当する金額は、負債に該当しないものとします。

ただし、退職給与引当金のうち、平成14年改正法人税法附則８条（(退職給与引当金に関する経過措置)）２項及び３項適用後の退職給与引当金（以下「経過措置適用後の退職給与引当金」といいます。）勘定の金額に相当する金額は負債とします。

なお、次の金額は、帳簿に負債としての記載がない場合であっても、「課税時期において未払い」となっているものは負債として「相続税評価額」欄及び「帳簿価額」欄のいずれにも記載します。

①　未納公租公課、未払利息等の金額

②　課税時期以前に賦課期日のあった固定資産税及び都市計画税の税額のうち、未払いとなっている金額

③　課税時期までに確定した剰余金の配当等の金額

④　被相続人の死亡により、相続人その他の者に支給することが確定した退職手当金、功労金その他これらに準ずる給与の金額（ただし、経過措置適用後の退職給与引当金の取崩しにより支給されるものは除きます。）

⑤　課税時期の属する事業年度に係る法人税額、消費税額（地方消費税額を含みます。）、事業税額、道府県民税額及び市町村民税額のうち、その事業年度開始の日から課税時期までの期間に対応する金額

［5］課税時期において仮決算を行っていないため、課税時期における資産及び負債の金額が明確でない場合

評価会社が課税時期において仮決算を行っていないため、課税時期における資産及び負債の金額が明確でない場合において、直前期末から課税時期までの間に資産及び負債について著しく増減がないため評価額の計算に影響が少ないと認められるときは、課税時期における各資産及び各負債の金額は、次により計算しても差し支えありません。その場合、第２表の「２．株式保有特定会社」欄及び「３．土地保有特定会社」欄の判定における総資産価額等についても、

同様に取り扱うことになりますので、これらの特定の評価会社の判定時期と純資産価額及び株式保有特定会社のＳ$_2$の計算時期は同一となります。

イ　「相続税評価額」欄については、直前期末の資産及び負債の課税時期における相続税評価額

ロ　「帳簿価額」欄については、直前期末の資産及び負債の直前期末における帳簿価額

（注１）イ及びロの場合において、帳簿に負債としての記載がない場合であっても、次の金額は、負債として取り扱うことに留意してください。

①　未納公租公課、未払利息等の金額

②　直前期末日以前に賦課期日のあった固定資産税及び都市計画税の税額のうち、未払いとなっている金額

③　直前期末日後から課税時期までに確定した剰余金の配当等の金額

④　被相続人の死亡により、相続人その他の者に支給することが確定した退職手当金、功労金その他これらに準ずる給与の金額（ただし、経過措置適用後の退職給与引当金の取崩しにより支給されるものは除きます。）

（注２）被相続人の死亡により評価会社が生命保険金を受け取る場合には、その生命保険金請求権（未収保険金）の金額を「資産の部」の「相続税評価額」欄及び「帳簿価額」欄のいずれにも記載します。

なお、課税時期において仮決算を行っていない場合については、Q138も参照してください。

[6]「2．評価差額に対する法人税額等相当額の計算」欄の記載方法

Q149をご参照ください。

[7]「3．１株当たりの純資産価額の計算」の各欄の記載方法

「3．１株当たりの純資産価額の計算」の各欄は、次により記載します。

(1)　「課税時期現在の発行済株式数」欄は、課税時期における発行済株式の総数を記載しますが、評価会社が自己株式を有している場合には、その自己株式の数を控除した株式数を記載します。

課税時期現在の純資産価額（相続税評価額）（⑨欄）は、株主全員ベースの評価額ですので、これを課税時期現在の「自己株式の数を除いた発行済株式数」で除して、１株当たりの純資産価額を求めます。

(2)　「同族株主等の議決権割合（第１表の１の⑤の割合）が50％以下の場合」欄は、納税義務者が議決権割合（第１表の１の⑤の割合）50％以下の株主グループに属するときにのみ記載します。

（注） 納税義務者が議決権割合50％以下の株主グループに属するかどうかの判定には、第1表の１の記載方法等の３の⑸に留意してください。

納税義務者が議決権割合50％以下の株主グループに属する場合には、評価額をその80％相当額とするディスカウントが行われ、その計算も「３．１株当たりの純資産価額の計算」において行われます。この80％相当額とするディスカウントについては、Q150を参照してください。

Q 108 第５表における「資産の部」の「相続税評価額」欄を記載する場合の留意点

第５表における「資産の部」の「相続税評価額」欄を記載する場合の留意点について教えてください。

A 第５表における「資産の部」の「相続税評価額」欄を記載する場合の留意点は、国税庁から公表されている取引相場のない株式（出資）の評価明細書の記載方法等に説明されています。

この「記載方法等」には、取引相場のない株式の評価に影響がある重要な事項が示されていますので、以下の解説において、その内容を紹介します。

解　説

［１］ 第５表における「資産の部」の「相続税評価額」欄記載の留意点

⑴ 課税時期前３年以内に取得した土地等

課税時期前３年以内に取得又は新築した土地及び土地の上に存する権利（以下「土地等」といいます。）並びに家屋及びその附属設備又は構築物（以下「家屋等」といいます。）がある場合には、その土地等又は家屋等の相続税評価額は、課税時期における通常の取引価額に相当する金額（ただし、その土地等又は家屋等の帳簿価額が課税時期における通常の取引価額に相当すると認められる場合には、その帳簿価額に相当する金額）によって評価した価額を記載します（財基通185かっこ書）。この場合、その土地等又は家屋等は、他の土地等又は家屋等と「科目」欄を別にして、「課税時期前３年以内に取得した土地等」などと記載します。「３年以内取得土地等」、「３年以内取得家屋等」程度でも、問題はありません。

⑵　法人税額等相当額の控除不適用の株式

取引相場のない株式、出資又は転換社債（財産評価基本通達197－５（(転換社債型新株予約権付社債の評価)）の⑶のロに定めるものをいいます。）の価額を純資産価額（相続税評価額）で評価する場合には、評価差額に対する法人税額等相当額の控除をしないで計算した金額を「相続税評価額」として記載します（なお、その株式などが株式保有特定会社の株式などである場合において、納税義務者の選択により、「$S_1 + S_2$」方式によって評価する場合の計算においても、評価差額に対する法人税額等相当額の控除は行わないで計算することになります。)。この場合、その株式などは、他の株式などと「科目」欄を別にして、「法人税額等相当額の控除不適用の株式」などと記載します。

⑶　帳簿価額がないが、相続税評価額が算出される資産

評価の対象となる資産について、帳簿価額がないもの（たとえば、借地権、営業権等）であっても相続税評価額が算出される場合には、その評価額を「相続税評価額」欄に記載し「帳簿価額」欄には「０」と記載します。

⑷　帳簿価額があるが、相続税評価額が算出されない資産

評価の対象となる資産で帳簿価額のあるもの（たとえば、借家権、営業権等）であっても、その課税価格に算入すべき相続税評価額が算出されない場合には、「相続税評価額」欄に「０」と記載し、その帳簿価額を「帳簿価額」欄に記載します。

⑸　評価の対象とならない資産

評価の対象とならないもの（たとえば、財産性のない創立費、新株発行費等の繰延資産、繰延税金資産及び譲渡損益調整資産に係る譲渡損益調整勘定）については、記載しません。

⑹　株式及び出資の価額の合計額

「株式及び出資の価額の合計額」の㋑欄の金額は、評価会社が有している（又は有しているとみなされる）株式及び出資（以下「株式等」といいます。）の相続税評価額の合計額を記載します。この場合、次のことに留意してください。

①　所有目的又は所有期間の如何にかかわらず、すべての株式等の相続税評価額を合計します。

②　法人税法第12条（信託財産に属する資産及び負債並びに信託財産に帰せ

られる収益及び費用の帰属）の規定により評価会社が信託財産を有するものとみなされる場合（ただし、評価会社が明らかにその信託財産の収益の受益権のみを有している場合を除きます。）において、その信託財産に株式等が含まれているときには、評価会社がその株式等を所有しているものとみなします。

③　「出資」とは、「法人」に対する出資をいい、民法上の組合等に対する出資は含まれません。

④　新株予約権付社債を含みます。

(7)　土地等の価額の合計額

「土地等の価額の合計額」の㋩欄の金額は、上記の(6)に準じて評価会社が所有している（又は所有しているとみなされる）土地等の相続税評価額の合計額を記載します。

(8)　現物出資等受入れ資産の価額の合計額

「現物出資等受入れ資産の価額の合計額」の㊁欄の金額は、各資産の中に、現物出資、合併、株式交換又は株式移転により著しく低い価額で受け入れた資産（以下「現物出資等受入れ資産」といいます。）がある場合に、現物出資、合併、株式交換又は株式移転の時におけるその現物出資等受入れ資産の相続税評価額の合計額を記載します。

ただし、その相続税評価額が、課税時期におけるその現物出資等受入れ資産の相続税評価額を上回る場合には、課税時期におけるその現物出資等受入れ資産の相続税評価額を記載します。

また、現物出資等受入れ資産が合併により著しく低い価額で受け入れた資産（以下「合併受入資産」といいます。）である場合に、合併の時又は課税時期におけるその合併受入資産の相続税評価額が、合併受入資産に係る被合併会社の帳簿価額を上回るときは、その帳簿価額を記載します。

（注）「相続税評価額」の「合計」の①欄の金額に占める課税時期における現物出資等受入れ資産の相続税評価額の合計の割合が20％以下の場合には、「現物出資等受入れ資産の価額の合計額」欄は、記載しません。

なお、現物出資等受入れ資産については、Q114を参照してください。

また、第５表の記載について、Q147において、事例を設けて解説していますので、参照してください。

Q 109 評価会社が所有する国外所在財産

評価会社が所有する国外所在財産は、どのように評価するのでしょうか。

A 原則として、財産評価基本通達に定める評価方法により評価しますが、これによって評価することができない財産は、通達に定める評価方法に準じて、又は売買実例価額、精通者意見価格等を参酌して評価します。

なお、課税上弊害がない限り、その取得価額や譲渡価額を基に評価する方法も認められます。

解　説

国外にある財産の価額についても、財産評価基本通達に定める評価方法により評価します。

なお、財産評価基本通達の定めによって評価することができない財産については、通達に定める評価方法に準じて、又は売買実例価額、精通者意見価格等を参酌して評価します。

ただし、財産評価基本通達の定めによって評価することができない財産については、課税上弊害がない限り、次の価額に評価することもできます（財基通５－２《国外財産の評価》）。

① その財産の取得価額が明らかなときには、その取得価額を基にその財産が所在する地域若しくは国におけるその財産と同一種類の財産の一般的な価格動向に基づき時点修正して求めた価額

② 課税時期後にその財産を譲渡しているときには、その譲渡価額を基に課税時期現在の価額として時点修正等を行い合理的に算出した価額

これは、国外財産に関しては、評価についての参考資料の入手が困難な場合が多く、納税義務者等の便宜を考えて、一般的に取得価額等は取得時におけるその財産の時価を表していること、売買に関する資料は、通常、納税義務者等が保管していることから、取得価額や譲渡価額を基とした簡便な評価方法によることができるとしたものです。

よって、次のような場合には、その取得価額や譲渡価額を基に評価することは、その評価方法を適用する前提を欠いていることから、課税上弊害があるとして、認められません。

イ　その財産を親族から低額で譲り受けた場合、債務の返済等のために売り急ぎがあった場合など、その価額が、その時の適正な時価であるとは認められない場合

ロ　その国外財産の取得価額又は譲渡価額で時点修正するための合理的な価額変動率が存しない場合

Q 110　評価会社が保有する取引相場のない外国法人株式の評価

評価会社が保有する取引相場のない外国法人株式の評価は、どのように行うのでしょうか。

A　現地国の税法において定められている評価方法があり、それによりその株式の時価を求めることができるならば、それを用いて評価することが合理的と考えます。しかし、純資産価額だけで評価する方法も、財産評価基本通達に準じたものと認められると思われます。

解　説

海外子会社の株式等、取引相場のない外国法人の株式評価に関しても、財産評価基本通達５－２《国外財産の評価》が制定されましたので、原則として、「財産評価基本通達の定めにより評価する」ことになります。

しかし、海外子会社の株式を類似業種比準価額や純資産価額との併用方式で評価することは、類似業種比準価額計算上の類似業種の株価や比準要素が、国内の株式公開会社を標本会社として算出した値であることから、外国法人に適した評価方法であるとは言い切れません。

そうすると、海外子会社の株式を類似業種比準価額や純資産価額との併用方式で評価しようとする場合、財産評価基本通達５－２の「評価基本通達に定める評価方法によって評価することができない財産」ということになってしまい、「この通達の定めに準じて、又は売買実例価額、精通者意見価格等を参酌して評価する」ことになります。

しかし、これも具体的な方法が明らかではありません。結局、現地国の税法

において定められている評価方法によることに合理性があるならば、それを用いて評価することも可能であると思われます。

ただし、例えば米国においては、内国歳入法典、連邦遺産税贈与税規則、内国歳入庁規則では、資産価値・配当還元値・類似業種比準値等の考慮すべき諸々の評価要素が示されているだけで、実際の事案では、納税者が自らの判断で、その評価状況に適合する評価要素を数個取り出し、これら個別の評価要素に適切と考える比重を加味する変動加重平均法が多く用いられているとのことですので、日本の財産評価基本通達における評価のように画一的な評価方法は存在しないようです。

以上から、財産評価通達に準じて評価すると純資産評価方式又は配当還元方式によることが許されると考えられます。

この場合の留意点は次のとおりです。

① 評価明細書第１表の１により、評価法人を納税義務者とした場合の評価方式を判定する。

その結果、原則的評価方式となる場合は、純資産評価方式により、特例的評価方式となる場合は配当還元方式により評価する。

② ①の判定において評価法人の属する同族関係グループの議決権割合が50％以下である場合の、１株当たりの純資産価額は、その価額に100分の80を乗じたものとする。

③ 評価差額に対する法人税相当額の控除の適用はない。

Q 111｜外貨建て財産及び国外にある財産の円換算

外貨建て財産及び国外にある財産の円換算は、どのように行うのでしょうか。

A 外貨建て資産及び国外にある資産の円換算は、原則として、取引金融機関が公表する課税時期における最終の対顧客直物電信買相場（ＴＴＢ）により、外貨建てによる債務は対顧客直物電信売相場（ＴＴＳ）により行います（財基通４－３《邦貨換算》）。

解　説

［１］外貨建て資産及び国外にある資産の円換算

① 原則的取扱い

評価会社が保有する資産に外貨建てによる資産及び国外にある資産がある場合、これらの資産は日本円に換算して評価します。

その場合の換算レートは、評価会社の取引金融機関が公表する課税時期における最終の対顧客直物電信買相場によります。

② 外貨建て預金

外貨預金等のように取引金融機関との関係が特定されている場合は、その特定された取引金融機関が公表する課税時期における最終の対顧客直物電信買相場を適用します。

③ 先物外国為替契約が締結されている場合

先物外国為替契約を締結していることによりその財産についての為替換算レートが確定している場合には、その先物外国為替契約により確定している為替換算レートによります。

なお、締結している外国為替契約が、課税時期において選択権を行使していない選択権付為替予約である場合は、上記①の原則的取扱いになりますので注意が必要です。

[2] 外貨建て債務の換算

外貨建てによる債務を円換算する場合には、その換算レートは、評価会社の取引金融機関が公表する課税時期における最終の対顧客直物電信売相場によります。

[3] 課税時期の為替相場がない場合

課税時期が、土・日曜日又は祝祭日等であることにより、その日の上記相場がない場合には、課税時期前の上記相場のうち、課税時期に最も近い日の上記相場により為替換算します。

Q 112 評価会社が税効果会計を適用している場合の繰延税金資産・負債の取扱い

評価会社が税効果会計を適用している場合、純資産価額の計算上、繰延税金資産・負債は、どのように取り扱うのでしょうか。

A 純資産価額（相続税評価額によって計算した金額）の計算上、繰延税金資産には財産的価値がなく、繰延税金負債は引当金と同様に確実な債務ではないので、両者とも、資産又は負債としての帳簿価額及び相続税評価額は計上しません。

解 説

税効果会計を適用していることにより貸借対照表に計上される繰延税金資産は、将来の法人税等の支払を減額する効果を有するものとして、法人税等の前払的性格を有するため、会計上、資産としての性格を有します。

同様に、繰延税金負債も、将来の法人税等の支払を増額する効果を有するものとして、法人税等の未払的性格を有するため、会計上、負債としての性格を有します。

しかし、税法上は、繰延税金資産の額といえども、これを還付請求できるものでもなく、また売却等の換金の可能性や財産的価値を有するものとは認められません。

同様に、繰延税金負債も、税法上は、未納の法人税等の額ではなく、引当金と同様に課税時期における確実な債務というわけではありません。

したがって、純資産価額（相続税評価額によって計算した金額）の計算上、繰延税金資産には財産的価値がなく、繰延税金負債は引当金と同様に確実な債務ではないので、両者とも、資産又は負債としての帳簿価額及び相続税評価額は計上しません（財基通185、186、評価明細書通達第５表２⑴ホ、⑶）。

なお、取引相場のない株式を評価する場合の会社規模の判定をするときの評価会社の課税時期の「直前期末の総資産価額（帳簿価額によって計算した金額）」には、税効果会計の適用に伴い計上される繰延税金資産も、各資産の帳簿価額の合計額から控除することなく、総資産価額を計算しますので注意を要します。

これは、「直前期末の総資産価額（帳簿価額によって計算した金額）」は、「直前期末における各資産の確定決算上の帳簿価額の合計額」と規定されており、税効果会計を適用した場合には、繰延税金資産も、確定決算上の貸借対照表の資産の部に計上されているからです。

Q 113 土地保有特定会社に該当するかどうかを判定する場合の土地等の範囲

評価会社が、土地保有特定会社に該当するかどうかを判定する場合の「土地等の価額の合計額」における土地等には、どのようなものが含まれるのでしょうか。

A 評価会社が有する土地及び土地の上に存する権利のすべてが該当します。

解　説

評価会社が、土地保有特定会社に該当するかどうかを判定する場合の「土地等の価額の合計額」における土地等には、評価会社が有する土地及び土地の上に存する権利のすべてが含まれます。

［1］土地の範囲

土地には、次に掲げる地目のすべてが含まれます。

(1)　宅地
(2)　田
(3)　畑
(4)　山林
(5)　原野
(6)　牧場
(7)　池沼
(8)　削除
(9)　鉱泉地
(10)　雑種地

地目の判定は、不動産登記事務取扱手続準則（昭和52年9月3日付　民三第4473号法務省民事局長通達）第117条及び第118条に準じて行います。ただし、財産評価基本通達上、「(4)山林」には、同準則第117条の「ソ保安林」を含み、また「(10)雑種地」には、同準則第117条の「ヌ墓地」から「ナ雑種地」まで（「ソ保安林」を除きます。）に掲げるものを含みます。

［2］土地の上に存する権利の範囲

土地の上に存する権利には、次に掲げる権利のすべてが含まれます。

⑴　地上権（民法（明治29年法律第89号）第269条ノ２《地下又は空中の地上権》第１項の地上権（以下「区分地上権」といいます。）及び借地借家法（平成３年法律第90号）第２条《定義》に規定する借地権に該当するものを除きます。以下同じ。）

⑵　区分地上権

⑶　永小作権

⑷　区分地上権に準ずる地役権（地価税法施行令第２条《借地権等の範囲》第１項に規定する地役権をいいます。以下同じ。）

⑸　借地権（借地借家法第22条《定期借地権》、第23条《建物譲渡特約付借地権》、第24条《事業用借地権》及び第25条《一時使用目的の借地権》に規定する借地権（以下「定期借地権等」といいます。）に該当するものを除きます。以下同じ。）

⑹　定期借地権等

⑺　耕作権（農地法（昭和27年法律第229号）第２条《定義》第１項に規定する農地又は採草放牧地の上に存する賃借権（同法第20条《農地又は採草放牧地の賃貸借の解約等の制限》第１項本文の規定の適用がある賃借権に限ります。）をいいます。以下同じ。）

⑻　温泉権（引湯権を含みます。）

⑼　賃借権（⑸の借地権、⑹の定期借地権等、⑺の耕作権及び⑻の温泉権に該当するものを除きます。以下同じ。）

⑽　占用権（地価税法施行令第２条第２項に規定する権利をいいます。以下同じ。）

［3］その他

⑴　不動産販売会社がたな卸資産として所有する土地等

判定の基礎となる土地等は、所有目的や所有期間にかかわらず、評価会社が有しているすべての土地等を含むこととされているので、たな卸資産に該当する土地等も含みます。

⑵　国外に所在する土地等

国外に所在する土地等であっても、土地及び土地の上に存する権利であることに変わりがないので、判定の基礎となる土地等に含みます。

⑶　信託に係る信託財産としての土地等

改正信託法が、平成19年９月30日から施行されました。これに伴い、旧土地信託通達は廃止されました。しかし、最も一般的である委託者と受益者が一致している信託に係る信託財産である資産及び負債並びに信託財産に帰せられる収益及び費用の帰属者は、委託者であり、かつ、受益者であるものとして、税務上、取扱われます。

したがって、このような信託に係る信託財産としての土地等は、旧土地信託通達における取扱いと一致します。

信託の設定後、相続の開始があった場合に、相続人等が取得する財産は法律上はその土地信託に係る信託受益権と考えられますが、旧土地信託通達ではその信託受益権の目的となっている信託財産の各構成物を取得したものとして相続税が課税されることとされていました（旧土地信託通達４－１）。

したがって、評価会社が有する土地等に一般的な信託を設定した場合でも、これと同様に、信託財産の構成物としての土地等も、評価会社が所有しているものとして、判定の基礎となる土地等に含むこととされます。

なお、改正信託法においては、①委託者と受託者が同一の信託（自己信託)、②受益者の定めのない信託（目的信託)、③受益権の証券化が一般的に認められる信託（受益証券発行信託)、④信託行為に一定の場合に受益権が順次移転する定めのある信託（受益者連続型信託)、⑤事業型信託等が新たな信託の類型として創設されました。このような新類型の信託に係る信託財産については、個別的に判断することになると考えられます。

⑷　民事信託に係る土地等

市街地再開発事業においては、地権者が開発ビルの一部の共有持分を権利変換後の資産として取得し、この共有持分に係る権利（敷地の共有持分の所有権と施設建築物の共有持分を取得する権利）を信託財産として、地権者がその持分に応じて出資する会社に対し、地権者を委託者兼受益者とする信託を設定し、受託者であるその会社は、本件以外の信託を引き受けることはなく、また、信託法に規定する信託報酬も受けないため、営業としてこの信託を引き受けない、いわゆる民事信託方式といわれるものがあります。

このような民事信託については、受託者が地権者の出資に係る法人であるため、「受託者が信託銀行であること」を要件としている旧土地信託通達を直接適用することはできませんが、受託者が信託銀行でないことをもって旧土地信託通達の「土地信託」と異なる取扱いとなるものではありません。

「受託者を信託銀行とする信託」以外の信託であっても、次のようにその内容において「土地信託」と同様に、委託者兼受益者のために信託目的に従って適切に管理・運用されているものについては、旧土地信託通達に定める取扱いと同様に取り扱う余地があるものと考えられ、旧土地信託通達の予定している信託と質的に同等のもの（信託財産である土地建物等を受益者である地権者が直接所有している実態にあるもの）と認められるのであれば、これに係る土地等も、判定の基礎となる土地等に含めることになります。

① 受託者は、市街地再開発事業により取得する共有の土地建物の一体的な管理・運用を行うことを目的として、地権者である委託者兼受益者がその共有持分に応じて出資する法人であり、特定の受益者の利益のために管理・運用されるものではなく、信託契約に定められた信託目的に従って受益者のために適切に管理・運用されるものであること。

② 信託期間満了時には、信託された不動産が、現状有姿のまま、受益者に交付されること。

③ 信託報酬を授受しないこととしているため、受託者に利益が留保されることがなく、これにより、信託財産に帰属する利益は、各地権者が信託財産について有していた共有持分に応じて受益者と各地権者に分配されること。

④ 本件信託は、受託者が信託銀行であることを除き、旧土地信託通達に定める「土地信託」に係る他の要件のすべてを満たすものと認められること。

Q 113-2 評価会社が相当の地代を支払っている場合等

評価会社が、通常の権利金を支払わず、相当の地代を支払っている場合、相当の地代に満たない地代を支払っている場合などの評価明細書第５表の借地権価額はどのように記載するのですか。

A 原則として、地代調整により①のとおり借地権価額を計算し、それを自用地価額から控除したものを貸宅地の価額とします。

① 借地権価額の計算式

$$\text{自用地としての価額} \times \left\{ \text{借地権割合} \times \left(1 - \frac{\text{実際に支払っている地代の年額} - \text{通常の年額}}{\text{相当の地代の年額} - \text{通常の地代の年額}} \right) \right\}$$

ただし、無償返還の届出が提出されている場合は、借地権価額は0円です（相当地代通達5）。

（注）1 相当の地代は、自用地価額の6％、通常の地代は貸地価額（自用地価額から自用地価額に借地権割合を乗じた金額を控除した金額）の6％で計算します。

2 実際の地代が通常の地代以下である場合は、借地権割合により計算した金額が借地権価額となります。

② 貸宅地の価額の計算式

自用地価額－①で求めた借地権価額

ただし、①で求めた借地権価額（無償返還の届出が提出されている場合を含みます。）で計算すると、貸宅地の価額が自用地価額の80％を超える場合の貸宅地の価額は自用価額×80％とします。

③ 被相続人所有の土地を被相続人が同族関係者となっている評価会社に賃貸している場合の取扱い

評価会社の純資産評価額に計上される借地権の価額は、原則として①の計算によりますが、借地権価額が自用地価額の20％を下回る場合及び無償返還の届出が提出されている場合は、自用地価額の20％を純資産評価額に計上することとなります（相当地代通達8）。

（参照）「相当の地代を支払っている場合等の借地権等についての相続税及び贈与税の取扱いについて」昭和60年6月5日直資2－58、直評9、国税庁長官通達（以下「相当地代通達」といいます。）及び昭和43年10月28日直資3－22通達）。

解　説

普通借地権契約が第3者間である場合は、一般的には通常の借地権割合及び底地割合となります。

ところで、同族関係者間においては、特殊な借地権契約がされることがあり、その場合は相当地代通達（昭55年以降の借地契約から適用）により、上記算式等により取り扱われることとされています。

ただし、被相続人が同族関係者となっている評価会社に土地を貸し付けている場合の純資産評価額に計上する借地権価額は自用地としての価額の20％となることにご留意ください（相当地代通達６（注））。

以下、相当地代、通常の地代の年額、相当の地代の改定等について、説明します。

［１］相当の地代

相当の地代の年額は、原則として、その土地の自用地評価額のおおむね年６％程度の金額とされており、課税上弊害がない限り以下のいずれかの方法を選択することができます（法基通13－１－２）。

① その年における通常の取引価額×年６％

② その年における近傍類地の公示価額等×年６％

③ その年における相続税評価額×年６％

④ その年以前３年間の平均による相続税評価額×年６％

ただし、相当の地代により借地権の設定があった場合の借地権の価額を計算する場合には、前掲のいずれの方法を選択したかに関わらず、その年以前３年間の平均による相続税評価額により計算します（相当地代通達１）。

［２］通常の地代の年額

通常の地代とはその地域において通常の賃貸借契約に基づいて通常支払われる地代をいい、通常の借地権部分を控除した底地に対応する地代の額で次の算式により計算されます。

底地としての価額（相続税評価額）の過去3年間における平均額×６％

［３］相当の地代の改訂

相当の地代の収受により借地権の設定があった場合には、その借地権の設定等に係る契約書においてその地代の額の改訂方法につき次の①又は②のいずれかによることを定めることとされています（法基通13－１－７、13－１－８）。

① 相当の地代の改訂型

その借地権の設定等に係る土地の価額の上昇に応じて順次その収受する地代

の額を相当の地代の額（上昇した後の当該土地の価額を基礎として計算した金額）に改訂する方法で、相当の地代の額は、おおむね３年以下の期間ごとにその見直しを行うものとします。

② 相当の地代の固定型

①以外の方法で、相当の地代の額を固定する場合や改訂はされているが土地の価額の上昇に対して不十分な額である場合等となります。

[4] 自然発生借地権

相当の地代の年額の固定型を選択した場合には、相当の地代の年額は土地の価額の上昇に伴って変動する反面、実際の地代の額は据え置かれることになりますから、土地の価額の上昇に伴ってその値上がりに応ずる借地権価額が、徐々に借地人に帰属していくことになります（その土地の所在する地域の借地権価額を限度とします。）。その反面地主の底地価額はその土地の所在する地域の底地価額まで下落していくことになります。

実際支払地代の率と借地権価額、底地価額の関係をグラフで解説すると次のとおりとなります。

借地権割合が70%の場合の底地と借地権の価額

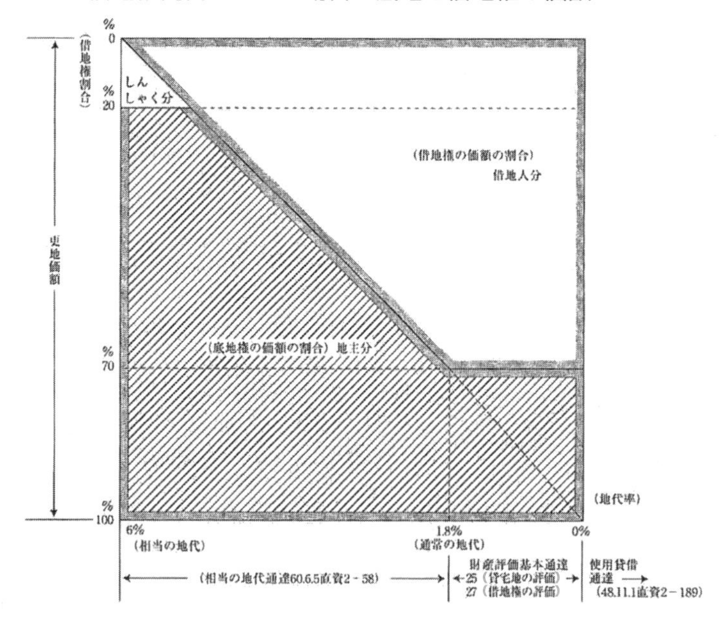

Q 113-3｜定期借地権の設定されている土地等がある場合

評価会社が定期借地権の設定された土地を有している場合のその土地の評価額はどのように求めるのですか。

また、土地を定期借地権を設定して借り受けている場合は、定期借地権はどのように評価するのですか。

A 定期借地権の種類に応じて定期借地権等の評価明細書により評価します。

解　説

［１］定期借地権の種類

定期借地権は1992年（平成４年）に施行された借地借家法に設けられた制度で、普通借地権も含めて次表に掲げる種類の借地権があります。

借地権の種類

借地権		存続期間	利用目的	契約方法	借地関係の終了	契約終了時の建物
定期借地権	一般定期借地権（法22条）	50年以上	用途制限なし	公正証書等の書面で行う。 ⑴契約の更新をしない ⑵存続期間の延長をしない ⑶建物の買取請求をしない という３つの特約を定める。	期間満了による	原則として借地人は建物を取り壊して土地を返還する
	事業用定期借地権（法23条）	10年以上50年未満	事業用建物所有に限る（居住用は不可）	公正証書による設定契約をする。 ⑴契約の更新をしない ⑵存続期間の延長をしない ⑶建物の買取請求をしない という３つの特約を定める。	期間満了による	原則として借地人は建物を取り壊して土地を返還する
	建物譲渡特約付借地権（法24条）	30年以上	用途制限なし	30年以上経過した時点で建物を相当の対価で地主に譲渡することを特約する。 口頭でも可	建物譲渡による	⑴建物は地主が買取る ⑵建物は収去せず土地を返還する ⑶借地人又は借家人は継続して借家として住まうことができる

普通借地権	30年以上	用途制限なし	制約なし 口頭でも可	⑴法定更新される ⑵更新を拒否するには正当事由が必要。	⑴建物買取請求権がある。 ⑵買取請求権が行使されれば建物はそのままで土地を明け渡す。借家関係は継続される。

［2］定期借地権及び定期借地権の設定されている宅地の評価方法

評価会社が定期借地権を設定している場合は、定期借地権を評価した上で、その価額を評価明細書の資産の部に計上することとなり、所有している土地に定期借地権が設定されている場合は、原則として、その土地の自用地価額から定期借地権の価額を控除したものをその宅地の価額とします。

それぞれの評価方法の概要は、［3］～［5］のとおりですが、実務では「定期借地権等の評価明細書」を活用して評価します。

［3］定期借地権の価額（すべての定期借地権共通）

定期借地権の価額は、原則として、課税時期において借地権者に帰属する経済的利益及びその存続期間を基として評定した価額によって評価する（財基通27－2）とされていますが、課税上弊害のない限り、自用地価額の価額に次の算式により計算した数値を乗じて求めたものすることができるとされています（財基通27－2ただし書、いわゆる「簡便法」による評価です。）。

$$\frac{\text{定期借地権等の設定の時における借地権者に帰属する経済的利益の総額}}{\text{定期借地権等の設定の時におけるその宅地の通常の取引価額}} \times \frac{\text{課税時期におけるその定期借地権等の残存期間年数に応ずる基準年利率による複利年金現価率}}{\text{定期借地権等の設定期間年数に応ずる基準年利率による複利年金現価率}}$$

（注）　詳しくは財基通27－3、「定期借地権等の評価明細書」を参考にしてください。

［4］定期借地権の設定されている宅地の価額（一般定期借地権を除きます。）

個別通達により評価することとなる一般定期借地権（借地借家法22条、次の［5］参照）を除き、原則として算式①により評価します。

ただし、算式①で求めた金額が、定期借地権の残存期間に応じて定められた割合により計算した算式②を上回る場合は②によります（財基通25⑵）。

（算式①）

自用地価額　－　定期借地権の価額

（算式②）

自用地価額　－　自用地価額×残存期間に応じた割合

（注） 残存期間に応じた割合は次表のとおりです。

残存期間年数	割合
５年以下	５％
５年超10年以下	10％
10年超15年以下	15％
15年超	20％

［５］一般定期借地権の設定されている宅地の評価

課税上弊害がない限り、次の算式により評価します。

（算式）

$$自用地価額-自用地価額×底地割合×\frac{残存年数複利年金現価率}{設定期間年数複利年金現価率}$$

（注）１ 底地割合は次表によります。

借地権割合	路線価図	C地域	D地域	E地域	F地域	G地域
	評価倍率表（％）	70	60	50	40	30
底地割合（％）		55	60	65	70	75

２ 次の課税上弊害がある場合は、上記算式によらず、［４］により計算します。

(1) 一般定期借地権の借地権者と借地権設定者の関係が親族間や同族法人等の特殊関係者間の場合

(2) 第三者間の設定等であっても税負担回避行為を目的としたものであると認められる場合

(3) 普通借地権等の借地権割合が90％、80％の地域及び普通借地権の取引慣行が認められない地域に存する場合

Q114 現物出資等により受け入れた資産等を保有している場合の帳簿価額の合計額の計算

評価会社が現物出資等により受け入れた資産等を保有している場合の帳簿価額の合計額の計算は、どのようにするのですか。

A 評価会社の有する資産の中に、現物出資等により著しく低い価額で受け入れた資産又は株式があるときは、現物出資等の時における「現物出資等受入れ差額」を評価会社の各資産の帳簿価額の合計額に加算しなければなりません。

解 説

純資産価額方式により取引相場のない株式を評価する際には、評価差額に対する法人税額等相当額（38％）を控除して計算します（財基通186－２）。

この計算上、評価会社の各資産の中に、現物出資・合併により著しく低い価額で受け入れた資産や株式交換・株式移転により著しく低い価額で受け入れた株式（以下、これらの資産又は株式を「現物出資等受入れ資産」といいます。）がある場合には、現物出資、合併、株式交換又は株式移転の時における現物出資等受入れ資産の相続税評価額から、その現物出資等受入れ資産の帳簿価額を控除した金額（以下「現物出資等受入れ差額」といいます。）を評価会社の各資産の帳簿価額の合計額に加算します（財基通186－２⑵かっこ書）。

これにより、現物出資等を通じて意図的に作った現物出資等受入れ差額に対する法人税額等相当額を控除しないこととしています。

ただし、課税時期における評価会社の有するすべての資産の相続税評価額の合計額に占める現物出資等受入れ資産の価額（相続税評価額）の合計額の割合が20％以下である場合には、この取扱いに該当するかどうかの判断が煩瑣である場合もあることから、評価の簡便性を考慮して、それらの現物出資等受入れ資産の評価差額に係る法人税額等相当額は控除することができます（財基通186－２⑵注書３）。

なお、現物出資等受入れ資産が「合併受入れ資産」（合併により著しく低い価額で受け入れた資産をいいます。）である場合には、合併受入れ資産の価額（相続税評価額）が、被合併会社の帳簿価額を超えるときには、合併受入れ資産の価額は、被合併会社の帳簿価額として、合併の場合のみ帳簿価額による引継ぎを是認しています（財基通186－２⑵注書１）。

また、課税時期における現物出資等受入れ資産の価額（相続税評価額）が、現物出資等の時におけるその現物出資等受入れ資産の価額（相続税評価額）を下回っているときは、結果として、現物出資等を通じて意図的に作った現物出資等受入れ差額が生じていないことから課税時期における価額（相続税評価額）から帳簿価額を控除した金額を現物出資等受入れ差額として上記の計算をします（財基通186－２⑵注書２）。

Q 115｜純資産価額で評価する際の「資産性の有無の判断」

取引相場のない株式を純資産価額で評価する際の「資産性の有無の判断」とは、どういうことですか。

A 評価会社が帳簿上資産に計上している項目につき、取引相場のない株式を純資産価額で評価する際に資産に計上すべきかどうかは、財産的価値があるかどうかによって判断します。

解　説

「１株当たりの純資産価額（相続税評価額によって計算した金額）」は、原則として、課税時期における各資産をこの通達に定めるところにより評価した価額の合計額から、課税時期における各負債の金額の合計額及び評価差額に対する法人税額等に相当する金額を控除した金額を、課税時期における発行済株式数で除して計算した金額とすると定められています（財基通185《純資産価額》本文）。

したがって、取引相場のない株式を純資産価額で評価する際に、評価会社が帳簿上資産に計上している項目につき、売却による換金性や解約による返還金がない等の理由から、財産的価値がないと判断され、「資産」と認めがたいと判断されるものについては、評価の対象とならない資産性のないものとされます。

資産性がないと判断されたものは、評価明細書第５表の記載に当たっては、「相続税評価額」「帳簿価額」の欄の両方共に、何も金額を計上しません。

Q 116｜評価会社が有する預貯金の既経過利息の計上の要否

低金利時代の昨今においても、純資産価額（相続税評価額によって計算した金額）の計算上、評価会社が有する預貯金のすべてにつき、課税時期現在の既経過利子の額等を考慮しなくてはいけないのでしょうか。

A 原則としては、そうなります。ただし、課税時期現在の既経過利子の額等が極めて少額で、これを評価会社の発行済株式数で除した１株当たりの金額が円未満の端数となる場合は、課税時期現在の既経過利子の額等を考慮しなくても、結果的に、課税上の弊害はないと考えられます。

解　説

評価会社が有する預貯金の価額は、課税時期における預入高と、同時期現在において解約するとした場合に既経過利子の額からその金額につき源泉徴収されるべき所得税の額に相当する金額を控除した金額との合計額によって評価することを原則としています（財基通203《預貯金の評価》）。

ただし、同通達は、定期預金、定期（郵便）貯金及び定額（郵便）貯金以外の預貯金については、課税時期現在の既経過利子の額が少額なものに限り、同時期現在の預入高によって評価することも認めています。

このように、少額な既経過利子を評価しないこととしているのは、預貯金利子の計算が、その出納等に応じ相当複雑であること等から課税上弊害がないと認められるような少額な利子まで計算し、これに加算することは評価実務上必ずしも適当でないと認められることによるものである、と説明されています。

これらのことから、評価会社の有する預貯金に関して、課税時期現在の既経過利子の額等が極めて少額で、これを評価会社の発行済株式数で除した１株当たりの金額が円未満の端数となるような場合には、課税時期現在の既経過利子の額等を考慮しなくても、結果的に、課税上の弊害はないと考えられます。

Q 117　不動産販売業等の評価会社が有する販売用不動産の評価

不動産販売業等の評価会社が有する販売用不動産は、どのように評価するのでしょうか。

A 一般の固定資産としての土地等や家屋のように、路線価方式や倍率方式で評価するのではなく、たな卸商品として販売価額等を基準として計算した金額によって評価します。

解　説

たな卸資産である不動産は、販売を目的にして所有しているもので、一般の物品販売業者が保有しているたな卸商品と同様に、販売価額等が明らかです。

そこで、このような実態に着目して、一般の固定資産として土地等や家屋のように、路線価方式や倍率方式で評価するのではなく、たな卸商品として販売価額等を基準として計算した金額によって評価します。

こうすることによって、流動資産であるたな卸資産としての土地等とその土地等を売却した代金である現金預貯金等の財産との評価上の権衡を図っている訳です。

たな卸商品の価額は、財産評価基本通達133に基づき、その商品の販売業者が課税時期において販売する場合の価額から、その価額のうちに含まれる販売業者に帰属すべき適正利潤の額及び課税時期後販売の時までにその販売業者が負担すると認められる予定経費の額並びにその販売業者がその商品につき納付すべき消費税の額を控除した金額によって評価します（財基通133）。

ただし、個々の価額を算定し難いたな卸商品等の場合は、法人税法施行令第28条《たな卸資産の評価の方法》に定める方法のうち、その評価会社が所得の金額の計算上選定している方法によって評価できます。

なお、適正利潤の額、予定経費については、課税時期における評価会社の有する同種のたな卸商品の利益率や経費率を参考として判定します。

Q 118｜売買目的で保有する有価証券の評価

評価会社が売買目的で保有する有価証券の評価は、どのように評価するのでしょうか。
販売用不動産と同様に、たな卸商品等として評価するのでしょうか。

A　たな卸商品等として評価することなく、財産評価基本通達第８章第１節《株式及び出資》及び第２節《公社債》の定めにより評価します。

解　説

財産評価基本通達においては、Q117のように販売用不動産等、販売業者が販売することを目的として保有している財産はたな卸商品等の評価方法に準じて評価することを定めています。しかし、有価証券については、たとえ、評価会社が売買目的で保有するものであっても、同通達の第８章第１節《株式及び出資》及び第２節《公社債》の定めにより評価します。

したがって、評価会社が売買目的で保有する有価証券は、一般的には、上場株式又は登録銘柄・店頭管理銘柄でしょうから、株式として、財産評価基本通達169《上場株式の評価》の定め又は同通達174《気配相場等のある株式の評価》(1)登録銘柄及び店頭管理銘柄のイにより評価することとなります。

Q 119 前払保険料、前払賃借料等前払費用の取扱い

評価会社が帳簿上資産に計上している前払保険料、前払賃借料等の前払費用については、１株当たりの純資産価額（相続税評価額によって計算した金額）の計算に当たって、資産に計上するのでしょうか。

A 評価会社が帳簿上資産に計上している前払費用については、財産的価値があるかどうかによって資産に計上するかしないかを判断します。

解　説

前払保険料、前払賃借料等の前払費用について、１株当たりの純資産価額（相続税評価額によって計算した金額）の計算に当たって資産に計上すべきかどうかの判断は、課税時期においてこれらの項目に財産的価値があるかどうかによって行います。

よって、前払保険料、前払賃貸料等の前払費用を支出する基因となった契約を課税時期において解約したとした場合に返還される金額があるときには、その前払費用には、財産的価値があると考えられますので、返還される金額を基準に資産として相続税評価額に計上すべきものとなります。

同様に、評価会社が借入れの際に支払った保証料で、前払費用として経理し、保証期間にわたって毎年費用に振り替えているものについても、その保証契約において、その保証期間の中途においてその保証に係る借入金の全部又は一部の返済があった場合には、その支払済の保証料の額のうち、その借入返済金の

返済後の保証期間に係る部分の保証料相当額を返還する旨の定めがあるときには、課税時期にその保証に係る借入金の全額を返済したものとした場合に返還を受けることができる保証料相当額は、財産的価値があるものとして、資産に計上します。

一方、その支払保証料がいかなる場合にも返還されないものである場合は、財産的価値がないものとして、資産に計上する必要はありません。

Q 120 貸倒引当金（売掛金勘定から貸倒引当金相当額を直接控除しているときの取扱い）

評価会社が直接売掛金勘定から貸倒引当金に相当する金額を控除しているとき、１株当たりの純資産価額（相続税評価額によって計算した金額）を計算する場合において、この売掛金はそのままの金額を資産として計上すればいいのでしょうか。

A 売掛金勘定から直接控除したとしても、この貸倒引当金に相当する金額は、確実な債務ではありませんから、売掛金勘定に加算し、その修正した額をもって資産に計上します。

解　説

貸倒引当金は、未だ貸倒れの発生はないものの、回収できない可能性に備えて、あらかじめ計上する引当金です。よって、課税時期現在では、確実な債務としての負債には含まれません（財基通186）。

したがって、売掛金勘定より貸倒引当金に相当する金額を直接控除したとしても、この貸倒引当金に相当する金額は、売掛金勘定に加算し、その修正した額をもって資産に計上します。

なお、個別評価債権に係る貸倒引当金の金額がある場合、上記のとおり、その個別評価債権に係る貸倒引当金の金額は控除することはできません。しかし、その引当金の対象となっている貸金等については、財産評価基本通達204《貸付金債権の評価》、205《貸付金債権等の元本価額の範囲》及び206《受取手形等の評価》によって評価し、元本価額に算入しない金額があるときには、その金額は貸金等の額から直接控除できます。

Q 121 欠損金の繰戻し還付請求を行った場合の取扱い

1株当たりの純資産価額（相続税評価額によって計算した金額）を計算する場合において、直前期の所得について欠損を生じているため、その欠損金の繰戻し還付請求の手続を行った場合は、その還付金は、どのように取り扱うのでしょうか。

A 課税時期が直前期末と直前期に係る法人税の申告書の提出日までの間にある場合には、1株当たりの純資産価額の計算においてその還付金を資産に計上しません。一方、課税時期が法人税の確定申告期限後である場合には、その還付金を資産に計上します。

解　説

直前期の欠損金について繰り戻すか、繰り越すかは法人の任意であり、課税時期が直前期末と直前期に係る法人税の申告書の提出日までの間にある場合には、その時点では、未だ繰戻し還付請求が確定していない状態にあります。

よって、その課税時期後の直前期に係る法人税の申告書の提出日までに、欠損金の繰戻し還付請求をしたことによって還付金が生じたとしても、課税時期における1株当たりの純資産価額の計算においては、資産に計上しません。

一方、課税時期が法人税の確定申告期限後である場合には、その時点で、繰戻し還付請求が確定していますので、還付金額を資産に計上します。

ただし、欠損金の繰戻し還付請求については、法人税法80条6項の規定により、税務署長は、その請求の基礎となった欠損金額その他必要な事項について調査し、その調査したところにより、その請求をした法人に対し、その請求に係る金額を限度として法人税を還付し、又は請求の理由がない旨を書面により通知することになっています。

したがって、還付請求をした金額の全額が還付されるとは限りませんので、注意が必要です。

（注）　欠損金の繰戻しによる還付制度は、平成4年4月1日から平成30年3月31日までの間に終了する事業年度において生じた欠損金については、解散等が生じた場合の特例・中小法人等を除き、現在その適用が停止されています（措法66の13）。

Q 122 課税時期直前に取得した土地・家屋等の評価

課税時期直前に取得した土地等又は家屋等については、どのように評価するのですか。
また、その場合の「取得」は、どのような態様までをいうのですか。

A 評価会社が有する資産の中に、課税時期前３年以内に取得又は新築した土地等又は家屋等があるときは「通常の取引価額」に相当する金額によって評価することとなります。この場合の「取得」とは、土地等や家屋等を売買により取得する場合にとどまらず、交換・買換え・現物出資・合併等によってこれらの財産を取得する場合も含みます。

解　説

１株当たりの純資産価額（相続税評価額によって計算した金額）の計算に当たっては、評価会社が課税時期前３年以内に取得又は新築した土地及び借地権などの土地の上に存する権利（以下「土地等」といいます。）並びに家屋及びその附属設備又は構築物（以下「家屋等」といいます。）の価額は、路線価等によって評価するのではなく、これらの各資産の課税時期における通常の取引価額に相当する金額によって評価します。

ただし、実務上の簡便性に配慮し、その土地等や家屋等の帳簿価額（原則として「取得価額」）が課税時期における「通常の取引価額」に相当すると認められるときには、帳簿価額に相当する金額によって評価できる取扱いとなっています。

なお、評価会社のたな卸資産に該当する土地等や家屋等については、たとえ、評価会社が課税時期前３年以内に取得等したものであっても、財産評価基本通達４の２、132及び133の定めるところにより「たな卸資産」として評価します。

ところで、「取得又は新築」とは、売買により取得する場合に留まらず、交換・買換え・現物出資・合併等によってそれらの財産を取得する場合も含みますので、例えば、次のような場合が該当します。

① 課税時期前３年以内に通常の売買や新築・増築により取得された土地等又は家屋等

② 収用等に伴う代替資産の特例を適用して取得した土地等又は家屋等

③　特定の事業用資産の買換え又は交換の特例を適用して取得等をした土地等又は家屋等
④　特定の交換分合より取得した家屋等
⑤　交換の特例の適用を受けて交換取得した土地等又は家屋等
⑥　家屋の増築及び旧家屋等の取壊し又は除却に伴い生じた発生資材の一部を使用している家屋等の建築
⑦　代物弁済や合併・吸収分割・事業譲受けにより取得した土地等又は家屋等

Q 123　課税時期前３年以内に取得した貸家・貸家建付地の評価

課税時期前３年以内に取得した貸家及び貸家建付地を評価する上での「通常の取引価額」とは、具体的にはどう評価するのですか。

A　まず、その貸家及び貸家建付地が自用の家屋及び自用地であるとした場合の課税時期における通常の取引価額を算定し、次にその価額を財産評価基本通達93《貸家の評価》、26《貸家建付地の評価》に定める評価方法に準じて減額した価額によって評価することが認められます。

解　説

課税時期前３年以内に取得した土地（借地権）等及び家屋等の価額は、課税時期における通常の取引価額で評価すると定められています（財基通185かっこ書）。

その理由は、「時価」の算定上、これらの土地等及び家屋等について、わざわざ路線価等によって評価替えを行うことは、課税時期の直前に取得し、「時価」が明らかになっているのであるから適切でない、という考え方等によるものです。

この場合、実務上の簡便性に配慮し、その土地等や家屋等の帳簿価額（原則として「取得価額」）が課税時期における「通常の取引価額」に相当すると認められるときには、帳簿価額に相当する金額によって評価できる取扱いとなっています。

ところが、土地、家屋の取得（新築）後、家屋を賃貸の用に供した場合には、取得時の利用区分（自用の家屋、自用地）と課税時期の利用区分（貸家、貸家建付地）が異なります。

その結果、その取得価額等から、課税時期における通常の取引価額を算定することが困難となります。

そこで、課税時期前３年以内に取得した貸家及び貸家建付地の価額については、まず、その貸家及び貸家建付地が自用の家屋及び自用地であるとした場合の課税時期における通常の取引価額を算定し、次にその価額を財産評価基本通達93《貸家の評価》、26《貸家建付地の評価》に定める評価方法に準じて減額した価額によって評価することが認められています。

Q 124 課税時期前３年以内に取得した土地・家屋等の「取得の日」

課税時期前３年以内に取得した土地等又は家屋等を「通常の取引価額」によって評価する場合、「取得の日」はどのように判定するのですか

A ①他から取得したものは、原則としてこれらの資産の引渡しを受けた日、②自ら建設又は製作したものは、その建設又は製作が完了した日、③他に請け負わせて建設又は製作したものは、その建物等の引渡しを受けた日により判定します。

解　説

土地又は家屋等の取得の過程には、いくつかの段階があります。

一般的には、土地は、売買契約を締結し、その後、売買代金の全額の決済を経て、所有権移転登記に必要な書類等を交付し、引渡しがなされます。また、家屋等については、建築に関する請負契約を締結し、工事の着工がなされ、完成後、引渡しがなされます。

課税時期前３年以内に取得をした土地等又は家屋等は、「通常の取引価額」によって評価することになっていますが、この取得の日については、下記に基づいて判定するのが相当と考えられます。

①　売買等により他から取得したものは、原則としてこれらの資産の引渡しを受けた日

② 自ら建設又は製作したものは、その建設又は製作が完了した日
③ 他に請け負わせて建設又は製作したものは、その建物等の引渡しを受けた日

したがって、土地を購入し、その家屋等を建設した場合などは、両者の取得の日は相違することになります。先に引渡しを受けた土地については、課税時期前３年を経過しているので、路線価又は倍率を基にして評価することになり、家屋等については、課税時期前３年以内であるので「通常の取引価額」によって評価するという場合もあり得ます。

なお、合併等により取得した土地等又は家屋等については、それぞれの組織再編の態様ごとの効力の発生日に取得したとして取り扱われるものと考えます。

Q 125 従来から所有する建物に課税時期前３年以内に増築をしている場合

課税時期前３年以内に取得した土地等又は家屋等は「通常の取引価額」によって評価するとのことですが、従来から所有する建物に課税時期前３年以内に増築をしている場合には、どのように評価するのでしょうか。

A 旧建物部分については、固定資産税評価額に基づいて評価し、増築部分については、「通常の取引価額」に基づいて評価します。

解 説

課税時期前３年以内に取得した土地等又は家屋等は「通常の取引価額」によって評価します。

課税時期前３年以内に建物等の増築があった場合には、新築と同じに、その部分の新たな「取得」として取り扱われ、「通常の取引価額」によって評価します。

その理由は、増築は既存の建物に新たな部分を付加し床面積を増加させることですから、この床面積の増加部分についてみれば、実質的に新築と同じであると考えられるからです。

したがって、従来から所有する建物に課税時期前３年以内に増築をしている

場合には、
① 旧建物部分については、固定資産税評価額に基づいて評価
② 増築部分については、「通常の取引価額」に基づいて評価
します。

なお、課税時期前３年以内に取得した土地等又は家屋等については、その帳簿価額が課税時期における通常の取引価額に相当すると認められる場合には、その帳簿価額に相当する金額によって評価できますので、取得価額から減価償却費相当額を控除した金額で評価することも認められると考えます。

Q126 課税時期前３年以内に借地権者に対して立退料を支払って借地権が消滅（買戻し）している場合

評価会社が課税時期前３年以内に借地権者に対して立退料を支払って借地権を消滅（買戻し）している場合、その土地はどのように評価するのですか。

A 借地権部分は課税時期前３年以内に取得しているので、通常の取引価額に相当する金額によって評価し、底地部分は従前から有しているので、課税時期のその土地（更地）の相続税評価額（路線価又は倍率）に借地権を消滅させた時の借地権割合を控除した（底地）割合を乗じて計算した金額により評価します。

解　説

課税時期前３年以内に評価会社が立退料を支払って借地権を消滅（買戻し）した場合には、その消滅（買戻し）した借地権部分については、通常の取引価額に相当する金額によって評価します。

すなわち、その部分については、通常の取引価額（更地）に借地権を消滅させた時の借地権割合を乗じた金額で評価します。

一方、旧底地部分の価額は、従前から有しているので、課税時期現在の相続税評価額（路線価又は倍率）により算定しますが、この場合、その土地（更地）の相続税評価額に借地権を消滅させた時の借地権割合を控除した（底地）割合を乗じて計算します。

したがって、両者を合計した評価額は、その土地（更地）の課税時期における通常の取引価額にも、相続税評価額（路線価又は倍率）により評価した額にも一致しません。

なお、上記とは反対に、借地権を有していた評価会社が、課税時期前３年以内に底地を買い取った場合も、上記と同様の考え方で評価します。

Q 127　３年以内の取得かどうかの判定基準

直前期末から課税時期の間に、資産及び負債について著しい増減がないと認められる場合、直前期末現在の資産及び負債に基づいて、評価会社の純資産価額を計算することが認められていますが、この場合、３年以内の取得かどうかの判定は、いつの時点を基準にして行うのでしょうか。

A　評価会社の有する土地等及び建物等が３年以内に取得したものかどうかの判定は、直前期末の資産等を基に評価する場合であっても、課税時期を基準として判定します。

解　説

純資産価額を求める場合には、課税時期現在における評価会社の資産及び負債に基づき計算するのを原則としています。しかし、評価会社が課税時期において仮決算を行っていないため、課税時期における資産及び負債の金額が明確でない場合で、直前期末から課税時期までの間に資産及び負債の金額について著しく増減がないため評価額の計算に影響が少ないと認められる場合には、直前期末現在の資産及び負債を基として評価して差し支えないとされています。

これは、実務の簡素化の観点から、課税上弊害がない範囲であれば、直前期末の資産等を課税時期現在の資産等とみなすことを容認した取扱いですが、直前期末を課税時期とみなしているというものではありません。

したがって、純資産価額の計算において、評価会社が課税時期前３年以内に取得等した土地等及び家屋等の価額を、課税時期における通常の取引価額に相当する金額によって評価する場合における「３年以内の取得」かどうかの判定は、直前期末の資産等を基に評価する場合であっても、課税時期を基準として判定します。

Q128 固定資産に係る減価償却累計額、特別償却準備金及び圧縮記帳引当金・積立金の金額

総資産価額（帳簿価額によって計算した金額）の計算上、評価会社に固定資産に係る減価償却累計額、特別償却準備金及び圧縮記帳引当金・積立金の金額がある場合、これらは、どのように取り扱うのでしょうか。

A 直接、資産の帳簿価額からこれらの金額を控除した会社との均衡を図るため、帳簿価額からこれらの金額を控除する等により、税務計算上の帳簿価額を合わせます。

解説

総資産価額（帳簿価額によって計算した金額）は、純資産価額（相続税評価額によって計算した金額）の計算の基礎とした各資産の税務計算上の帳簿価額の合計額によります。

この場合において、総資産価額（帳簿価額によって計算した金額）は、評価差額に対する法人税額等相当額の計算の基となるものですから、直接、資産の帳簿価額からこれらの金額を控除した会社との均衡を図るため、次のように帳簿価額からこれらの金額を控除する等により、税務計算上の帳簿価額を合わせます。

(1) 減価償却累計額及び特別償却準備金がある場合……その減価償却資産の取得価額からこれらの金額を控除した後の金額が、税務計算上の減価償却資産の帳簿価額となります。

(2) 減価償却資産で、その減価償却額の計算上、減価償却超過額がある場合……税務計算上その帳簿価額を加算する必要がありますので、課税時期におけるその資産の帳簿価額に減価償却超過額を加算した後の価額が、税務計算上の帳簿価額となります。

(3) 固定資産に係る圧縮記帳引当金又は積立金のある場合……その資産の帳簿価額から圧縮記帳引当金又は積立金を控除した後の金額が、税務計算上の帳簿価額となります。

(4) 固定資産に係る圧縮記帳特別勘定引当金又は特別勘定積立金のある場合……この場合は、上記(3)とは相違して、未だ税法上の圧縮記帳の特例適用を受け

ず、譲渡資産の譲渡益だけを一時的に繰り延べている状態に過ぎません。したがって、圧縮記帳特別勘定引当金又は特別勘定積立金の金額は、何らの調整も行いません。

Q 129 賃借している建物等に附属した内部造作の取扱い

評価会社が賃借している建物等に附属させた内部造作は、財産性があるものとして、別途、評価の対象とするのでしょうか。

A 建物自体を所有せず、評価会社が賃借建物にした造作（建物附属設備として処理）であっても、独立して財産を構成し、取引の対象となるものについては、別途、相続税評価額を算定する必要が生じます。

解　説

相続税基本通達11の２－１にいう「財産」とは、独立して財産を構成し、取引の対象となるものと解されています。

したがって、評価会社が賃借建物にした造作（建物附属設備として処理）は、建物に附合したからといっても、賃借人である評価会社がその権原に基づいて賃借建物に附属させているものであって、賃貸借契約が終了するまでは、取外し、撤去等が自由にでき、建物から分離して取引の対象となり得るものであれば、それは「動産」であり、相続税法上の「財産」に当たります。

したがって、権原を有する者の付加した附属設備が財産性を有する場合には、これを建物とは別に評価することになります。

また、固定資産税評価に当たり、建物附属設備が建物と一体評価されるからといって、相続税評価に当たり、権原を有する者の付加した附属設備が財産性を有する場合には、これを建物と一体として評価するものと考えられます。

上記のような賃借人が付加した建物附属設備の評価方法は、建物附属設備の一般的評価方法を定めた財産評価基本通達92(1)のように、建物附属設備を家屋の価額に含めて評価するのでなく、同通達に評価方法が定められていない財産として、同通達５により、財産評価基本通達に定める評価方法に準じて評価すべきでしょう。

具体的には、上記のような建物附属設備は、結局、動産と考えられるので、同通達129に定める一般動産の評価方法によるものと思われます。

Q 130｜土地再評価法の適用を受けた土地等の帳簿価額

評価会社が土地再評価法の適用を受けている場合、純資産価額の計算上、その有する土地等の帳簿価額は、土地再評価法適用後の金額でいいのでしょうか。

A 土地再評価法の適用を受けなかった会社との均衡を図る観点から、土地再評価法の適用を受けた土地等の帳簿価額の金額は、その適用を受けなかったとした場合の金額により計算すると考えられます。

解　説

土地再評価法は、事業用の土地を時価で再評価することにより、帳簿価額と時価との差額を純資産の部に計上するというものであり、多額の含み益をもつ企業にとっては、自己資本の充実が図れ、逆に含み損は、損益計算書を通さずに純資産の部に直接計上されることから、土地の損失処理として有効な制度です。

この土地再評価法の適用を受けたことにより貸借対照表に計上される土地等の帳簿価額は、上記のとおり、あくまでも、土地再評価法によって再評価された会計上の金額であり、税務上の帳簿価額ではありません。

ところで、純資産価額の計算における総資産価額（帳簿価額によって計算した金額）は、評価差額に対する法人税額等相当額の計算の基となるものですから、土地再評価法の適用を受けなかった会社との均衡を図る必要があります。

したがって、評価会社が土地再評価法の適用を受けている場合の純資産価額の計算上、その有する土地等の帳簿価額は、土地再評価法の適用を受けなかったとした場合の金額になると考えられます。

なお、取引相場のない株式を評価する場合の会社規模の判定をするときの評価会社の課税時期の「直前期末の総資産価額（帳簿価額によって計算した金額）」には、土地再評価法の適用を受けた土地等の帳簿価額は土地再評価法の適用を受けなかったとした場合の金額に引き直すことなく、総資産価額を計算することになるでしょう。
　これは、「直前期末の総資産価額（帳簿価額によって計算した金額）」は、「直前期末における各資産の確定決算上の帳簿価額の合計額」と規定されており、土地再評価法の適用を受けた場合には、その適用を受けた土地等の帳簿価額は適用後の金額でもって、確定決算上の貸借対照表の資産の部に計上されているからです。

Q130-2 地積規模の大きな宅地の評価減の取扱い

評価会社が1,100㎡と大きな宅地を所有している場合、1株当たりの純資産価額（相続税評価額によって計算した金額）を計算する上で、その宅地はどのように評価しますか。

A 1株当たりの純資産価額（相続税評価額によって計算した金額）を計算する上で、土地の評価は原則として財産評価基本通達に定める「土地及び土地の上に存する権利」の定めに応じて評価します。また、1,100㎡と大きな宅地については、平成30年1月1日以後においては、財基通20－2≪地積規模の大きな宅地の評価≫に定める地積規模の大きな宅地に該当する場合は、その定めによって評価します。

解　説

［1］下記に該当する「地積規模の大きな宅地」で普通商業・併用住宅地区及び普通住宅地区に定められた地域に所在する宅地は、財基通20－２≪地積規模の大きな宅地の評価≫により計算します。

　地積規模の大きな宅地

　　三大都市圏・・・・・500㎡以上の地積の宅地
　　三大都市圏以外・・・1,000㎡以上の地積の宅地
　　ただし、次の(1)～(3)のいずれかに該当するものは除かれます。
　　(1)　市街化調整区域に所在する宅地
　　(2)　都市計画法に規定する工場専用地域に所在する宅地
　　(3)　容積率が400％（東京都の特別区においては300％）以上の地域に所

在する宅地

[2] 地積規模の大きな宅地の評価は、財基通15（奥行価格補正率）から財基通20－1（不整形地の評価）までの定めにより計算した価額にその宅地の地積の規模に応じ、規模格差補正率を乗じて計算した価額によって評価します。

（算式）１㎡当たりの価額×規模格差補正率（注）

（注）規模格差補正率＝ $\dfrac{Ⓐ \times Ⓑ + Ⓒ}{\text{地積規模の大きな宅地の地積（Ⓐ）}} \times 0.8$

上記算式中の「Ⓑ」及び「Ⓒ」は、地積規模の大きな宅地が所在する地域に応じ、それぞれ次に掲げる表のとおりとする。

イ　三大都市圏に所在する宅地

地区区分 / 記号 / 地積㎡		普通商業・併用住宅地区、普通住宅地区	
		Ⓑ	Ⓒ
500以上	1,000未満	0.95	25
1,000　〃	3,000　〃	0.90	75
3,000　〃	5,000　〃	0.85	225
5,000　〃		0.80	475

ロ　三大都市圏以外の地域に所在する宅地

地区区分 / 記号 / 地積㎡		普通商業・併用住宅地区、普通住宅地区	
		Ⓑ	Ⓒ
1,000以上	3,000未満	0.90	100
3,000　〃	5,000　〃	0.85	250
5,000　〃		0.80	500

（注）1　上記算式により計算した規模格差補正率は、小数点以下第２位未満を切り捨てる。

2　「三大都市圏」とは、次の地域をいう。

イ　首都圏整備法第２条（(定義)）第３項に規定する既成市街地又は同条第４項に規定する近郊整備地帯

ロ　近畿圏整備法第２条（(定義)）第３項に規定する既成都市区域又は同条第４項に規定する近郊整備区域

ハ　中部圏開発整備法第２条（(定義)）第３項に規定する都市整備区域

[3] 倍率地域に所在する地積規模の大きな宅地（財基通22－2（大規模工場用地）に該当する宅地を除きます。）については、固定資産税評価額に国税局長の定める倍率を乗じて計算した評価額が、その宅地が標準的な間口距離及び奥行距離を有する宅地であるとした場合の１平方メートル当たりの価額を路線価とし、かつ、その宅地が普通住宅地区に所在するものとして財基通20－2≪地積規模の大きな宅地の評価≫に準じて計算した価額を上回る場合には、地積規模の大きな宅地の評価に準じて計算した価額により評価します。

［4］地積規模の大きな宅地の評価の事例

前提条件

三大都市圏（路線価地域）に所在する宅地

地積　1,100㎡

地区区分　普通住宅地

１㎡当たりの価額　200千円

評価額：200千円×0.77（注）×1,100㎡＝169,400千円

（注）$\frac{1{,}100㎡\times0.9+75}{1{,}100㎡}\times0.8=0.77$（小数点以下２位未満切捨て）

Q 131　建設中の家屋の評価

評価会社に課税時期において建設中の家屋がある場合、その評価はどのように行うのでしょうか。

A　自家建設の場合と同様に、請負契約に係る建築中の家屋も、財産評価基本通達91により費用現価の70％で評価すべきものとされています。

解　説

課税時期において現に建築中の家屋の価額は、その家屋の「課税時期までに投下された建築費用の額を、課税時期の価額に引き直した額の合計額」である「費用現価」を基準に、建築中の家屋が未完成品であることから評価の安全性を考慮して、その70％相当額で評価するものとされています（財基通91）。

ところで、一般に、建築請負契約は、当事者の一方である請負人が建物を完成させ引渡しをすることを約し、相手方である注文者が完成後引渡しを受け、これに対し報酬の支払を約することで成立するので、注文者は、請負契約時において債権的請求権としての建物引渡請求権を取得し、一方において特段の事由のない限り、契約成立と同時に代金支払債務を負担すると、法律的には解されています。

これによれば、財産評価基本通達91の費用現価の70％で評価するという取扱

いは、自ら建設した場合にのみ適用されるもので、請負契約による建築には適用がないことになってしまいます。

しかし、請負契約の場合、注文者は建物引渡請求権を取得するものでありますが、その引渡しの目的となる物は、自家建築の場合と同様に建物であるのですから、評価方法が相違するということに理由を見出し難いのが実態です。

このようなことから、一般的には、建築中の家屋は、請負者、注文者ともに、実質的には注文者のものとして認識しているのが、請負契約による家屋建築の実態です。

このような点を踏まえ、請負契約に係る建築中の家屋でも、これを注文者のものとみなして、直営の場合と同様に、財産評価基本通達91の「建築中の家屋」に該当するものとして評価して差し支えない、という「事務連絡」が昭和59年６月14日付で、国税庁資産税課長から各国税局宛に出されています。

なお、課税時期における費用現価を基として評価することとなりますので、工事の進捗度によって、注文者の支払代金と請負者の投下費用の額との間に差異があるときは、その差額は、注文者において「未払金」又は「前渡金」として計上することになりますので、注意が必要です。

また、評価会社が貸家の用に供していた家屋（社宅を除きます。）を建て替える場合に、次のような状況にあり、旧家屋に対して有していた借家人の借家権が新家屋に引き継がれていると認められるときには、引き続き貸家の用に供されているものとして、その建設中の家屋とその敷地は、貸家及び貸家建付地として評価して差し支えないものとされています。

① 旧家屋の借家人が引き続いて新家屋に入居する契約となること
② 旧家屋の借家人に対して買主である家主から立退料等の支払がないこと
③ 家屋の建替期間中は、貸主である評価会社の責任において一時的な仮住居を保証していること

Q 132 有償で取得した借家権の取扱い

評価会社が有償で取得した借家権を資産に計上している場合、1株当たりの純資産価額（相続税評価額によって計算した金額）の計算上は、どのように取り扱うのでしょうか。

A 原則として、資産に計上する必要はありませんが、借家権取引の慣行のある地域にあるものは、資産に計上する必要があります。

解　説

借家権の価額は、原則として、相続税又は贈与税の課税価格に算入しないので、1株当たりの純資産価額（相続税評価額によって計算した金額）の計算に当たっても、資産に計上する必要はありません。

ただし、その権利が権利金等の名称をもって取引される慣行のある地域にあるものは、資産性があるところから、資産に計上しなければなりません（評基通94、185）。

なお、評価明細書第５表の記載に当たっては、相続税評価額が０円となる場合であっても、「帳簿価額」欄には評価会社の帳簿上の価額をそのまま記載します（評価明細書通達第５表２⑴ニ）。

Q 133 有償で取得した営業権の取扱い

評価会社が有償で取得した営業権が資産に計上されている場合、1株当たりの純資産価額（相続税評価額によって計算した金額）の計算上は、どのように取り扱うのでしょうか。

A その帳簿上の価額があるとないとに関わらず、財産評価基本通達165の定めに基づき計算したその営業権の価額を「相続税評価額」欄に記載します。

解　説

評価会社が有償で取得した営業権が資産に計上されている場合、1株当たりの純資産価額（相続税評価額によって計算した金額）を計算する上では、その帳簿上の価額があるとないとに関わらず、財産評価基本通達165の定めに基づき計算したその営業権の価額を「相続税評価額」欄に記載します（財基通165、185）。

なお、評価明細書第５表の記載に当たっては、相続税評価額が０円となる場合であっても、「帳簿価額」欄には評価会社の帳簿上の価額をそのまま記載します（評価明細書通達第５表２(1)ニ、(2)）。

Q 133-2 船舶の評価

評価会社が所有している船舶の評価について教えてください。

A 船舶の評価は、財産評価基本通達136により評価しますが「原則として、売買実例価額、精通者意見価格等を参酌して評価する。ただし、売買実例価額、精通者意見価格等が明らかでない船舶については、同種同型の船舶の課税時期における再調達価額からその船舶の建造の時から課税時期までの期間の償却費の額の合計額又は減価の額を控除した価額によって評価する。」とされています。

ところで、評価会社の保有する船舶の価額（時価）が争われた令和２年10月１日東京地方裁判所の判決（確定）では、適当な売買実例価額・取引事例・再調達価額がないような船舶については、収益還元法（ＤＣＦ法）による価額が船舶の時価とされた事例がありますので以下、解説で紹介します。

解　説

［1］事件の概要

リーマンショック（2008年９月）後の2009年２月に納税者（原告）が母親からＡ社株式の贈与を受け、Ａ社株式の評価額は０円と判断して贈与税の申告書を提出しなかったところ、課税庁（被告）はＡ社の外国子会社が所有する船舶70隻を適正に評価すると、Ａ社株式の評価額は43億円になるとして、贈与税21億円とこれに伴う無申告加算税の賦課決定処分を行いました。

この処分を不服として納税者は審査請求を行い、審判所の裁決でこの課税処分の一部が取り消されました（納付すべき税額は4.5億円となりました。）。

納税者は、更に課税処分全部の取消しを求めて、東京地方裁判所に提訴したものです。この結果、東京地方裁判所は納税者の主張を認め、賦課決定処分全部の取消しの判決を下しました。

[2] 海運事業と課税時期の船舶の市況

船舶にはバルカー、タンカー、コンテナ船などの多数の種類があり、更に積載能力や燃費などの運航コストも個々の船舶により異なります。船主は傭船者と定期傭船契約を締結して船舶を貸出すことによって、傭船料を獲得するわけですが、定期傭船契約は契約期間もまちまちであり、締結した時の市況等により条件は大きく変動します。傭船者は船主の船舶管理能力などを評価して定期傭船契約を締結するため、定期傭船契約が付されたままで船舶が売買されることは極めて稀です。売買実例はカラ船の売買例ということになりますが、本裁判の評価の対象になる船舶は定期傭船契約が付された運航中の船舶です。

課税時期における海運業界はリーマンショックの影響を受け、過剰船腹の状態となり、市場傭船料は暴落・低迷していました。また、2008年中は売買成約事例がほとんど見られない状態であり、新造船の発注もほとんど止まっている状態でした。

[3] 判決の骨子

対象船舶の評価方法について、課税庁の鑑定業者は取引事例比較法と原価法を採用して評価し、納税者の鑑定業者は収益還元法（ＤＣＦ法）を用いて評価しましたが、裁判所は、

① 財産評価基本通達136の評価方法は合理的であるとしつつ、精通者意見価額を当該船舶の時価というためには、当該精通者による当該船舶の価額の評価が鑑定の目的に照らして合理的に行われたものであることが前提となるとした上で、

② 船舶の鑑定の具体的な手法は精通者間でも一様ではなく、鑑定方式の選択や価格形成要因の評価等の扱いが異なることから、その合理性の認定は慎重でなければならない

③ このような前提の下、評価対象船舶について船舶ごとに、課税庁の鑑定結果を検討し、その鑑定が合理的ではないと認められるものについては、納税者の鑑定結果を検討し、その合理性を判断した上で納税者の鑑定結果を採用するという方法で判断しました。

④　具体的には次のとおりです。

（課税庁及び納税者の評価方法）

対象船舶67隻（Ａ社の外国子会社が所有していた船舶70隻のうち３隻については、課税時期に既に売船することが決定していたので、売船価額から売船に伴う費用を控除した金額を評価額としました。）について、課税庁の鑑定業者は、比較対象とできる売買事例が収集できた33隻は取引事例比較法を用いて評価し、売買事例が収集できなかった34隻については、建造原価から償却費を減額して評価しました（建造原価を基準としたのは、リーマンショックの影響で新造船市場における契約成立件数が激減し、再調達価額を設定する上で参考になる造船契約を収集できなかったという事情があるようです。）が。納税者の鑑定業者は、67隻についてＤＣＦ法により評価しました。

（裁判所の判断）

これについて、裁判所は、課税庁の鑑定業者が取引事例比較法により評価した33隻のうち23隻については、評価額に定期傭船契約条件の影響が合理的に反映されていないとし、課税庁の鑑定業者の評価額を採用せず、納税者の鑑定業者の評価額を採用しました。また、課税庁の鑑定業者が建造原価償却法によって評価した34隻については、建造原価自体を評価の基準とすることが合理的ではないとして、課税庁鑑定業者の評価を採用せず、納税者の鑑定業者の評価額を採用しました（結局、対象船舶67隻のうち、課税庁の鑑定業者の評価額が採用されたものは10隻。納税者の鑑定業者の評価額が採用されたものが57隻。）。

⑤　この結果、課税庁の賦課決定処分の全部が取消される判決となりました。

なお、本件の東京地方裁判所の判決は、船舶の交換価額としての時価が、課税時期の船舶市場の状況や船舶に付されている定期傭船契約の条件が合理的に加味されて評価されているか否かを判断したものであり、船舶の評価方法の優劣を検討したものではない点に注意が必要です。

Q 134｜評価会社に不良債権がある場合

評価会社の１株当たりの純資産価額（相続税評価額によって計算した金額）を

計算する上で、評価会社に不良債権がある場合、その金額は除外することができますか。

A その貸付金債権等の金額の全部又は一部が、課税時期において下記の特定の債権金額に該当するときその他その回収が不可能又は著しく困難であると見込まれたときには、評価しないとされています。

解　説

「貸付金債権等」（貸付金、売掛金、未収入金、預貯金以外の預け金、仮払金、その他これらに類するものをいいます。）の価額は、元本の価額と利息の価額との合計額によって評価することになっています（財基通204）。

ただし、その金額の全部又は一部が、課税時期において下記の特定の債権金額に該当するときその他その回収が不可能又は著しく困難であると見込まれたときには、それらの金額は元本の価額に算入しないこととされています（財基通205）。

(1)　債務者について次に掲げる事実が発生している場合におけるその債務者に対して有する債権の金額（その金額のうち質権及び抵当権によって担保されている部分の金額を除きます。）

イ　手形交換所（これに準ずる機関を含む。）において取引の停止処分を受けたとき

ロ　会社更生手続の開始の決定があったとき

ハ　民事再生手続の開始の決定があったとき

ニ　会社の整理開始命令があったとき

ホ　特別清算の開始命令があったとき

ヘ　破産の宣告があったとき

ト　業況不振のため又はその営む事業について重大な損失を受けたため、その事業を廃止し又は6か月以上休業しているとき

(2)　再生計画認可の決定、整理計画の決定、更生計画の決定又は法律の定める整理手続によらないいわゆる債権者集会の協議により、債権の切捨て、たな上げ、年賦償還等の決定があった場合において、これらの決定のあった日現在におけるその債務者に対して有する債権のうち、その決定により切り捨てられる部分の債権の金額及び次に掲げる金額

イ　弁済までの据置期間が決定後５年を超える場合におけるその債権の金額
ロ　年賦償還等の決定により割賦弁済されることとなった債権の金額のうち課税時期後５年を経過した日後に弁済されることとなる部分の金額
(3)　当事者間の契約により債権の切捨て、たな上げ、年賦償還等が行われた場合において、それが金融機関のあっせんに基づくものであるなど真正に成立したものと認めるものであるときにおけるその債権の金額のうち(2)に掲げる金額に準ずる金額

以上、整理しますと、貸付金債権等の全部又は一部について除外できるのは、
①　上記の特定の債権金額に該当するもの
②　回収が不可能な債権金額
③　回収が著しく困難な金額
のいずれかに該当するものとなります。

したがって、評価会社の貸付金債権に係る債務者が、課税時期に仮に資産状況が債務超過で営業状況が赤字であったとしても、そのような状況で事業を継続している企業は数多く存在しますから、それだけをもって直ちにその貸付金債権を回収が不能であるということはできないことにご留意ください。

Q135　不良債権に対して個別評価貸倒引当金を設定している場合の取扱い

評価会社が不良債権に対して個別評価貸倒引当金を設定している場合、１株当たりの純資産価額（相続税評価額によって計算した金額）を計算する上で、この個別評価貸倒引当金の金額は、不良債権の金額から控除することができますか。

A　個別評価貸倒引当金に相当する金額は、課税時期における確実な債務ではありませんから、その債権額から控除したり、負債に計上することはできません。一方、その設定の元になった債権金額の全部又は一部につき、Q134の特定の債権金額に該当するときその他その回収が不可能又は著しく困難であると見込まれた場合には、その金額は除外することができます。

解　説

個別評価の貸倒引当金の金額そのものは、会社の決算上、法人税法上の繰入限度額とは一致しないで計上されることが多いこと、また、課税時期現在では、確実な債務としての負債には含まないものであることから、その債権額から控除したり、負債に計上することはできません。

しかし、個別評価債権に係る貸倒引当金の金額がある場合、多くの場合には、その引当金の対象となった貸付金債権等の金額につき、Q134の特定の債権金額に該当すること、その他その回収が不可能又は著しく困難であると見込まれる場合が多々見受けられますので、その場合には、その該当し又は見込まれた金額は元本の価額に算入しないで除外することができます。

Q 136 ゴルフ・リゾートクラブ等の会員権

評価会社が有するゴルフ・リゾートクラブ等の会員権は、1株当たりの純資産価額（相続税評価額によって計算した金額）を計算する上で、どのように評価しますか。

A ゴルフ会員権の価額は、原則として、取引相場の有無により下記に区分した上で評価します（財基通211)。また、リゾートクラブ等の会員権も、課税上の弊害がない限り、ゴルフ会員権の評価方法に準じて、評価することが適切であると考えられます。

解　説

［1］ゴルフ会員権（以下「会員権」といいます。）の価額は、次に掲げる区分に従い、それぞれ次に掲げるところにより評価します。

(1)　取引相場のあるゴルフ会員権

課税時期における通常の取引価格の70％に相当する金額によって評価します。

この場合において、取引価格に含まれない返還を受けることができる預託金等（以下「預託金等」といいます。）があるときは、次に掲げる金額との合計額によって評価します。

イ　課税時期において直ちに返還を受けることができる預託金等

ゴルフクラブの規約等に基づいて課税時期において返還を受けることができる金額

ロ　課税時期から一定の期間を経過した後に返還を受けることができる預託金等

ゴルフクラブの規約等に基づいて返還を受けることができる金額の課税時期から返還を受けることができる日までの期間（その期間が１年未満であるとき又はその期間に１年未満の端数があるときは、これを１年とします。）に応ずる基準年利率による複利現価の額

(2)　取引相場のない会員権

イ　株主でなければゴルフクラブの会員（以下「会員」といいます。）となれない会員権

その会員権に係る株式について、財産評価基本通達の定めにより評価した課税時期における株式の価額に相当する金額によって評価します。

ロ　株主であり、かつ、預託金等を預託しなければ会員となれない会員権

その会員権について、株式と預託金等に区分し、それぞれ次に掲げる金額の合計額によって評価します。

（イ）株式の価額

(1)のイに掲げた方法を適用して計算した金額

（ロ）預託金等

(1)のイ又はロに掲げた方法を適用して計算した金額

ハ　預託金等を預託しなければ会員となれない会員権

(1)のイ又はロに掲げた方法を適用して計算した金額によって評価します。

(3)　株式の所有を必要とせず、かつ、譲渡できない会員権で、返還を受けることができる預託金等がなく、ゴルフ場施設を利用して、単にプレーができるだけの会員権……評価しません。

なお、最近では、会員権については、①追加預託金の支払がある会員権、②預託金の償還に代替して分割措置がとられている会員権、③永久債としての会員権等、様々な形態のものが登場してきています。

同一銘柄の会員権であっても、その形態により価額差が生じたりすることが考えられますので、実際の評価に際しては、評価対象となる会員権の形態を判

別することが重要であり、その形態に適合する取引価格を採用する必要がありますのでご留意ください。

[2] リゾートクラブ等の会員権

次のような、態様である不動産売買契約（土地及び建物並びに附属施設の共用部分）と施設相互利用契約とが一体として取引される不動産付施設利用権（リゾート会員権）（仲介業者等による取引相場がある）は、「取引相場のあるゴルフ会員権の評価方法」に準じて、課税時期における通常の取引価格の70％相当額により評価するとされています（「資産税関係質疑応答事例について（情報）」（資産評価企画官室情報第３号）平成14年７月４日）。

・不動産所有権と施設利用権を分離して譲渡することはできない。
・課税時期において契約解除する場合には清算金（不動産代金の２分の１＋償却後の償却保証金）の返還あり

その理由としては、「リゾート会員権の取引は、ゴルフ会員権の取引と同様、上場株式のように公開された市場で行われるわけでなく、①会員権取引業者が仲介して行われる場合や所有者と取得者が直接取引する場合もあり、取引の態様が一様でないこと、②取引業者の仲介の場合の価格形成も業者ごとによりバラツキが生じるのが通常であること、からその取引価額を基礎として評価するにしても、評価上の安全性を考慮して評価する必要がある。ゴルフ会員権の場合、通常の取引価額の70％相当額により評価することとしているのは、上記①及び②の事情を踏まえて評価上の安全性を考慮したものであり、本件リゾート会員権の取引も同様の事情にあると認められるため、課税時期における通常の取引価格の70％相当額により評価する。」としています。

なお、「取引相場がある場合においても、契約者の死亡により直ちに契約を解除することは可能であることから、「契約解除する場合の清算金」に基づき評価する方法も考えられないわけではないが、会員権に取引価額がある場合には、清算金の価額も結果的に、取引価格に反映されるものと考えられることから、特段の事由がない限り、「取引相場のあるゴルフ会員権の評価方法」に準じて通常の取引価格の70％相当額により評価する。」ともしています。

Q 137 デリバティブ取引の一形態である金利スワップ取引を行っている場合

評価会社がデリバティブ取引の一形態である金利スワップ取引を行い、法人税法61条の５の規定に従い、その金利スワップ取引についてみなし決済を行ったところ、デリバティブ評価益が生じ、税務上の貸借対照表に相当する法人税申告書別表５の処理上「デリバティブ資産」が計上されている場合、このデリバティブ資産は、相続税評価額による１株当たりの純資産価額の計算上の資産として取り扱うべきなのでしょうか。

A 本件デリバティブ資産は、現実の決済は何ら行われていない、計算上の資産に過ぎません。すなわち、デリバティブ資産は、デリバティブ取引を決済が現実に行われるまでの間、損益を認識しないオフバランス取引としておくことは、適正な期間損益を把握する上で不適当であるという観点から設けられた「みなし決済」制度により生じた、計算上の資産に過ぎません。よって、相続税評価額による１株当たりの純資産価額計算上の「資産」として取り扱うのは相当ではありません。デリバティブ負債も、同様です。

解　説

この「デリバティブ資産」が純資産価額計算上の「資産」に該当するかどうかを検討しますと、次のようになります。

[1] まず、各資産の金額については、「課税時期現在における評価会社の資産で、相続税基本通達11の２－１にいう「財産」として、独立して財産を構成し、取引の対象となるもの」に限るとされています。

[2] そこで、本件の「デリバティブ資産」が「独立して財産を構成し、取引の対象となる資産」といえるかどうかを検討してみると、①法人税法上の取扱いに基づくみなし決済によるデリバティブ資産は、デリバティブ取引をいわゆるオフバランス取引としてその決済が現実に行われるまでの間の各事業年度の損益を認識しないとすることが適正な期間損益を把握する上で不適当であるとの観点から設けられた「みなし決済」制度により生じたものであり、②現実の決済は何ら行われておらず、いわば計算上の資産に過ぎないものであると認めることができます。このことから、「デリバティブ資産」を「独

立して財産を構成し、取引の対象となる資産」ということはできないと考えられます。

したがって、本件のデリバティブ資産は、純資産価額計算上の「資産」として取り扱うのは相当でないことになります。

[3] また、逆に、別表5において「デリバティブ負債」が計上されている場合にも、上記と同様であり、また、現実の決済は何ら行われておらず、いわば計算上の負債に過ぎないと認められることから、デリバティブ負債を純資産価額計算上の「債務」とするのは相当でないことになります。

以上のことから、本件の場合の「デリバティブ資産」の額は、評価会社の株式を純資産価額方式によって評価する場合における資産の額に含まれないことになります。デリバティブ負債も同様です。

(参考) 法人税における金利スワップの処理例

法人税において、事業年度終了時における金利スワップの評価益100を認識した場合の処理例は以下のとおりです。

◆税務上の仕訳

(借方) デリバティブ資産　100　　(貸方) デリバティブ損益　100

※事業年度終了時において、未決済デリバティブ取引がある場合には、特例処理 (法規27の7②) や繰延ヘッジ処理 (法法61の6) を適用する場合を除き、みなし決済損益額を認識します (法法61の5)。

◆会計上の仕訳と法人税申告書上・財産評価上の対応

ケース1　中小企業会計

仕訳なし

貸借対照表	オフバランス (会計上の帳簿価額：0)	
法人税申告書	別表四	デリバティブ損益　100 (加算・留保)
	別表五 (一)	デリバティブ損益　100 (増③)
株式評価明細書	第5表	デリバティブ資産は評価対象外であるため記載しません。なお、デリバティブ資産の税務上の簿価100は直近事業年度末の評価額であり、課税時期の評価額ではありません。

ケース2　原則処理

(借方) デリバティブ資産　100　　(貸方) デリバティブ損益　100

貸借対照表	デリバティブ資産（会計上の帳簿価額：100）	
法人税申告書	別表四	処理なし（デリバティブ損益100は当期利益に反映されています。）
	別表五（一）	処理なし
株式評価明細書	第５表	会計上の帳簿価額はありますが、デリバティブ資産は評価対象外であるため記載しません。財産性のない前払費用と同様の扱いとなります。

ケース３　繰延ヘッジ処理

（借方）デリバティブ資産　100　　（貸方）デリバティブ損益　100

貸借対照表	デリバティブ資産（会計上の帳簿価額：100）	
法人税申告書	別表四	デリバティブ損益　100（加算・留保）
	別表五（一）	繰延ヘッジ損益　100（増③）
株式評価明細書	第５表	会計上の帳簿価額はありますが、デリバティブ資産は評価対象外であるため記載しません。財産性のない前払費用と同様の扱いとなります。

[4] 為替予約や通貨スワップ等のヘッジ対象である外貨建債権・債務は先物レートでの評価が認められており（Q111参照。なお、予定取引をヘッジしている場合には、外貨建債権・債務自体が認識されていません。）、金利スワップのヘッジ対象である借入金は時価評価されないことからすれば、リスクヘッジを目的とするデリバティブ取引について純資産価額の計算上、評価対象外とする取扱いは妥当と思われます。

[5] ただし、金利スワップ取引自体については、取引の内容を個別に勘案し、財産評価基本通達に定める評価方法に準じて別途評価するとされている（前掲国税庁HP質疑応答事例、回答要旨の「なお書」、平成24年７月５日裁決）ことから、例えば、そのデリバティブ取引が取引所に上場されている（資産として独立して取引がされている）など金融商品として取引相場等がある場合には、課税時期の取引価額等（取引に係る解約返戻金がある場合はその金額）を資産として計上し、さらに、仮決算を組まずに課税時期の直前期の決算を利用する場合において、当該決算期末から課税時期までの間にデリバティブ取引に係る決済日があり、そこで損益が確定している場合には、デリバティブ取引に係る債権又は債務として計上して純資産評価額を計算することとなります。

（参考）国税庁HP 質疑応答事例（財産評価）「金利スワップ（デリバティブ）の純資産価額計算上の取扱い」

Q 138　被相続人の死亡を保険事故として評価会社が受け取った生命保険金

被相続人の死亡を保険事故として評価会社が受け取った生命保険金は、１株当たりの純資産価額（相続税評価額によって計算した金額）を計算する上で、資産に計上するのでしょうか。また、評価会社がその生命保険金から被相続人に係る死亡退職金を支払った場合には、その死亡退職金の額は負債に計上することができますか。

A　資産に計上されているその保険金に係る保険料（掛金）の金額を資産から除外するとともに、受け取った生命保険金の額を生命保険金請求権として資産に計上します。また、支払った死亡退職金の額だけでなく、保険差益に対する法人税額等相当額を負債に計上します。

解　説

評価会社が受け取った生命保険金は、被相続人の死亡を保険事故として、その発生によりその請求権が具体的に確定するものです。よって、受け取った生命保険金の額を生命保険金請求権として資産に計上します。この場合、その額は、評価明細書第５表「相続税評価額」欄及び「帳簿価額」欄のいずれにも記載することになります。

なお、この場合において、その保険金に係る保険料（掛金）が評価会社の資産に計上されているときは、その金額は資産から除外します。

また、評価会社がその生命保険金から被相続人に係る死亡退職金を支払った場合には、その支払退職金の額を負債に計上するとともに、支払退職金を控除した後の保険差益について課されることとなる法人税額等相当額も負債に計上します。

なお、評価会社が仮決算を行っていないため、課税時期の直前期末における資産及び負債を基として１株当たりの純資産価額（相続税評価額によって計算した金額）を計算する場合における保険差益に対応する法人税額等は、この保険差益によって課税所得金額が算出される場合のその課税所得の42％相当額によって差し支えないものとされています。

また、評価会社が欠損法人の場合には、課税対象となる金額は、保険差益から繰越欠損金相当額を控除した金額となりますから、生命保険金に係る保険差益から繰越欠損金を控除した金額に基づき法人税額等に相当する金額を計算することが相当です。

よって、評価会社が欠損会社である場合の保険差益は次のとおりとなります。

保険差益 ＝ 生命保険金 － 保険積立金 － 退職金 － 繰越欠損金

Q 139 役員や従業員を被保険者として生命保険契約を締結し、負担している保険料の資産計上額

評価会社が役員や従業員を被保険者として生命保険契約を締結し、負担している保険料を資産に計上している場合、１株当たりの純資産価額（相続税評価額によって計算した金額）の計算上、どのように評価すべきでしょうか。

A 原則として、解約返戻金相当額として評価した金額を資産として計上します。

解　説

１株当たりの純資産価額（相続税評価額によって計算した金額）を計算する場合には、評価会社の個々の資産についてその財産的価値の有無を判断して計上すべきか否かを判定します。

ご質問のように、評価会社が保険契約者となっている生命保険契約に係る保険料を資産に計上しているときには、その保険契約に係る解約返戻金相当額により評価した金額を資産として計上します。

なお、この取扱いは、平成15年度税制改正により改正されていますので、平成15年３月31日前の課税時期においては、改正前の相続税法（以下「旧相続税法」といいます。）第26条に規定する生命保険契約に関する権利の価額として評価するものとされていました。

さらに、経過措置として、旧相続税法第26条に規定する生命保険契約に関する権利で取得した時において保険事故が発生していないものを平成15年４月１日から３年を経過する日（平成18年３月31日）までの間に取得した場合には、その権利の価額は、同条に規定する金額（旧相続税法第26条に規定する生命保

険契約に関する権利の価額として評価した金額）によることができるものとされています（所得税法等の一部を改正する等の法律による相続税法の改正　平成15年３月31日法律第８号附則第18条）。

Q 140 民法667条に規定する組合契約による出資の取扱い

評価会社が、民法667条（組合契約の意義）に規定する組合契約により出資を行い、共同事業を行っている場合、その出資については、１株当たりの純資産価額（相続税評価額によって計算した金額）の計算上、どのように評価すべきでしょうか。

A 民法667条の組合契約である場合は、組合財産は総組合員の共有に属することとされているので、その出資に関しては、課税時期現在のその組合財産の共有持分の価額により評価することになります。

解　説

民法667条の組合契約は、各当事者がそれぞれ出資をして共同で事業を行うことを約する契約です。

組合に対する組合員の出資その他の組合財産は、総組合員の共有となり（民法668）、また、組合事業による利益及び損失は、組合契約において各組合員の損益分配の割合を定めているときはその割合により、割合を定めていないときは各組合員の出資の価額の割合に応じて定められることとされています（民法674）。

組合員が、組合から脱退をした場合は、脱退した組合員に対しては、その持分に応じ組合財産が払い戻されることになっています。

したがって、評価会社が、組合契約に基づく共同事業を行っている組合員である場合には、課税時期における組合に対する出資の払い戻し請求権が財産となり、その評価は、課税時期現在のその組合財産の共有持分の価額により評価することになります。

なお、その民法組合が債務超過である場合の超過部分の債務は、組合員の連帯債務（民法675）とし、債務を負担した組合員である評価会社の負担に属する部分については、債務として計上できるものと考えられます。

Q 141 商法535条に規定する匿名組合契約により営業者に金銭を出資している場合の取扱い

評価会社が、商法535条（匿名組合契約の定義）に規定する匿名組合契約により営業者に金銭を出資している場合、その権利（出資金）については、１株当たりの純資産価額（相続税評価額によって計算した金額）の計算上、どのように評価すべきでしょうか。

A 匿名組合契約により営業者に金銭を出資している場合のその権利（出資金）は、出資金を含めた匿名組合契約に基づく営業者のすべての財産・債務を対象として、課税時期においてその匿名組合契約が終了したものとした場合に、匿名組合員が分配を受けることができる清算金の額に相当する金額によって評価します。

解　説

匿名組合員の有する財産は、利益配当請求権と匿名組合契約終了時における出資金返還請求権が一体となった債権的権利といわれています。

すなわち、⑴匿名組合員が出資した金銭等は営業者（出資を受ける相手方）の財産に帰属することから、匿名組合員が匿名組合財産を損益の分担割合に応じて共有しているものとして評価するのは相当でなく、また、⑵営業者に損失が生じた場合は、損失分担金が出資の金額から減じられた後の金額が組合員に返還されることになり、元本保証はないことから出資額で評価するのは相当ではありません。

そこで、匿名組合契約により営業者に金銭を出資している場合のその権利（出資金）は、出資金を含めた匿名組合契約に基づく営業者のすべての財産・債務を対象として、課税時期においてその匿名組合契約が終了したものとした場合に、匿名組合員が分配を受けることができる清算金の額に相当する金額によって評価することになります。

なお、評価会社が匿名組合方式によるレバレッジド・リース取引を行っている場合の純資産価額方式による評価については、次のような点に留意するよう取り扱われています。

[1] 評価会社が匿名組合契約方式によるレバレッジド・リース契約における出資者となっている場合には、当初出資額と匿名組合契約に基づく損失分担の関係から、①課税時期において評価会社の帳簿上の資産に「出資金」の計上がある場合及び②課税時期において評価会社の帳簿上の負債に「未払金」の計上がある場合の２つのケースがある。

[2] 当該会社の株式を評価するに当たり、純資産価額方式により評価する場合については、これらいずれのケースにおいても、匿名組合員の権利（出資金）について、その会社の資産の部の相続税評価額欄に計上することとなるが、この場合、課税時期においてその匿名組合契約が終了したものとした場合に、匿名組合員が分配を受けることができる清算金の額に相当する金額により評価することとなる。

(留意点)

最近において、評価会社の有する資産である匿名組合員の権利について計上せず、単純に、課税時期における評価会社の帳簿上の負債（未払金）の相続税評価額と帳簿価額とを同額として純資産価額を計算した結果、１株当たりの純資産価額が零となるとして、その有する資産である匿名組合員の権利の計上漏れとなっている事例が発生している。

そこで、取引相場のない株式が純資産価額方式により評価されている場合について、次の点に着目してその株式の評価額が適正であるかどうかを判断する必要がある。

(1) 評価会社の有する資産のうちに「出資」がある場合において、その出資が匿名組合契約に基づく出資であるかどうか、また、この場合において、評価会社の有する資産である匿名組合員の権利の評価が上記 [2] のとおり適正に評価されているかどうか。

(2) 評価会社の有する負債のうちに「未払金」がある場合において、その未払金が匿名組合契約に基づく損失分担として評価会社に帰属させられているものであるかどうか、また、この場合において、評価会社の有する資産である匿名組合員の権利の計上漏れはないか。

Q 142 不動産投資信託証券の評価

評価会社が証券取引所に上場されている不動産投資信託証券を有している場合、１株当たりの純資産価額（相続税評価額によって計算した金額）の計算上、それは、どのように評価すべきでしょうか。また、非上場の不動産投資信託証券の場合は、どのように評価すべきでしょうか。

A 証券取引所に上場されている不動産投資信託証券（不動産投資法人の投資証券及び不動産投資信託の受益証券をいいます。）の価額は、１口ごとに評価するものとし、上場株式の評価の定めに準じて評価します。上場されていない不動産投資信託証券の場合には、①純資産価値、②配当利回り、③キャッシュ・フローなどに着目して、個別にその評価を行うことになると考えられます。

解　説

上場されている不動産投資信託証券は、上場株式と同様、金融商品取引所において取引され、日々の取引価格及び最終価格の月平均額が発表されています。

日々の取引価格がもっとも適正な時価を表していると考えらますが、日々の取引価格には変動があることから、上場株式の評価と同様、一時点における需給関係による偶然性を排除して評価する必要があります。

したがって、上場株式と同様、上場されている不動産投資信託証券の価額（負担付贈与により取得したものを除きます。）は、次の①によって評価することを原則としますが、評価上の斟酌を行い、次の①から④のうちもっとも低い価額によって評価することとされています。

① 課税時期の最終価格
② 課税時期の属する月の毎日の最終価格の月平均額
③ 課税時期の属する月の前月の毎日の最終価格の月平均額
④ 課税時期の属する月の前々月の毎日の最終価格の月平均額

また、不動産投資信託証券には、株式に係る新株交付期待権又は配当期待権と同様に、投資口の分割等に伴う無償交付期待権又は金銭分配期待権があることから、これらの価額は、新株無償交付期待権の評価（財基通192）又は配当期待権の評価（財基通193）に準じて評価することとされています。

なお、金銭分配期待権の価額には、利益からの分配である「利益分配金」の額だけでなく、出資の払戻し（利益を上回る金銭の分配）である「利益超過分配金」の額が含まれますので注意が必要です。

上場されていない不動産投資信託証券の場合には、不動産投資信託の資産は、ほとんどが不動産で占められており、その不動産から安定的な賃料収入が生み出され、その賃料収入の大半は、投資家に支払われることになっていますので、このような不動産投資信託の仕組みからすると、非上場の不動産投資信託証券の場合には、①純資産価値、②配当利回り、③キャッシュ・フローなどに着目して、個別にその価値を測定することになると考えられます。

Q 143 繰延資産として計上している創立費、新株発行費の取扱い

評価会社が繰延資産として計上している創立費、新株発行費は、１株当たりの純資産価額（相続税評価額によって計算した金額）の計算上、どのように評価すべきでしょうか。

A 繰延資産のうち創立費、新株発行費については、財産的価値が認められないので「資産の部」に計上する必要はありません。

解　説

繰延資産とは、法人税法上、法人が支出した費用でその支出の効果が１年以上に及ぶものをいい、会社法上の繰延資産に加え、資産を賃借するための権利金等（資産の取得価額に算入される費用及び前払費用を除きます。）も該当します（法令14）。

繰延資産に関しては、個々の項目につき、その財産的価値の有無を判断して、資産に計上すべきかどうか判定することになります。

創立費、新株発行費については、会計学上も、繰延費用と言うべきであり、その財産的価値が認められませんので、「資産の部」に計上する必要はありません。

なお、評価明細書第５表の記載に当たっては、財産的価値のない繰延資産については、評価の対象とならないことから、「帳簿価額」欄、「相続税評価額」

欄の双方ともに計上しないことになります。

Q 144 ソフトウエアの評価

平成12年度の税制改正で、法人税法上、ソフトウエアの資産区分が、繰延資産から減価償却資産（無形固定資産）に改正されました。従来、法人税法上の繰延資産であるソフトウエアは、純資産価額方式による取引相場のない株式の評価上、財産性がないとして帳簿価額及び相続税評価額ともにゼロ評価すると取り扱われていましたが、法人税法上の資産区分が無形固定資産に改正された後は、どのように評価するのでしょうか。

A ソフトウエアは無形固定資産として財産評価の対象となり、ソフトウエアの取得目的等に応じて、他の無体財産権の評価方法に準じた方法等によることに合理的であると考えられます。

解　説

平成12年度税制改正によって、法人税法上、ソフトウエアは、従来の法人税法上の繰延資産から無形固定資産として資産計上することとされました。これは、例えば、(1)複写して販売する原本ソフトウエアについては、購入者に使用させることによって収益を上げていること、また、(2)自社利用ソフトウエア等についても、情報システム等の一部として、合理化等の費用削減効果を上げていることなどによって、資産性を疑う余地がないこと等という会計の考え方を取り入れたものです。

このように考えた場合、純資産価額方式による取引相場のない株式の評価上、ソフトウエアも資産性を有することになり、資産としての評価対象とされると考えられます。

ところで、その評価の方法ですが、一般的に有償取得した資産については、市場価格があれば売買実例等によってその価額を評価する方法が考えられますが、複写して販売するソフトウエアの原本や自社利用のソフトウエアについては、市販されているアプリケーションソフトを除き、市場価格があるとは考え難いところです。

そこで、ソフトウエアの相続税評価額の算定方法については、他の無体財産権の評価方法に準じた方法によることになり、具体的には、次のようになると思われます。

⑴　販売用ソフトウエアの原本のうち、その複写物について使用許諾契約等に基づき、一定期間、使用料を対価として受け取って使用させるもの……使用期間に係る収益がある程度確実に見込まれるので、その使用料が特許権の実施料に類似している点に着目し、「特許権」の評価（財基通140、141）に準じた方法によることが合理的です。

⑵　販売用ソフトウエアの原本のうち、複写物をパッケージソフトとして店頭等で販売するもの……収益がどの程度の期間見込めるか見極めが難しく、その点において特許権評価には馴染まず、むしろ、販売・収益の形態が出版物に近いことから、「著作権」の評価（財基通148）に準じた方法によることが合理的です。

⑶　自社利用ソフトウエア（開発研究用を含む）……取得の目的や利用形態が様々であり、販売を前提としたものでないため、使用料や収益、対価に着目した評価方法は馴染まないことなどから「一般動産」の評価（財基通129）に準じた評価方法によることが合理的です。原則的には、再調達価額によることとなりますが、税法に従った減価償却を行っている資産については、減価償却累計額を控除した後の帳簿価額を評価額とすることも可能でしょう。

Q 145　ゴルフ場のコース勘定の評価

多くのゴルフ場会社において、「土地」及び「立木」と明確に区分経理されている「コース勘定」については、純資産価額の計算上、どのように評価すべきでしょうか。

A　市街化区域及びそれに近接する地域以外の地域にあるゴルフ場並びに市街化区域及びそれに近接する地域で倍率地域にあるゴルフ場に関しては、「コース勘定」はゴルフ場用地としての「土地」に含まれて評価されると考えられます。一方、市街化区域及びそれに近接する地域で路線価地域にあるゴルフ場に関しては、その路線価にコースに係る造成費が加味されていなければ、課税時期におけるそのコース勘定を取得するに要する費用を基として評定し、その評価額を土地の評価額に加えるという形で、評価すべきでしょう。

解　説

コース勘定とは、一般的には、土地を加工してゴルフコースを造る次のような費用を総称したものをいいます。

① ゴルフコースの測量費用
② グリーン及びティーグランドの地盛り、コースにするための地ならし、埋立て
③ 芝張り
④ バンカー掘り、バンカー砂
⑤ ウォーターハザード
⑥ その他ゴルフコースを造るために要した費用

ゴルフコースに関しては、耐用年数の適用等に関する取扱通達２－３－６の注書において、フェアウェイ、グリーン、築山、池その他これらに類するもので、一体となってそのゴルフコースを構成するものは、「土地」に該当すると定められています。

しかし、コース勘定は、ゴルフ場の有形固定資産のうちで、もっとも基本となる営業資産であり、コース勘定に関連して投下される費用が巨額であることから、下記の理由により、同じ非減価償却資産である「土地」及び「立木」と明確に区分し、多くのゴルフ場会社において、「コース勘定」として経理・管理されているところです。

⑴ 減価償却費の額に関し著しい差が生じること

固定資産に対するある支出が、建物、構築物等の減価償却資産となるか、非減価償却資産であるコース勘定となるかは、巨額な資金が投下されるゴルフ場経営の場合、減価償却費の額に著しい差が生じること

⑵ コースの模様替えや改造等を行った場合の新算入額と除却額の算定が容易になること

コース勘定を土地勘定等と区分して経理しておくと、新たにコースの模様替えや改造等を行った場合に、それに要した金額をコース勘定に算入し、その模

様替えや改造等により除却した部分に対応するコース勘定の金額を除却損として損金の額に算入する際、その金額の算定が容易となること

以上のことから、「コース勘定」は、ゴルフ場用地としての「土地」に含めて、財産評価基本通達83《ゴルフ場の用に供されている土地の評価》により評価すべきなのか、それとも「土地」とは独立した資産として評価すべきなのかという疑問が生じます。

ところで、一般的にゴルフ場は、いわゆる「路線価地域」よりも「倍率地域」に多く所在します。この倍率方式の基となる固定資産評価額は、固定資産評価基準により評価されていますが、そこにおいては、以下のように、その評価額は、ゴルフ場の造成費・コースに係る造成費を含んだところで算出するようになっています。

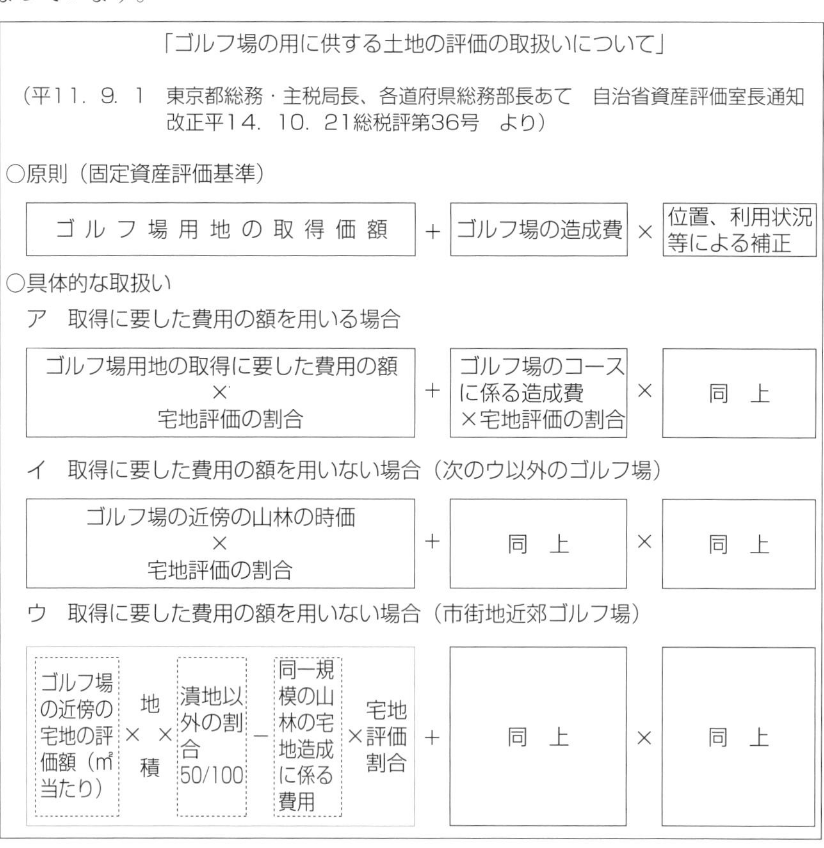
「ゴルフ場の用に供する土地の評価の取扱いについて」

（平11．9．1　東京都総務・主税局長、各道府県総務部長あて　自治省資産評価室長通知
改正平14．10．21総税評第36号　より）

○原則（固定資産評価基準）

ゴルフ場用地の取得価額 ＋ ゴルフ場の造成費 × 位置、利用状況等による補正

○具体的な取扱い

ア　取得に要した費用の額を用いる場合

ゴルフ場用地の取得に要した費用の額 × 宅地評価の割合 ＋ ゴルフ場のコースに係る造成費×宅地評価の割合 × 同　上

イ　取得に要した費用の額を用いない場合（次のウ以外のゴルフ場）

ゴルフ場の近傍の山林の時価 × 宅地評価の割合 ＋ 同　上 × 同　上

ウ　取得に要した費用の額を用いない場合（市街地近郊ゴルフ場）

（ゴルフ場の近傍の宅地の評価額（㎡当たり） × 地積 × 潰地以外の割合50/100 － 同一規模の山林の宅地造成に係る費用）×宅地評価割合 ＋ 同　上 × 同　上

このことから、市街化区域及びそれに近接する地域以外の地域にあるゴルフ場並びに市街化区域及びそれに近接する地域で倍率地域にあるゴルフ場に関しては、基本的には、「コース勘定」はゴルフ場用地としての「土地」に含まれて評価されることになっていると理解できます。

一方、市街化区域及びそれに近接する地域で路線価地域にあるゴルフ場に関しては、そのゴルフ場用地の価額は、次のように評価することとなっていることから、その路線価にコースに係る造成費が加味されていなければ、課税時期におけるそのコース勘定を取得するに要する費用を基として評定し、その評価額を土地の評価額に加えるという形で、評価すべきと考えられます。

（市街化区域及びそれに近接する地域にあるゴルフ場用地の価額）
そのゴルフ場用地が宅地であるとした場合の1平方メートル当たりの価額にそのゴルフ場用地の地積を乗じて計算した金額の100分の60に相当する金額から、そのゴルフ場用地を宅地に造成する場合において通常必要と認められる1平方メートル当たりの造成費に相当する金額として国税局長の定める金額にそのゴルフ場用地の地積を乗じて計算した金額を控除した価額によって評価する。

なお、ゴルフ場によっては、立木を土地、又はコース勘定に含めているところもありますが、ゴルフ場にある立木は、財産評価基本通達125《庭園にある立木及び立竹の評価》に準じて評価することになりますので、簿価を明確にする上でも、立木も区分経理が必要となります。

Q 146 グループ法人税制に係る寄附修正と子法人株式等の帳簿価額の取扱い

評価会社である親法人が内国法人であるその100%子法人会社に対して寄附を行った場合には、評価会社である親法人は、子法人株式の帳簿価額を増額させる寄附修正が行われます。この場合における評価会社の純資産価額（相続税評価額によって計算した金額）の計算上、その子法人株式の帳簿価額は、どのように取り扱うのでしょうか。

寄附修正により増額させた子法人株式の帳簿価額を記載します。

解　説

純資産価額（相続税評価額によって計算した金額）の「帳簿価額」は、課税時期における「法人税法上の帳簿価額」を計算します。そのため、寄附修正があった子法人株式の帳簿価額は法人税法上の帳簿価額をそのまま使います。

Q 147　第５表（１株当たりの純資産額（相続税評価額）の計算明細書）の具体的な記載例

個人Ａは、Ｘ１年７月15日に甲社株式を贈与により取得しました。株式取得後の個人Ａの甲社に対する議決権割合は70%です。この場合の「第５表　１株当たりの純資産価額（相続税評価額）の計算明細書」の記載について教えてください。

甲社の会計上の貸借対照表、別表五（一）Ⅰ及び課税時期における相続税評価額の明細等は、以下のとおりです。なお、甲社においては、直前期末から課税時期までの間に、資産及び負債についての著しい増減はなかったため、仮決算を行わず、直前期末の資産及び負債を基礎として１株当たりの純資産価額を計算することとしています。
甲社の発行済株式総数は、2,000株であり、保有する自己株式はありません。

<甲社の会計上の貸借対照表>

貸借対照表

株式会社甲社　　令和Ｘ１年3月31日　　（単位：円）

資産	金額	負債・純資産	金額
現金及び預金	17,680,000	買掛金	46,000,000
売掛金	100,000,000	賞与引当金	8,000,000
貸倒引当金	△1,000,000	未払法人税等	1,800,000
商品	54,000,000	未払消費税等	2,200,000
前払費用	12,000,000	長期借入金	103,000,000
繰延税金資産（流動）	3,320,000	退職給付引当金	9,000,000
建物	63,000,000	負　債　合　計	170,000,000
減価償却累計額	△27,000,000	資本金	50,000,000
器具及び備品	36,000,000	資本準備金	50,000,000
減価償却累計額	△23,000,000	その他利益剰余金	
土地	109,000,000	特別償却準備金	600,000
のれん（※）	14,000,000	繰越利益剰余金	110,600,000
子会社株式	10,000,000	その他有価証券評価差額金	△1,200,000
投資有価証券	7,000,000		
繰延税金資産（固定）	4,000,000		
株式交付費	1,000,000	純　資　産　合　計	210,000,000
資　産　合　計	380,000,000	負債・純資産合計	380,000,000

※　のれんは、前期以前の事業譲渡により生じたものである。

<別表五（一）利益積立金額の計算に関する明細書Ⅰ>

<table>
<tr><th colspan="9">Ⅰ．利益積立金額の計算に関する明細書</th></tr>
<tr><th colspan="3" rowspan="3">区　分</th><th rowspan="2">期首現在利益積立金額</th><th colspan="3">当期の増減</th><th rowspan="2">差引翌期首現在利益積立金額</th></tr>
<tr><th>減</th><th colspan="2">増</th></tr>
<tr><th>①</th><th>②</th><th colspan="2">③</th><th>④</th></tr>
<tr><td colspan="2">利益準備金</td><td>1</td><td>円</td><td>円</td><td colspan="2">円</td><td>円</td></tr>
<tr><td colspan="2">積立金</td><td>2</td><td></td><td></td><td colspan="2"></td><td></td></tr>
<tr><td colspan="2">建物</td><td>3</td><td>△4,000,000</td><td>△1,000,000</td><td colspan="2"></td><td>△3,000,000</td></tr>
<tr><td colspan="2">土地</td><td>4</td><td>11,000,000</td><td></td><td colspan="2"></td><td>11,000,000</td></tr>
<tr><td colspan="2">のれん（資産調整勘定）</td><td>5</td><td>△4,000,000</td><td></td><td colspan="2">△ 2,000,000</td><td>△6,000,000</td></tr>
<tr><td colspan="2">賞与引当金</td><td>6</td><td>6,000,000</td><td>6,000,000</td><td colspan="2">8,000,000</td><td>8,000,000</td></tr>
<tr><td colspan="2">退職給付引当金</td><td>7</td><td>7,000,000</td><td>1,000,000</td><td colspan="2">3,000,000</td><td>9,000,000</td></tr>
<tr><td colspan="2">特別償却準備金※</td><td>8</td><td>1,200,000</td><td>600,000</td><td colspan="2"></td><td>600,000</td></tr>
<tr><td colspan="2">同上認容額※</td><td>9</td><td>△2,000,000</td><td>△1,000,000</td><td colspan="2"></td><td>△1,000,000</td></tr>
<tr><td colspan="2">投資有価証券</td><td>10</td><td>1,000,000</td><td></td><td colspan="2">1,000,000</td><td>2,000,000</td></tr>
<tr><td colspan="2">その他有価証券評価差額金</td><td>11</td><td>△ 600,000</td><td></td><td colspan="2">△ 600,000</td><td>△1,200,000</td></tr>
<tr><td colspan="2">繰延税金資産（流動）</td><td>12</td><td>△2,520,000</td><td></td><td colspan="2">△ 800,000</td><td>△3,320,000</td></tr>
<tr><td colspan="2">繰延税金資産（固定）</td><td>13</td><td>△3,600,000</td><td></td><td colspan="2">△ 1,200,000</td><td>△4,800,000</td></tr>
<tr><td colspan="2"></td><td></td><td></td><td></td><td colspan="2"></td><td></td></tr>
<tr><td colspan="2">繰越損益金</td><td>26</td><td>105,000,000</td><td>105,000,000</td><td colspan="2">110,600,000</td><td>110,600,000</td></tr>
<tr><td colspan="2">納税充当金</td><td>27</td><td>1,900,000</td><td>1,900,000</td><td colspan="2">1,800,000</td><td>1,800,000</td></tr>
<tr><td rowspan="6">未納法人税等</td><td rowspan="2">未納法人税</td><td rowspan="2">28</td><td rowspan="2">△1,200,000</td><td rowspan="2">△2,400,000</td><td>中間</td><td>△1,200,000</td><td rowspan="2">△1,200,000</td></tr>
<tr><td>確定</td><td>△1,200,000</td></tr>
<tr><td rowspan="2">未納道府県民税</td><td rowspan="2">29</td><td rowspan="2">△ 100,000</td><td rowspan="2">△ 200,000</td><td>中間</td><td>△ 100,000</td><td rowspan="2">△ 100,000</td></tr>
<tr><td>確定</td><td>△ 100,000</td></tr>
<tr><td rowspan="2">未納市町村民税</td><td rowspan="2">30</td><td rowspan="2">△ 200,000</td><td rowspan="2">△ 400,000</td><td>中間</td><td>△ 200,000</td><td rowspan="2">△ 200,000</td></tr>
<tr><td>確定</td><td>△ 200,000</td></tr>
<tr><td colspan="2">差引合計額</td><td>31</td><td>114,880,000</td><td>109,500,000</td><td colspan="2">116,800,000</td><td>122,180,000</td></tr>
</table>

※　特別償却準備金は、器具備品について、剰余金の処分により積み立てられている。

<課税時期における相続税評価額> (単位：円)

科　目	金　額	備　考
現金及び預金	17,720,000	課税時期までの既経過利息を加えている。
売掛金	100,000,000	
商品	54,000,000	
前払費用	0	すべて地代家賃の前払額であり、財産性がない。
建物	21,000,000	４年前に合併により受け入れた資産である。
器具及び備品	13,000,000	特別償却準備金が、剰余金の処分により積み立てられている。
土地	120,000,000	３年以内取得土地等に該当する。
借地権	65,000,000	権利金の支払がなかったため、会計上は計上されていない。
子会社株式	41,000,000	法人税額等相当額の控除不適用の株式に該当する。
投資有価証券	7,000,000	すべて上場株式である。
のれん(資産調整勘定)	0	甲社の評価においては、営業権は算出されない。
株式交付費	0	増資に係る株式発行費用であり、財産性がない。

<その他の事項>

(1)　甲社の令和Ｘ1年３月期に係る確定納付税額は、以下のとおりである。

法人税	1,200,000円
法人道府県民税	100,000円
法人市町村民税	200,000円
法人事業税	300,000円
消費税	2,200,000円

(2)　令和Ｘ1年４月に固定資産税400,000円の賦課決定があった。

(3)　令和Ｘ1年６月に甲社において、5,000,000円の剰余金の配当を行う決議が行われた。

(4)　甲社の令和Ｘ1年３月期末から課税時期までの長期借入金に係る未払利息は、1,300,000円である。

A　お尋ねの場合の「第５表　１株当たりの純資産価額（相続税評価額）の計算明細書」の記載は、以下のとおりです。これらの記載方法については、Q107、Q108をご参照ください。

第5表　1株当たりの純資産価額（相続税評価額）の計算明細書　会社名　株式会社　甲社

（取引相場のない株式（出資）の評価明細書）

（平成三十年一月一日以降用）

1．資産及び負債の金額（課税時期現在）

資産の部				負債の部			
科目	相続税評価額	帳簿価額	備考	科目	相続税評価額	帳簿価額	備考
現金及び預金	千円 17,720	千円 17,680		買掛金	千円 46,000	千円 46,000	
売掛金	100,000	100,000		未払消費税等	2,200	2,200	
商品	54,000	54,000		長期借入金	103,000	103,000	
建物	21,000	33,000		未納法人税等	1,500	1,500	
器具及び備品	13,000	12,000		未納事業税	300	300	
3年内取得土地	120,000	120,000	土地	未納固定資産税	400	400	
のれん（資産調整勘定）	0	8,000		未払配当金	5,000	5,000	
税額控除不適用株式	41,000	10,000		未払利息	1,300	1,300	
投資有価証券	7,000	9,000	株式				
借地権	65,000	0	株式				
合計	① 438,720	② 363,680		合計	③ 159,700	④ 159,700	
株式等の価額の合計額	㋑ 48,000	㋺ 19,000					
土地等の価額の合計額	㋩ 120,000						
現物出資等受入れ資産の価額の合計額	㊁ 0	㋭ 0					

2．評価差額に対する法人税額等相当額の計算		3．1株当たりの純資産価額の計算	
相続税評価額による純資産価額（①－③）	⑤ 279,020 千円	課税時期現在の純資産価額（相続税評価額）（⑤－⑧）	⑨ 251,256 千円
帳簿価額による純資産価額（（②＋㊁－㋭）－④）、マイナスの場合は0）	⑥ 203,980 千円	課税時期現在の発行済株式数（（第1表の1の①）－自己株式数）	⑩ 2,000 株
評価差額に相当する金額（⑤－⑥、マイナスの場合は0）	⑦ 75,040 千円	課税時期現在の1株当たりの純資産価額（相続税評価額）（⑨÷⑩）	⑪ 125,628 円
評価差額に対する法人税額等相当額（⑦×37%）	⑧ 27,764 千円	同族株主等の議決権割合（第1表の1の⑤の割合）が50%以下の場合（⑪×80%）	⑫ 円

解　説

[1] 帳簿価額欄の記載について

「資産の部」及び「負債の部」の「帳簿価額」欄には、各資産及び各負債について、いわゆる、法人税法上の帳簿価額を記載します。事例のように複雑な別表五（一）の場合には、次のような計算シートを用いると便利です。

（単位：円）

科目名	会計上の帳簿価額	別表五（一）	その他調整	帳簿価額
	①	②	③	④（①+②+③）
（資産）				
現金及び預金	17,680,000			17,680,000
売掛金	100,000,000			100,000,000
貸倒引当金	△1,000,000		+1,000,000	0
商品	54,000,000			54,000,000
前払費用	12,000,000		−12,000,000	0
繰延税金資産（流動）	3,320,000	−3,320,000		0
建物	63,000,000	−3,000,000	(※)−27,000,000	33,000,000
減価償却累計額	△27,000,000		(※)+27,000,000	0
器具及び備品	36,000,000	(※)−1,000,000	(※)−23,000,000	12,000,000
減価償却累計額	△23,000,000		(※)+23,000,000	0
土地	109,000,000	+11,000,000		120,000,000
のれん	14,000,000	−6,000,000		8,000,000
子会社株式	10,000,000			10,000,000
投資有価証券	7,000,000	+2,000,000		9,000,000
繰延税金資産（固定）	4,000,000	−4,000,000		0
株式交付費	1,000,000		−1,000,000	0
借地権				0
（負債）				
買掛金	46,000,000			46,000,000
賞与引当金	8,000,000	8,000,000		0
未払法人税等	1,800,000	−1,800,000		0
未払消費税等	2,200,000			2,200,000
長期借入金	103,000,000			103,000,000
退職給付引当金	9,000,000	−9,000,000		0
未納法人税等		1,500,000		1,500,000
未納事業税			300,000	300,000

未納固定資産税			400,000	400,000
未払配当金			5,000,000	5,000,000
未払利息			1,300,000	1,300,000

※　固定資産に係る減価償却累計額、特別償却準備金及び圧縮記帳に係る引当金又は積立金の金額がある場合には、それらの金額をそれぞれの引当金等に対応する資産の帳簿価額から控除した金額をその固定資産の帳簿価額とします。

[2]「2．評価差額に対する法人税額等相当額の計算」の記載

資産の部の相続税評価額欄の合計額と帳簿価額欄の合計額の差額である「含み益相当額」について、いわゆる37%控除が行われます。

[3]「3．１株当たりの純資産価額の計算」の記載

算出した会社全体の純資産価額を課税時期現在の「自己株式の数を除いた発行済株式数」で除して、１株当たりの純資産価額を求めます。なお、本事例では、納税義務者が議決権割合50%超を保有しているため、評価額をその80%相当額とするディスカウントは行われません。

Q 148　現物出資等受入れ差額

合併・現物出資・株式交換等により受入れた資産があります。評価上どのような取扱いになるのでしょうか。

A　現物出資・合併・株式交換・株式移転などにより、著しく低額で資産を受入れた場合には、その資産の評価差額に関する法人税等相当額の控除が制限される場合があります。

ただし、そのような現物出資・合併・株式交換・株式移転取引が存在した場合でも、その取引以降に発生した含み益については、この制限はありません。

解　説

[1] 法人税等相当額の控除制限の趣旨

旧商法における現物出資や組織再編税制が整備される前の合併などにおいては、対象資産の受入価額を故意に低額にしても、現物出資を受けた法人で問題となることはありませんでした。

このため、現物出資や合併及び株式交換又は株式移転において、資産の受入

価額を故意に低額にして簿価と時価の開差を大きくすることにより、評価差額に対する法人税等相当額の控除を多額に利用することが可能であり、問題がありました。

合併及び現物出資については、平成13年改正後、株式交換・移転の場合には、平成18年改正後の組織再編税制適用以後は、受入資産は恣意性の入る余地なく決定されることとなりました。なお、株主が50人未満のケースでは同様の弊害が発生する可能性があります。

［2］問題事案の例示

弊害がある現物出資のスキームは下記のようなものです。なお、評価差額に対する法人税相当額の税率はスキームが実行された当時の51％とします。また、同じような例は、合併及び株式交換又は株式移転においても可能です。

(1) 被相続人は、16億を借入してＡ会社を設立する

(2) ついで、Ａ会社の株式を現物出資することによりＢ会社を設立するが、Ａ社株式の評価額を１億円（Ｂ会社の資本金も１億円）とする

(3) Ｂ会社の評価額は次のとおり

Ａ社株式評価額16億円

－（Ａ社株式評価額16億 － Ａ社株式簿価１億）× 51％

＝ 8.35億円

(4) 相続財産の圧縮効果

借入金16億円 － Ｂ社株式評価額8.35億円 ＝ 資産圧縮額7.65億円

［3］国税不服審判所の対応

このような事例については、次のような国税不服審判所の裁決事例が公開されています。裁決の趣旨は、租税負担を回避することを目的として恣意的で不合理な取引を行うことにより発生した評価差額については、法人税等相当額の控除を認めないとするものです。

Ｈ８.６.27裁決　　裁決事例集No51

Ｈ10.４.24裁決　　裁決事例集No55

Ｈ12.７.12裁決　　裁決事例集No60

Ｈ13.９.21裁決　　裁決事例集No62

［4］財基通186－２の規定

現物出資・合併により著しく低い価額で受入れた資産（株式交換・株式移転

により著しく低い価額で受入れた株式を含み、「現物出資等受入れ資産」といいます）がある場合には、当該取引時における「現物出資等受入れ資産」の相続税評価額と受入帳簿価額との差額（「現物出資等受入れ差額」といいます）を帳簿価額に加算することとされ、結果として、「現物出資等受入れ差額」が法人税等相当額の控除対象となる評価差額から除外されます。なお、注書により次のような取扱いが示されています。

⑴　合併の場合、「現物出資等受入れ資産」の合併時の相続税評価額が、被合併法人の帳簿価額を越えるときは、被合併法人の帳簿価額を取引時の相続税評価額とみなして「現物出資等受入れ差額」を計算します。

　したがって、適格合併においては、被合併法人の帳簿価額が合併法人の帳簿価額となりますので、「現物出資等受入れ差額」は発生しません。

　非適格合併の場合には、時価での受け入れとなるため、「著しく低い価額で受入れた資産」は存在しません。

⑵　「現物出資等受入れ資産」の課税時期の相続税評価額が、現物出資・合併・株式交換・株式移転の実施時期の相続税評価額より低い場合には、課税時期の相続税評価額と受入帳簿価額との差額を「現物出資等受入れ差額」とします。

⑶　この取扱いは、処理の簡便性に配慮し、課税時期における総資産価額に占める「現物出資等受入れ資産」の割合が20％以下（課税時期における相続税評価額で算定）の場合には適用されません。

［5］会社分割・現物分配について

会社分割については通達に定めがありませんが、会社分割制度は平成13年4月1日から施行された旧商法により導入されたもので、組織再編税制も同時に施行されています。

また、平成22年度改正により、組織再編税制の一環として位置付けられた現物分配についても通達に定めがありませんが、現物分配に伴う税制も平成22年10月1日から施行されています。

このため、これらの行為による評価差額を故意に創設することは困難であると思われるため、これらの行為による評価差額については、明確に租税回避行為につながると認められる場合を除き、この規定の適用はないものと考えられます。

なお、会社分割は、会社の権利義務の全部又は一部を他の会社に承継させるものであり、部分的な合併という側面があるため、この通達が適用される場合があるとする意見があります。

[6] 株式交換・株式移転について

組織再編税制が整備される平成17年以前においては、株式交換・株式移転について、特例要件は、特定子会社株主の取得価額以下要件でした。

平成18年改正以後においては、合併等の適格組織再編税制と同様に、取得価額要件として整備されています。

このため、これらの行為に基づく評価差額については、明確に租税回避行為につながると認められる場合を除き、この規定の適用はないものと考えられます。

[7] 株式交付について

株式交付制度は、令和元年改正会社法により創設されたもので、令和３年３月１日から施行されており、株式交付に伴う税制も令和３年４月１日から施行されています。このため、株式交付に基づく評価差額については、明確に租税回避行為につながると認められる場合を除き、この規定の適用はないものと考えられます。

[8] この通達が適用される場合について

現在の会社法と組織再編税制においては、税務上の受入価額が明確に規定されるため、現物出資や合併及び株式交換・株式移転については、過去に該当する取引が存在する場合に限り適用があるものと考えられます。ただし、株式交換・株式移転・株式交付の場合については、現時点でも、株主が50人未満である適格株式交換・適格株式移転・株式交付（譲渡損益の繰延べの対象となるもの）の場合については、事実認定として適用される場合があるかもしれませんのでご注意ください。

この通達は、「著しく低い価額で受け入れた」場合に適用されるのですが、「著しく低い価額」の解釈は明示されていないため、慎重な検討が必要と思われます。

Q 149 評価差額に対する法人税額等に相当する金額

評価差額に対する法人税額等に相当する金額とは、どのようなものですか。

A 評価差額に対する法人税額等に相当する金額とは、評価会社が課税時期において所有する各資産の相続税評価額の合計額からその法人税法上の帳簿価額の合計額を控除した後の金額（含み益相当額）を残余財産の価額とみなした場合に、その残余財産の時価により認識される譲渡損益相当額に対して課されることとなる法人税等に相当する金額をいいます。具体的には、次の算式により計算した金額です（財基通186－２）。

<算式>

「評価差額に対する法人税額等に相当する金額」＝（A－B）×37%※1

A＝「課税時期における相続税評価額による総資産価額」－「課税時期における各負債の金額の合計額」

B＝「課税時期における相続税評価額による総資産価額の計算の基とした各資産の帳簿価額の合計額※2」－「課税時期における各負債の金額の合計額」

※1：法人税等相当額の割合の推移は次のとおりです。

適用時期	平11.4.1以降	平22.10.1以降①	平24.4.1以降②
割合	42%	45%	42%
適用時期	平26.4.1以降③	平27.4.1以降④	平28.4.1以降⑤
割合	40%	38%	37%

① 平成22年度税制改正において、法人税法における清算所得課税（税率：27.1%）が廃止され、解散から清算結了までの間についても、通常の所得金額に課税（税率：30%）されることになったことに伴い、評価差額に対する法人税額相当額を計算する際の「法人税、事業税、道府県民税及び市町村民税の税率の合計に相当する割合」（以下「法人税率等の合計割合」とします。）についても改正が行われました。

② 平成23年度税制改正において、法人税率の改正及び復興特別法人税の創設に伴い改正が行われました。

③ 平成26年度改正において、40%とされました。

④ 平成27年度改正において、38%とされました。

⑤ 平成28年度改正において、37%とされました。

※２：「現物出資等受入れ資産」の評価についてはQ115参照。

※３：評価差額に対する法人税額等相当額の計算方法

評価差額に対する法人税額等相当額を計算するときの「帳簿価額による純資産価額」又は「評価差額に相当する金額」（＝上記Ｂ、又はＡ－Ｂ）については、それぞれの項目の計算結果がマイナスとなる場合には、「０」とすることが明らかにされました（平成15年７月４日、資産評価企画官情報第１号、資産課税課情報第12号）。

ただし、評価会社が有する株式等の１株当たりの純資産価額（相続税評価額によって計算した金額）を算出するに当たっては、上記の法人税等に相当する金額の控除は行いません（財基通186－３）。

解　説

株式を所有するということは、その持分の所有を通じて、会社の資産を間接的に所有していることとなり、個人事業主がその事業用資産を直接的に所有し、いつでも処分換金できる状況と大きく異なります。したがって、両者の資産の所有形態を経済的に同一の条件のもとに置き換え、評価の均衡を図る必要があり、このような趣旨により、評価差額に対する法人税額等に相当する金額の取扱いが定められています。

平成22年度税制改正後も清算法人に対する課税方式は異なるものの、解散した法人に対して課税が行われることに変わりはないことから、改正前後の課税方式の違いを踏まえて、評価上の均衡を図る必要があります。

例えば、法人が解散し、その直後にすべての残余財産の確定・分配が行われた場合には、法人の解散時の残余財産の時価により譲渡損益が認識され、その譲渡益（残余財産の含み益）は、通常の所得金額の計算上、益金の額に算入されて、その所得金額に対して通常の法人税率での課税が行われることになります（法法62の５）。そのため、平成22年度税制改正後は「評価差額に対する法人税額等に相当する金額」の計算においては、清算所得の税率（27.1％）を通常の法人税率（30％）に置き換え、「法人税率等の合計割合」を「42％」から「45％」に改正することとされました。（出典：平成22年７月１日、資産評価企画官情報第１号、資産課税課情報第11号）

平成23年度税制改正において法人税率の引下げ及び復興特別法人税の創設により、「法人税率等の合計割合」の根拠となる税率が変わったことから、「法人税率等の合計割合」が45%から42%に改正されました。また、その算定根拠を明確にするために、通達本文の該当部分も「法人税（復興特別法人税を含む。）、事業税（地方法人特別税を含む。）、道府県民税及び市町村民税の税率の合計に相当する割合」に改正されました。（出典：平成24年３月14日、資産評価企画官情報第１号、資産課税課情報第７号）

その後平成26年度の40%を経て、平成27年度は38%（法人税（地方法人税を含む。）、事業税（地方法人特別税を含む。）、道府県民税及び市町村民税の税率の合計に相当する割合）、平成28年度は37%とされています。

［評価会社が有する株式等の純資産価額の計算（37%控除の有無）］

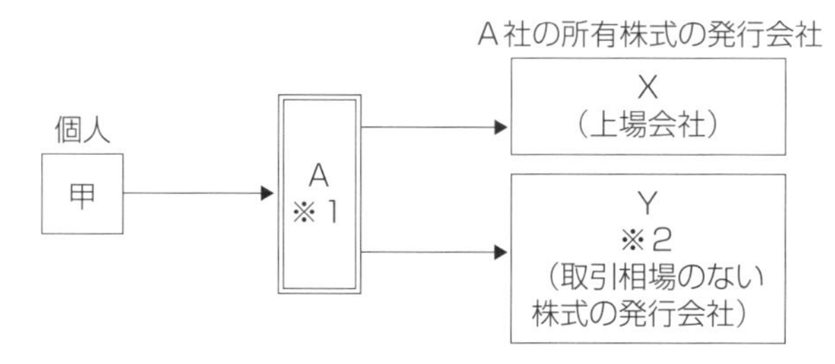

※1　37%控除あり（純資産価額方式による場合）
※2　37%控除なし（純資産価額方式による場合）

Q150 同族株主等の議決権割合が50%以下の場合の１株当たりの純資産価額の計算

株式の取得者の属する株主グループの議決権割合が50%以下である場合における１株当たりの純資産価額（相続税評価額によって計算した金額）の計算について教えてください。

A お尋ねのケースでは、通常の１株当たりの純資産価額（相続税評価額によって計算した金額）の80%相当額をもって１株当たりの純資産価額（相続税評価額によって計算した金額）とします（財基通185但書）。

ただし、大会社又は中会社の株式を評価する場合において、類似業種比準価額方式に代えて採用している純資産価額方式においては、その評価額を80%相当額とするディスカウントはできません（Q81参照）。

なお、同族株主等の議決権割合が50％以下であるかの判定は、財基通においては取得後の議決権割合により判定し、所基通59-6においては譲渡前の議決権割合により判定し、法基通４－１－６及び９－１－14においてはそれぞれ譲渡前及び譲渡後の議決権割合により判定します（Ｑ３参照）。

解　説

以下の①のケースにおけるＡグループは、グループ単独で株主総会の普通決議を可決できる議決権を有しています。これに対して、②のケースにおける各株主グループは、いずれも、グループ単独で株主総会の普通決議を可決できるだけの議決権を有していません。この②のケースの各株主グループが有する対象会社の株式については、その会社に対する支配力が弱く、会社財産を自由に処分等できないことから、個人事業者に準じて評価する部分について時価純資産価額に見合う価値を有していないとも考えられます。このような趣旨から、上記の取扱いが定められています。

ただし、評価会社の形式的な株主構成が、上記①や②の状況にあっても、例えば、評価会社の株主の中に名義株が存在し、又は、納税義務者を含む同族関係グループが実質支配していると認められる関係会社、一般社団法人などが株主にある場合で、納税義務者の属する同族関係者のグループにそれらの議決権を含めると50％を超える場合には、80％評価が否認されることもありますのでご注意ください。

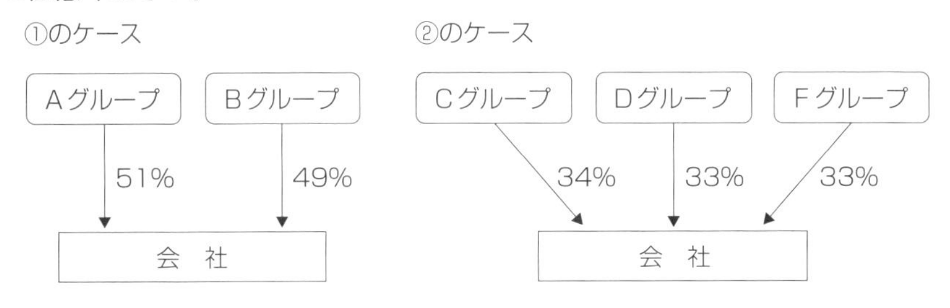

Q151 負債の相続税評価額

純資産価額方式において、評価上負債として計上する場合にはどのような点に

留意すべきですか。

A 貸借対照表上負債として取り扱われるものであっても、評価上負債と取り扱われないもの、逆に、貸借対照表上負債ではなくても評価上負債と取り扱われるものがありますので留意する必要があります。

解　説

［1］評価明細書第５表の「負債の部」の「相続税評価額」欄には、評価会社の課税時期における各負債の金額を、「帳簿価額」欄には、「負債の部」の「相続税評価額」欄に評価額が記載された各負債の税務計算上の帳簿価額をそれぞれ記載します。

この場合、貸倒引当金、退職給与引当金、納税引当金及びその他の引当金、準備金並びに繰延税金負債に相当する金額は、負債に該当しないものとします（Q152参照）が、退職給与引当金のうち、平成14年改正法人税法附則第８条《退職給与引当金に関する経過措置》第２項及び第３項適用後の退職給与引当金（以下「経過措置適用後の退職給与引当金」といいます。）勘定の金額に相当する金額は負債とします（Q153参照）。

［2］次の金額については、評価会社の帳簿に負債としての記載がない場合であっても、課税時期において未払いとなっているものは負債として「相続税評価額」欄及び「帳簿価額」欄のいずれにも記載します（詳細はQ155参照）。

イ　未納公租公課、未払利息等の金額

ロ　課税時期以前に賦課期日のあった固定資産税及び都市計画税の税額

ハ　被相続人の死亡により、相続人その他の者に支給することが確定した退職手当金、功労金その他これらに準ずる給与の金額（ただし、経過措置適用後の退職給与引当金の取崩しにより支給されるものは除きます。）

ニ　課税時期の属する事業年度に係る法人税額（地方法人税額を含みます。）、消費税額（地方消費税額を含みます。）、事業税額（地方法人特別税額を含みます。）、道府県民税額及び市町村民税額のうち、その事業年度開始の日から課税時期までの期間に対応する金額

Q 152 評価上、負債として扱われないもの

純資産価額方式において、負債として扱われないものとはどのようなものですか。

A 負債の金額は、課税時期における評価会社の各負債の金額の合計額によることとなっています。貸借対照表上負債として取り扱われるものであっても、評価上負債と取り扱われないものには、次のようなものがあります（財基通186）。

① 貸倒引当金

② 退職給与引当金（平成14年改正法人税法附則８条２項及び２項及び３項の適用後の退職給与引当金勘定の金額に相当する金額を除く。以下⑤において同じ。）

③ 納税引当金

④ その他の引当金

⑤ 平成12年以後において会計上計上されている退職給付引当金

⑥ 準備金に相当する金額

⑦ 譲渡損益調整資産に係る譲渡損益調整勘定

これは、相続税法は負債として計上されるのは現に存在する確実なものを想定しているからです（相法14、22）。

上記①～⑦を除き、一般的には相続税評価額による負債の金額とそれに対応する帳簿価額による負債の金額は同額になります。

Q 153 退職給与引当金制度廃止後の退職給与引当金勘定等の取扱い

退職給与引当金制度廃止後の退職給与引当金勘定等はどのように取り扱うのですか。

A 旧法人税法54条２項に規定する退職給与引当金制度は、平成14年４月の税制改正で段階的に廃止されています。そこで、これをどう取り扱うかが

問題となりますが、次のように取り扱われるので留意する必要があります。

① 平成14年の改正により退職給与引当金制度は廃止され、平成14年４月１日以後開始事業年度より退職給与引当金の繰入れはできなくなります。各法人の退職給与引当金勘定の金額は、４年間又は10年間で取り崩すことになります。

大法人	平成14及び15年度　3／10ずつ	平成16及び17年度　2／10ずつ
中小法人 協同組合	平成14～23年度の10年間で1／10ずつ	

② 経過措置期間中の退職給与引当金勘定の残高を純資産価額計算上の負債として取り扱います。

③ 退職給与引当金は段階的に取り崩されて益金に算入されますが、財産評価基本通達183《評価会社の１株当たりの配当金額等の計算》の「１株当たりの利益金額」の計算上、その取崩額は「非経常的な利益」として取り扱われます。これは、その取崩しが、税制改正による制度の廃止によるものであるから、固定資産の売却益同様、「非経常的な利益」として１株当たりの利益金額の計算から除くのが相当だからです。

Q 154 | 退職給付引当金の取扱い

会計上計上されている退職給付引当金はどのように取り扱うのですか。

A 日本公認会計士協会会計制度委員会の退職給付会計実務指針により、会計上、退職給付引当金が計上されている場合がありますが、この引当金は財産評価基本通達の評価上の負債とは取り扱われません。

ただし、M＆A実務等においては、適正に評価する必要があります。

解　説

退職給付引当金は、概略として、下図の(1)～(5)により計算されます。

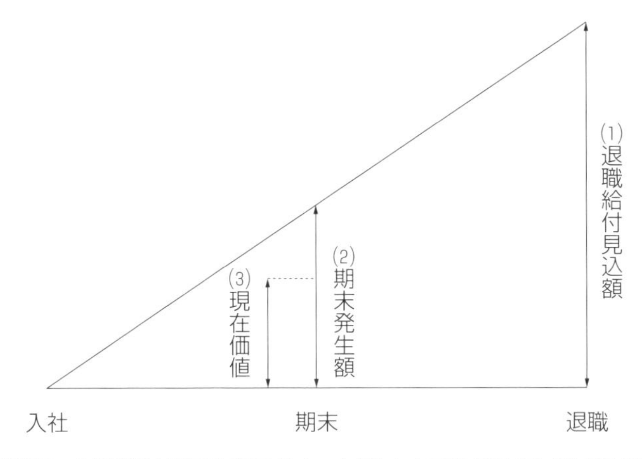

⑶退職給付債務＝⑴退職給付見込額のうち、⑵期末までの発生額（勤続年数等相当額）の現在価値

⑸退職給付引当金＝⑶退職給付債務－⑷年金資産（公正価値）

⑶退職給付債務	⑷年金資産（公正価値）
	⑸退職給付引当金

Q155 評価上、負債に含まれるものとされるもの（課税時期の未払金）

純資産価額方式において、課税時期において負債に含まれるものとして扱われるものとはどのようなものですか。

A 純資産価額方式において仮決算を行う場合は、次に掲げる金額は、貸借対照表上負債に計上されていなくても、評価上負債に含まれるものとして取り扱われます（財基通186）。

① 課税時期の属する事業年度に係る法人税額、消費税額、事業税額、道府県民税額及び市町村民税額のうち、その事業年度開始の日から課税時期までの期間に対応する金額（課税時期において未払いのものに限る）

② 課税時期以前に賦課期日のあった固定資産税の税額のうち、課税時期において未払いの金額

③　課税時期において、株主総会等の決議により定めた効力発生日が到来し、確定している剰余金の配当のうち未払いの金額

④　被相続人の死亡により、相続人その他の者に支給することが確定した退職手当金、功労金その他これらに準ずる給与の金額（弔慰金等は除く）

⑤　年金方式により支払われる死亡退職金については、課税時期から各支払時期までの期間に応ずる基準年利率による複利現価の額の合計額

⑥　④、⑤の場合において、評価会社が生命保険金を受け取る場合は、同金額を生命保険金請求権として資産の部に計上し、④又は⑤の死亡退職金を負債に計上し、差益がある場合は、その保険差益について課されることとなる法人税額等について負債に計上します。

この場合、この法人税額等は、この保険差益の37％相当額として差し支えありません。

⑦　評価会社が負担した社葬費用

なお、仮決算を行っていない場合には、Q107の **A**［5］を参照してください。

Q 156　グループ法人税制に係る譲渡損益調整勘定の取扱い

法人税法61条の13に規定する譲渡損益調整資産を譲渡したことにより生じる譲渡損益調整勘定は、純資産価額（相続税評価額によって計算した金額）の計算上、どのように取り扱うのでしょうか。

A　純資産価額（相続税評価額によって計算した金額）の計算上、資産に計上された譲渡損益調整勘定については財産的価値がなく、また、負債として計上されたものについては引当金と同様に確実な債務ではありません。そのため、譲渡損益調整勘定は、資産又は負債としての帳簿価額及び相続税評価額ともに計上しません。

解　説

平成22年度税制改正で導入されたグループ法人税制により、完全支配関係がある内国法人間の譲渡損益調整資産の譲渡に係る譲渡損益は繰り延べられることになりました。

譲渡損益調整勘定とは、100％グループ法人間で行われた資産の譲渡による損益については、その取引では認識せず、次の譲渡が行われたなどその他一定の事由が生じるまで課税の繰延べを行うために計上されるものです。

したがって、資産に計上された譲渡損益調整勘定には財産的価値がなく、また、負債に計上された譲渡損益調整勘定は引当金と同様に確実な債務ではありません。純資産価額（相続税評価額によって計算した金額）の計算上、譲渡損益調整勘定については、資産又は負債としての帳簿価額及び相続税評価額はともに計上しないこととなります（財基通185、186）。

第7章

評価明細書第6表、第7表、第8表関連

第6表　特定の評価会社の株式及び株式に関する権利の価額の計算明細書　会社名

（取引相場のない株式（出資）の評価明細書）

（平成三十年一月一日以降用）

1．純資産価額方式等による価額

1株当たりの価額の計算の基となる金額	類似業種比準価額（第4表の㉖、㉗又は㉘の金額）	1株当たりの純資産価額（第5表の⑪の金額）	1株当たりの純資産価額の80%相当額（第5表の⑫の記載がある場合のその金額）
	① 円	② 円	③ 円

	株式の区分	1株当たりの価額の算定方法等	1株当たりの価額
1株当たりの価額の計算	比準要素数1の会社の株式	②の金額（③の金額があるときは③の金額）と次の算式によって計算した金額とのいずれか低い方の金額 ①の金額　②の金額（③の金額があるときは③の金額） （　円×0.25）＋（　円×0.75）＝　円	④ 円
	株式等保有特定会社の株式	（第8表の㉗の金額）	⑤ 円
	土地保有特定会社の株式	（②の金額（③の金額があるときはその金額））	⑥ 円
	開業後3年未満の会社等の株式	（②の金額（③の金額があるときはその金額））	⑦ 円
	開業前又は休業中の会社の株式	（②の金額）	⑧ 円

		算定方法	修正後の株式の価額
株式の価額の修正	課税時期において配当期待権の発生している場合	株式の価額（④、⑤、⑥、⑦又は⑧）　1株当たりの配当金額 円－　円　銭	⑨ 円
	課税時期において株式の割当てを受ける権利、株主となる権利又は株式無償交付期待権の発生している場合	株式の価額（④、⑤、⑥、⑦又は⑧（⑨があるときは⑨））　割当株式1株当たりの払込金額　1株当たりの割当株式数　1株当たりの割当株式数又は交付株式数 （　円＋　円×　株）÷（1株＋　株）	⑩ 円

2．配当還元方式による価額

1株当たりの資本金等の額、発行済株式数等	直前期末の資本金等の額	直前期末の発行済株式数	直前期末の自己株式数	1株当たりの資本金等の額を50円とした場合の発行済株式数（⑪÷50円）	1株当たりの資本金等の額（⑪÷（⑫－⑬））
	⑪ 千円	⑫ 株	⑬ 株	⑭ 株	⑮ 円

直前期末以前2年間の配当金額	事業年度	⑯ 年配当金額	⑰ 左のうち非経常的な配当金額	⑱ 差引経常的な年配当金額（⑯－⑰）	年平均配当金額
	直前期	千円	千円	㋑ 千円	⑲ （㋑＋㋺）÷2　千円
	直前々期	千円	千円	㋺ 千円	

1株（50円）当たりの年配当金額	年平均配当金額（⑲）　⑭の株式数　⑳ 千円 ÷　株 ＝　円　銭	（この金額が2円50銭未満の場合は2円50銭とします。）
配当還元価額	⑳の金額　⑮の金額　㉑ （　円　銭）/10% ×（　円）/50円 ＝　円	㉒ 円 （㉑の金額が、純資産価額方式等により計算した価額を超える場合には、純資産価額方式等により計算した価額とします。）

3．株式に関する権利の価額（1．及び2．に共通）

配当期待権	1株当たりの予想配当金額　源泉徴収されるべき所得税相当額 （　円　銭）－（　円　銭）	㉓ 円　銭
株式の割当てを受ける権利（割当株式1株当たりの価額）	⑩（配当還元方式の場合は㉒）の金額　割当株式1株当たりの払込金額 円－　円	㉔ 円
株主となる権利（割当株式1株当たりの価額）	⑩（配当還元方式の場合は㉒）の金額（課税時期後にその株主となる権利につき払い込むべき金額があるときは、その金額を控除した金額）	㉕ 円
株式無償交付期待権（交付される株式1株当たりの価額）	⑩（配当還元方式の場合は㉒）の金額	㉖ 円

4．株式及び株式に関する権利の価額（1．及び2．に共通）

株式の評価額	円
株式に関する権利の評価額	円 （円　銭）

Q157 評価明細書第６表の書き方

「第６表　特定の評価会社の株式及び株式に関する権利の価額の計算書」の書き方について教えてください。

A 評価明細書第６表は、評価通達189に定める下記の特定の評価会社のうち①から⑤について、株式及び株式に関する権利の評価に使用します。

評価会社が特定の評価会社に当たるかは、評価明細書第２表（Q39参照）により行い、評価額の計算の基礎となる情報は、評価明細書第４表、第５表、第８表から第６表に転記され、第６表で特定の評価会社の評価額が計算されます。

① 比準要素数１の会社

② 株式保有特定会社

③ 土地保有特定会社

④ 開業後３年未満の会社等

⑤ 開業前又は休業中の会社

⑥ 清算中の会社

なお、上記⑥については、第６表を用いず、適宜の様式で清算分配見込金額に基づく複利現価の額により評価します。

（注）令和６年１月１日以降の相続又は贈与に係る評価に当たっては、表示単位未満の金額に係る端数処理の取扱いが変更されますのでご注意ください（巻末〈付録５〉参照）。

解　説

[1]「1．純資産価額方式等による価額」の右欄の記載方法

第６表を作成する場合の順序としては、会社の態様により、下記のようになります。

会社の態様	評価方式	作成順序
比準要素数１の会社	純資産価額方式（併用方式を選択可能）	第４表・第５表 → 第６表
株式保有特定会社	純資産価額方式（「S_1+S_2」方式を選択可能）	第５表・第７表・第８表→第６表
土地保有特定会社	純資産価額方式	第５表 → 第６表
開業後３年未満の会社等	純資産価額方式	第５表 → 第６表
開業前又は休業中の会社	純資産価額方式	第５表 → 第６表

「１株当たりの価額の基となる金額」及び「１株当たりの価額の計算」については、株式の区分により、第４表、第５表又は第８表から必要に応じて転記します。

また、課税時期において配当期待権の発生している場合や、株式の割当てを受ける権利、株主となる権利、又は株式無償交付期待権の発生している場合には、第３表（一般の評価会社）と同様に、第６表の「１．純資産価額方式等による価額」の「株式の価額の修正」欄により評価額を修正する必要があります。この場合には、後述**「３」**で記載するように、「株式に関する権利の価額」を別途評価します。

「課税時期において配当期待権の発生している場合」欄は、会社の態様に応じて「１株当たりの価額」欄④～⑧から金額を転記し、１株当たりの配当金額を差し引いて「修正後の株式の価額」⑨を計算します。

「株式の割当てを受ける権利、株主となる権利又は株式無償交付期待権の発生している場合」欄は、会社の態様に応じて「１株当たりの価額」欄④～⑧から金額を転記しますが、⑨欄に記載がある場合は、その金額を転記し「修正後の株式の価額」⑩を計算します。

「１株当たりの割当株式数」及び「１株当たりの割当株式数又は交付株式数」は、１株未満の交付株式数を切り捨てずに、実際の交付株式数を記載し計算します。

[2]「2．配当還元方式による価額」欄の記載方法

評価会社が特定の評価会社（開業前又は休業中の会社及び清算中の会社を除く。）であっても、第１表の「１．株主及び評価方式の判定」欄又は「２．少数株式所有者の評価方式の判定」欄の判定により、納税義務者が配当還元方式を適用する株主に該当する場合には、一般の評価会社と同様に、配当還元方式により評価額を計算しますので、その場合は、この欄を使用します。

「直前期末以前２年間の配当金額」の「⑯年配当金額」欄は、評価会社の年配当金額の総額（各事業年度中に配当金交付の効力が発生した剰余金の配当で、資本金等の額の減少によるものを除く）を基に記載します。

したがって、評価会社が、各事業年度中に２回以上配当を行っている場合には、各配当金額の合計額を記載します。

また、評価会社の事業年度が６ヶ月の場合には、「直前期」及び「直前々期」

の各欄を２段書きで４事業年度分を直前期から順次記載します。

「⑰左のうち非経常的な配当金額」欄には、剰余金の配当金額の算定の基となった配当金額のうち、特別配当、記念配当等の名称による配当金額で、将来、毎期継続することが予想できない金額を記載します。

「直前期」欄の記載に当たって、１年未満の事業年度がある場合には、直前期末以前１年間に対応する期間に配当金交付の効力が発生した剰余金の配当金額の総額を記載します。なお、「直前々期」欄についても同様です。

「配当還元価額」の㉒欄の金額の記載に当たっては、純資産価額方式等により計算した金額が、配当還元価額よりも高いと認められる場合には「１．純資産価額方式等による価額」欄の計算を省略しても差し支えありません。

[3]「3．株式に関する権利の価額」の各欄の記載方法

株式に関する権利とは、配当や増資のあるときに株式に関連して生ずる権利です。株式そのものではありません。この株式に関する権利が発生している場合には、上記「１」において、株式の価額から株式に関する権利の価額に相当する金額を控除した上で、別途この株式に関する権利の価額を評価します。

(1) 配当期待権

配当期待権とは、配当金交付の基準日の翌日から配当金交付の効力が発生する日までの間における配当金を受けることができる権利をいいます。

なお、配当金交付の基準日の翌日から、配当金を受け取るまでの間については、配当期待権ではなく「未収配当金」として取り扱い、第４表又は第７表において類似業種比準価額の修正を行います。

配当期待権の価額は、課税時期後に受けると見込まれる予想配当の金額からその金額につき源泉徴収されるべき所得税の額に相当する金額を控除した金額によって評価します。

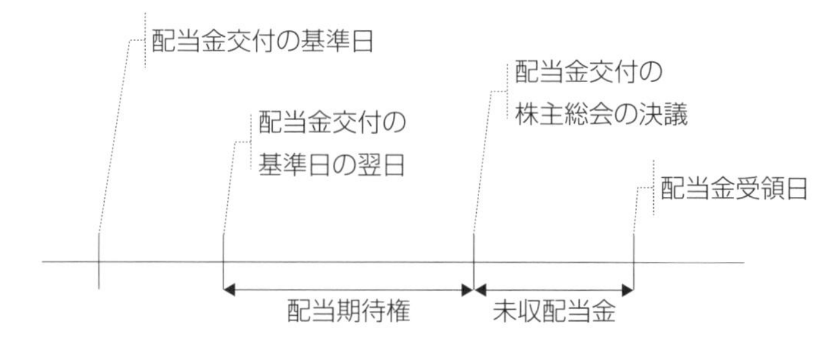

⑵　株式の割当を受ける権利

株式の割当てを受ける権利とは、株式の割当基準日の翌日から株式の割当ての日までの間における株式の割当てを受ける権利をいいます。

株式の割当てを受ける権利の価額は、株式の割当てを受ける権利の発生している株式について、株式の区分ごとに、それぞれ評価通達に定められている評価方式に従って評価した価額に相当する金額から、割当てを受けた株式１株につき払い込むべき金額を控除した金額によって評価します。

⑶　株主となる権利

株主となる権利とは、①会社の設立の場合にあっては、株式の申込みに対して割当てがあった日の翌日（発起人が引受けをする株式にあっては、その引受けの日）から会社設立登記の日の前日まで、②会社成立後の新株発行の場合にあっては、新株式の割当のあった日の翌日から払込期日（払込期間の定めがある場合には払込みの日）までの間におけるそれぞれの株式の引受けに係る権利をいいます。

前述の株式の割当を受ける権利と株主となる権利とは、株式の割当（引受け）の日を境にして区分します。

株主となる権利の価額は、①会社設立の場合と、②会社設立後の新株発行の場合との区分により、次のように評価します。

①　会社設立の場合の株主となる権利の価額は、課税時期以前にその株式１株につき払い込んだ金額によって評価します。

②　会社設立後の増資により株主となる権利が発生している場合は、その株主となる権利の発生している株式について、株式の区分ごとに、それぞれ評価通達に定められている評価方式に従って評価した価額に相当する金額によって評価します。

　ただし、課税時期の翌日以後、その株主になる権利につき払い込むべき金額がある場合には、それぞれの評価方式に従って評価した価額から、割当を受けた株式１株につき払い込むべき金額を控除した金額によって評価します。

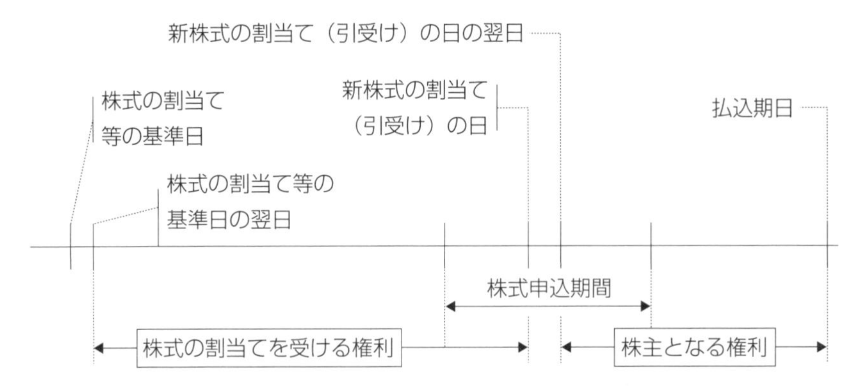

⑷　株式無償交付期待権

株式無償交付期待権とは、株式無償交付の基準日の翌日から株式無償交付の効力が発生する日までの間における株式の無償交付を受けることができる権利をいいます。

株式無償交付期待権の価額は、株式の区分ごとにそれぞれ評価通達に定められている評価方式に従って評価した価額に相当する金額によって評価します。

具体的には、株式無償交付期待権の発生している場合の修正後の株式の価額⑩と同額となります。

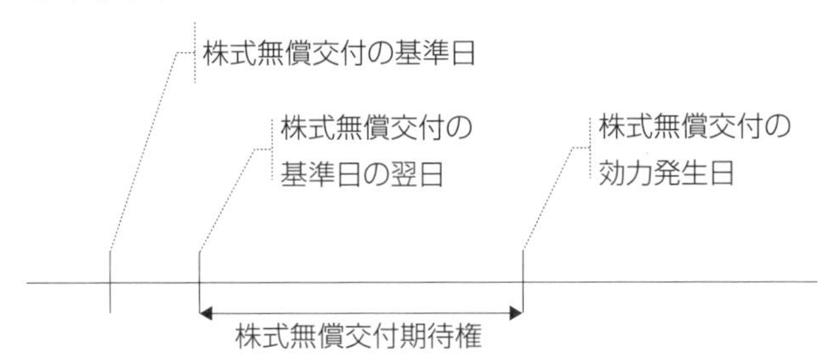

［4］「4．株式及び株式に関する権利の価額」の各欄の記載方法

「株式の評価額」欄には、「1．純資産価額方式等による価額」及び「2．配当還元方式による価額」により計算したその株式の価額を記載します。

「株式に関する権利の評価額」欄には、「3．株式に関する権利の価額」で計算した価額を記載します。「3．株式に関する権利の価額」において複数権利が発生している場合には、それぞれの金額ごとに別に記載します。

また、「配当期待権」の価額は、円単位で円未満2位（銭単位）により記載します。

Q 158｜評価明細書第７表の書き方

「第７表　株式保有特定会社の株式の価額の計算明細書」の書き方について教えてください。

A 評価明細書第７表は、評価会社が株式保有特定会社である場合において、その株式の価額を「S_1+S_2」方式によって評価するときに、「S_1」における類似業種比準価額の修正計算を行うために使用します。

なお、この表の各欄の金額は、表示単位未満の端数を切り捨てて記載します。「受取配当金収受割合」欄は小数点以下３位未満を切捨てて記載し、また「１株(50円）当たりの比準価額」欄、「１株当たりの比準価額」欄及び「比準価額の修正」欄にはそれぞれ小数点以下は切り捨てず記載します。

（注）　令和６年１月１日以降の相続又は贈与に係る評価に当たっては、表示単位未満の金額に係る端数処理の取扱いが変更されますのでご注意ください（巻末〈付録５〉参照）。

解　説

［１］「受取配当金収受割合の計算」欄

「受取配当金収受割合」は、類似業種比準価額の修正計算を行うに当たり、「S_1」すなわち、「評価会社が所有する株式等及び当該株式等に係る受取配当収入がなかったとした場合」の計算を行うための基礎となるものです。

１株当たりの配当金額、利益金額、純資産価額について、この「受取配当収受割合」をもとに修正をします（「S_1+S_2」方式の具体的な計算方法参照）。

$$\text{受取配当収受割合} = \frac{\text{直前期末以前２年間の受取配当金の合計額}}{\text{直前期末以前２年間の受取配当金の合計額} + \text{直前期末以前２年間の営業利益の金額の合計額}}$$

(1)　「受取配当金額」欄は、直前期及び直前々期の各事業年度における評価会社の受取配当金額（剰余金の配当で株式又は出資に係るものに限るものとし、資本金等の額の減少によるものを除きます）の総額を、それぞれの各欄に記載し、その合計額を「合計」欄に記載します。

平成30年からは、新株予約権付社債に係る利息の額も含めます。

(2)　「営業利益の金額」欄は、(1)と同様に、各事業年度における評価会社の営業利益の金額（営業利益の金額に受取配当金額が含まれている場合には、受取配当金額を控除した金額）を記載します。

⑶　「①直前期」「②直前々期」の各欄の記載に当たって、１年未満の事業年度がある場合には、それぞれの事業年度の期末以前１年間に対応する期間に配当金交付の効力が発生した剰余金の配当金額の総額を記載します。

また、営業利益の金額についても、直前期末１年間に対応する利益の金額を記載します。この場合に、実際の事業年度に係る利益の金額を按分する必要があるときは、月数により按分して計算します。

⑷　「受取配当金収受割合」欄は、小数点以下３位未満の端数を切り捨てて記載します。

［2］「直前期末の株式及び出資の帳簿価額の合計額」欄

「Ⓓ－ⓓの金額」欄（比準要素１株当たりの純資産価額の修正）を記載するに当たり「直前期末の株式及び出資の帳簿価額の合計額」欄については、直前期末における株式等（新株予約権付社債を含みます。）の税務計算上の帳簿価額の合計額を記載します。なお、第５表「１株当たりの純資産価額（相続税評価額）の計算明細書」を直前期末における各資産に基づいて作成している時は、第５表の㋺の金額を記載します。

［3］「１株（50円）当たりの比準価額」欄、「１株当たりの比準価額」欄、「比準価額の修正」欄

これらの欄については、「第４表　類似業種比準価額等の計算明細書」に準じて記載します。

Q 159｜S_1+S_2方式の計算の概要

S_1+S_2方式の計算の概要について教えてください。

A　評価会社が株式保有特定会社である場合には、原則として、純資産価額方式で評価（財産評価基本通達185但書の80%評価可）しますが、納税者の選択により、「S_1+S_2」方式で評価することができます。

解　説

株式保有特定会社（第１章参照）に該当すると、純資産価額方式（80%評価可）で評価することを原則とします。しかし、この純資産価額方式に代えて、納税者の選択により「S_1＋S_2」方式と呼ばれる方法で評価することもできます。

この「S_1＋S_2」方式とは、次により計算する方法です。

<「S_1+S_2」方式>

株式保有特定会社の株式の評価額＝S_1の金額＋S_2の金額

「S_1の金額」＝株式保有特定会社が所有する株式等（自己株式を除く。）とその株式等の受取配当がないものとして計算した場合の同社株式の原則的評価方法による評価額

「S_2の金額」＝株式保有特定会社が所有する株式等（自己株式を除く。）について、財産評価基本通達によって評価した価額（評価差額に対する37%控除を適用して計算する。）

株式保有特定会社の株式については、評価会社が有する他の会社の株式自体の価値を重視して、その他の会社の株式の価額が評価会社の株式の評価額の計算に直接的に反映される評価方法である純資産価額方式により評価することを原則としています。

しかし、株式保有特定会社に該当する評価会社であっても、事業活動を相当規模で営んでいる会社も多く、また、株式保有特定会社に該当するか否かの判定割合が土地保有特定会社の判定割合に比して低く設定されていることなどから、株式保有特定会社と他の会社の評価方法との均衡を欠くこととなっています。

そこで納税義務者の選択により、株式保有特定会社の株式をその保有している株式等の価額（S_2の金額）部分と、その他の部分の金額（S_1の金額）部分とに分けて評価し、これらの価額の合計額をもって株式保有特定会社の評価額として計算することを認めたのが「S_1＋S_2」方式です。

なお、株式を相互持ち合いしている場合において、相互持ち合いを解消するときに、持ち合いをしている会社のいずれか又は双方が株式保有特定会社に該当する場合のS_1＋S_2方式の持合計算については、Q171を参照してください。

なお、株式保有特定会社の株式であっても、同族株主以外の株主等（いわゆる少数株主）が取得した株式については配当還元方式によって評価します。

ただし、配当還元方式によって評価した価額が、上記の価額を超える場合には、上記の価額によります。

Q 160 S_1+S_2方式の具体的な計算方法

「S_1+S_2」方式の具体的な計算方法について教えてください。

A S_1の金額は、株式保有特定会社が所有する株式等及びその株式等に係る受取配当収入がなかったとした場合のその株式保有特定会社の株式を、会社規模に応じた原則的評価方法により評価した金額です。

この場合の規模区分の判定は、一般の評価会社と同様に判定し、総資産の帳簿価額から株式等の帳簿価額を控除するなどの調整は行いません。

S_2の金額は、株式保有特定会社が所有する株式等のみを評価会社の資産とみなして、後述する算式による1株当たりの純資産額に相当する金額（相続税評価額により計算した金額）によって計算した金額です。なお、この場合の純資産価額には、評価通達185但書（80％評価）の適用はありません。

解　説

「S_1+S_2」方式の計算式は次のようになります。

［1］評価会社のS_1の金額

(1)　原則的評価方式が類似業種比準方式である場合（修正類似業種比準価額）

原則的評価方式が類似業種比準方式である場合のS_1の金額は、次のように計算します。

$$\text{修正類似業種比準価額}=A\times\left(\frac{\dfrac{Ⓑ-ⓑ}{B}+\dfrac{Ⓒ-ⓒ}{C}+\dfrac{Ⓓ-ⓓ}{D}}{3}\right)\times\begin{cases}0.7\text{（大会社の場合）}\\0.6\text{（中会社の場合）}\\0.5\text{（小会社の場合）}\end{cases}$$

A＝類似業種の株価（持株会社以外の事業により業種を選ぶ）

B＝課税時期の属する年の類似業種の1株当たりの配当金額

C＝課税時期の属する年の類似業種の1株当たりの年利益金額

D＝課税時期の属する年の類似業種の1株当たりの純資産価額（帳簿価額によって計算した金額）

Ⓑ＝評価会社の直前期末における1株当たりの配当金額

Ⓒ＝評価会社の直前期末以前1年間における1株当たりの利益金額

Ⓓ＝評価会社の直前期末における1株（50円）当たりの純資産価額（帳簿価額によって計算した金額）

ⓑ＝Ⓑ×「受取配当金収受割合（注１）」

ⓒ＝Ⓒ×「受取配当金収受割合（注１）」

ⓓ＝（イ）＋（ロ）（注２）

（イ）＝Ⓓ×〔直前期末の株式等の帳簿価額の合計額÷直前期末の総資産価額（自己株式の価額を除いた帳簿価額）〕

（ロ）＝〔利益積立金額÷直前期末における１株当たりの資本金等の額を50円とした場合の発行済株式数〕×「受取配当金収受割合」

（注１）「受取配当金収受割合」

$$= \frac{\text{直前期末以前２年間の受取配当金額の合計額}}{\text{直前期末以前２年間の受取配当金額の合計額} + \text{直前期末以前２年間の営業利益の金額の合計額}}$$

受取配当金は、法人から受ける剰余金の配当（株式又は出資にかかるものに限るものとし、資本金等の額の減少によるものを除きます）、利益の配当及び剰余金の分配（出資に係るものに限ります）の合計額です。（平成30年以降、新株予約権付社債利息額を含む。）

また、「受取配当金収受割合」は、１を上限とし、少数点以下３位未満を切り捨てます。

なお、評価会社の事業目的によって受取配当金が営業利益に含まれている場合は、受取配当金額を営業利益の金額から控除します。

（注2）ⓓはⒹを限度とします。また、利益積立金額が負数のときは０とします。

⑵ 原則的評価方式が純資産価額方式である場合（修正純資産価額）

原則的評価方式が純資産価額方式である場合のS_1の金額は、株式保有特定会社の「各資産」から「株式等」を除いて純資産価額方式により計算します。この場合の純資産価額には、財産評価基本通達185ただし書（同族株主等の保有議決権割合が50％以下の場合の80％評価）の適用はありません。

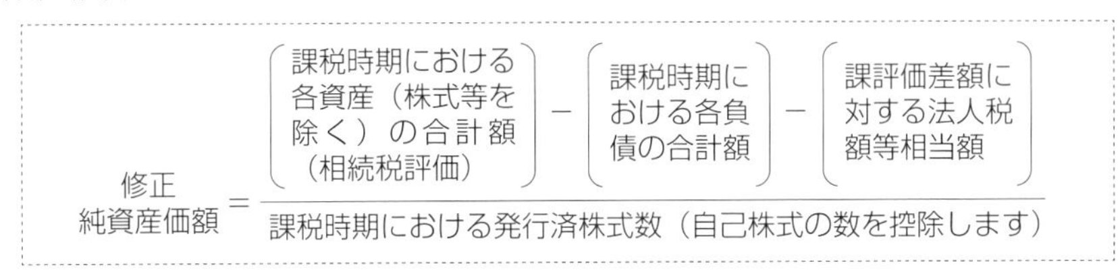

⑶ １株当たりのS_1の金額

①大会社　上記⑴で計算した修正類似業種比準価額

②中会社　　上記(1)で計算した修正類似業種比準価額×Lの割合＋上記(2)で計算した修正純資産価額×（１－Lの割合）

※　Lの割合は、中会社の中での規模区分に応じて、３つ（0.60・0.75・0.90）に区分されます。

③小会社　　上記(1)で計算した修正類似業種比準価額×0.50＋上記(2)で計算した修正純資産価額×（１－0.50）

(4)　比準要素数１の会社にも該当する場合

株式保有特定会社が「比準要素数１の会社」にも該当する場合には、会社の規模にかかわらず比準要素数１の会社の評価の定めに準じて計算します。

したがって、S_1の金額は、

①上記(2)で計算した修正純資産価額（80%評価不可）

又は、納税者の選択により

②上記(1)で計算した修正類似業種比準価額×0.25＋上記(2)で計算した修正純資産価額（80％評価不可）×（1－0.25）

となります。なお、この場合においては、会社規模による区分はありません。

［2］評価会社のS_2の金額

S_2の金額は、株式保有特定会社が保有する株式等のみを評価対象会社の資産としてとらえ、次の算式による１株当たりの純資産価額に相当する金額（相続税評価額により計算した金額）によって計算した金額をいいます。

なお、この場合の純資産価額には、財産評価基本通達185但書（同族株主等の保有議決権割合が50％以下の場合の80％評価）の適用はありません。

$$\frac{\left\{\left(\text{株式等の相続税評価額の合計額}\right)-\left(\text{株式等の相続税評価額の合計額}-\text{株式等の帳簿価額の合計額}\right)\times 37\%\right\}}{\text{課税時期における発行済株式数（自己株式の数を控除します。）}}$$

［3］評価会社が保有する株式の評価（S_2の計算）

S_2の金額の算定に当たり、評価会社が保有する株式については、以下の点に留意して評価する必要があります。

(1)　保有株式が上場株式である場合は、上場株式等の評価によります。

(2)　取引相場のない株式等については、原則的評価方式、配当還元方式、特定の評価会社の株式の評価によります。

(3)　取引相場のない株式について、その株式を純資産価額により評価する場合は、評価差額に対する法人税額等相当額を控除しないで計算します。

保有株式を特定の評価会社の株式として「S_1+S_2」方式により評価する場合においても、評価差額に対する法人税額等相当額の控除はしません。

法人税額相当額の控除は、評価会社株式の金額を計算する際にだけ控除します。

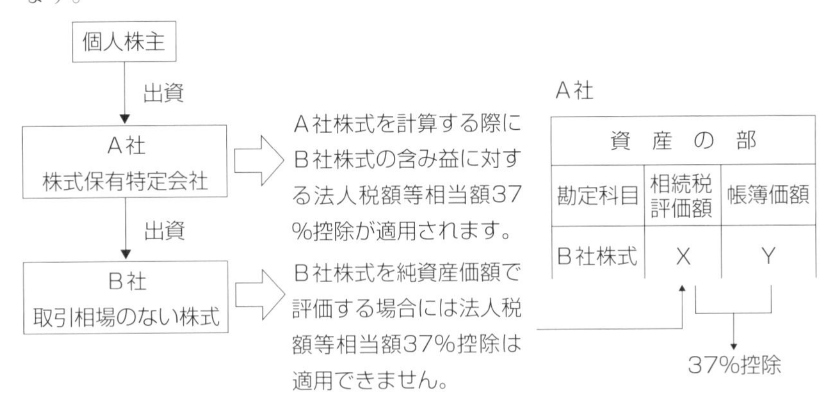

(4)　評価会社が株式保有特定会社の場合及び評価会社が保有する株式の評価に当たり、評価通達185但書の80%評価の適用と、法人税額等相当額の37%控除の適用については、以下のとおりとなります。

評価会社（株式保有特定会社）の評価

純資産価額方式	80%評価 ※1	可	財基通185
	法人税額等相当額の37%控除	可	財基通185
「S_1+S_2」方式	80%評価	不可	財基通189－3
	法人税額等相当額の37%控除	可	財基通189－3

※1　大会社であっても可（会社規模に関係ない）

評価会社が保有する株式の評価

純資産価額方式	80%評価　※2	可	財基通185
	法人税額等相当額の37%控除	不可	財基通186-3
「S_1+S_2」方式	80%評価	不可	財基通189-3
	法人税額等相当額の37%控除	不可	財基通186-3

※2　一般の評価会社については、大会社の場合は不可

株式保有特定会社である場合は会社規模に関係なく可

(5) 評価会社が保有する取引相場のない株式が現物出資等により受け入れたものであり、現物出資等受入れ差額が生じている場合には、上記(3)及び(4)の取扱いにかかわらず、評価会社の株式を純資産価額方式により計算する際にその現物出資等受入れ差額に対する法人税額等相当額の控除はないものとして取り扱われます。

[4]「S_1+S_2」の計算例

<会社の規模が中会社に該当する場合>

A社（資本金1億円：発行済株式数200万株）の株式評価資料

イ　1株当たりの純資産価額（相続税評価額）の計算資料

	（相続税評価額）	（帳簿価額）
B社株式	50億円	5,000万円
土地	30億円	3億円
負債	1億円	1億円

（株式保有割合　62.5%）

ロ　類似業種比準価額計算の資料

類似業種の株価　1,000円

	（類似業種）	（評価会社）
1株当たりの配当金額	3.5円	5円
1株当たりの年利益金額	47円	84円
1株当たりの簿価純資産価額	98円	125円

ハ　受取配当金等の資料

	（受取配当金額）	（営業利益の金額）
直前期	2,500万円	1,600万円
直前々期	2,500万円	1,300万円

ニ　その他の資料

資本金等の金額	1億2,000万円
利益積立金額	1億3,000万円

(1)　S_1の金額

i　類似業種比準方式による計算

①　受取配当金収受割合の計算

$$\frac{2{,}500万円+2{,}500万円}{(2{,}500万円+2{,}500万円)+(1{,}600万円+1{,}300万円)}=0.632$$（小数点以下3位未満切捨て）

② Ⓑ－ⓑの金額

5円－（5円×0.632）＝1円90銭

③ Ⓒ－ⓒの金額

84円－（84円×0.632）＝31円

④ Ⓓ－ⓓの金額

Ⓓの金額＝125円

ⓓの金額＝（イ）＋（ロ）

（イ）＝125円×（5,000万円÷3億5,000万円）＝17円

（ロ）＝（1億3,000万円÷200万株）×0.632＝41円

（イ）＋（ロ）＝58円

Ⓓ－ⓓの金額＝125円－58円＝67円

⑤ 類似業種比準方式による金額

$$1{,}000円\times\left(\frac{\frac{1円90銭}{3.5円}+\frac{31円}{47円}+\frac{67円}{98円}}{3}\right)\times0.6=372円$$

ii 純資産価額方式による計算

$$\frac{(30億円-1億円)-\{(30億円-1億円)-(3億円-1億円)\}\times37\%}{200万株}=950円$$

iii S_1の金額

（中会社の中での規模区分に応じるLの割合は0.6とします。）

S_1の金額＝372円×0.6＋950円×（1－0.6）＝603円

(2) S_2の金額

$$\frac{50億円-(50億円-5{,}000万円)\times37\%}{200万株}=1{,}584円$$

(3) S_1+S_2の金額

S_1+S_2＝603円＋1,584円＝2,187円

Q 161 評価明細書第８表の書き方

「第８表　株式保有特定会社の株式の価額の計算明細書（続）」の書き方について教えてください。

A 第８表は、評価会社が株式保有特定会社である場合において、その株式の価額を「S_1+S_2」方式によって評価するときに、「S_1」における純資産価額の修正計算及び１株当たりのS_1の金額の計算並びに「S_2」の計算を行うために使用します。

なお、この表の各欄の金額は、表示単位未満の端数を切り捨てて記載します。

（注）令和６年１月１日以降の相続又は贈与に係る評価に当たっては、表示単位未満の金額に係る端数処理の取扱いが変更されますのでご注意ください（巻末〈付録５〉参照）。

解　説

[1]「2．S_2の金額」欄の記載方法

(1)「課税時期現在の株式及び出資の価額の合計額」欄の⑱の金額は、課税時期における株式等の相続税評価額を記載します。取引相場のない株式、出資又は転換社債（財産評価基本通達197－5《転換社債型新株予約権付社債の評価》の(3)のロに定めるものをいいます。）の価額を純資産価額（相続税評価額）で評価する場合には、評価差額に対する法人税額等相当額の控除を行わないで計算した金額を「相続税評価額」として記載することに留意します。

また、株式保有特定会社の判定時期と純資産価額の計算時期が直前期末における決算に基づいて行われている場合には、S_2の計算も直前期末における決算に基づいて行うべきであることに留意する必要があります。

(2)「株式及び出資に係る評価差額に相当する金額」欄の⑳の金額は、株式及び出資の相続税評価額と帳簿価額の差額に相当する金額を記載します。

その金額が負数のときは、「０」と記載します。

第8章

その他の評価実務

Q 162｜営業権について

評価会社は業績が堅調ですが、貸借対照表に計上されている営業権はありません。この会社の株式を純資産価額方式で評価する場合に営業権を評価しなければならないのでしょうか。

A 相続税基本通達では、「法に規定する「財産」とは、金銭に見積ることができる経済的価値のあるすべてのものをいうのである」として、「財産には、法律上の根拠を有しないものであっても経済的価値が認められているもの、例えば、営業権のようなものが含まれること」と営業権も評価対象とすることを明確にし（相基通11の2－1⑵）、財産評価基本通達165でその評価方法を示しています。したがって、取引相場のない株式の評価においても、その定めに従って営業権を評価することになります。

また、営業権の評価算式については、平成20年の改正において「標準企業者報酬額」を現下の経済実態に応じた金額とし、「総資産価額に乗じる率」を基準年利率から総資産利益率を基にした5.0%に引き上げたため、結果として営業権が発生しにくい状況となりました。

解　説

[1] 営業権の評価方法

⑴　営業権評価の算式

営業権の価額は、次の算式によって計算した金額によって評価します（財基通165）。

平均利益金額×0.5－標準企業者報酬額－総資産価額 ×0.05＝超過利益金額

超過利益金額×営業権の持続年数（原則として、10年とする）に応ずる基準年利率による複利年金現価率＝営業権の価額

⑵　平均利益金額

⑴の「平均利益金額」等については、次によります（昭41直資３－19・平16課評２－７外、平20課平２－５外改正。財基通166）。

「平均利益金額」は、課税時期の属する年の前年以前３年間（法人にあっては、課税時期の直前期末以前３年間とします。）における所得の金額の合計額の３分の１に相当する金額（その金額が、課税時期の属する年の前年（法人にあっては、課税時期の直前期末以前１年間とします。）の所得の金額を超える場合には、課税時期の属する年の前年の所得の金額とします。）とします。

⑶　所得の金額

⑵の「所得の金額」は、所得税法第27条第２項に規定する事業所得の金額（法人にあっては、法人税法第22条第１項に規定する所得の金額に損金に算入された繰越欠損金の控除額を加算した金額とする。）です。

なお、その所得の金額の計算の基礎に次に掲げる金額が含まれているときは、これらの金額は、いずれもなかったものとみなして計算した場合の所得の金額とします（財基通166⑴）。

評価明細書では「修正利益金額」と記述しています。

イ　非経常的な損益の額 ロ　借入金等に対する支払利子の額及び社債発行差金の償却費の額 ハ　青色事業専従者給与額又は事業専従者控除額（法人にあっては、損金に算入された役員給与の額）

つまり、上記の金額は営業権の計算上、いったんキャンセルし、その上で次の⑷、⑸、⑹の金額に置き換えています。

⑷　標準企業者報酬額

「標準企業者報酬額」とは、次に掲げる平均利益金額の区分に応じ、次に掲げる算式により計算した金額とします。

平均利益金額の区分	標準企業者報酬額
１億円以下	平均利益金額×　0.3＋1,000万円
１億円超　３億円以下	〃　×　0.2＋2,000万円
３億円超　５億円以下	〃　×　0.1＋5,000万円
５億円超	〃　×0.05＋7,500万円

（注）　平均利益金額が5,000万円以下の場合は、標準企業者報酬額が平均利益金額の２分の１以上の金額となるので、財基通165（営業権の評価）に掲げる算式によると、営業権の価額は算出されないことに留意します。

⑸　総資産価額

「総資産価額」とは、財産評価基本通達に定めるところにより評価した課税時期（法人にあっては、課税時期直前に終了した事業年度の末日とする。）における企業の総資産の価額とします。

この総資産価額に乗ずる率については、従来は国債の利回りを基とした基準年利率を用いていました。しかし、平成20年改正において、その率は、超過収益力（超過利益金額）の算定において控除することとなる投下資本の働きの部分を計算するためのものであることから、企業の有する資産の運用利回り（働き）を示す率を用いることが適当であると考えられるので、総資産価額に対する利益金額の割合である総資産利益率を基とした５％に改められました。

この５％は、平成19年９月公表の「平成18年度法人企業統計（財務省）」（業種別、規模別資産・負債・資本及び損益表（全産業））を用いて、分子を「経常利益＋支払利子」、分母を「総資産」として計算した総資産利益率を基としています。

分子を「経常利益＋支払利子」としたのは、所得金額に非経常的な損益の額等を加減算した金額である平均利益金額に近似する利益は経常利益であること及び借入金（他人資本）の有無（大小）による資産の運用利回り（働き）への影響を排除するためであります。

⑹　基準年利率

財産評価基本通達に定める基準年利率については、従来、これを用いて評価する財産の収入等が長期的に継続するものが多いことから、その指標としては長期金利が適切であるとして、長期国債の応募者利回りと長期プライムレートの最近10年間のこれらの平均値を基に定めることとし、平成11年９月１日以降適用の4.5％から平成13年適用の3.5％、平成14年以降適用の3.0％へ。平成16年以降は、日経公社債インデックスの例を参考に、短期（３年未満）、中期（３年以上７年未満）及び長期（７年以上）に区分して定めることとし各月の基準年利率については、四半期ごとに３か月分をまとめて個別通達により公表することとされ、営業権の持続年数は原則として10年とすることから、長期（７年以上）の1.5％等とされました。

○基準年利率の推移

基準年利率	平成10年まで	平成11年	平成12－13年	平成14－15年	平成16年以後（7年以上の長期）
	8％	4.5％	3.5％	3％	1.5％又は1.0％

基準年利率	平成26年1月	平成26年2月から4月	平成26年5月	平成26年6月から12月	平成27年1月から5月
	1.0	0.75	1.0	0.75	0.5
	平成27年6月から8月	平成27年9月から平成28年1月	平成28年3月	平成28年4月	平成28年5月から8月
	0.75	0.5	0.1	0.05	0.01
	平成28年9月から11月	平成28年12月	平成29年1月から8月	平成29年9月	平成29年10月から平成30年12月
	0.05	0.1	0.25	0.1	0.25
	平成31年1月から3月	平成31年4月	令和元年5月	令和元年6月	令和元年7月から11月
	0.1	0.05	0.1	0.05	0.01
	令和元年12月から令和2年2月	令和2年3月	令和2年4月から6月	令和2年7月	令和2年8月
	0.05	0.01	0.1	0.25	0.1
	令和2年9月	令和2年10月から令和3年1月	令和3年2月から6月	令和3年7月から9月	令和3年10月から令和4年3月
	0.25	0.1	0.25	0.1	0.25
	令和4年4月から11月	令和4年12月	令和5年1月から2月	令和5年3月から4月	令和5年5月
	0.50	0.75	1.00	0.75	0.50

なお、個別通達の参考として添付されている複利表によれば、営業権の持続年数（10年）に応ずる基準年利率（年1.5%とします）による複利年金現価率は9.222と公表されています。

したがって、「超過利益金額」が1,000万円であれば、複利年金現価率9.222を乗じた、9,222万円と(2)の「修正利益金額」のうちいずれか低い金額が「営業権」として評価されます。

ちなみに、年0.75%の複利年金現価率は9.600、年0.5%の複利年金現価率は9.730です。年0.25%の10年の複利年金現価率は9.864です。

⑺　営業権評価計算の問題点

①　役員報酬の置き換え計算

営業権の計算上、企業者報酬を置き換えることになっています。この置き換え対象は、「法人にあっては、損金算入を行った役員報酬の額」となります。したがって、法人の役員数・役員報酬総額がこの基準より多ければ多いほど相対的に営業権の評価額がアップしてしまいます。

②　ＤＣＦ法における割引率と基準年利率の乖離

ＤＣＦ計算実務において用いられる割引率（資本コスト）は一般に、ＣＡＰＭ（Capital Asset Pricing Model）理論によって算定した株主資本コストと負債コストとの加重平均資本コスト、すなわちＷＡＣＣ（Weighted Average Cost of Capital）に基づいて算出しています。

ＷＡＣＣの算式は次のとおりです。

$$\mathrm{WACC} = \frac{D}{D+E} \times (1-T) \times rd + \frac{E}{D+E} \times re$$

Ｄ：有利子負債の時価　ｒｄ：負債コスト

Ｅ：株主資本の時価　　ｒｅ：株主資本コスト

Ｔ：実効税率

株主資本コスト（ｒｅ）は資本資産評価モデル（CAPM：Capital Asset Pricing Model）により算出され、CAPMモデルの算式は次のとおりです。

$$re = rf + \beta \times (rm - rf)$$

ｒｆ：リスクフリーレート

β：任意の株式の市場全体に対する相対的変化率（市場感応度）

（ｒｍ − ｒｆ）：マーケットリスクプレミアム（株式投資収益率－リスクフリーレート）

ここで、リスクフリーレートは、10年国債利回り（約1.5%）を使用し、投資収益率は基本的にTOPIXをベースにしたリターン（配当込み）を使用するケースが多く、したがって投資家が求めたい期待収益率が加味され、全体的に割引率が高くなります。

簡略に言えば

割引率＝自己資本コスト＋負債コスト 自己資本コスト＝1.5%＋市場感応度×マーケットリスクプレミアム

ところが財産評価基本通達における営業権評価上の総資産利益率は5.0%に設定され、期待収益率という概念が入っていません。財産評価基本通達における営業権評価は超過利益金額について基準年利率による複利年金原価計算となり、この点ではＤＣＦ計算実務に比較して高く評価されてしまいます。

［2］評価不要の営業権

医師、弁護士等のようにその者の技術、手腕又は才能等を主とする事業に係る営業権で、その事業者の死亡と共に消滅するものは、評価しません（財基通165（注））。

［3］一括評価の無体財産権等

営業権を評価明細書第５表に記載する場合、営業権に含めて一括評価を行う次の無体財産権等（「一括評価の無体財産権等」といいます。）や有償で取得した営業権に帳簿価額がある場合は、その合計を「帳簿価額」欄に記載し、その「相続税評価額」欄には営業権の評価明細書で計算した営業権の金額を記載します。

（一括評価の無体財産権等）

イ　その権利者自らが実施している特許権、実用新案権、意匠権及びそれらの実施権（財基通145、146）

ロ　その権利者が自ら使用している商標権及びその使用権（財基通147）

ハ　出版業者の有する出版権（財基通154）

ニ　漁業法の規定に基づく漁業権（財基通163、164）

[4] 営業権評価の事例

営業権の評価明細書

被相続人等の氏名		相続開始等の年月日	・・

（平成二十年分以降用）

事業所所在地又は本店所在地		事業の内容		商号又は屋号	
氏名又は法人名	○○株式会社				

平均利益金額の計算

年分又は事業年度	① 事業所得の金額又は所得の金額（繰越欠損金の控除額を加算した金額）	② 非経常的な損益の額	③ 支払利子等の額	④ 青色事業専従者給与額等又は損金に算入された役員給与の額	⑤ （①±②＋③＋④）
直前々々事業年度	100,000,000	-50,000,000	22,000,000	77,000,000	㋑ 249,000,000 円
直前々事業年度	200,000,000	80,000,000	33,000,000	77,000,000	㋺ 230,000,000
直前事業年度	300,000,000		25,123,000	87,000,000	㋩ 412,123,000

（㋑＋㋺＋㋩）× $\frac{1}{3}$ ＝ 297,041,000円・・・⑥　　平均利益金額（㋩の金額と⑥の金額のうちいずれか低い方の金額）＝ 297,041,000円・・・⑦

標準企業者報酬額の計算

標準企業者報酬額（標準企業者報酬額表に掲げる平均利益金額の区分に応じ、同表に掲げる算式により計算した金額）

（⑦の金額）

297,041,000円 × 0.20 ＋ 20, 000, 000 円

＝ 79,408,200円 ・・・⑧

【標準企業者報酬額表】

平均利益金額の区分	標準企業者報酬額の算式
1億円以下	平均利益金額×0.3＋10,000,000円
1億円超 3億円以下	平均利益金額×0.2＋20,000,000円
3億円超 5億円以下	平均利益金額×0.1＋50,000,000円
5億円超	平均利益金額×0.05＋75,000,000円

総資産価額の計算

科目	相続税評価額	科目	相続税評価額
	円		円
各科目名及び各科目ごとの相続税評価額の記載省略			
		合計	⑨

（平均利益金額（⑦））　（標準企業者報酬額（⑧））　（総資産価額（⑨））　（超過利益金額（⑩））

297,041,000円 × 0.5 － 79,408,200円 －［1,237,656,789 円 × 0.05］＝ 7,229,460 円

（超過利益金額（⑩））　（営業権の持続年数に応ずる基準年利率による複利年金現価率※）　（営業権の価額）

7,229,460円 × 9.864 ＝ 71,311,393円

※ 営業権の持続年数は、原則として、10年とします。

（注） 医師、弁護士等のようにその者の技術、手腕又は才能等を主とする事業に係る営業権で、その事業者の死亡とともに消滅するものは、評価しません。

（資4－29－A4統一）

（※基準年利率を0.25％としています。）

Q163 DCF法と相続税評価額

ディスカウントキャッシュフロー法（DCF法）による評価と、相続税評価額との関係を教えてください。

A DCF法は、投資後に予想される年度別事業計画における現金の入出金額を予測し、それを現在価値に割引いて合計することによって、投資そのものの価値を算出する方法です。

このDCF法は、合併等の組織再編における合併比率等の算定や第三者割当増資など、M&A等に良く利用される評価方法です。一方、相続税評価額は、財産評価基本通達に規定される評価額です。DCF法は、この財産評価基本通達に規定されていませんが、相続開始前の第三者割当等の価額がDCF法により算定された価額である場合には、その価額が財産評価基本通達６における評価となるか否かの問題はあります。

解　説

1．DCF法による評価方法

(1)　DCF法の評価の概要

DCF法とは、株式の価値を擬制資本と見て、会社の利益を利子率で割り引くことにより株式価額を算出する収益還元法の１つです。投資後に予想される年度別事業計画における現金の入出金額を予測し、それを現在価値に割り引いて合計することによって、投資そのものの価値を算出します。投資の意思決定に際して、その有利不利を判定する方法として用いられています。

$$１株当たり評価額=\frac{キャッシュフローを年度別に割引いた金額の合計額}{発行済株式総数（又は議決権総数）}$$

DCF法は、投資を資金の出と入を行う行為であるとする点と、金利や物価変動等の将来の不確実性という時間価値の存在を前提に成り立っています。

DCF法による株式価値の算定に当たっては、次の５つの手続が必要です。

①　対象会社が無借金会社であると仮定して（無借金ベースのキャッシュフローを想定して）、算定期間のキャッシュフローを予測します。

②　残存価値（予測期間終了時に、想定される会社価値の価額）を算出して、

最終期のキャッシュフローに追加します。

③　年度別のキャッシュフローを割引率により現在価値に換算し、それらを合計してキャッシュフローの現在価値の総額を算定します。

④　遊休資産の価値を加算します。

⑤　対象会社に現存する借入残高を控除します。

⑵　DCF法における割引率

DCF計算において用いられる割引率（資本コスト）は、一般的に、株主資本コストと負債コストとの加重平均資本コスト、すなわちWACC（Weighted Average Cost of Capital）に基づいて算出しています。

WACCの算式は、次のとおりです。

$$資本コスト=\frac{D}{D+E}\times(1-T)\times rd+\frac{E}{D+E}\times re$$

D：有利子負債の時価　　　rd：負債のコスト（利子率）

E：株主資本の時価　　　　re：株主資本コスト

T：実効税率

株主資本コスト（re）は、次の資本資産評価モデル（CAPM：Capital Asset Pricing Model）により算出します。

$$re=rf+\beta\times(rm-rf)$$

rf　　　　　：リスクフリーレート

β　　　　　：任意の株式の市場全体に対する相対的変化率（市場感応度）

rm　　　　　：株式投資収益率

(rm－rf)　　：マーケットリスクプレミアム（株式投資収益率－リスクフリーレート）

リスクフリーレートは、一般的に、10年国債利回りを使用し、投資収益率は基本的にTOPIXをベースにリターン（配当込み）を使用するケースが多く、投資家が求めたい期待収益率が加味され、全体的に割引率が高くなります。

２．DCF法と相続税評価額との関係

相続税法における財産の価額は、財産の取得の時における時価であり（相法22）、この基本的な取扱いは、財産評価基本通達に定められています（財基通前文)。この財産評価基本通達において、時価とは、判例・通説である客観的な交換価値を標榜し、「不特定多数の当事者間で自由な取引が行われる場合に通常成立すると認められる価額」と定義した上で、その価額は、財産評価基本通達の定めによって評価した価額とされています(財基通1(2))。

すなわち、財産評価基本通達の「時価」に関するスタンスは、前段で時価を標榜するものの、後段でこの通達で評価することを指示・命令しています。このことは、非公開株式について、不特定多数の当事者間で自由に行われないことを前提に「取引相場のない株式」との名称を付し、当初より、財産評価基本通達1(2)の前段を考慮せず、後段だけで評価していることからも明らかです。

したがって、取引相場のない株式の評価は、通達の定めによって評価した価額以外はないこととなり、DCF法が除外されているため、DCFによる評価額は相続税評価額とはなりません。

もっとも、財産評価基本通達は、「この通達の定めにより難い場合の評価」を定めており、この場合の評価は、当然に財産評価基本通達1(2)の前段を前提としています。

その場合、DCF法は、不特定多数の当事者間で自由な取引が行われる場合に通常成立すると認められる価額なのか、という点が問題になります。特に、相続・贈与の前にDCF法による第三者割当等が実施されている場合について検討を要します。

しかし、取引相場のない株式の第三者割当等は、その割当先が会社関係者等の限られた者であることが一般的であり、不特定多数の者に対して募集することはほとんどありません。

したがって、取引相場のない株式の評価として、DCF法による価額が、課税上認められることは、基本的にないと考えられます。

もっとも、DCF法は、将来の事業計画を基に評価する方法であり、その評価額は計画を前提とするものです。一方、相続等により取得した財産の価額は、被相続人又は遺贈者の相続開始の日(贈与税の場合は、贈与により財産を取得した日)という時点の価額が税額計算の基礎となるものですから、DCF法という将来の計画に基づく予測財産価額を課税の対象とすべきでないことは明らかです。

Q 164 持分会社の出資の評価

持分会社の出資の評価について教えてください。

A 会社法575条１項に規定する持分会社（合名会社、合資会社又は合同会社）に対する出資の価額は、取引相場のない株式の評価の方法に準じて計算した価額によって評価します（財基通194）。財産評価基本通達194は、出資持分自体の評価ですから、相続等により出資持分を承継した場合に限られます。相続に起因して持分の払戻しを受ける場合には、持分払戻請求権として評価します。

解　説

［1］持分の払戻しを受ける場合

持分会社の社員は、定款に別段の定めのある場合のほかは、死亡によって退社（会社法607①三）することとされています。

また、持分の払戻しについては、「退社した社員と持分会社との間の計算は、退社の時における持分会社の財産の状況に従ってしなければならない。」（会社法611②）とされていることから、持分の払戻請求権として評価することとなります。

したがって、払戻しを受ける持分については、「持分払戻請求権」として評価し、その価額は、評価すべき持分会社の課税時期における各資産を財産評価基本通達の定めにより評価した価額の合計額から、課税時期における各負債の合計額を控除した金額に持分を乗じて計算した金額、すなわち、相続税評価による純資産価額によることになります。

［2］持分を承継する場合

定款において、社員が死亡した場合であっても退社とはならず、その死亡した社員の相続人その他の一般承継人が出資持分の承継する旨の定めがある場合（会社法608①）には、出資として、取引相場のない株式の評価方法に準じて評価します。

［3］社員別社員資本変動計算書がある場合

持分会社の資本金・資本剰余金・利益剰余金は本来、社員別に管理されることが規定さています。会社法621、622条は次のとおりです。

会社法621条（利益の配当）

社員は、持分会社に対し、利益の配当を請求することができる。

2 持分会社は、利益の配当を請求する方法その他の利益の配当に関する事項を定款で定めることができる。

3 社員の持分の差押えは、利益の配当を請求する権利に対しても、その効力を有する。

会社法622条（社員の損益分配の割合）

損益分配の割合について定款の定めがないときは、その割合は、各社員の出資の価額に応じて定める。

2 利益又は損失の一方についてのみ分配の割合についての定めを定款で定めたときは、その割合は、利益及び損失の分配に共通であるものと推定する。

持分会社においては、社員は原則として、いつでも利益の配当を請求することができます（会社法621①）。ただし、利益の配当に関する事項については、定款に自由に定めることができます（会社法621②）。また各期に計上した損益を各社員にどのように分配させるかについては、621条ではなく、622条の規定による損益の分配に関する定款の定めとすることができます（「論点解説　新・会社法　千問の道標」商事法務、592頁。図表11－２　資本金・資本剰余金・利益剰余金の概要）。

したがって、社員資本等変動計算書は、社員持分の時系列で管理された場合は社員ごとの社員別社員資本等変動計算書となります。

持分会社において、このような管理は可能ですから、これに基づいて合理的に社員別の社員資本の価額が計算されるときは、上記［1］、［2］いずれの場合もその額によることも可能と考えます。しかしながら実務において、社員ごとの出資・利益剰余金の管理がなされていることは少なく、出資１口の口数の定めがあるものとして運用されていることが多いと思われ、その場合は結果的に株式会社における株主資本変動計算書と同様の取扱いになります。（Q165－2参照）。

Q 164-2 持分会社の会社財産をもって会社の債務を完済できない場合

合名会社、合資会社の会社財産をもって会社の債務を完済することができない状態にあるときにおいて、無限責任社員である被相続人が死亡した場合、被相続人の負担すべき持分に応ずる会社の債務超過額は、被相続人の債務として債務控除ができますか。

被相続人の債務として控除して差し支えありません。

解　説

出資を限度とした有限責任社員については、持分会社の債務を直接負担することはないことから、持分会社の債務を債務控除することはありません。

しかし、無限責任社員は、当該会社の債務について無限に責任を負うこととなりますから、合名会社、合資会社の会社財産をもって会社の債務を完済することができない状態にあるときは、その死亡した無限責任社員の負担（退社している社員についても負担が求められる場合があります（会社法第612条参照)。）すべき持分に応ずる会社の債務超過額は、相続税の計算上、被相続人の債務として相続税法第13条の規定により相続財産から控除することができます（国税庁HP参照)。

表　持分会社の社員の種別と債務控除の適否

<table>
<tr><td colspan="2">会社の種類</td><td>合同会社</td><td colspan="2">合資会社</td><td>合名会社</td></tr>
<tr><td colspan="2">社員の種別</td><td colspan="2">有限責任社員</td><td colspan="2">無限責任社員</td></tr>
<tr><td rowspan="2">評価方法</td><td>持分の払戻を受ける場合</td><td colspan="4">純資産価額（相続税評価基準）により評価する</td></tr>
<tr><td>定款に出資持分の相続についての定めがある場合</td><td colspan="4">取引相場のない株式に準じて評価する</td></tr>
<tr><td colspan="2">その会社が債務超過である場合</td><td colspan="2">債務控除の適用なし</td><td colspan="2">債務超過部分はその無限責任社員の連帯債務となり、その者の負担に帰する部分が債務控除の対象となる</td></tr>
</table>

Q 165 医療法人の出資の評価

平成19年の医療法改正において、持分の定めのある医療法人の新設ができなくなりました。持分の定めのない医療法人であれば、基金部分を除き、相続税負担は発生しません。

ただし、この改正は既存の医療法人には適用されず、新法適用への移行は自主的な取組みと位置付けられたため、当分の間、持分の定めのある医療法人は、「経過措置型医療法人」として存続しています。

この経過措置型医療法人の出資の評価はどのように行うのでしょうか。

また「出資額限度法人」は税務上、通常の持分の定めのある医療法人と異なる評価となるのでしょうか。

持分の定めのない医療法人への移行に関する課税の取扱いについても教えてください。

A

(1) 持分の定めのある医療法人の出資者は、会社の株主と同様に、出資持分が相続又は遺贈の対象にもなります。

(2) 医療法人の議決権数は、出資割合にかかわらず、各社員一個です。出資者は、退社の場合にのみ持分の払戻しを受けることが可能であり、剰余金の配当を受けることはできません。このことから、通常の取引相場のない株式の評価方法と異なる部分があります。

(3) 出資額限度法人とは、出資持分の定めのある医療法人のうち、定款に次の定めをおいたものです。

① 退社に際して、払込出資額を限度として払戻しを請求できる。

② 解散に際しての残余財産の分配は、払込出資額を限度とする。

しかし、この定款については、定款の後戻りが可能であるため、出資持分を相続に際して取得する場合は、通常の持分の定めのある医療法人の出資と同様に評価します。

(4) 持分の定めのある医療法人から持分の定めのない医療法人への定款変更については、法人において受贈益課税がなされず、放棄した個人出資者において所得税課税がなされませんが、定款変更により、個人出資者の相続税又は贈与税の負担が不当に減少すると認められる場合は、医療法人を個人とみなして贈与税が課税されます。

(5) 特定医療法人と社会医療法人は、持分の定めのない医療法人であるので、評価の対象となる持分はありません。

(6) (5)を除く、持分の定めのない医療法人は、「基金拠出型医療法人」と、「一般の持分の定めのない（基金なし）医療法人」の２種類に区分され、前者は基金の評価となり、後者は評価の対象となる持分はありません。

解説

[1] 経過措置型医療法人の出資持分の評価方法

(1) 経過措置型医療法人の出資持分の評価の概要

持分の定めのある医療法人（以下「経過措置型医療法人」といいます。）の出資については、いわゆる標本会社がないことから、かつては、純資産価額方式により評価することとされていました。その後、昭和59年の通達改正により、経過措置型医療法人の出資の評価は、取引相場のない株式の評価方式に準じて、類似業種比準方式、類似業種比準方式と純資産価額方式との併用方式、純資産価額方式により評価することとされました（財基通194－２）。

出資割合が低い社員が保有する出資持分であっても、経過措置型医療法人は剰余金の配当が禁止されていることや、退社による持分の払戻しの権利を有していることから、株式会社の取引相場のない株式の評価方法と異なり、配当還元評価の特例は認められません。

また、経過措置型医療法人であっても、その法人が比準要素数１の会社、株式保有特定会社、土地保有特定会社、開業後３年未満の会社等又は開業前若しくは休業中の会社に該当する場合は、それらの特定の評価会社の株式の評価方法に準じて評価することになります（財基通194－２）。

(2) 社員の判定と評価方式の区分

経過措置型医療法人に対する出資の評価は、①剰余金の配当が禁止されているので配当還元方式がなじまないこと、②各社員は議決権を平等に有しているので評価方式を異にする理由がないこと、③各社員は退社に際して持分の返戻を請求できること等により、すべての出資は原則的評価方式に拠ることとなります。したがって、社員の議決権数による同族の判定をすることはありません。

規模の判定等とそれによる評価方式の区分は、「小売・サービス業」の基準により取引相場のない株式と同様の方式で行います。

類似業種比準価額を計算する場合の業種目は、標本会社に医療法人が含まれていないことから「その他の産業」とされています。「医療福祉」の類似業種を選択しません。

⑶ 類似業種比準価額

財産評価基本通達180（類似業種比準価額）の定めを準用する場合の算式においては、「１株当たりの配当金額」の要素を除外するため、次の算式によって計算します。

経過措置型医療法人については、一般に出資口数１口当たりの金額の定めがないことから、定款に特段の定めがない場合は、発行済み株式数に相当する数は出資１口＝50円として計算することになります（純資産価額の計算においても同じ）。

$$A \times \frac{\left(\frac{Ⓒ}{C} + \frac{Ⓓ}{D} \right)}{2} \times 0.7$$

A　　：類似業種の株価
C，D：類似業種の利益、簿価純資産
Ⓒ，Ⓓ：医療法人の利益、簿価純資産

また、株式保有特定会社の株式の評価をする「S１＋S２」方式を準用する場合の算式は、同様の理由により、次のとおりとなります。

$$A \times \frac{\left(\frac{Ⓒ - ⓒ}{C} + \frac{Ⓓ - ⓓ}{D} \right)}{2} \times 0.7$$

A　　：類似業種の株価
C，D：類似業種の利益、簿価純資産
Ⓒ，Ⓓ：医療法人の利益、簿価純資産

（注）「0.7」は、中会社に相当する医療法人については「0.6」、小会社に相当する医療法人については「0.5」となります。

⑷ 純資産価額

取引相場のない株式を評価する場合の純資産価額（相続税評価額によって計算した金額）については、株式の取得者とその同族関係者の有する株式の合計額が評価会社の発行済株式数の50％未満である場合は、評価通達185のただし書により80％を乗じて計算することになっています。しかし、経過措置型医療法人の出資持分の評価においては、出資額の多寡にかかわらず社員の議決権が平等であることから、この20％の評価減は適用がありません。

また、純資産価額方式で計算する場合は、営業権の評価は不要とされています。

[2] 持分払戻し額

死亡退社に伴い、相続人が持分の払戻しを請求した場合は、払戻額が未収金として、相続財産に計上されることになります。

払戻しを受けた場合は、出資の資本金等の額を超える金額については配当所得となり、準確定申告が必要となるとともに、準確定申告に伴う所得税が相続税の申告に際して債務控除できます。

経過措置型医療法人の出資については、株式のように金庫株制度がなく、経過措置型医療法人に譲渡するという考え方はないことと、「株式会社の株式」ではないことから、金庫株について相続人の譲渡所得となる特例（措法９の７）はありません。

また、定款の定め等により払戻額が出資限度額である場合、被相続人に所得は生じないことから準確定申告の所得とはならず、相続財産としても、出資額が限度となります。ただし、他の出資者に相続税法９条のみなし贈与税課税が発生します。出資額限度で払い戻した場合、出資額限度法人の文書回答（[4]参照）で示された出資者上位３人で50％以下要件等を満たす場合は、みなし贈与税課税はありませんが、要件を満たせる医療法人は、稀だと考えられます。

[3] 持分の定めのない医療法人の基金の評価

基金制度を採用する医療法人は、一般的に、定款において、「本社団は、ある会計年度に係る貸借対照表上の純資産額が次に掲げる金額の合計額を超える場合においては、当該会計年度の次の会計年度の決算の決定に関する定時社員総会の日の前日までの間に限り、当該超過額を返還の総額の限度として基金の返還をすることができる。」「基金の返還に係る債権には、利息を付することができない。」と定められています。

基金は拠出者の立場からすると、医療法人に対する債権（ただし劣後債）であり、基金拠出者が死亡し、その相続人に相続される場合には、当該相続人に相続税が課されます。基金の評価は、貸付債権と同様の評価方法になります（財基通204）。

これは実際に返戻を受けた場合に限らず、基金を継承する場合においても同様です。

［4］出資額限度法人の取扱い

⑴　出資額限度法人の出資持分の評価

出資額限度法人とは、持分の定めのある医療法人（経過措置型医療法人）のうち、定款で社員退社時の払戻請求額や解散に伴う残余財産分配額について、払込出資額を限度とする旨を定めている医療法人をいいます。

出資額限度法人の相続税評価額は、出資を承継する場合は、通常の持分の定めのある医療法人（経過措置型医療法人）と同様（財基通194－2）になります。

相続税評価額は通常の持分の定めのある医療法人と同様であるのに対し、払戻額が出資額を限度とされる疑問については、その理由は厚生労働省が国税庁に照会した文書「持分の定めのある医療法人が出資額限度法人に移行した場合等の課税関係について（照会）」（国税庁文書回答　平成16年6月16日）で次のとおり解説されています。

（理由）

①　出資額限度法人は、依然として、出資持分の定めを有する医療法人であり、出資者の権利についての制限は将来社員が退社した場合に生じる出資払戻請求権又は医療法人が解散した場合に生じる残余財産分配請求権について払戻出資額の範囲に限定することであって、これらの出資払戻請求権等が行使されない限りにおいては、社員の医療法人に対する事実上の権限に影響を及ぼすものとはいえないこと

②　出資額限度法人においては、出資払戻請求権等が定款の定めにより払込出資額に制限されることとなるとしても、定款の後戻り禁止や医療法人の運営に関する特別利益供与の禁止が法令上担保されていないこと

③　他の通常の出資持分の定めのある医療法人との合併により、当該医療法人の出資者となることが可能であること

⑵　出資額限度法人において社員が退社による出資払戻額を受けた場合の課税関係

① 払戻しを受けた社員個人の課税関係

当該社員が出資した金額を超えない限り課税は生じません。

② 医療法人に対する法人税（受贈益）の課税関係

資本等取引（出資金額の減少を生ずる取引）に該当するため、課税関係は生じません。

③ 残存出資者に対する贈与税の課税関係

出資金額に含み益が生じている場合、残存出資者に対して原則として、みなし贈与が課税されます。ただし、以下の要件をすべて満たせば、みなし贈与は課税されません。

イ 出資者の３人及びその者と親族等特殊関係を有する出資者の出資金額の合計額が出資総額の50％以下であること

ロ 社員の３人及びその者と親族等特殊関係を有する社員の数が、総社員数の50％以下であること

ハ 役員のそれぞれに占める親族等特殊関係がある者の割合が３分の１以下であることが定款で定められていること

ニ 社員（退社役員を含む）、役員（理事・監事）又はこれらの親族等に対し特別な利益を与えると認められるものでないこと

しかしながら、実務的には上記要件を満たすことは、高額な評価額の持分を贈与などしなければならないことから、ほとんどの医療法人は要件を充足されることは困難です。

資産税審理室情報（平成17年７月28日）において、「当該出資額限度法人の本来的な要請（設備拡充等のための資金調達の必要性等）によるものではなく、既存の出資者の将来の相続税対策と認められるなど、実質的に個人出資者から与えられた利益と認められる場合には、当該利益については、原則として相続税法第９条に規定するみなし贈与の課税が生じることとなる。」とされ、従業員を利用して、上記の要件を形式上充足しようとすることについて、上記文書回答を補足する見解が公表されていることについても注意が必要です。

なお、この退社による出資額払戻しは、持分の一部放棄となるため、認定医療法人の場合には贈与税の納税猶予等の特例の適用を受けることができます（措法70の７の９、［7］参照）。

(3) 社員が死亡により退社した場合

① 相続人が出資持分を相続した場合

通常の持分の定めのある医療法人（経過措置型医療法人）と同様（財基通194－2）の評価により相続税が課されます。

② 相続人が出資持分について出資額を限度として払い戻した場合

実際に払戻しを受けた金額が相続税評価額となります。ただし、払戻しを受けた出資額に係る剰余金相当額が生ずる場合には、その剰余金相当額は他の出資者にみなし贈与として贈与税が課税されます。他の出資者が相続等により他の財産を取得しているときは、みなし贈与の金額は他の相続財産に加算され相続税が課されます。

なお、この場合、他の社員は、「個人の死亡に伴い贈与又は遺贈があったものとみなされる場合の特例（措法70の７の11)」により、贈与税の納税猶予及び免除の特例を受けることができます。

［5］定款変更による持分の定めのない医療法人への移行

持分の定めのない医療法人への移行は、定款の議決要件（一般的には過半数）を満たせば可能であり、以下のように整理できます。なお、反対社員には退社により、持分返戻請求権があります。従って、社員全員の同意がある場合は、自由かつ任意的な移行が可能です。

① 出資者全員が同時に持分を放棄して、持分の定めのない医療法人に移行する。

② 出資者全員が同時に出資額を限度に出資額の返還を受け、同額を基金として拠出して持分の定めのない医療法人に移行する。

③ 出資者全員が同時に相続税評価額相当額の出資額の返還を受け、そのうちの一定額の基金拠出で移行する。（基金制度のない場合もあり）

④ 出資者全員が同時に時価純資産額等の返還を受け、そのうちの一定額の基金拠出で移行する。

上記の①と②は、税務上は個人出資者の持分が消滅したので医療法人に贈与があった場合に該当するので相続税が不当に減少するかどうかで取扱いが異なります。

相続税が不当に減少するとされる場合は医療法人を個人とみなして、贈与税が課されることとなり、不当に減少しない場合はこの贈与税課税はありません（この場合の不当減少か否かについては［6］参照)。この場合の課税価格は、当該出資の相続税評価額（相続税評価額よりも低い返戻である場合には当該返戻額を控除した差額）であり、いわゆる時価ではありません。

上記の③と④は、個人出資者が相続税評価額又は時価相当額の返還を受けるので、医療法人に贈与があった場合に該当しませんが、出資者は当該返還額のうち、資本金等の額を超える金額は配当所得となります。

［6］相続税法66条４項による医療法人に対する贈与税課税

持分の定めのある医療法人が定款変更等を行って持分の定めのない医療法人に移行する際に、出資持分を有する社員がその出資持分を放棄した場合、一定の要件を満たさないときは、相続税法第66条第４項の規定により、その医療法人を個人とみなして贈与税が課税されることになります。

この場合の一定の要件は、相続税法施行令第33条第３項や「贈与税の非課税財産（公益を目的とする事業の用に供する財産に関する部分）及び公益法人に対して財産の贈与等があった場合の取扱いについて」（昭39直審（資）24・平20課資２－８「15」、「16」）に規定され、その事業が社会的存在として認識される程度の規模を有していること、つまり、特定医療法人や社会医療法人並みの要件を求めている等、ハードルの高いものとなっています。

このため非課税要件を満たさずに移行する場合に発生する贈与税の課税問題は、持分の定めのない医療法人への移行を検討する際、大きな障害要因となります。

［7］措法70の７の14による認定医療法人の贈与税の非課税制度の創設

平成29年10月より認定を受けた医療法人は、相続税法第66条による贈与税を課さないことになりました。

厚生労働大臣による認定を受けた医療法人の持分を有する個人が、持分の全部又は一部の放棄をしたことにより持分の定めのない医療法人への移行をした場合には、当該医療法人が当該放棄により受けた経済的利益については、贈与税を課さないこととなりました（措法70の７の14）。

ただし、持分のない医療法人となった翌年３月15日から６年を経過するまでに、厚生労働大臣の認定が取り消された場合には贈与税が課されます（措法70の７の14②）。

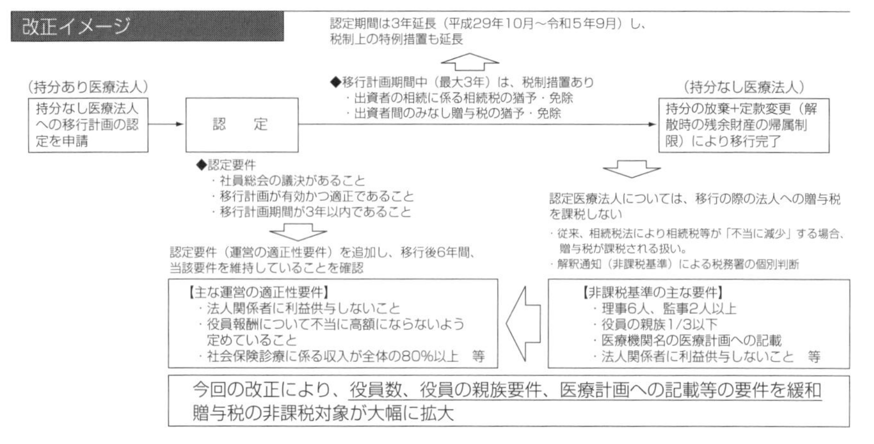

認定要件は次のとおりです。

【認定要件】

① 移行計画が社員総会において議決されたものであること

② 出資者等の十分な理解と検討のもとに移行計画が作成され、持分の放棄の見込みが確実と判断されること等、移行計画の有効性及び適切性に疑義がないこと

③ 移行計画に記載された移行期限が3年を超えないものであること

④ 運営に関する要件

〈運営方法〉

イ　法人関係者に対し、特別の利益を与えないこと

ロ　役員に対する報酬等が不当に高額にならないような支給基準を定めていること

ハ　株式会社等に対し、特別の利益を与えないこと

ニ　遊休財産額は事業に係る費用の額を超えないこと

ホ　法令に違反する事実、帳簿書類の隠ぺい等の事実その他公益に反する事実がないこと

〈事業状況〉

イ　社会保険診療等（介護、助産、予防接種含む）に係る収入金額が全収入金額の80%を超えること

ロ　自費患者に対し請求する金額が、社会保険診療報酬と同一の基準によること

ハ　医業収入が医業費用の150％以内であること

※　運営に関する要件は、持分なし医療法人へ移行後６年間満たしていなければなりません。

ただし、持分のある医療法人が、移行計画の認定を受けず、非課税要件を満たさず持分のない医療法人に移行した場合には、これまでどおりの課税がなされます。

上記の改正が適用されるのは、良質な医療を提供する体制の確立を図るための医療法等の一部を改正する法律の改正に伴い、平成29年10月１日から令和５年９月30日までの間に厚生労働大臣の認定を受けた医療法人に限られます。

［8］認定医療法人制度

⑴　相続税の納税猶予制度の創設

持分の定めのない医療法人への移行に向けた調整を行っている中で相続が発生した場合には、その相続人とすれば当該持分に係る相続税の支払いが必要となり、納税資金確保のため、払戻し請求を行う可能性があります。そのような事態が生じた場合には、医療法人経営の継続が困難になります。そこで、関係者間の合意形成、持分の放棄までの時間を確保し、持分の定めのない医療法人への移行を円滑に進めることを可能とするため、移行計画の認定を受けて持分なし医療法人への移行を進めようとする相続税の納税猶予制度が創設されました。

この制度は、医療法上の移行計画の認定を前提として、持分の定めのない医療法人に移行しようとする過程で、偶然、相続税負担が発生することに伴う払戻しによる経営資源の流出の回避につながるものといえます。

また、移行計画の認定を受けるべく準備を進める中で相続が発生した場合にも同様の問題が生じるため、相続後申告期限までに認定を受けた医療法人についても本制度の対象とされています（措法70の７の12、70の７の13）。

なお、この認定を受けた医療法人を、「認定医療法人」といいます（平成26年改正医療法施行日（平成26年10月１日）から平成32年９月30日までの間に厚生労働大臣認定を受けた医療法人に限ります）。

⑵　贈与税の納税猶予制度の創設

相続以外の局面においても税負担が発生する場合があります。経営に関心のない者などが持分を放棄した場合や、出資額限度法人において任意に出資額相当の払戻しがあった場合など、持分又は出資額を超える剰余金部分の放棄が順次生じる場合があります。このような場合には、放棄された持分が他の出資者に帰属することとなりますが、その経済的利益の帰属は「みなし贈与」として贈与税の課税対象とされています。

担税力のない経済的利益に贈与税が課税されると、納税資金の確保が必要となり、持分の定めのない医療法人への移行が困難になるおそれがあることから、相続税の場合と同様に、贈与税の納税猶予制度を創設されました。

なお、贈与税の場合は、相続税の場合と異なり出資者の死亡による課税のような突発的な課税が生じる可能性は低いことから、みなし贈与発生後に移行計画の認定を受けた医療法人の場合は対象とされていません（措法70の７の９、70の７の10）。

(3) 認定制度の流れ

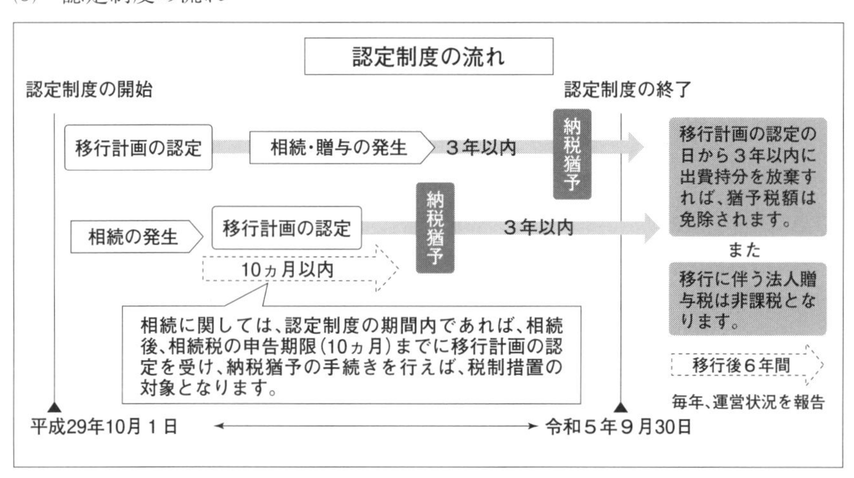

（出典：厚生労働省「持分なし医療法人への移行を検討しませんか」令和４年発行）

［9］認定医療法人制度に係る特例措置の延長等（令和５年度税制改正）

持分のある医療法人は依然として37,490法人（令和４年３月31日現在）が存在し、引き続き、持分のない医療法人への移行を促進する必要性に鑑み、医療法等の改正を前提に認定医療法人の認定期限が令和８年12月31日まで３年３か月延長されました（措法70の７の９①、70の７の10①、70の７の11②、70の７

の12①、70の７の13①、70の７の14①)。

また、持分を有する個人が行う持分の全部又は一部の放棄は、認定移行計画に記載された移行期限まで行う必要があり、その期限は認定を受けた日から３年以内とされています（旧医療法平成18年改正法附則第10条の３第４項第３号)。しかし、移行期限内に持分のない医療法人に移行を完了できない法人が存在し、一度移行計画の認定を受けた医療法人は、二度と移行計画の認定を受けることができません。そこで移行期限を、認定から５年以内に延長され、持分のない医療法人への移行を推進されました。

Q 165-2｜税理士法人等の士業法人の持分評価と退社払戻し

税理士法人等の士業法人の持分はどのように評価するのでしょうか。また退社に当たっての払戻しの計算方法等はどのような取扱いになるのでしょうか。

A 税理士法第48条の21では、会社法を準用しています。

(1) 持分の譲渡について会社法第585条第１項及び第４項
(2) 任意退社について会社法第606条
(3) 退社に伴う持分の払戻しについて会社法第611条（第１項但書きを除く）
(4) 会計について会社法第614条から第619条
(5) 利益の配当について会社法第621条
(6) 社員の損益分配の割合について会社法第622条

以上から、相続の場合に相続人による持分の承継はできませんが、退社した社員（死亡した者を含みます。）は、税理士法人に持分の払戻しを請求することができ、その計算は、退社の時における持分会社の財産の状況に従って行うこととされています。

この場合の退社時の社員の持分は、社員が出資した持分を、持分会社の資産の状況は、純資産評価額により計算した金額をいうものと考えます。

なお、社員の出資持分は固定のものと出資持分が変動するもの（社員別社員資本変動計算書によるもの）があり、出資持分による場合は、１株当たりの純資産用価額に出資口数を乗じたものが、社員別社員資本変動計算書がある場合はそれにより計算された金額となると考えます。

なお、税理士法人が債務超過の場合は、払戻しはありませんが、債務の扱いについては、Q165－2を参考にしてください。

解　説

[1] 合名会社に準ずる法人

税理士法人は、税理士法に根拠を置く法人です（税理士法48の２）。税理士法では、会社法の持分会社規定を多く準用していますが（税理士法48の21）、社員の責任について会社法第580条第１項を準用していますが、同条第２項（有限責任社員の規程）は準用していません。これは、税理士法人の社員の対外的責任については、税理士法人の財産によって税理士法人の債務を完済できないときは、各社員が連帯してその債務を負うことになるからです（無限責任社員）。このことから、税理士法人は、社員を税理士に限定した、会社法上の合名会社に準ずる特別法人といえます。

> 会社法第580条（社員の責任）　社員は、次に掲げる場合には、連帯して、持分会社の債務を弁済する責任を負う。
> 一　当該持分会社の財産をもってその債務を完済することができない場合
> 二　当該持分会社の財産に対する強制執行がその効を奏しなかった場合
> 2　有限責任社員は、その出資の価額を限度として、持分会社の債務を弁済する責任を負う。

一方、弁護士法人は、会社法580条の準用はありません。

[2] 持分の基本的な計算方法の考え方

財産評価基本通達194は、会社法第575条第１項に規定する持分会社に対する出資の価額は、178項（取引相場のない株式の評価上の区分）から前項（193－3）までの定めに準じて計算した価額によって評価すると規定しています。

また、税理士法第48条の21では、会社法第611条（第１項但書きを除く）を準用しており、退社が発生した場合には、次のいずれかの方法の純資産価額計算が参考になります（弁護士法第30条の30、弁理士法第55条、司法書士法第46条、公認会計士法第34条の22も同様です）。

(A)　社員別社員資本変動計算書（下記［5］、［6］参照）により当該社員の個別持分として計算される帳簿純資産価額

(B)　純資産評価方式で計算される１出資口数当たりの金額に当該社員の出資口

数を乗じた金額

［3］退社による払戻し

① 退社払戻し事由

税理士法第48条の17（法定脱退）では、「税理士法人の社員は、次に掲げる理由によって脱退する」とあります。

イ 税理士の登録の抹消

ロ 定款に定める理由の発生

ハ 総社員の同意

ニ 業務の停止（税理士法43、45、46）の処分

ホ 除名

このイには、死亡による登録抹消も含まれます（税理士法26）。

また、準用している会社法第606条（任意退社）において、「各社員は、やむを得ない事由があるときは、期末退社をすることができる」とあることから、退社の場面において持分払戻請求権が発生することになります。

会社法第611条（退社に伴う持分の払戻し）

退社した社員は、その出資の種類を問わず、その持分の払戻しを受けることができる。ただし、第608条第１項及び第２項の規定により当該社員の一般承継人が社員となった場合は、この限りでない。

2 退社した社員と持分会社との間の計算は、退社の時における持分会社の財産の状況に従ってしなければならない。

3 退社した社員の持分は、その出資の種類を問わず、金銭で払い戻すことができる。

4 退社の時にまだ完了していない事項については、その完了後に計算をすることができる。

5 社員が除名により退社した場合における第二項及び前項の規定の適用については、これらの規定中「退社の時」とあるのは、「除名の訴えを提起した時」とする。

6 前項に規定する場合には、持分会社は、除名の訴えを提起した日後の法定利率による利息をも支払わなければならない。

7 社員の持分の差押えは、持分の払戻しを請求する権利に対しても、その効力を有する。

ところで、税理士法は、会社法第611条を準用する場合、「（第１項但し書きを除く）」としていますが、これは、相続人による持分の承継を認めず、退社は持分払戻しに限っているからです。

このことについて国税庁「税理士法人について」Q＆Aは、「(問16)　税理士法人の社員が死亡した場合、社員の地位の承継はどうなるのですか。」の回答において、「税理士法人の社員である税理士が死亡した場合には、社員の資格を相続することはできず、単に死亡した社員の持分払戻請求権等を相続することとなります。」とあります。

以上によりますと、例えば、ある税理士法人に社員税理士Aと社員税理士B（Aの子）がおり、Aが死亡した場合、社員税理士Aは死亡により税理士登録は抹消され、当該税理士法人を脱退することとなります（税理士法48の17）から、Aの相続人であるBがAの社員の地位を相続することはできず、当該税理士法人に対する払戻請求権を相続することとなります。

② 具体的な払戻金額

イ 基本的な考え方

社員の持分の払戻しについては、その会社の自治として律すべきものですが、その自治において定められた方法により計算された払戻金額が合理的な理由もなく高額となる場合は、会社の債権者や他の社員に大きな影響があります。また、退社する社員の持分に相当する払戻しがされない場合は、退社する社員から持分相当の請求がされる場合がありますし、それが当事者間で是認される場合でも残留社員の持分の価額は増加しますから、その増加益に対する課税（みなし贈与）の問題が生じます。

このような事態を避けるためには、退社時の払戻しについて、一定の合理的な払戻基準を設けることが必要で、その基準として上記［2］(A)の社員別社員資本変動計算書による方法と同(B)の純資産評価方式による方法が相当と考えます。

なお、上記［2］(A)の社員別社員資本変動計算書であっても、資産価値の異常な上昇や暴落など、帳簿純資産価額によることが不適当な事情がある場合は、帳簿純資産を時価に洗い替えすることも必要と考えます。

他方、同(B)の純資産評価方式による場合は、含み資産価額などが計算されますが、帳簿価額と相続税評価額との差額に対する法人税相当額の控除は可能と考えます。

この場合、税理士法人の「営業権」については、税理士法人は税理士資格を有する無限責任社員で成り立ち、それぞれの社員の技術、手腕又は才能等に基づいて事業が遂行され、社員資格は承継されないことからすると財産評価基本通達165注書に準じて、評価しないとするのが相当と考えます。

ロ　払戻金額が過小の場合

払戻金額が過小であったとしても、当該退社社員は、その受領金額により所得税が課税されます。

他方、払戻金額が過小であることにより、保有する持分の価額が増加した残存社員は、その増加した価額についてみなし贈与（相法９）が適用されることに注意が必要となります。

③　役員退職と退社の関係

税理士法人の社員は同時に業務執行社員なので、社員が生前退社する場合は同時に退職となり、逆に業務執行社員を退職する場合は、同時に生前退社となります。退社の場合は持分の払戻しとなります。

［4］持分の譲渡と評価

⒝出資持分の１口の定めがある場合の譲渡・贈与については、譲受者は既存社員又は新規加入社員となります。全部譲渡の場合は、譲渡者である社員は同時に退社となります。退社等に当たっても持分の一部譲渡・贈与は可能です。税理士法、弁護士法が準用する会社法第585第１項、第４項により、社員は持分の全部又は一部を他人に譲渡することができます（ただし、税理士法第48条の４により、譲渡の対象は税理士に限られます。）。

この場合の持分は、「出資」（有価証券）であり、譲渡、贈与の場面では低額譲渡の場合は他人間であっても相続税法第７条に注意してください。

⒜社員別社員資本変動計算書の場合も、金額で計算されるその個別持分の譲渡は可能ですが、これは計算された金額によることになります。

［5］　社員別社員資本の管理等

税理士法は、会社法第611条（第１項但書きを除く）を準用していますが、持分と分離して資本剰余金を払い戻す規定の第624条（出資の払戻し）は準用していません（このことは、弁護士法第30条の30、弁理士法第55条、司法書士法第46条、公認会計士法第34条の22も同様です）。

会社法第624条（出資の払戻し）
　社員は、持分会社に対し、既に出資として払込み又は給付をした金銭等の払戻し（以下この編において「出資の払戻し」という。）を請求することができる。この場合において、当該金銭等が金銭以外の財産であるときは、当該財産の価額に相当する金銭の払戻しを請求することを妨げない。
2　持分会社は、出資の払戻しを請求する方法その他の出資の払戻しに関する事項を定款で定めることができる。
3　社員の持分の差押えは、出資の払戻しを請求する権利に対しても、その効力を有する。

本条を準用していないことは、資本剰余金のみの払戻しを認めていないということです。

他方で、会社法第621条は準用されているので、利益剰余金の配当はできます。(A)の場合は社員ごとに管理された利益剰余金の払戻しは可能です。この場合、各社員は税理士法人に対し、自己の個別持分の利益剰余金の範囲の金額で利益の配当を請求することができます。これは実質的に持分の生前一部払戻しになります。

(B)の出資一口の定めがある場合は、口数に応じた全社員同時の利益の配当のみが可能です。

税理士法が準用している会社法第621、第622条は次のとおり規定しています。

会社法第621条（利益の配当）
　社員は、持分会社に対し、利益の配当を請求することができる。
2　持分会社は、利益の配当を請求する方法その他の利益の配当に関する事項を定款で定めることができる。
3　社員の持分の差押えは、利益の配当を請求する権利に対しても、その効力を有する。

会社法第622条（社員の損益分配の割合）
　損益分配の割合について定款の定めがないときは、その割合は、各社員の出資の価額に応じて定める。
2　利益又は損失の一方についてのみ分配の割合についての定めを定款で定めたときは、その割合は、利益及び損失の分配に共通であるものと推定する。

会社法第622条は重要な条文です。利益剰余金の社員別管理をする場合は、期末退社社員及び期首加入社員の利益剰余金の配分について、社員別に考えることができます。退社は会社法で期末と定まっていますので、加入は定款で期首と定め、社員別社員資本の管理をすれば加入以前の期末利益剰余金の移動は起こりません。

［6］ 社員別社員資本変動計算書

社員資本等変動計算書は、出資１口を定める場合は法人全体のみとし、社員持分の時系列で管理された場合は社員ごとの社員別社員資本等変動計算書となります（「論点解説　新・会社法　千問の道標」商事法務、592頁。図表11－２　資本金・資本剰余金・利益剰余金の概要）。

持分会社において、このような管理は可能ですが、実務において、社員ごとの出資・利益剰余金の管理がなされていることは少なく、出資１口の口数の定めがあるものとして運用されていることが多いと思われます。

モデル定款について、このように社員ごとの出資である資本金・資本剰余金、利益剰余金の管理をする場合、次のような、定款案Aが必要となると考えられます。

【社員ごとに利益を管理する定款案A】
（利益の配当）
第24条　当法人は、損失を補填した後でなければ利益の配当をすることはできない。その後においては各社員ごとの利益剰余金は、各社員の請求により配当することができる。
（損益分配の割合）
第25条　各社員の損益分配の割合は、その出資額中の資本金額による。利益剰余金の管理は、任意退社は期末で行い、任意加入は期首で行う。

以上の定款案Aにより、税理士法人設立以後の設立時社員、途中加入社員の資本剰余金・利益剰余金を管理した場合、利益剰余金については、各社員ごとの配当の請求（会社法621）が可能となります。退社した場合の持分の計算も、各自の個別帰属額で可能です。同時に新規に加入する場合の贈与税等の問題も回避することができます。

分配割合は、出資価額に応じてとすることもできるし、出資の価額の内、資本金額に応じてとすることもできます。資本金額とする場合は、創業者社員の出資額が大きい場合、その出資額を資本金と資本剰余金に配分して、新規加入の社員が入った場合以降の事業年度の損益分配割合を、各社員で平等にすることができます。

税理士法人社員資本等変動計算書（各人別）の例

2022/1/1から2022/12/31

	社員履歴	資本金	資本剰余金	期首利益剰余金	当期増加額	当期減少額＝個別配当額	利益剰余金翌期繰越額	各社員の持分
社員A	2002/1設立	100	100	1,000	100	400	700	900
社員B	2010/12加入	100		500	100		600	700
社員C	2020/12加入	100		100	100		200	300
合計		300	100	1,600	300	400	1,500	1,900

（注）1　社員Bの加入に際して、社員Aの同意を得て、社員Aの出資200について、資本金を100、資本剰余金を100とした。

（注）2　社員AはA帰属の利益剰余金1,000のうち、400の利益配当を請求し、当期に実行された。

（注）3　社員Aは、任意退社に際して、持分900の内、500の払戻しを受けることで法人と合意した。この場合Aの利益剰余金の残り400は、旧社員Aに帰属していた利益剰余金として、法人に帰属させて管理することが考えられます。

Q 166 所得税法・法人税法における非公開株式の評価の裁判例

株式の譲渡における時価の考え方で参考となる裁判例があれば教えてください。

A 次の裁判例をご参考にしてください。

解　説

［1］個人から個人への譲渡の裁判例

［独立第三者間取引］

純然たる第三者間において種々の経済性を考慮して定められた取引価額は、一般に常に合理的なものとして是認されるとされています（平13・9・25大分地判、他多数）。その一方、相続税法第7条には、低額譲渡の場合のみなし贈与課税の規定があり、独立第三者間取引であっても、相続税法第7条の適用があるのか、あるとしたらどのような場合に適用されるのかが実務上問題となります。

会社防衛のため、同族株主であるオーナーが、少数株主である一般株主116人から自社株を買い受けた場合に、みなし贈与が適用された裁判例があります（東京地判平19・１・31）。

これによる納付すべき贈与税額は本税だけで３億6,000万円を超えるものです。

判決では、ｉ）譲受者は株式の発行会社の代表取締役であり、かつ、発行済株式の約半数所有の筆頭株主であったため、実質的に譲受者の承認がなければこの株式を自由に売ることは困難等であり、各株式の売却に関して、譲受者の方が各譲渡人に比べて圧倒的に優位な立場にあったこと、ⅱ）各取引は終始譲受者の主導で行われたものであり、譲受者と各譲渡人とは、売却時期及び売却価額等の売却の条件を対等な立場で交渉できるような関係ではなかったことを理由に、各譲受価額が、譲受者と各譲渡人との間でのせめぎ合いにより形成されたと認めることはできないとしました。

したがって、この株式の取引価額は、各譲受日における客観的交換価値を正当に評価したものとはいえないため、各株式の時価は、原則どおり、評価通達の定める方法によって評価すべきであるとされました。

独立第三者間における取引価額であると主張するためには、取引当事者間の主観的事情に影響されたものでない特段の事情が必要であるとしており、この判決の趣旨によると、なんらかの利害関係者間で評価通達によらずに取引価額を決定する場合には、より厳密な客観性が求められるということになりそうです。

［売買実例価額］

贈与により取得した財産の価額は、その財産の取得の時における時価による（相法22）ことから、最近における売買実例のあるものは、その価額が時価であるとも考えることができます。同族株主である個人から、少数株主である個人に対する株式の譲渡において、評価通達によって評価した価額を基に決定した取引価額に対し、課税庁側が売買実例価額の適用を主張した裁判例があります（東京地判平17・10・12）。

この事例は、オーストラリア人である譲受人が、発行会社の取締役会長であった譲渡人から、所有する同社の株式63万株を、総額6,300万円（１株当たり100

円）で譲り受けたものです。判決では、ｉ）評価通達によって評価された価額と同額か又はこれを上回る対価をもって行われた財産の譲渡は、評価通達に定められた評価方法によらないことが正当と是認されるような特別の事情のない限り、相続税法第７条にいう「著しく低い価額の対価で財産の譲渡を受けた場合」に該当しないこと、ⅱ）他の取引事例が存在することを理由に、評価通達の定めとは異なる評価をすることが許される場合があり得るとしても、それは、その取引事例が、取引相場による取引に匹敵する程度の客観性を備えたものである場合等、例外的な場合に限られるとしています。そして、本件売買実例では、見返りの期待のある買主・金融機関が、売買取引の成立を確実なものにするために、あえて売主に有利な高い価額を提示することもあり得るため、客観性を備えたものであるとはいえないとして、課税庁側の主張を退けています。

納税者勝訴で確定した事例ですが、財産の客観的交換価値は、必ずしも一義的に明確に確定されるものではないとして、課税実務上は、原則として、評価通達の定めによって評価した価額をもって時価とすることが確認されています。取引相場のない株式を売買しようとする者は、一般にその会社の関係者に限られるため、過去の売買実例を主観的事情を捨象した客観的な取引価額と考えることは難しいことに十分留意する必要があるのでしょう。また、譲受者が少数株主に該当するとしても、売買取引により譲受者が取得した地位が、その会社の事業経営に相当の影響力を与え得るものであり、配当還元方式が本来適用を予定している少数株主（同族株主以外の株主）の地位と同視できない場合には、特別の事情があるとされ、評価通達により算定した価額が適用されないことも考えられます。評価通達による価額を採用する場合も、あえて採用しない場合も、各々の売買取引においてどのような特別な事情が考えられるか、よく検討する必要があります。

［2］個人から法人への譲渡の裁判例

［売買実例価額］

個人から法人への株式の譲渡について、売買実例のあるものは、最近において売買の行われたもののうち適正と認められる価額を時価としています（所基通23～35共－9⑷イ）。この「最近において」はどの程度の時間的間隔を示すのか、一つの考え方を述べた裁判例があります（大分地判平13・9・25）。

この事例では、同族株主である譲渡者から、同族株主である譲受会社への株式の譲渡において、譲受会社の元従業員であるが特殊関係のない個人Ａ、個人Ｂからの売買実例をどのように考えるかが争点にあげられています。判決では、「事例は、本件各取引より約１年１ヶ月ないし２年５ヶ月前に行われたものであるが、本件会社のような同族会社においては、そもそも株式の取引事例が乏しいのが通常であり、また、上場されておらず、投機目的の取引がないため、上場株式のように価格が小刻みに大きく変動することもないから、この程度の時間的間隔をもって直ちに時価算定の参考にならないということはできない」としています。もっとも判決では配当還元方式による評価が適当としており、売買実例価額が採用されたものではありません。それにもかかわらず、「約１年１ヶ月ないし２年５ヶ月前」の取引でも参考になるとして、一人歩きしているきらいもあります。しかし、ここで重要なのは、そのような数字ではなく、あくまでもそれぞれの発行会社の状況により、「最近において」の時間的間隔は判断できるということです。

［財産評価基本通達の準用］

個人から法人に対して、非上場株式を譲渡した場合の時価について争われ、所得税法基本通達が準用する財産評価基本通達において、配当還元方式を適用できる株主の判定は、譲渡直前の議決権数で行うとして、所得税基本通達の改正に至った裁判例があります（最判令２・３・24）。

この事例では、納税者は少数株主である法人に対して非上場株式を配当還元価額で売却しました。売却価額が類似業種比準方式に基づく価額の１／２に満たないことから低額譲渡として課税庁は更正処分をし、納税者はその取消しを求めて訴えました。主な争点は、所得税法基本通達が準用する財産評価基本通達において配当還元方式を適用できる株主の判定を行う時期が、譲渡直前なのか、譲渡後なのかという点でした。

改正前の所得税基本通達では、財産評価基本通達188⑴の同族株主に該当するかどうかは、譲渡又は贈与直前の議決権の数により判定するとされていたものの、同通達⑵～⑷の判定を行う時期は、必ずしも明らかにされておらず、この事例では、「同族株主」及び「中心的な株主」は存在しないことには争いがなかったため、非上場株式が財産評価基本通達188⑶に該当するか否かが争点となりました。

第一審の東京地裁では譲渡所得なので譲渡直前の議決権割合によるとして納

税者の請求は棄却され、高裁では評価通達からは譲渡直前の議決権と読み取れないとして納税者勝訴の判決が下され、不服な課税庁が上告しました。

最高裁は、相続税や贈与税は財産を取得した者の取得財産に課されるものだから取得した株主の会社への支配力に着目した評価方法を用いるべきだが、譲渡所得は譲渡人の譲渡資産の値上がり益に課されるものだから譲渡人の会社への支配力の程度に応じた評価方法を用いるべきであり、譲渡後の議決権割合による配当還元方式を時価とする高裁判決には所得税法第59条第１項の解釈適用を誤った違法があるとして、課税庁の主張が認められました。

判決についての裁判官の補足意見として、所得税法基本通達59－６で採られている通達作成手法には、通達の内容を分かりにくいものにしている点において問題があり改善されることが望ましいなどの指摘がなされ、同通達の改正に至っています。

［3］法人から個人への譲渡の裁判例

［類似法人比準価額］

通達では、売買実例のないものについては、その法人に類似する他の法人の株式の価額があるものについては、その価額に比準して推定した価額が採用できるとしています（法基通９－１－13(3)、所基通23～35共－９(4)ハ）。この類似法人比準方式により評価すべきとする課税庁側の主張が、少なくともその主張については棄却された裁判例があります（東京地判平12・７・13）。

この事例では、同族株主である譲渡会社から、同族株主である譲受者への株式の譲渡において、課税庁が、その譲渡された株式の発行会社の類似法人として、上場会社11社を標本会社としていたところ、その決定方法につき、事業規模や収益状況等が類似するかどうかの考慮がされているとはいいがたく、また、課税庁は評価対象会社が上場会社に匹敵すると主張するも、標本会社との類似性を何ら主張するものではないとして、本件については類似法人比準方式により株式価額を算定することはできないとされました。

実務的には、取引相場のない株式の発行会社に類似する他の法人で株式の価額があるものは、上場会社から探さざるを得ず、事業規模等を考慮した場合、類似法人の要件を満たすことはほとんどないと考えられます。したがって、取引相場のない株式の評価において類似法人比準価額を採用することは、きわめて困難と言えそうです。

［発行会社を介する三者間取引］

同族会社A社が、A社株式を、代表取締役の父から自己株取得した後、取締役の子に自己株処分した事例で、父にみなし譲渡課税、子に経済的利益に対する給与課税、A社に給与等の源泉徴収義務を認めた事例があります（東京地判令4・2・14)。

この事例では、顧問税理士が、発行会社を介すれば、資本等取引として、みなし配当以外の課税関係は生じないものと考え、単に額面金額に3を乗じて計算した額により取引していました。

裁判所は、資本等取引の概念は法人税法上のものにとどまるし、発行会社が自己株式を取得した場合であっても、譲渡した個人は保有期間中の増加益を観念することができるとして、所得税基本通達59－6の規定による評価方法により算定された額を時価として、その2分の1に満たない金額での譲渡は、所得税法59条が適用されるとしました。A社と子の取引については、子がA社の取締役という地位に基づいて株式を取得したと認め、上記と同様に所得税基本通達59－6の規定による評価方法により算定された額を時価として、実際の対価との差額の経済的利益について、給与として支給されたものと解することが相当であるとしました。

［4］法人間取引の裁判例

連結子会社である51社の平成18年4月から7月にかけて、会社分割、新株発行、資本の減少（株式一部償却)、合併という一連の事業再編がされた。事業再編の中で行われた旧商法に基づく減資及び子会社株式の強制消却に伴い、子会社が旧商法の払戻限度額の払戻しをしたことについて、払戻額が適正な対価の額に比して低いとして、その差額を寄付金と認定した事例があります（東京地判平24・11・28、東京高判平26・6・12)。

この事例では、納税者は、法人税基本通達4－1－6の例に従って純資産価額方式と類似業種比準方式を併用する方法によって算定された価額を適正と主張しました。

裁判所は、小会社方式の類似業種比準価額方式においては、「評価会社が新設分割によって完全子会社を設立した場合、実質的にみて、分割の前後で業種が変わった」場合に、「類似業種比準価額においては、組織再編に伴う業種の変化により適切な評価が行えない場合も考えられる」として、直後に行われた会社合併において採用された一連の行為前の日を評価基準日とする純資産価額方式によることが相当であるとしました。

[5] 新株有利発行に係る裁判例

平成16年3月の新株有利発行について争われた事件について最高裁は、原審を破棄して、次の判断をしたことも参考にすることができます。

> 非上場会社の株価の算定については、簿価純資産法、時価純資産法、配当還元法、収益還元法、DCF法、類似会社比準法など様々な評価手法が存在しているのであって、どのような場合にどの評価手法を用いるべきかについて明確な判断基準が確立されているというわけではない。また、個々の評価手法においても、将来の収益、フリーキャッシュフロー等の予測値や、還元率、割引率等の数値、類似会社の範囲など、ある程度の幅のある判断要素が含まれていることが少なくない。株価の算定に関する上記のような状況に鑑みると、取締役会が、新株発行当時、客観的資料に基づく一応合理的な算定方法によって発行価額を決定していたにもかかわらず、裁判所が、事後的に、他の評価手法を用いたり、異なる予測値等を採用したりするなどして、改めて株価の算定を行った上、その算定結果と現実の発行価額とを比較して「特ニ有利ナル発行価額」に当たるか否かを判断するのは、取締役らの予測可能性を害することともなり、相当ではないというべきである。
>
> したがって、<u>非上場会社が株主以外の者に新株を発行するに際し、客観的資料に基づく一応合理的な算定方法によって発行価額が決定されていたといえる場合には、その発行価額は、特別の事情のない限り、「特ニ有利ナル発行価額」には当たらないと解するのが相当である。</u>
>
> (最判平27・2・19 裁判所HP参照)

Q 167 所得税法・法人税法における非公開株式の評価の事例

個人や法人が株式を譲渡する場合の取引パターンと課税の概要を教えてください。

A 個人への譲渡であるか、法人への譲渡であるか、少数株主であるか、支配株主であるかによって課税方法が異なってきます。

解　説

［1］ 個人が株式を譲渡する場合の取引パターン

(1)　個人から個人への譲渡

個人間の譲渡では、譲渡者側に、みなし譲渡課税（所法59）はありません。しかし、著しく低い価額の譲渡とされた場合には、譲受者側にみなし贈与課税（相法7）が生じます。つまり、譲渡者個人は実際に受け取った譲渡対価での譲渡損益課税ですが、譲受者個人については、その財産の時価と支払った対価との差額相当額が、贈与により取得したものとみなされます。

著しく低い価額の対価であるかどうかの判断では、次に述べる２分の１基準の適用はなく、個々の具体的事案に基づいて判定することになります。

なお、公開の市場で株式を取得する場合には、みなし贈与課税の適用はありません（相基通７－２）。

(2)　個人から法人への譲渡

個人が法人に対し、譲渡所得の基因となる資産を著しく低い価額の対価で譲渡した場合には、時価による譲渡があったとみなされて課税されます（所法59①二）。この「著しく低い価額」とは、資産の譲渡の時における価額の２分の１に満たない金額とされています（所令169）。ただし、同族会社への譲渡の場合には、時価の２分の１以上の対価による譲渡であっても、所得税法157条（同族会社等の行為又は計算の否認）の規定に該当する場合には、税務署長の認めるところによって、その資産の時価に相当する金額により譲渡所得の金額又は雑所得の金額を計算することができるとされています（所基通59－３）。一方、譲受法人については、時価により資産を取得したものとして課税が行われます（法法22②）。

［2］法人が株式を譲渡する場合の取引パターン

法人が行う取引については、基本的には、すべて経済的合理性があるものとして取り扱われますが、その合理性を失うような特別な関係がある場合などに課税上の問題が生じます。

(1)　法人から個人への譲渡

法人が個人に対して行った株式の譲渡価額が、時価よりも低額である場合には、譲受者個人側に、一時所得、あるいは譲受者の立場により、給与所得、退職所得課税がされます。一方、譲渡法人では、時価との差額は寄附金等として取扱われます。

(2)　法人から法人への譲渡

法人が法人に対して行った株式の譲渡価額が、時価よりも低額あるいは高額である場合、各々の当事者について、時価との差額は受贈益や寄附金等として取扱われることになります。

Q 168 所得税法・法人税法における非公開株式の評価と所基通・法基通

株式の譲渡の場合の譲渡する株式の評価の規定について教えてください。

所得税法等、法人税法等においてそれぞれ定められています。

解　説

[1] 所得税法における評価規定

所得税法では、その年分の各種所得の金額の計算上収入金額とすべき金額等を、その年において収入すべき金額とし、それが金銭以外の物又は権利その他経済的な利益である場合には、取得し又は利益を享受する時における価額としています（所法36①、②）。取得の時における株式の価額については、所得税基本通達に次の規定が設けられています。

> 所得税基本通達23～35共－９（株式等を取得する権利の価額）
>
> 令第84条第３項第１号及び第２号に掲げる権利の行使の日又は同項第３号に掲げる権利に基づく払込み若しくは給付の期日（払込み又は給付の期間の定めがある場合には、当該払込み又は給付をした日。以下この項において「権利行使日等」という。）における同条第３項本文の株式の価額は、次に掲げる場合に応じ、それぞれ次による。（昭49直所２－23、平10課法８－２、課所４－５、平11課所４－１、平14課個２－５、課資３－３、課法８－３、課審３－118、平14課個２－22、課資３－５、課法８－10、課審３－197、平17課個２－23、課資３－５、課法８－６、課審４－113、平18課個２－18、課資３－10、課審４－114、平19課個２－11、課資３－１、課法９－５、課審４－26、平26課個２－９、課審５－14、平28課個２－22、課審５－18改正、令元課個２－22、課法11－３、課審５－12、令2課個２－12、課法11－３、課審５－６改正）

(1)　これらの権利の行使により取得する株式が金融商品取引所に上場されている場合　当該株式につき金融商品取引法第130条の規定により公表された最終の価格（同日に最終の価格がない場合には、同日前の同日に最も近い日における最終の価格とし、２以上の金融商品取引所に同一の区分に属する最終の価格がある場合には、当該価格が最も高い金融商品取引所の価格とする。以下この項において同じ。）とする。

(2)　これらの権利の行使により取得する株式に係る旧株が金融商品取引所に上場されている場合において、当該株式が上場されていないとき　当該旧株の最終の価格を基準として当該株式につき合理的に計算した価額とする。

(3)　(1)の株式及び(2)の旧株が金融商品取引所に上場されていない場合において、当該株式又は当該旧株につき気配相場の価格があるとき　(1)又は(2)の最終の価格を気配相場の価格と読み替えて(1)又は(2)により求めた価額とする。

(4)　(1)から(3)までに掲げる場合以外の場合　　次に掲げる区分に応じ、それぞれ次に定める価額とする。

イ　売買実例のあるもの　最近において売買の行われたもののうち適正と認められる価額

ロ　公開途上にある株式で、当該株式の上場又は登録に際して株式の公募又は売出し（以下この項において「公募等」という。）が行われるもの（イに該当するものを除く。）　金融商品取引所又は日本証券業協会の内規によって行われるブックビルディング方式又は競争入札方式のいずれかの方式により決定される公募等の価格等を参酌して通常取引されると認められる価額

（注）　公開途上にある株式とは、金融商品取引所が株式の上場を承認したことを明らかにした日から上場の日の前日までのその株式及び日本証券業協会が株式を登録銘柄として登録することを明らかにした日から登録の日の前日までのその株式をいう。

ハ　売買実例のないものでその株式の発行法人と事業の種類、規模、収益の状況等が類似する他の法人の株式の価額があるもの　当該価額に比準して推定した価額

ニ　イからハまでに該当しないもの　権利行使日等又は権利行使日等に最も近い日におけるその株式の発行法人の１株又は１口当たりの純資産価額等を参酌して通常取引されると認められる価額

（注）　この取扱いは、令第354条第２項《新株予約権の行使に関する調書》に規定する「当該新株予約権を発行又は割当てをした株式会社の株式の１株当たりの価額」について準用する。

個人から法人への譲渡については、所得税法59条のみなし譲渡の規定の適用があるため、次の通達により財産評価基本通達の準用を認めています。本規定は、令和２年３月24日の最高裁判決を受け、不明確であったこれまでの取扱いの明確化を図るために改正がされております。国税庁は、本改正は改正前の取扱いに変更を生じさせるものではないとしています。最高裁判決の概要は、**Q167**をご確認ください。

所得税基本通達59－6（株式等を贈与等した場合の「その時における価額」）

法第59条第1項の規定の適用に当たって、譲渡所得の基因となる資産が株式（株主又は投資主となる権利、株式の割当てを受ける権利、新株予約権（新投資口予約権を含む。以下この項において同じ。）及び新株予約権の割当てを受ける権利を含む。以下この項において同じ。）である場合の同項に規定する「その時における価額」は、23～35共－9に準じて算定した価額による。この場合、23～35共－9の(4)ニに定める「1株又は1口当たりの純資産価額等を参酌して通常取引されると認められる価額」については、原則として、次によることを条件に、昭和39年4月25日付直資56・直審（資）17「財産評価基本通達」（法令解釈通達）の178から189－7まで《取引相場のない株式の評価》の例により算定した価額とする。（平12課資3－8、課所4－29追加、平14課資3－11、平16課資3－3、平18課資3－12、課個2－20、課審6－12、平21課資3－5、課個2－14、課審6－12、平26課資3－8、課個2－15、課審7－15、令2課資4－2、課審7－13改正）

(1) 財産評価基本通達178、188、188－6、189－2、189－3及び189－4中「取得した株式」とあるのは「譲渡又は贈与した株式」と、同通達185、189－2、189－3及び189－4中「株式の取得者」とあるのは「株式を譲渡又は贈与した個人」と、同通達188中「株式取得後」とあるのは「株式の譲渡又は贈与直前」とそれぞれ読み替えるほか、読み替えた後の同通達185ただし書、189－2、189－3又は189－4において株式を譲渡又は贈与した個人とその同族関係者の有する議決権の合計数が評価する会社の議決権総数の50％以下である場合に該当するかどうか及び読み替えた後の同通達188の(1)から(4)までに定める株式に該当するかどうかは、株式の譲渡又は贈与直前の議決権の数により判定すること。

(2) 当該株式の価額につき財産評価基本通達179の例により算定する場合（同通達189－3の(1)において同通達179に準じて算定する場合を含む。）において、当該株式を譲渡又は贈与した個人が当該譲渡又は贈与直前に当該株式の発行会社にとって同通達188の(2)に定める「中心的な同族株主」に該当するときは、当該発行会社は常に同通達178に定める「小会社」に該当するものとしてその例によること。

⑶　当該株式の発行会社が土地（土地の上に存する権利を含む。）又は金融商品取引所に上場されている有価証券を有しているときは、財産評価基本通達185の本文に定める「１株当たりの純資産価額（相続税評価額によって計算した金額）」の計算に当たり、これらの資産については、当該譲渡又は贈与の時における価額によること。
⑷　財産評価基本通達185の本文に定める「１株当たりの純資産価額（相続税評価額によって計算した金額）」の計算に当たり、同通達186－２により計算した評価差額に対する法人税額等に相当する金額は控除しないこと。

所得税法において財産評価基本通達を準用する場合には、次の４つの条件が付けられています。

⑴　最初の条件を細分化すると、次の５つの条件となります。

①「取得した株式」を「譲渡又は贈与した株式」へ読み替え、

②「株式の取得者」を「株式を譲渡又は贈与した個人」へ読み替え、

③「株式取得後」を「株式の譲渡又は贈与直前」へ読み替え、

④　保有議決権の合計数が50％以下であるかどうかは、株式の譲渡等の直前の保有議決権数により判定する

⑤　財産評価基本通達188の⑴から⑷までに定める株式に該当するかどうかは、株式の譲渡等の直前の保有議決権数によること

この読み替えを考慮した株主の態様による評価方法の概要は、次のとおりです。

<table>
<tr><th colspan="5">株主の態様による区分</th><th rowspan="2">評価方法</th></tr>
<tr><th>全社区分</th><th colspan="4">株主区分</th></tr>
<tr><td rowspan="7">譲渡等直前に同族株主のいる会社</td><td rowspan="6">譲渡等直前に同族株主グループに属する株主</td><td colspan="3">譲渡等直前の議決権割合が５％以上の株主</td><td rowspan="4">原則的な評価方法</td></tr>
<tr><td rowspan="5">譲渡等直前の議決権割合が５％未満の株主</td><td colspan="2">中心的な同族株主がいない場合の株主</td></tr>
<tr><td rowspan="4">中心的な同族株主がいる場合の株主</td><td>中心的な同族株主</td></tr>
<tr><td>役員である株主又は役員となる株主</td></tr>
<tr><td rowspan="2">その他の株主</td><td rowspan="3">例外的な評価方法</td></tr>
<tr></tr>
<tr><td colspan="4">譲渡等直前に同族株主以外の株主</td></tr>
<tr><td rowspan="5">譲渡等直前に同族株主のいない会社</td><td rowspan="4">譲渡等直前に議決権割合の合計が15％以上のグループに属する株主</td><td colspan="3">譲渡等直前の議決権割合が５％以上の株主</td><td rowspan="3">原則的な評価方法</td></tr>
<tr><td rowspan="3">譲渡等直前の議決権割合が５％未満の株主</td><td colspan="2">中心的な株主がいない場合の株主</td></tr>
<tr><td rowspan="2">中心的な株主がいる場合の株主</td><td>役員である株主又は役員となる株主</td></tr>
<tr><td>その他の株主</td><td rowspan="2">例外的な評価方法</td></tr>
<tr><td colspan="4">譲渡等直前に議決権割合の合計が15%未満のグループに属する株主</td></tr>
</table>

読み替え後の財産評価基本通達188に定める株式に該当しない場合には、例外的な評価方法（配当還元方式）による評価が可能です。

(2)　株式等の譲渡等をした個人が譲渡等の直前に「中心的な同族株主」に該当するときは、その発行会社は常に「小会社」であるものとして評価すること

この場合においても、類似業種比準価額を算出する計算において類似業種の株価等に乗ずるしんしゃく割合は、評価会社の実際の会社規模に応じたしんしゃく割合（大会社は0.7、中会社は0.6、小会社は0.5）とすることが明確化されました（資産課税課情報第22号令和２年９月30日）。

【イメージ図】

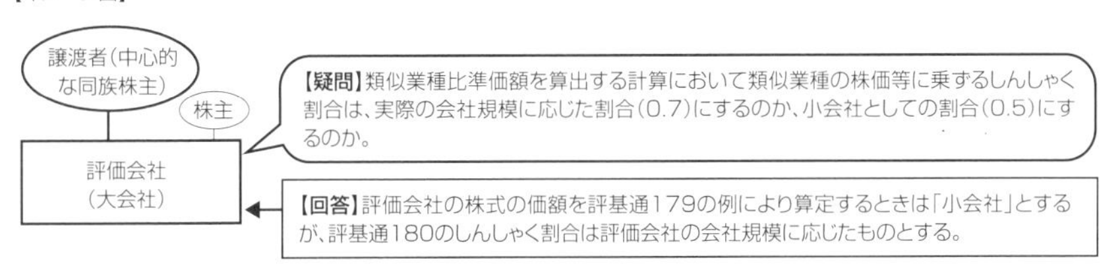

(3)　純資産価額の計算上、評価会社が子会社株式・孫会社の株式等を保有して

いる場合の子会社株式の評価においても、評価会社が子会社の中心的な同族株主に該当するときは、その子会社株式も「小会社」であるものとして評価することとされています（資産課税課情報第22号令和２年９月30日）。

【イメージ図】

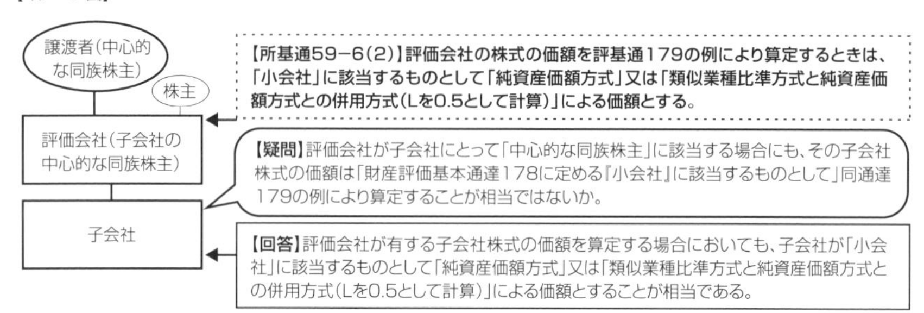

この条件は、「中心的な同族株主」に適用されるため、中心的な同族株主でない同族株主や、同族株主のいない会社の株主で、原則的な評価方法となる株主については、評価会社の会社規模に応じて評価することとなります。

⑷　純資産価額方式の適用上、株式の発行会社が土地（借地権を含む）と上場有価証券を有しているときは、これらの資産は、その譲渡等の時における価額によること

評価対象会社が子会社株式を保有している場合の子会社株式の評価においても、その子会社が有する土地及び上場有価証券を譲渡等の時における価額を基に評価することとされており、子会社が有する孫会社株式の評価においても同様とされています（資産課税課情報第22号令和２年９月30日）。

【イメージ図】

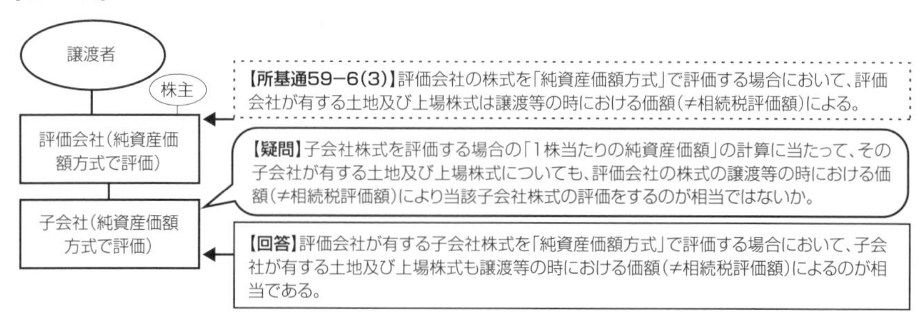

⑸　純資産価額方式によって株価を算定するに際し、評価差額に対する法人税額等に相当する金額は控除しないこと

上記(4)と(5)は、純資産価額方式に関する条件であるため、純資産価額方式を使わない場合には、適用がありません。そのため、上記(2)の適用がなく、かつ、原則的評価方式を適用される株主における大会社の評価については、適用がありません。一方で、中心的な同族株主である場合や、評価会社が中会社又は小会社である場合には、考慮する必要があります。

財産評価基本通達189に規定する特定の評価会社の株式の場合には、上記(2)の条件を考慮する必要はなく、上記(4)及び(5)の条件を考慮して、それぞれ財産評価基本通達の定めに従って評価することとなります。

［2］法人税法における評価規定

法人税法では、別段の定めがあるものを除き、資産の販売、有償又は無償による資産の譲渡又は役務の提供、無償による資産の譲受けその他の取引で資本等取引以外のものに係るその事業年度の収益の額を益金の額に算入すべき金額としています（法法22②）。

取得の時における株式の価額については、法人税基本通達の「評価益及び評価損計上の場合の時価評価の取扱い」の規定を準用しています。

> 法人税法基本通達４－１－５（市場有価証券等以外の株式の価額）
>
> 市場有価証券等以外の株式について法第25条第３項《資産評定による評価益の益金算入》の規定を適用する場合において、再生計画認可の決定があった時の当該株式の価額は、次の区分に応じ、次による。（平17年課法2－14「七」により追加、平19年課法２－３「十五」、平19年課法２－17「九」、平22年課法２－１「十三」、令２年課法２－17「四」により改正）
>
> (1)　売買実例のあるもの　当該再生計画認可の決定があった日前６月間において売買の行われたもののうち適正と認められるものの価額
>
> (2)　公開途上にある株式（金融商品取引所が内閣総理大臣に対して株式の上場の届出を行うことを明らかにした日から上場の日 の前日までのその株式）で、当該株式の上場に際して株式の公募又は売出し（以下４－１－５において「公募等」という。）が行われるもの（(1)に該当するものを除く。）　金融商品取引所の内規によって行われる入札により決定される入札後の公募等の価格等を参酌して通常取引されると認められる価額

(3) 売買実例のないものでその株式を発行する法人と事業の種類、規模、収益の状況等が類似する他の法人の株式の価額があるもの（(2)に該当するものを除く。） 当該価額に比準して推定した価額
(4) (1)から(3)までに該当しないもの　当該再生計画認可の決定があった日又は同日に最も近い日におけるその株式の発行法人 の事業年度終了の時における１株当たりの純資産価額等を参酌して通常取引されると認められる価額

法人税基本通達９－１－13（上場有価証券等以外の株式の価額）
市場有価証券等以外の株式につき法第33条第２項《資産の評価損の損金算入等》の規定を適用する場合の当該株式の価額は、次の区分に応じ、次による。（昭55年直法２－８「三十一」、平２年直法２－６「三」、平12年課法２－７「十六」、平14年課法２－１「十九」、平17年課法２－14「九」、平19年課法２－17「十九」、令２年課法２－17「六」により改正）
(1) 売買実例のあるもの　当該事業年度終了の日前６月間において売買の行われたもののうち適正と認められるものの価額
(2) 公開途上にある株式（金融商品取引所が内閣総理大臣に対して株式の上場の届出を行うことを明らかにした日から上場の日の前日までのその株式）で、当該株式の上場に際して株式の公募又は売出し（以下９－１－13において「公募等」という。）が行われるもの（(1)に該当するものを除く。）金融商品取引所の内規によって行われる入札により決定される入札後の公募等の価格等を参酌して通常取引されると認められる価額
(3) 売買実例のないものでその株式を発行する法人と事業の種類、規模、収益の状況等が類似する他の法人の株式の価額があるもの（(2)に該当するものを除く。） 当該価額に比準して推定した価額
(4) (1)から(3)までに該当しないもの　当該事業年度終了の日又は同日に最も近い日におけるその株式の発行法人の事業年度終了の時における１株当たりの純資産価額等を参酌して通常取引されると認められる価額

具体的には、「課税上弊害がない限り」、次の規定により、財産評価基本通達の準用を認めています。なお、所得税基本通達59－６には、「課税上弊害がない限り」という記載はありません。

法人税基本通達４－１－６（市場有価証券等以外の株式の価額の特例）
法人が、市場有価証券等以外の株式（４－１－５の⑴及び⑵に該当するものを除く。）について法第25条第3項《資産評定による評価益の益金算入》の規定を適用する場合において、再生計画認可の決定があった時における当該株式の価額につき昭和39年４月25日付直資56・直審（資）17「財産評価基本通達」（以下４－１－６において「財産評価基本通達」という。）の178から189－７まで《取引相場のない株式の評価》の例によって算定した価額によっているときは、課税上弊害がない限り、次によることを条件としてこれを認める。（平17年課法２－14「七」により追加、平19年課法２－３「十五」、平19年課法２－17「九」、平22年課法２－１「十三」、令２年課法２－17「四」により改正）

⑴　当該株式の価額につき財産評価基本通達179の例により算定する場合（同通達189－3の⑴において同通達179に準じて算定する場合を含む。）において、当該法人が当該株式の発行会社にとって同通達188の⑵に定める「中心的な同族株主」に該当するときは、当該発行会社は常に同通達178に定める「小会社」に該当するものとしてその例によること。
⑵　当該株式の発行会社が土地（土地の上に存する権利を含む。）又は金融商品取引所に上場されている有価証券を有しているときは、財産評価基本通達185の本文に定める「１株当たりの純資産価額（相続税評価額によって計算した金額）」の計算に当たり、これらの資産については当該再生計画認可の決定があった時における価額によること。
⑶　財産評価基本通達185の本文に定める「１株当たりの純資産価額（相続税評価額によって計算した金額）」の計算に当たり、同通達186－２により計算した評価差額に対する法人税額等に相当する金額は控除しないこと。

法人税基本通達９－１－14（上場有価証券等以外の株式の価額の特例）
法人が、市場有価証券等以外の株式（９－１－13の⑴及び⑵に該当するものを除く。）について法第33条第２項《資産の評価損の損金不算入等》の規定を適用する場合において、事業年度終了の時における当該株式の価額につき昭和39年４月25日付直資56・直審㈾17「財産評価基本通達」（以下９－１－14において「財産評価基本通達」という。）の178から189－７まで《取引相場のない株式の評価》の例によって算定した価額によっているときは、課税上弊害がない限り、次によることを条件としてこれを認める。（昭55年直法２－８「三十一」により追加、昭58年直法２－11「七」、平２年直法２－６「三」、平３年課法２－４「八」、平12年課法２－７「十六」、平12年課法２－19「十三」、平17年課法２－14「九」、平19年課法２－17「十 九」、令２年課法２－17「六」により改正）

⑴　当該株式の価額につき財産評価基本通達179の例により算定する場合（同通達189－3の⑴において同通達179に準じて算定する場合を含む。）において、当該法人が当該株式の発行会社にとって同通達188の⑵に定める「中心的な同族株主」に該当するときは、当該発行会社は常に同通達178に定める「小会社」に該当するものとしてその例によること。

⑵　当該株式の発行会社が土地（土地の上に存する権利を含む。）又は金融商品取引所に上場されている有価証券を有しているときは、財産評価基本通達185の本文に定める「１株当たりの純資産価額（相続税評価額によって計算した金額）」の計算に当たり、これらの資産については当該事業年度終了の時における価額によること。

⑶　財産評価基本通達185の本文に定める「１株当たりの純資産価額（相続税評価額によって計算した金額）」の計算に当たり、同通達186－２により計算した評価差額に対する法人税額等に相当する金額は控除しないこと。

法人税法では、売買実例価額を採用する場合には、「当該事業年度終了の日前６月間において売買の行われたもの」として、具体的な期間制限が付けられている点、財産評価基本通達を準用する場合の条件が、「課税上弊害がない」ことを前提に次の３つであることが特徴的です。

⑴　法人が、その株式の発行会社にとって「中心的な同族株主」に該当するときは、その発行会社は常に「小会社」であるものとして評価すること

類似業種比準価額算定上のしんしゃく割合は、所得税法基本通達に関する国税庁の見解から、大会社は0.7、中会社は0.6、小会社は0.5とすることが求められると考えられます（資産課税課情報第22号令２・９・30）。

また、純資産価額の計算上、評価対象会社が子会社株式を保有している場合の子会社株式の評価は、所得税法基本通達に関する国税庁の見解から、評価対象会社が子会社の中心的な同族株主に該当するときは、その子会社株式も「小

会社」であるものとして評価することが求められると考えられます（資産課税課情報第22号令和２年９月30日）。

⑵　純資産価額方式の適用上、株式の発行会社が土地（借地権を含む）と上場有価証券を有しているときは、これらの資産は、その事業年度終了の時における価額によること

評価対象会社が子会社株式を保有している場合の子会社株式の評価においては、所得税法基本通達に関する国税庁の見解から、その子会社が有する土地及び上場有価証券を譲渡等の時における価額を基に評価することが求められ、子会社が有する孫会社株式の評価においても同様と考えられます（資産課税課情報第22号令２・９・30）。

⑶　純資産価額方式によって株価を算定するに際し、評価差額に対する法人税額等に相当する金額は控除しないこと

［３］相続税・贈与税における株式の評価と所得税・法人税における株式の評価の考え方

所得税と相続税・贈与税の資産の評価方法が異なる理由については、「譲渡所得に対する課税は、資産の値上がりによりその資産の所有者に帰属する増加益を所得として、その資産が所有者の支配を離れて他に移転するのを機会に、これを清算して課税する趣旨のものである〔最高裁昭和41年（行ツ）第８号同43年10月31日第一小法廷判決・裁判集民事92号797頁、最高裁同41年（行ツ）第102号同47年12月26日第三小法廷判決・民集26巻10号2083頁等参照〕。（中略）相続税や贈与税は、相続等により財産を取得した者に対し、取得した財産の価額を課税価格として課されるものであることから、株式を取得した株主の会社への支配力に着目したものということができる。これに対し、本件のような株式の譲渡に係る譲渡所得に対する課税においては、当該譲渡における譲受人の会社への支配力の程度は、譲渡人の下に生じている増加益の額に影響を及ぼすものではないのであって、前記の譲渡所得に対する課税の趣旨に照らせば、譲渡人の会社への支配力の程度に応じた評価方法を用いるべきものと解される。」（最高判令２.３.24）と説明されています。相続税は、その取得の時における時価によって評価されるのに対し、譲渡所得などに対する課税では、取引から生じる利益（所得）に着目して課される税であるから、取引に即した時価評価が求められるということです（東京地判平12・７・13）。同族株主等か否かの判定は、

株式の譲渡等の直前の持株割合等によるとしています。

法人税の規定は、株式を保有している場合の評価益、評価損の計上に関する規定であることから、譲渡する場合には譲渡前、取得する場合には取得後の支配力の程度に応じた評価方法を用いることとなると考えられます。

したがって、この考え方に立つと次のような関係となります。

相続税・贈与税＝株式の承継……株式の取得後の議決権割合により判定
所得税＝株式の譲渡　　　　　……株式の譲渡前の議決権割合により判定
法人税＝株式の譲渡又は取得……株式の譲渡前又は取得後の議決権割合により判定

Q 168-2　所得税における非公開株式・新株予約権の評価の改正（所基通23－35共－9の改正と措通29の2－1の新設）

「税制適格ストックオプション」の場合の取引相場のない株式の「新株予約権の行使に係る１株当たりの権利行使価額は、当該新株予約権に係る「契約締結時の１株当たりの価額に相当する金額以上であること」とされていますが、「契約時の１株当たりの価額」はどのように計算するのですか。

A 取引相場のない株式については、これまで株価算定ルールが明示されておらず、税制適格ストックオプションの発行等において不安定な税務実務となっていると指摘されていたことから、その価額算定を明確にするための通達改正が行われました。

解　説

［1］　租税特別措置法第29条の２に規定する「特定の取締役等が受ける新株予約権の行使による株式の取得に係る経済的利益の非課税等」(以下「税制適格ストックオプション」といいます。）については、同条第１項第３号において、「新株予約権の行使に係る１株当たりの権利行使価額は、当該新株予約権に係る契約を締結した株式会社の株式の当該契約の締結の時における１株当たりの価額に相当する金額以上であること」が要件とされています（以下、本要件を「権

利行使価額要件」といいます。)。この権利行使価額要件に係る「契約時の１株当たりの価額」に関し、取引相場のない株式については、「株価算定ルールが明示されておらず、税制適格ストックオプションの発行等において不安定な税務実務となっている」との指摘がなされていました。

［2］ このような指摘を踏まえ、次の通達改正が行われました。

⑴ 租税特別措置法通達に29の２－１（措置法第29条の２第１項第３号の１株当たりの価額）が次の取扱いが新設されました。

権利行使価額要件に係る「契約時の１株当たりの価額」については、所得税基本通達23～35共－９の例（売買実例等）によって算定することを明確化する。その上で、取引相場のない株式の「契約時の１株当たりの価額」については、財産評価基本通達の例によって算定することを認める。

これにより、取引相場のない株式については、財産評価基本通達の例によって算定した「契約時の１株当たりの価額」以上の価額で「権利行使価額」を設定していれば、権利行使価額要件を満たすこととなります。

⑵ 租税特別措置法通達改正と併せて所得税基本通達が改正され次の取扱が明らかにされました。

① 所得税基本通達23～35共－９⑷イの売買実例については、株式の種類ごとに売買実例の有無を判定すること

② 所得税基本通達23～35共－９⑷ニの方法による価額の算定に当たっては、著しく不適当と認められる場合を除き、財産評価基本通達の例により算定できること

③ 財産評価基本通達の例により算定する場合には、株式の種類の内容を勘案して算定すること

(参考)

以上、解説は国税庁の「『租税特別措置法に係る所得税の取扱いについて』(法令解釈通達）等の一部改正の概要」によるものですが、このような経緯に至った事情として、令和５年５月29日に、「国税庁と経済産業省によるスタートアップの経営者や支援者のためのストックオプション税制説明会」の開催が挙げられます。

この説明会では、有償ストックオプションの類型として法人課税信託の器を利用し、権利行使時に給与課税はないとスキーム考案者によって主張されてき

た信託型ストックオプションについて、国税庁は本件は従業員等にとって、会社の決定により無償で付与されるので譲渡所得課税ではなく権利行使時の時価によって課税される給与課税であることが明らかにされています。

これと並行するように５月30日に上記の内容の措通及び所基通改正のパブコメが行われ、同日ストックオプションに対する課税（Q&A）が国税庁において公表されています。

［３］　本件等について公表されている資料（ほぼ上記説明会資料と同じ）

⑴　通達改正パブコメ（2023年５月30日公示、締切６月30日）

「租税特別措置法に係る所得税の取扱いについて」（法令解釈通達）等の一部改正（案）に対する意見公募手続の実施について」e-Govパブリック・コメント（その後、令和５年７月７日付・課個２－20他として発遣されました。）

同新旧対照表

https://public-comment.e-gov.go.jp/servlet/PcmFileDownload?seqNo=0000254092同参考資料（計算例等）

https://public-comment.e-gov.go.jp/servlet/PcmFileDownload?seqNo=0000254093

以上より、新旧及び参考資料（財基通による株価算定ルール、計算例①、計算例②）は、本書に掲載（付録３）

⑵　ストックオプションに対する課税（Q&A）（情報）も５月30日に公表されました。（最終改訂令和５年７月（付録４）、下記参照）

https://www.nta.go.jp/law/joho-zeikaishaku/shotoku/shinkoku/ 230428 / pdf/01.pdf

税制非適格ストックオプション、税制非適格ストックオプション（有償型）、税制非適格ストックオプション（信託型）、税制適格ストックオプション等の課税関係がまとめられています。

［４］　その他のストックオプションの取扱い（参考）

平成18年度改正として（平成29年度追加改正）、法人が従業員等にストックオプションを付与した場合の会計（ストックオプション等に関する会計基準）と法人税（法法54の２）の取扱いが公表されています。

平成18年度財務省解説p344-350「新株予約権を対価とする費用等（創設）」

Q 169｜自己株式の低額取得と株式評価

評価会社が自己株式を時価よりも低額で取得した場合における残余の株主の株式の評価方法と課税関係について教えてください。

A 評価会社が自己株式を取得する取引は、法人税法では資本等取引とされています。この場合、評価会社が、取引相場のない株式を税務上の時価よりも低額で取得した場合（自己株式の低額取得）には、残余の株主の保有する株式の評価額が増加することとなります。

解　説

［1］自己株式取得時の取得法人における税務処理

平成18年度の税制改正により、評価会社における自己株式の取得は、有価証券（資産）の取得ではなく、その取得対価の全部が資本等取引とされました。

具体的には、金銭その他の資産を交付して自己株式を取得した場合には、株主資本の払戻しとしてとらえます。すなわち、その自己株式に対応する資本金等の額（取得資本金額）を減算し、対価として交付した金銭その他の資産の価額が取得資本金等の額を超える場合には、その超える部分の金額を利益の払戻しの額として利益積立金額を減算させます（法令８①十七、９①十二）。

（法人税法上の仕分）

資本金等	×××	現金	×××
利益積立金	×××	預り金	×××

したがって、自己株式を時価よりも低額で取得したとしても、その対価の額だけ資本金等の額と利益積立金額が減少するだけであり、資産を取得したこととされず（かつては自己株式も保有有価証券とされていました。）、有価証券（株式）を時価よりも低額で取得したことにはなりません。そのため、自己株式を取得した法人においては受贈益は認識されないことになります。

［2］自己株式の低額譲渡による残存株主の受けた利益の額

評価会社が著しく低い価額の対価で自己株式の譲渡を受けたとしても、上記［1］のとおり、評価会社は資本取引となるため、法人税が課税されることはありませんが、この低額譲渡で評価会社の残存株主は、通常、株式の価額増加という利益を得ることとなり、残存株主の株式の価額の増加益については、相続税法第９条の適用要件である対価を支払わないで利益を得た場合に該当するもの考えます。

他方、自己株式は議決権を行使することができません（会社法308②）から、自己株式取得後の残存株主の議決権割合が相対的に増加（同族株主グループの単位では増加だけでなく、減少もあります。）し、それぞれの株主について改めて評価方式を判定しますと、株主の中には、評価会社の株式評価を配当還元方式から、原則的評価方式に変更しなければならない場合、１株当たりの純資産評価額について80％評価減ができない場合も生じますし、逆に、原則的評価方式から配当還元方式となる者も考えられます。

以下この解説では、原則的評価方式により評価することとなる残存株主について、①純資産評価方式による株価の増加部分、②類似業種比準方式による株価の増加部分の計算方法の考え方を説明します。

なお、評価会社が自己株式を取得したことによる評価方式の判定とその評価額の影響については、次の**Q169－３**に説明を譲ります。

①　純資産価額方式による株価の増加部分

Ⓐ株式の価額の増加部分の金額＝Ⓑ課税時期における1株当たりの純資産価額－Ⓒ課税時期において低額自己株式取得がなかったものとして計算した１株当たりの純資産価額

財基通185（純資産価額）は課税時期の資産・負債を基に純資産価額を計算することとされていますから、Ⓑの価額は自己株取得の時の仮決算に基づき自己株式の取得後の発行株数、自己株取得のための金銭の支出後の資産・負債を基に財基通185により算定するのが原則です。

ただし、直前期末から課税時期までの間に資産・負債について著しく増減がないため評価額の計算に影響が少ないと認められるときは直前期末の資産・負債を基に計算することができるとされています（取引相場のない株式（出資）の評価明細書の記載方法等。第５表（4））。その場合、直前期末の発行株式数から自己株式数を控除するとともに（財基通185（注）１）、自己株式の取得のための支出があるので資産の部に自己株式取得の対価の額に相当する金額をマイナス計上して純資産価額を評価することとなります。

②　類似比準価額方式よる場合

Ⓓ株式の価額の増加部分の金額＝Ⓔ自己株式の低額取得があったものとして

計算した類似業種比準価額－Ⓕ直前期末における類似業種比準価額

上記Eの価額の評価方法における比準要素の算定は直前期末主義なので、財基通180（類似業種比準価額）に基づく評価はできないと考えられます。

ところで、自己株式の低額取得は、株式評価においては事実上の減資と解することができますが、減資の場合の株価修正については財基通の定めはありません。

しかし、直前期末後に増資のような発行株数増加の変動を伴う資本等の変動の効力が生じた場合（払込み完了後など）については、課税時期の直前期末の比準要素の数値に修正を加えずに１株当たりの比準株価を評価した後に、財基通184（類似業種比準株価の修正）⑵により比準価格を修正することとされています（取引相場のない株式の評価明細書第４表の最下欄の㉘）。

この増資の場合の株価修正の方法の考え方は、資本取引に係るものですから、減資の場合にも準用できると考えられます。

（補足）　なお、増資等の払込等が終わっていないが権利が発生している場合の修正は、財基通187（株式の割当てを受ける権利等の発生している株式の価額の修正）⑵（取引相場のない株式の評価明細書第３表の⑧欄）により原則的評価方式による価額を修正して計算することとされています。この修正に係る考え方は財基通184⑵と内容的に同じです。

［3］類似業種比準株価への財基通184(2)の準用

そこで、実務としては、評価法人が直前期末後に自己株式の低額取得という発行株数減少の変動を伴う資本等の変動があった場合は、その後の株式の価額は、財基通184⑵の新株発行の払込みがあった場合の修正に準じて次のように計算することが合理的と考えられます。

具体的には、類似業種比準株価は、取引相場のない株式（出資）の評価明細書第４表の最下欄「比準価額の修正」欄の「直前期末の翌日から課税時期までの間に株式の割当て等の効力が発生した場合」欄の株式の比準価額の修正に準じて、下記のように計算することが合理的と考えられます。

$$\text{自己株式低額取得後の修正比準価額} = \frac{\text{直前期末における類似業種比準価額} - \text{1株当たりの自己株式の取得価額} \times \text{株式1株当たりの取得した自己株式の数}}{1 - \text{株式1株当たりの取得した自己株式の数}}$$

［4］【具体例】～同族会社　A社～

（事実）

① 取引相場のない株式　　　　評価区分「大会社」

② 発行済株式数　　　　　　　200,000株（株主甲190,000株、株主乙5,000株、丙5,000株）

　なお、甲と乙は兄弟であり同族株主。丙は甲乙との間に親族関係がなく少数株主である。

③ 資本金等の額　　　　　　　1億円

④ 1株当たりの類似業種比準価額　　3,000円（直前期末）

⑤ 1株当たりの取得自己株式数　　$\dfrac{5{,}000株}{200{,}000株} = 0.025$

⑥ 自己株式の取得価額　500円

　社は、令和Ｘ年３月31日（直前期末）を基準日として令和Ｘ年５月20日開催の株主総会で乙から自己株式を１株当たり500円で5,000株を取得することを決定した。

（算式）　自己株式取得後の1株当たりの類似業種比準価額

$$\frac{3{,}000円 - 500円 \times 0.025}{1 - 0.025} = 3{,}064円$$

【贈与価額の計算】

　この場合の甲の贈与税の課税価格は、

（3,036円－3,000円）×190,000株＝12,160,000円となります。

　なお、この事例の丙は、同族株主以外の株主等であるため、財産評価基本通達188（同族株主以外の株主等が取得した株式）に該当し、配当還元価額で評価されるため贈与税の課税は生じません（財基通188－２）。

【参考】

　自己株式の低額取得の場合の贈与税の課税価格は、残余の株主ごとに計算します。したがって、特例的評価方式によることとされる少数株主の場合には、配当還元価額で評価されることから、贈与税の課税は生じません。

Q 169-2 新株発行、自己株式処分の場合の評価

自己株式処分（新株発行）において払込金額が低額である場合における株式の評価方法と課税関係について教えてください。

A 発行法人が自己株式を処分する取引は、会社法199条により新株発行と同じ手続によらなければならず、法人税法では資本等取引とされています。

その場合、既存の株主に保有株主割合に対応する株式を付与する場合は、既存の株主の株式持分は変動しないことから、払込金額が低額であっても贈与税の問題は生じません。

しかし、一部の株主に対してのみ自己株式を付与する場合において、払込金額が時価を下回る金額である場合には、他の株主の保有する株式の評価額（株主持分）が減少することになることから、自己株式の処分により取得した株主は、相続税法９条の適用があると解されます。

解　説

募集株式引受権が既存株主に平等に付与されない場合については、相続税法基本通達９－４（同族会社の募集株式引受権）、同９－５（贈与に因り取得したものとする募集株式引受権数の計算）、同９－７（同族会社の新株の発行に伴う執権株に係る新株の発行が行われなかった場合）の各定めの適用関係を検討する必要があります。

Q 169-3 自己株式の取得と株式評価に与える諸問題

評価会社が自己株式を取得した場合の株式の評価方法への影響について教えてください。

A 自己株式について議決権はない（会社法308②）ことから、各株主の議決権割合は、株式を評価会社に手放した株主を除き上昇しますから、評価会社の自己株式の取得数が多い場合は、残存株主の株式の評価に大きな影響を与える場合があり、その課税関係を検討しなければならないことがあります。

解　説

[1] 評価会社の株式をどのような方式で評価するかは、納税義務者及び同族関係グループ等の議決権数によって判定されます（財基通188）が、自己株式には議決権がありません（Q3及びQ5参照）から、評価会社の自己株式取得前後で、ある株主の評価方式が配当還元方式から原則的評価方式に、又は、原則的評価方式から配当還元方式に変わることがあります。

[2] 例えば、議決権割合が５％未満で配当還元方式によると判定されていた同族株主である納税義務者（株主）が、自己株式の取得が行われたことにより、その議決権割合が５％以上となり、又は、その株主の議決権割合は５％未満にとどまったが父母兄弟を合わせると納税義務者が中心的な同族株主となる場合には、配当還元方式で評価するのではなく、原則的評価方式により評価することとなります。

これとは逆に、自己株式取引をした株主を含む同族関係グループの議決権割合が、その取引によって50％超の筆頭株主グループから50％未満となり、他に同族関係グループで50％超の同族関係グループがあることとなる場合は、それぞれのグループに属する株主の評価方式は大きく変わることとなります。

[3] このような自己株式取引による議決権割合の変動は、適正な価額による自己株式取引でも起こり得る問題です。評価会社が自己株式を取得したために、ある株主の評価方式が配当還元方式から原則的評価方式に変わった（当該評価方式の変更に伴う株式の評価の差額を以下この解説で「評価差額」といいます。）からといって、それだけで、評価差額に課税はあるのでしょうか。

[4] 相続税法第９条は、贈与契約の履行により取得したものとはいえないが、関係する者の間の事情に照らし、実質的にみて、贈与があったのと同様の経済的利益の移転の事実がある場合に、租税回避行為を防止するため、税負担の公平の見地から、その取得した経済的利益を贈与により取得したものとみなして、贈与税を課税することとしたものであるとされています。

[5] ところで自己株式の取引は法人の取引を介するものですが、裁判例は、「法文上その発生原因となる取引を限定していないから、同族会社に対し時価より著しく低い価額の対価で財産の譲渡をした場合、その譲渡をした者と当該会社ひいてはその株主又は社員との間にそのような譲渡がされるのに対応した相応の特別の関係があることが一般であることを踏まえ、実質的にみて、

当該会社の資産の価額が増加することを通じて、その譲渡をした者からその株主又は社員に対し、贈与があったのと同様の経済的利益を移転したものとみる」ことができるとし、また、「必ずしも両者の間で利益を受けさせ、受けたという関係（対立承継関係）の存在がある場合に限って適用されるというものではなく、同条が租税回避行為を防止するため税負担の公平の見地から設けられた趣旨に照らして、結果的に利益を受けさせた者と利益を受けた者が存在すれば十分である」としています（東京高判平27・4・22税資第265号－71（順号12654）、東京地判平26・10・29税資第264号－175（順号12556））。

[6] 他方、利益を受けさせた者から利益を受けた者へ贈与があったのと同様の経済的利益の移転の事実があったということについては、「贈与と同様の経済的利益の移転があったこと、すなわち、一方当事者が経済的利益を失うことによって、他方当事者が何らの対価を支払わないで当該経済的利益を享受したことを要する」（大阪地判平26・6・18税資第264号－107（順号12488））とされています。

[7] このような裁判例を踏まえると、自己株式取引に係る残存株主の評価差額についての課税関係は、次のとおり整理されると考えます。

ア　低額譲渡による残存株主に対する経済的な利益の移転

自己株式の譲渡者は、低額譲渡という行為によって経済的な利益を失い、残存株主はその行為によって株式の価値の増加という経済的利益を得ているのであるから、原則として、相続税法第9条の適用があり、贈与価額は、評価方式に変更がない場合は**Q169**により、残存株主について評価方式の変更により評価差額がある場合は、その評価差額のうち、譲渡者が失った経済的利益を超えない範囲の価額がみなし贈与の価額となる。

イ　自社株式取引が通常の取引価額（課税上弊害がないとして通達上で認められた価額を含みます。）でされた場合は、自己株式の譲渡者はなんら経済的利益を失っていないから、当該取引によって議決権割合が変動し、株式評価方法に変更があったことによって残存株主に評価差額が生じる計算となったとしても、原則として、みなし贈与（相法9）の適用はない。

ウ　ただし、当該自己株式取引が、譲渡者と残存株主（の一部又は全部）の間に評価会社の実質支配等の移転などの意図があり、その自己株式の取引によって、譲渡者が評価会社に対する実質支配を失い、残存株主が実質支配という利益を享受しているなどの状況がある場合は、残存株主の評価差額を含めた経済的利益について、みなし贈与又は事情により所得税の課税の可能性がある。

Q 170 相続自社株の金庫株譲渡の特例と自己株式の買受価額

相続人が相続税の納税のために、相続により取得した非上場会社の株式を、その会社に譲渡した場合には、みなし配当課税の適用はないと聞きました。具体的にはどのような取扱いになるのでしょうか。

A 株主が会社に対して自社株を譲渡した場合、対価のうち資本金等の額を超える部分は配当所得とみなされ、総合課税による税率が適用されます。しかし、それでは相続により自社株を取得した相続人が、金庫株として発行会社に譲渡した場合の税負担が重くなりますので、納付すべき相続税額があるものが相続税申告書の提出期限の翌日から3年を経過する日までに会社に譲渡した場合に限り、みなし配当課税を適用せず、取得価額との差額をすべて有価証券の譲渡による所得とする特例が設けられています。

解　説

［1］税法における相続人等からの自社株買取りの特例

(1)　自社株譲渡の課税

個人が自社株を発行会社に譲渡した場合は、原則として、譲渡対価のうち資本金等の額を超える部分が配当所得として総合課税されます（所法25①四）。一方、相続人が相続等で取得した自社株を発行会社に買い取ってもらい、相続税の納税資金等にあてることが考えられます。

そこで、相続等により取得した自社株（非上場株式に限る）を、納付すべき相続税額があるものが相続の開始があった日の翌日から相続税の申告期限の翌日以後3年を経過する日までの間に発行会社に譲渡した場合には、みなし配当課税の適用がないことになっています（措法9の7）。この場合、譲渡所得課税となり、20.315%（所得税等15.315%＋市県民税5%）の申告分離課税で済むことになります。さらに、相続財産を譲渡した場合の取得費加算の特例の対象にもなります（措法39①）。

したがって、譲渡益の金額は次のようになります。

譲渡益の金額＝自社株の譲渡対価の額－（取得費＋譲渡費用＋取得費に加算する相続税額）

$$\text{取得費に加算する相続税額} = \text{その人の相続税額} \times \frac{\text{その人の相続税額に係る課税価格のうち譲渡資産に係る部分の価額}}{\text{その人の相続税額に係る課税価格}}$$

ただし、これらの特例はこの相続等により相続税額がある者にのみ適用となります。

■相続人が相続する非上場株式を発行法人に売却した際の課税制度■

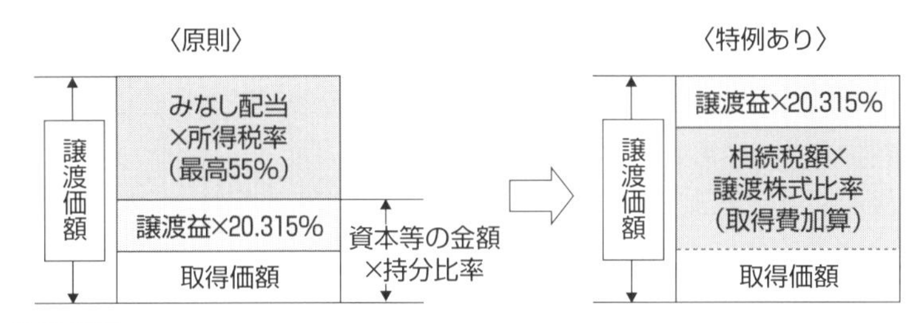

(2)　手続規定

①　譲渡対価の全額を譲渡所得の収入金額とする特例

相続自社株を発行会社に譲渡する時までに「相続財産に係る非上場株式をその発行会社に譲渡した場合のみなし配当課税の特例に関する届出書」の譲渡人用部分に記載し、発行会社に提出することが必要です（措令５の２②）。また、この届出書を受け取った発行会社は、同様に発行会社用部分に記載し、譲り受けた日の属する年の翌年１月31日までに、あわせて本店所在地の所轄税務署長に提出しなければなりません（措令５の２②）。

なお、この書面がその非上場会社に受理されたときは、その書面は、その受理された時に所轄税務署長に提出されたとみなされます。この場合において、発行会社は、これらの書面・書類の写しを作成し、５年間保存しなければなりません（措規５の５）。

②　相続税額を取得費に加算する特例

取得費加算の特例を適用を受けるためには、適用を受けようとする年分の確定申告書に、㋐相続税の申告書の写し、㋑相続財産の取得費に加算される相続税の計算明細書、㋒株式等に係る譲渡所得等の金額の計算明細書を添付して提出することが必要となります（措法39②）。

［2］会社法における相続人等からの自己株式取得の特則

⑴　制度の内容

会社法では、特定の株主から自己株式を取得する場合、株主総会の特別決議によりますが、他の株主に売主追加請求権が生じます。

しかし、上記相続自社株については、このような定款の定めがない場合であっても、売主追加請求権は生じませんので、特定の株主である相続人等のみから自己株式を買い取ることができます（会社法162）。

ただし、公開会社である場合やその相続人等が株主総会で、既にその相続株式に基づく議決権を行使していた場合には、この適用はありません（会社法162）。

なお、上記売主追加請求権は定款をもって排除することができますが、株式の発行後に売主追加請求権を排除する旨の定款の定めを設けるためには、株主全員の同意を得る必要があります（会社法164）。

⑵　手続上の制限

会社が特定の株主より自己株式を取得するためには、株主総会の特別決議が必要です（会社法156）。また、その際、買取りの申し出をした株主は議決権を行使できません（会社法160④）。更にこの取得について、財源規制の適用があります（会社法461）。

［3］譲渡する自社株の時価と発行法人の課税関係

⑴　譲渡する自社株の時価

譲渡する自社株の対価については、措置法通達37の10・37の11共－22で次のように定められています。

37の10・37の11共－22　（法人が自己の株式又は出資を個人から取得する場合の所得税法第59条の適用） 〔平27課資３－４追加、平29課資３－４改正〕 　法人がその株主等から措置法第37条の10第３項第５号の規定に該当する自己の株式又は出資の取得を行う場合において、その株主等が個人であるときには、同項及び措置法第37条の11第３項の規定により、当該株主等が交付を受ける金銭等（所得税法第25条第１項《配当等とみなす金額》の規定に該当する部分の金額（以下この項において「みなし配当額」という。）を除く。）は一般株式等に係る譲渡所得等又は上場株式等に係る譲渡所得等に係る収入金額とみなされるが、この場合における同法第59条第１項第２号《贈与等の場合の譲渡所得等の特例》の規定の適用については、次による。

> ⑴　所得税法第59条第１項第２号の規定に該当するかどうかの判定
> 　法人が当該自己の株式又は出資を取得した時における当該自己の株式又は出資の価額（以下この項において「当該自己株式等の時価」という。）に対して、当該株主等に交付された金銭等の額が、所得税法第59条第１項第２号に規定する著しく低い価額の対価であるかどうかにより判定する。
> ⑵　所得税法第59条第１項第２号の規定に該当する場合の一般株式等に係る譲渡所得等又は上場株式等に係る譲渡所得等に係る収入金額とみなされる金額
> 　当該自己株式等の時価に相当する金額から、みなし配当額に相当する金額を控除した金額による。
> （注）「当該自己株式等の時価」は、所基通59－６《株式等を贈与等した場合の「その時における価額」》により算定するものとする。

なお、実務上は、当該相続の相続税評価額を対価として、相続自社株の金庫株を実行することが多いと考えますが、この場合は、当該対価としての相続税評価額＞所基通59－６の対価×$\frac{1}{2}$をクリアしているかどうかの検討が必要です。

仮りに、相続自社株の対価が所基通59－６の対価×$\frac{1}{2}$未満である場合には、譲渡相続人につき所基通59－６の対価との差額について所得税法59条のみなし譲渡所得課税が課される場合があります。

⑵　発行会社についての課税関係

株式発行法人においては、自己株式の取得の取引は資本等取引なので、特段の課税関係はありません。

譲渡個人株主は、措置法９条の７により譲渡所得となりますが、株式発行法人には、法人税法上特段の規定がないので、通常の金庫株と同様に、資本金等の額及び利益積立金額を減算します。

Q 171｜株式相互持合の株式の評価

Ａ社とＢ社は株式を相互に持ち合っています。
Ａ社株式とＢ社株式の原則評価をもとめる際の計算方法をお教えください。

A　⑴　同族グループ個人甲が有する相互持合のＡ社株とＢ社株の評価については、Ａ社とＢ社が大会社、中会社、小会社のいずれに該当するか、及び株式保有特定会社等に該当するか等により、類似業種比準価額、併用方式、S_1+S_2方式、純資産価額方式等を基に、下記［1］、［2］の算式又は［3］のExcelシート反復計算により評価します。

(2) 相互持合を解消するために、相互に自己株式の買受けを行う場合は、法人税基本通達9－1－14により小会社に該当するものとして、併用方式又はS_1+S_2方式等により評価します。この場合に株式保有特定会社等に該当するかどうかは、上記(1)の個人株主甲の原則評価において、A社とB社が該当するかどうかによります。

S_1の計算については、小会社に該当するものとして計算します。その上で、上記(1)と同様に計算します。

(3) 甲及びA社がB社の評価に際して、特例評価となる場合は、単にその特例評価によりXを計算します。

(4) 相互に所有する株式数が少ないような場合等で、課税上弊害がないと認められるときは、簿価で評価しても差し支えないものと思われます。

解　説

［1］ 相互持合株の評価については、当局により次の具体的な計算方法が例示されています（「国税庁資産税関係質疑応答事例集」（平成13年3月刊）より）。

(1) A社株とB社株がともに純資産価額方式である場合（以下(1)～(3)で記号の意味は、(3)をみてください。）

$$\begin{cases} X=\alpha\ (b+Y) \\ Y=\beta\ (a+X) \end{cases}$$

$$X=\frac{\alpha\ (b+\beta a)}{1-\alpha\beta}$$

$$Y=\frac{\beta\ (a+\alpha b)}{1-\alpha\beta}$$

(2) A社株は類似業種比準方式と純資産価額方式の併用であり、B社株は純資産価額方式である場合

$$\begin{cases} X=\alpha\ (b+Y) \\ Y=\beta\ \{L_aC+(1-L_a)\ (a+X)\} \end{cases}$$

$$X = \frac{\alpha\ [b + \beta\ \{L_a C + (1 - L_a)\ a\}]}{1 - \alpha\beta\ (1 - L_a)}$$

$$Y = \frac{\beta\ \{L_a C + (1 - L_a)(a + \alpha\ b)\}}{1 - \alpha\beta\ (1 - L_a)}$$

(3)　Ａ社株とＢ社株がともに類似業種比準方式と純資産価額方式の併用方式である場合

$$\begin{cases} X = \alpha\ \{LbD + (1 - Lb)(b + Y)\} \\ Y = \beta\ \{LaC + (1 - La)(a + X)\} \end{cases}$$

$$X = \frac{\alpha 【L_b D + (1 - L_b)[b + \beta\ \{L_a C + (1 - L_a)\ a\}]】}{1 - \alpha\beta\ (1 - L_a)(1 - L_b)}$$

$$Y = \frac{\beta 【L_b C + (1 - L_a)[a + \alpha\ \{L_b D + (1 - L_b)\ b\}]】}{1 - \alpha\beta\ (1 - L_a)(1 - L_b)}$$

X	Ａ社の所有するＢ社株式の相続税評価額
Y	Ｂ社の所有するＡ社株式の相続税評価額
α	Ｂ社の発行済株式数のうちＡ社が所有する株式数の割合
β	Ａ社の発行済株式数のうちＢ社が所有する株式数の割合
a	Ａ社について、Ｂ社株式を除く各資産の相続税評価額の合計額から、各負債の金額の合計額を控除した金額
b	Ｂ社について、Ａ社株式を除く各資産の相続税評価額の合計額から、各負債の金額の合計額を控除した金額
L_a	Ａ社株式の類似業種比準価額の適用割合（Ｌの割合）
L_b	Ｂ社株式の類似業種比準価額の適用割合（Ｌの割合）
C	Ａ社株式を類似業種比準方式で評価した場合の評価額の総額
D	Ｂ社株式を類似業種比準方式で評価した場合の評価額の総額

(4)　以上の(1)～(3)の算式で計算した場合に、計算したＸ、Ｙを算入して評価明細書を作成し、その結果に基づいてＸ、Ｙを計算したときに両者は一致します。

しかし、Ａ社又はＢ社が自己株式を保有していた場合に、この再計算は一致しないことになります。

そこで、一定割合の自己株式を有している場合は、α、βの計算にそれを考慮して、自己株式数を除いてα_2、β_2を計算した算式によることが考えられます。

α_2、β_2を別途計算した場合の、A社株とB社株がともに併用方式である場合の算式は、下記となります。

$$\begin{cases} X = \alpha_1 L_b D + \alpha_2 (1 - L_b)(b + Y) \\ Y = \beta_1 L_a C + \beta_2 (1 - L_a)(a + X) \end{cases}$$

$$X = \frac{\alpha_1 L_b D + \alpha_2 (1 - L_b)\ b + \alpha_2 \beta_1 (1 - L_b)\ L_a C + \alpha_2 \beta_2 (1 - L_b)(1 - L_a)\ a}{1 - \alpha_2 \beta_2 (1 - L_a)(1 - L_b)}$$

$$Y = \frac{\beta_1 L_a C + \beta_2 (1 - L_a)\ a + \alpha_1 \beta_2 (1 - L_a)\ L_b D + \alpha_2 \beta_2 (1 - L_a)(1 - L_b)\ b}{1 - \alpha_2 \beta_2 (1 - L_a)(1 - L_b)}$$

X	A社の所有するB社株式の相続税評価額
Y	B社の所有するA社株式の相続税評価額
α_1	B社の発行済株式数のうちA社が所有する株式数の割合
α_2	B社の発行済株式数（自己株式数除く）のうちA社が所有する株式数の割合
β_1	A社の発行済株式数のうちB社が所有する株式数の割合
β_2	A社の発行済株式数（自己株式数除く）のうちB社が所有する株式数の割合
a	A社について、B社株式を除く各資産の相続税評価額の合計額から、各負債の金額の合計額を控除した金額
b	B社について、A社株式を除く各資産の相続税評価額の合計額から、各負債の金額の合計額を控除した金額
L_a	A社株式の類似業種比準価額の適用割合（Lの割合）
L_b	B社株式の類似業種比準価額の適用割合（Lの割合）
C	A社株式を類似業種比準方式で評価した場合の評価額の総額
D	B社株式を類似業種比準方式で評価した場合の評価額の総額

(5)　基本的には上記(3)又は(4)の併用方式の算式で持合株X、Yを計算することになります。

また、A社株とB社株のいずれか、又は双方が大会社で類似業種比準価額方式で計算する場合もあります。

これらの場合においては、単に計算されたX、Yを代入して純資産価額方式を計算します。この場合、A社株、B社株ともに株式保有特定会社に該当しない場合は、以上の計算でX、Yは確定します。

A社株又はB社株のいずれか、又は双方が株式保有特定会社になる場合があります。この場合は下記［2］のS_1+S_2方式の持合計算の算式、又は上記［1］の(1)又は(2)の算式を使って再計算によりX、Yを確定させます。

［2］ 上記の他に、計算式による方法として、上記［1］の(3)〜(5)で計算してA社及びB社が株式保有特定会社である場合に、次の計算方法により計算することが考えられます。

(1) A社株とB社株がともに株式保有特定会社であり、S_1+S_2方式で計算する場合

$$\begin{cases} X=\alpha\left[L_bD+(1-L_b)b_1+b_2+Y\right] \\ Y=\beta\left[L_aC+(1-L_a)a_1+a_2+X\right] \end{cases}$$

$$X=\frac{\alpha\left[L_bD+(1-L_b)b_1+b_2+\beta\{L_aC+(1-L_a)a_1+a_2\}\right]}{1-\alpha\beta}$$

$$Y=\frac{\beta\left[L_aC+(1-L_a)a_1+a_2+\alpha\{L_bD+(1-L_b)b_1+b_2\}\right]}{1-\alpha\beta}$$

X		A社の所有するB社株式の相続税評価額
Y		B社の所有するA社株式の相続税評価額
α		B社の発行済株式数のうちA社が所有する株式数の割合
β		A社の発行済株式数のうちB社が所有する株式数の割合
a_1	S_1	A社について、株式を除く各資産の相続税評価額の合計額から、各負債の金額の合計額を控除した金額
a_2	S_2	A社について、B社株式を除く株式の相続税評価額の合計額
b_1	S_1	B社について、株式を除く各資産の相続税評価額の合計額から、各負債の金額の合計額を控除した金額
b_2	S_2	B社について、A社株式を除く株式の相続税評価額の合計額
L_a	S_1	A社株式（S_1）の類似業種比準価額の適用割合（Lの割合）
L_b	S_1	B社株式（S_1）の類似業種比準価額の適用割合（Lの割合）
C	S_1	A社株式（S_1）を類似業種比準方式で評価した場合の評価額の総額
D	S_1	B社株式（S_1）を類似業種比準方式で評価した場合の評価額の総額

(2)　A社株が併用方式で、B社株が株式保有特定会社であり、S_1+S_2方式で計算する場合

$$\begin{cases} X=\alpha\ \{L_bD+(1-L_b)\ b_1+b_2+Y\} \\ Y=\beta\ \{L_aC+(1-L_a)\ (a+X)\} \end{cases}$$

$$X=\frac{\alpha\ [L_bD+(1-L_b)\ b_1+b_2+\beta\ \{L_aC+(1-La)\ a\}]}{1-\alpha\beta\ (1-L_a)}$$

$$Y=\frac{\beta\ [L_aC+(1-L_a)\ \{a+\alpha\ \{L_bD+(1-L_b)\ b_1+b_2\}\}]}{1-\alpha\beta\ (1-L_a)}$$

(3)　S_1+S_2方式、又は併用方式において、結局変化するのはX及びYのみであって、併用方式にあっては純資産価額が変化します。

S_1+S_2方式においては、S_2のみが変化します。

したがって、上記(1)、(2)の算式において、S_1は不変であってS_1類似業種比準価額＞S_1純資産価額のときは、上記算式でL_a又は$L_b=0$として、S_1純資産価額を選択することになります。

［3］　以上のように連立方程式の解をもとめて持合の各ケースに応じて算式により持合株X、Yの評価をもとめる方法があります。

ただ、上記算式には一定の条件があり、算式中のα、β等の割合の計算について、上記［1］の(4)を除いてA社、B社の各社が保有されている自己株式の数が考慮されていないので、一定割合の自己株式の保有がある場合、もとめられたX、Yを算入して計算した1株当たりの純資産価額を基として再計算したX、Yは一致しないことがあります。

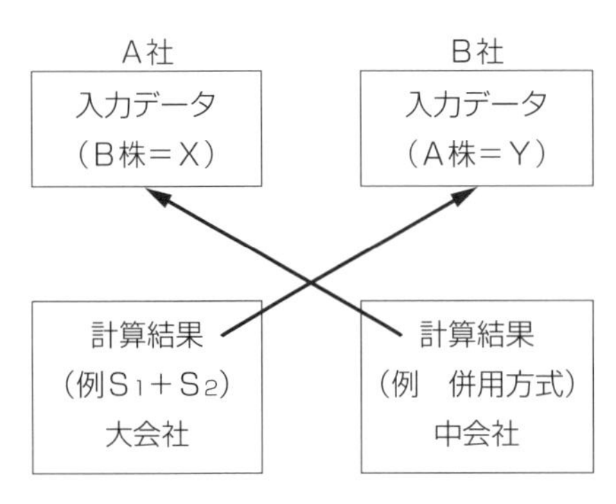

この点では、Excel等の表計算ワークシートにおいて、相互に循環させて反復計算によりもとめる方法があります。

この場合は、もとめられたX、Yとこれらを算入して計算した1株純資産価額を基にして再計算したX、Yは常に一致します。

このワークシート方式による場合は、各自がExcelシート上に類似業種

比準価額（第４表)、純資産価額（第５表)、S_1＋S_2方式（第７表、第８表)を作成する必要があります。その上でＡ社の併用方式等の計算結果をＢ社の第５表に、Ｂ社の併用方式等の計算結果をＡ社の第５表に循環させて、反復計算により解をもとめます。

このワークシート方式の場合は、相互持合の会社が２社に限らず、３社以上のケースで何社であっても、各会社ごとの併用方式、S_1＋S_2方式等に対応してもとめていくことができます。

[4]　相互持合の会社が3社（Ａ社、Ｂ社、Ｃ社）である場合には、3社ともに純資産価額方式及び3社ともに併用方式である場合は、連立方程式の解をもとめる方法によることもできますが、かなり煩瑣であるので、Excelシート方式でもとめる方が実務的です。

Q 172 ストックオプション評価の規定対象

平成15年6月25日付改正財産評価基本通達（以下「改正財基通」といいます。）において設けられたストックオプション評価の規定対象はどのようなものですか。

A 平成15年改正財基通によりストックオプションの評価に関する規定が設けられました。その内容は次のとおりです（財基通168(8)、193－2）。

① 旧商法280条ノ19（現会社法2条21号）に規定する新株予約権が無償で付与されたもの。

② その目的たる株式が上場株式又は気配相場等のある株式。

③ 課税時期が権利行使可能期間内にあるものに限る。

上記のとおり、上場会社又は店頭登録会社等の無償で付与された新株予約権（いわゆるストックオプション）の評価を対象にしているため、非公開会社のストックオプションや、有償発行の新株予約権、課税時期が権利行使期間内にない場合の評価については規定がありません。

解　説

［1］改正財基通の内容

改正財基通に規定されたストックオプションに関する規定は以下のとおりです（下線部分は改正点）。

（評価単位）

168　株式及び株式に関する権利の価額は、それらの銘柄の異なるごとに、次に掲げる区分に従い、その1株又は1個ごとに評価する。

(1)～(7)　省略

(8)　ストックオプション（商法（明治32年法律第48号）第280条ノ19（現在は、会社法（平成17年法律第86号）第2条第21号）に規定する新株予約権が無償で付与されたものをいう。ただし、その目的たる株式が上場株式又は気配相場等のある株式であり、かつ、課税時期が権利行使可能期間内にあるものに限る。）

（ストックオプションの評価）

193－2　その目的たる株式が上場株式又は気配相場等のある株式であり、かつ、課税時期が権利行使可能期間内にあるストックオプションの価額は、課税時期におけるその株式の価額から権利行使価額を控除した金額に、ストックオプション１個の行使により取得することができる株式数を乗じて計算した金額（その金額が負数のときは、０とする。）によって評価する。この場合の「課税時期におけるその株式の価額」は、169（(上場株式の評価)）から172（(上場株式についての最終価格の月平均額の特例)）まで又は174（(気配相場等のある株式の評価)）から177－２（(登録銘柄及び店頭管理銘柄の取引価格の月平均額の特例)）までの定めによって評価する。

［2］改正財基通の規定対象

この財産評価基本通達の規定対象とする範囲は、上述のとおり次のものに限定されています。

＜改正財基通の規定対象＞

① 旧商法280条の19（現会社法２条21号）に規定する新株予約権が無償で付与されたもの。

② その目的たる株式が上場株式又は気配相場等のある株式。

③ 課税時期が権利行使可能期間内にあるものに限る。

① ストックオプションに該当しない新株予約権の評価はどうするのか

新株予約権とは、「会社に対して一定の期間あらかじめ定めた一定の価額で新株の発行を請求することができる権利」であり、その権利が行使されたときは、会社がその権利者に対して新株を発行し、又はこれに代えて会社が有する自己株式を移転する義務を負うものをいいます（旧商法280ノ19以下）。

また、会社法２条21号では、「株式会社に対して行使することにより当該株式会社の株式の交付を受けることができる権利をいう。」

この新株予約権は、適正価額にて有償発行することも、また有利発行の一形態として無償で付与するいわゆるストックオプションとして発行することもありますが、改正財基通が規定対象とするのは、このうち後者の無償で付与するストックオプションのみです。

しかし、有償発行の新株予約権は、新株予約権という有価証券を有償で取得したもので、改正財基通では規定対象とはしていないものの、有価証券として当然に評価対象になると考えるべきです。

また、従来の転換社債又は新株引受権付社債のうち非分離型のものは、「転換社債型新株予約権付社債」として、別途その評価方法について、財産評価基本通達197－５に規定があります（Q177参照）。

② 非公開会社が発行するストックオプションの評価はどうするのか

ストックオプションは、あらかじめ定められた価額（権利行使価額）でその会社の株式を購入することができる権利であり、会社が自社の取締役や従業員等を対象にこれを付与するものです。ストックオプションを付与された取締役等は、権利行使によって初めて利益が実現できることから、ストックオプションを付与する会社は、一般的には株式を自由に譲渡できる環境にある会社、換言すれば公開会社又は公開予定会社であると改正財基通は想定しています。このことから、財産評価基本通達に定める上場株式、気配相場等のある株式を目的とするストックオプションについて、改正財基通は評価の対象としています。

したがって、非公開会社が発行するストックオプションの価額については、その発行内容等（権利行使価額の決定方法や権利行使により取得する株式の譲渡方法等を含みます。）を勘案し、課税当局に相談の上、個別に評価することになります。

③ 課税時期と権利行使可能時期との関係はどうするのか

改正財基通では、「課税時期が権利行使可能期間内にある」ストックオプションについて評価方法を定めていますが、課税時期が権利行使可能期間前であっても、相続の開始と同時に、そのストックオプションを取得した相続人が権利行使できる場合もあります。このような場合には、課税時期が権利行使期間内にある場合と同様、この改正財基通を適用してそのストックオプションを評価することに留意します。

なお、ストックオプションを相続により取得することはできても、権利行使可能期間前であることから、その相続人が権利行使できない場合もあります。この場合のストックオプションについては、株価及び権利行使できるまでの期間等を考慮に入れて個別に評価することになります。

Q 173 ストックオプションの評価方法

ストックオプションの評価方法を教えてください。

A ストックオプションの価格形成要因は、「本質的価値（本源的価値ともいいます。）」と「時間的価値」の２つからなるといわれています。後者は、見積株価変動率等の不確定な要素を含む時間的価値を計算するため、計算の正確性や客観性を確保するのが困難な性格を有しています。そのため、改正財基通では、計算の簡便性を考慮し、課税時期において実際にどれくらいの経済的価値を得ることができるのかという「本質的価値」に基づいて次の算式で評価するものとしています。

（算式）ストックオプションの価額＝課税時期における株式の価額－権利行使価額
（負数の場合は０とする。）

解　説

ストックオプションの評価については、『「財産評価基本通達の一部改正について」通達等のあらましについて（情報）』（平成15年７月４日付）（以下「情報」といいます。）に以下の記載がなされています。

> ストックオプションの価額は、現時点でどれくらいの利益が発生しているか、今後どれくらいの利益が得られる可能性があるかということにより決定されるとされ、その価格形成要因は、一般的に「本質的価値」と「時間的価値」の２つからなるといわれている。
>
> ①　本質的価値
>
> 本質的価値とは、「現時点で権利を行使した場合の価値」をいい、その時点での株価と権利行使価額との差額を指すものである。
>
> ②　時間的価値
>
> 時間的価値とは、「将来への期待度（株価が変動すれば、そこから利益が生ずるかもしれない）に対するストックオプションの価値」をいい、次の４要素を尺度として計算することとされている。
>
> イ　見積株価変動率（ボラティリティ）〔大きいほど、オプションの価値が高い〕
>
> ロ　オプションの期間　〔長いほど、オプションの価値が高い〕
>
> ハ　金利〔高いほど、オプションの価値が高い〕
>
> ニ　予想配当〔少ないほど、オプションの価値が高い〕
>
> ストックオプションを評価するに当たっては、ブラック・ショールズ・モデルなどのいわゆるオプション・プライシング・モデルを使用することも考えら

れる。しかし、これらのモデルを使用すると、見積株価変動率などの数値の取り方次第で、算出されるストックオプションの評価額が大きく変動してしまうことから、相続税における財産評価の方法としては必ずしも適当ではない。したがって、ストックオプションの価額は、評価の簡便性をも考慮した上で、見積株価変動率等の不確定な要素が含まれている時間的価値を捨象し、課税時期において実際にどれくらいの経済的価値を得ることができるかという「本質的価値」に基づいて評価することとし、具体的には、次の算式によることとした。

（算式）ストックオプションの価額＝課税時期における株式の価額－権利行使価額
（負数の場合は０とする。）

なお、上記算式中の「課税時期における株式の価額」については、必ずしも課税時期に権利行使が行われるわけではなく、一時点における需給関係による偶発性を排除するなどの必要性があることから、通達の定めに基づいて株式（上場株式及び気配相場等のある株式）を評価することとなる。また、上記算式中の「権利行使価額」については、実際に権利行使する場合、ストックオプションの発行会社が定めた権利行使価額を払い込むことから、発行会社により定められた金額によることとなる。

このように「情報」では、課税時期において実際にどれくらいの経済的価値を得ることができるのかという「本質的価値」だけに着目して評価するものとしています。

Q 174 課税時期において権利行使可能期間が到来している場合、未到来の場合等におけるストックオプション評価

課税時期において権利行使可能期間が到来している場合、未到来の場合等におけるストックオプション評価の考え方について教えてください。

A 以下の各ケースに分けて評価方法が異なります。

①　課税時期において権利行使可能期間が到来している場合

②　課税時期において権利行使可能期間到来前だが相続発生に伴い権利行使可能になる場合

③　課税時期において権利行使可能期間未到来の場合

①は、財産評価基本通達に基づき本質的価値により評価します。

②は、①と同様、財産評価基本通達に基づき本質的価値により評価します。

③は、株価及び権利行使できるまでの期間等を考慮に入れて個別に評価します。

解　説

上記①～③の各ケースに分けて評価方法を検討します。

この各ケースについて、「情報」では、「課税時期と権利行使可能期間との関係」として、次のように記載しています。

通達では、「課税時期が権利行使可能期間内にある」ストックオプション（上記①）について評価方法を求めているが、課税時期が権利行使可能期間前であっても、相続の開始と同時に、そのストックオプションを取得した相続人が権利行使できる場合もある（上記②）。このような場合には、課税時期が権利行使可能期間内にある場合と同様、この通達を適用してそのストックオプションを評価することに留意する。

なお、ストックオプションを相続により取得することはできても、権利行使可能期間前であることから、その相続人が権利行使できない場合がある（上記③）。この場合のストックオプションについては、株価及び権利行使できるまでの期間等を考慮に入れて個別に評価することとする。

このように、上記①については財産評価基本通達に規定されたところの課税時期における本質的価値により評価します。すなわち、

ストックオプションの価額＝課税時期における株式の価額－権利行使価額

によります。

上記②については、相続人は課税時期において、課税時期が権利行使可能期間内にある場合（①）と同じ経済的利益を得ることができるので、①と同様の方法により評価します。

上記③については、課税時期において権利行使可能期間が到来していないため、権利行使できませんが、株価及び権利行使できるまでの期間等を考慮に入れて①に準じて個別に評価します。

Q 175 非公開会社の発行するストックオプション

非公開会社の発行するストックオプションは相続税の課税対象となりますか。課税対象となる場合には、その評価はどのように行いますか。

A 改正財基通においては、上場株式等を対象とするストックオプションについてのみ評価方法を明文化しました。しかし、非公開会社が発行するストックオプションについても経済的価値はあります。したがって、これらについて相続可能なものの価額は、その発行価額等（権利行使価額の決定方法や権利行使により取得する株式の譲渡方法等を含みます。）を勘案し、個別に評価することになります。

解　説

相続税の課税対象となる「財産」とは、金銭に見積もることができる経済的価値のあるすべてのもの（相基通11の２－１）とされています。

新株予約権のうち、改正財基通において評価方法が明文化されたのは、上場株式等を対象とするストックオプションに限定され、非公開会社が発行する新株予約権については何ら規定がなされてはいません。

しかし、非公開会社の新株予約権でも、有償発行のものは、取得価額のある通常の有価証券として当然に相続税評価の対象となると考えるべきでしょう。

また、同じく非公開会社が無償で発行するストックオプションの価額については、その発行価額等（権利行使価額の決定方法や権利行使により取得する株式の譲渡方法等を含みます。）を勘案し、個別に評価することになります。

Q 176 転換社債型新株予約権付社債の評価

転換社債型新株予約権付社債の評価は、どのように行われますか。

A 転換社債型新株予約権付社債（平成14年３月以前発行の転換社債を含みます。）の評価は、次の各ケース別に異なった取扱いとなります（財基通197－５）。

⑴　金融商品取引所に上場されている転換社債
⑵　日本証券業協会に店頭転換社債として登録された転換社債
⑶　⑴又は⑵以外の転換社債
　①　転換社債の発行会社の株式の価額が転換価格を超えない場合
　②　転換社債の発行会社の株式の価額が転換価格を超える場合

解　説

［1］転換社債型新株予約券付社債とは

平成13年商法改正で新株予約権の単独発行が認められることとなり、これに伴い従来の転換社債と新株引受権付社債の取扱いが以下のとおり整理されたことから、財産評価基本通達の評価規定も整理されました。

	旧商法		平成13年改正旧商法及び会社法	財基通
i	転換社債	→	転換社債型新株予約権付社債	197－5
ii	新株引受権付社債（非分離型）	→	転換社債型新株予約権付社債	197－5
iii	新株引受権付社債（分離型）	→	新株予約権と社債の同時発行	—

上記のⅰ及びⅱは、新株予約権を行使するときは社債が償還され、その償還額の全額が株式の払込み金額に充当されます。これを財産評価基本通達197－5では「転換社債型新株予約権付社債（平成14年３月31日以前に発行されたⅰ及びⅱを含み、以下「転換社債」といいます。）」として取り扱っています。

ⅲは、新株予約権と社債が分離しており、新株予約権を行使するときは、社債の償還額を株式の払込みに充当しないため、旧商法及び会社法ではこれを、新株予約権と社債が同時に発行されたものとして取り扱っています。したがって、平成15年６月25日付改正財産評価基本通達においては、転換社債型新株予約権付社債の評価の対象にはなっていません。この経緯からするとこの評価は、新株予約権と社債を各々単独に評価するものと考えられます。

［2］転換社債型新株予約権付社債の評価

⑴　金融商品取引所に上場されている転換社債

$$\{課税時期の最終価格＋（既経過利息－既経過利息\times 0.2）\}\times\frac{券面額}{100円}$$

⑵　日本証券業協会に店頭登録転換社債として登録された転換社債

$$\{課税時期の最終価格＋（既経過利息－既経過利息\times 0.2)\} \times \frac{券面額}{100円}$$

なお、⑴及び⑵の「課税時期の最終価格」については、課税時期に金融商品取引所又は日本証券業協会の公表する最終価格がない場合には、課税時期前の最終価格のうち、課税価格にもっとも近い日の最終価格とします。

⑶　⑴又は⑵以外の転換社債

①　転換社債の発行会社の株式の価額が転換価格を超えない場合

$$\{発行価額＋（既経過利息－既経過利息\times 0.2)\} \times \frac{券面額}{100円}$$

②　転換社債の発行会社の株式の価額が転換価格を超える場合

$$転換社債の発行会社の株式の価額 \times \frac{100円}{その転換社債の転換価格}$$

この「転換社債の発行会社の株式の価額」は、次の価額によります。

（イ）上場株式又は気配相場のある株式

転換社債の発行会社の株式の価額＝財産評価基本通達により評価した価額。

（ロ）取引相場のない株式

次の算式により修正した価額。

$$転換社債の発行会社の株式の価額 = \frac{N + P \times Q}{1 + Q}$$

算式中の「Ｎ」、「Ｐ」及び「Ｑ」は、それぞれ次によります。

「Ｎ」　財基通により評価したその転換社債の発行会社の課税時期における株式１株当たりの価額

「Ｐ」　その転換社債の転換価格

「Ｑ」　次の算式によって計算した未転換転換社債のすべてが株式に転換されたものとした場合の増資割合

$$Q = \frac{\dfrac{転換社債のうち課税時期において株式に転換されていないものの券面総額}{その転換社債の転換価格}}{課税時期における発行済株式数}$$

このように、株式の価額が転換価額を下回っているときは、社債を株式に転換することはないと考えられるため、転換社債は一般の利付債券と同様の性格のものでしかなく、その価格形成も利回りに基づいて行われることになります。

しかし、いったん株式の価額が転換価格を超えると、転換社債の価格形成は株式の価額と連動するようになります。転換社債の所有者は、株式への転換の意欲が高まるため、転換社債のすべてが一時に株式に転換したものとして株式の価額を修正し、その修正後の株式の価額を基にして、転換社債の価格は評価されるべきと財産評価基本通達は考えています。

〔設例１〕 上場転換社債又は店頭登録転換社債の評価

(1)　課税時期　　課税時期令和×１年５月15日

(2)　評価する新株予約権付社債

銘柄　　　　Ａ株式会社（上場）第５回新株予約権付社債

利率　　　　1.5％

償還期限　　令和×３年９月30日

利払日　　　３月及び９月末日

券面額　　　1,000,000円

証券取引所の課税時期の最終価格　　　104円20銭

〈評価額〉

(1)　利息の既経過日数の計算

令和×１年４月１日～令和×１年５月15日　→　45日

(2)　評価額の計算

$$104.20円 + 100円 \times 0.015 \times (1 - 0.2) \times \frac{45日}{365日} = 104.34円$$

$$104.34円 \times \frac{1{,}000{,}000円}{100円} = 1{,}043{,}400円$$

この設例では、上場転換社債ですが、店頭登録転換社債でも同様の評価となります。

〔設例２〕 転換社債もその発行会社の株式も取引相場がない場合の転換社債の評価

(1)	課税時期の発行済株式数	500,000株
(2)	転換社債の発行総額	18,000,000円
(3)	転換価格	150円

⑷　課税時期までに株式に転換した転換社債の券面総額　3,000,000円

⑸　課税時期における株式1株当たりの価額（財基通評価）　186円

⑹　評価すべき転換社債の券面額　1,000,000円

〈評価額〉

1　株式の価額が転換価格を超えるかどうかの判定

⑴　増資割合（Q）の算定

$$\frac{\dfrac{18{,}000{,}000円-3{,}000{,}000円}{150円}}{500{,}000株}=0.2$$

⑵　株式の価額の修正

$$\frac{186円+150円\times 0.2}{1+0.2}=180円$$

⑶　判定

180円＞150円

株式の価額が転換価格を超えている。したがって、この株式の価額を基に転換社債の評価額を算定する。

2　転換社債の評価額

転換社債の券面額100円当たりの価額　$180円\times\dfrac{100円}{150円}=120円$

評価すべき転換社債の評価額　$120円\times\dfrac{1{,}000{,}000円}{100円}=1{,}200{,}000円$

（注）株式の価額が転換価格を下回る場合には、一般利付債券と同じように転換社債の発行価額を基に評価します。

［3］平成30年以後の取扱い

平成30年以後においては、新株予約権付社債は株式等保有特定会社の株式等に含められています。

Q177 認定承継会社等が外国会社又は医療法人、上場会社の株式等を有する場合

事業承継税制における認定承継会社等が外国会社又は医療法人、上場会社の株式等を有する場合、猶予税額の計算の基となる認定承継会社等の株式等の価額を計算する上で留意すべき点はありますか。

A 認定承継会社又はその認定承継会社の特別支配関係法人（以下において「認定承継会社等」といいます。）が、一定の外国会社又は医療法人、上場会社の株式等を有する場合、これらを有していないものとして認定承継会社等の株式等の価額を計算します。その結果、猶予税額が小さくなります。

解　説

［1］非上場株式の相続税及び贈与税の納税猶予制度

事業承継税制では、後継者が認定承継会社の株式等を相続若しくは遺贈又は贈与により先代経営者等から取得し、その会社を経営していく場合に、取得した認定承継会社の株式等に係る相続税額又は贈与税額の全部又は一部（納税猶予分）について納税が猶予されます。

(1)　納税猶予分の贈与税額

納税猶予の適用を受ける認定承継会社の株式等の数に対応するその株式等の価額を、後継者（経営承継受贈者）に係るその年分の贈与税の課税価格とみなして計算した贈与税額が、納税猶予分の贈与税額となります（措法70の７②五、措法70の７の５②八）。

(2)　納税猶予分の相続税額

納税猶予の適用を受ける認定承継会社の株式等の数に対応するその株式等の価額を、後継者（経営承継相続人等）に係る相続税の課税価格とみなして計算した相続税額の80％相当額（イに掲げる金額からロに掲げる金額を控除した額）が、納税猶予分の相続税額となります（措法70の７の２②五）。

イ　納税猶予を受ける非上場株式等の数に対応するその株式等の価額を、後継者（経営承継相続人等）に係る相続税の課税価格とみなして計算した相続税額

ロ　納税猶予を受ける非上場株式等の数に対応するその株式等の価額に20％

を乗じた金額を、後継者（経営承継相続人等）に係る相続税の課税価格とみなして計算した相続税額

※　事業承継税制（特例措置）では、相続税の納税猶予割合が80％から100％へ引き上げられており、具体的には上記ロの控除がありません（措法70の７の６②八）。

［2］外国会社等の株式等を有するときの納税猶予分の相続税額又は贈与税額

認定承継会社が次の⑴又は⑵に該当するときは、その認定承継会社等が外国会社又は医療法人、上場会社の株式等を有していなかったものとして修正計算した認定承継会社の株式等の価額を、相続（贈与）税の課税価格とみなして納税猶予分の相続（贈与）税額を計算します（措法70の７の２②五イ、措令40の８⑫、措法70の７の２②五イ、措令40の８の２⑫、措法70の７の５②八イ、措令40の８の５⑮、措法70の７の６②八、措令40の８の６⑮）。

⑴　認定承継会社が、一定の外国会社（※１）又は医療法人（※３）、上場会社（※４）の株式等を有するとき

⑵　特別支配関係法人（※５）が、一定の外国会社（※１）又は医療法人（※３）、上場会社（※４）の株式等を有するとき

（※１）　一定の外国会社：会社法第２条第２号に規定する外国会社で、認定承継会社の特別関係会社（※２）に該当するものに限ります（措法70の７②五イ、70の７の２②五イ、70の７の５②八イ、70の７の６②八）。

（※２）　特別関係会社：認定承継会社並びに認定承継会社の代表者及びその代表者の特別関係者が、議決権総数の50％超の議決権を有している会社であり、認定承継会社のひ孫会社までが範囲となります（措令40の８⑦、40の８の２⑧、40の８の５⑥、40の８の６⑦）。

（※３）　一定の医療法人：認定承継会社並びに認定承継会社の代表者及びその代表者の特別関係者が、出資総額の50％超の金額の出資を有している医療法人をいいます（措令40の８⑫二、40の８の２⑫二、40の８の５⑮、40の８の６⑮）。

（※４）　一定の上場会社：認定承継会社並びに認定承継会社の代表者及びその代表者の特別関係者が、発行済株式総数の３％以上の株式を有している上場会社を言います（措令40の８⑫一、40の８の２⑫一、40の８の５⑮、40の８の６⑮）。

（※５）　特別支配関係法人：認定承継会社の特別関係会社であって認定承継会社との間に支配関係がある法人をいいます（措通70の７－14、70の７の２－16、70の７の５－13、70の７の６－13）。

〈図表①〉 認定承継会社の株主等の修正計算を要するケース

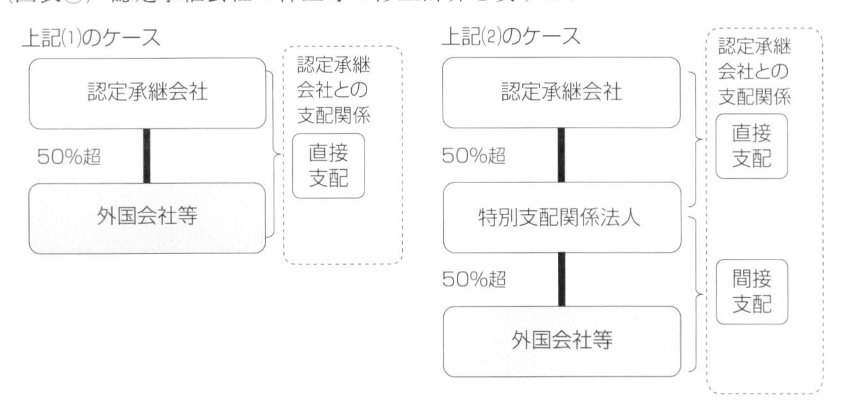

〈図表②〉 特別関係会社の範囲

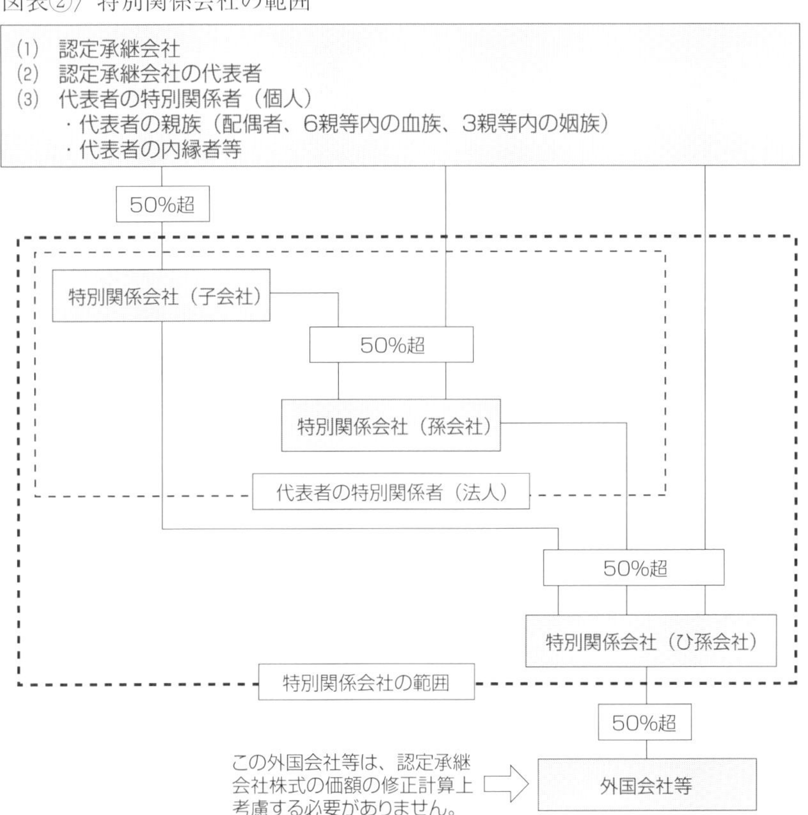

この「認定承継会社等が外国会社又は医療法人、上場会社の株式等を有していなかったものとして計算した価額」は、認定承継会社等の株式等の価額の計算に適用する財産評価基本通達の定めを基礎として計算します。

［3］外国会社等の株式等を有するときの具体的な計算

認定承継会社の株式等の価額を評価基本通達の定めにより計算した価額を基礎とし、認定承継会社等が有していなかったものとされる外国会社等の株式等の価額及び当該外国会社等から受けた配当金に相当する金額を除外したところで計算した場合の当該株式等の価額をもって、「外国会社等の株式等を有していなかったものとして計算した」価額とします。

認定承継会社の特別支配関係法人が外国会社等の株式等を有する場合には、当該特別支配関係法人が外国会社等の株式等を有していなかったものとして計算した当該特別支配関係法人株式等の価額を基に当該認定承継会社の株式等の価額を計算します（措通70の７－14、70の７の２－16、70の７の５－13、70の７の６－13）。

具体的には、次の点に留意する必要があります。

⑴　財産評価基本通達178（取引相場のない株式の評価上の区分）の大会社、中会社又は小会社の区分及び同通達189（特定の評価会社の株式）に掲げる区分については、認定承継会社等が外国会社の株式等を有しているか否かを考慮せず、そのままの区分を適用します。

⑵　純資産価額方式（財基通185）の適用においては、認定承継会社（及び特別支配関係法人）の資産から外国会社の株式等（相続税評価額）を除外して、純資産価額を計算します。

なお、取引相場のない株式の相続税評価額を算定する際には、認定承継会社、特別支配関係法人それぞれの会社区分に基づいて純資産価額又は類似業種比準価額（又は折衷価額）で評価します。認定承継会社の株式等を純資産価額で評価したとしても、特別支配関係法人が大法人であるならば、特別支配関係法人の株式等は類似業種比準価額で評価することになります。

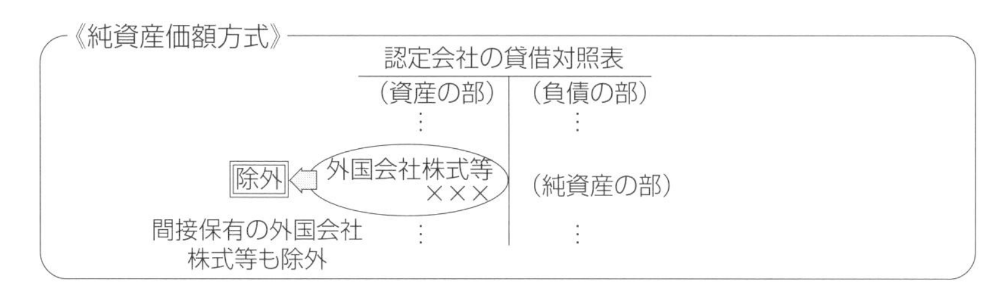

(3)　類似業種比準価額方式（財基通180）の適用においては、評価会社の1株当たり利益金額（Ⓒ）から認定承継会社（又は特別支配関係法人）が保有する外国会社等から受けた配当金に相当する金額を除外し、評価会社の1株当たり純資産価額（帳簿価額によって計算した金額（Ⓓ)、から外国会社の株式等の価額（税務上の帳簿価額※）を除外します。

※　認定承継会社等が外国会社の株式等を有していないものとして、評価会社の1株当たりの純資産価額（帳簿価額によって計算した金額）を算出するわけですから、除外すべき外国会社の株式等の価額は、相続税評価額ではなく税務上の帳簿価額とするのが合理的です（「改訂新版 Q&A 法人版事業承継税制の実務 詳解　品川芳宣他監修 大蔵財務協会」P.572参照)。

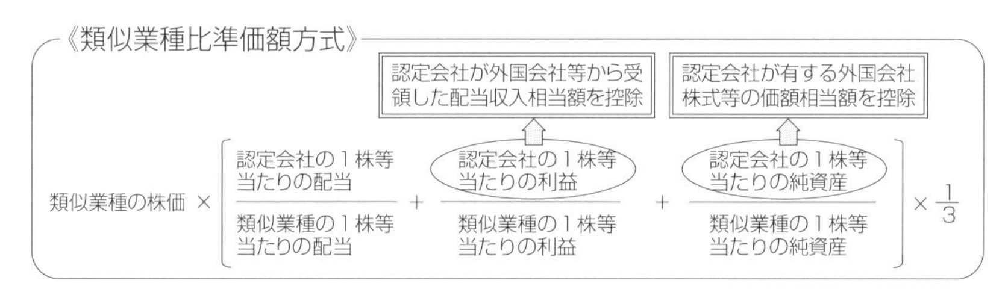

なお、上記(2)及び(3)の修正計算に当たっては、その外国会社等との間に支配関係がある他の外国会社等の株式等についてまで考慮する必要はありません。

Q 178 みなし相続に係る相続税の納税猶予を適用した際に、認定承継会社等が外国会社又は医療法人、上場会社の株式等を有する場合

非上場株式等の贈与者が死亡した場合の相続税の課税の特例（措法70の7の3、70の7の7）を適用した際に、認定承継会社等が一定の外国会社又は医療法人、上場会社の株式等を有する場合、猶予税額の計算の基となる認定承継会社の株式等の価額を計算する上で留意すべき点がありますか。

A 納税猶予を受けた贈与の時における、認定承継会社の株式等の価額を基礎として、認定承継会社等が外国会社等の株式等を有していなかったものとして認定承継会社の株式等の価額を再計算します。

解　説

［1］贈与税の納税猶予の適用を受ける後継者に係る贈与者が死亡した場合

贈与税の納税猶予の適用を受ける後継者（経営承継受贈者）に係る贈与者が死亡した場合には、当該贈与者の死亡による相続又は遺贈に係る相続税については、後継者が当該贈与者から相続（後継者が当該贈与者の相続人以外の者である場合には、遺贈）により、贈与税の納税猶予の適用に係る認定承継会社の株式等を取得したものとみなします。この場合において、その死亡による相続又は遺贈に係る相続税の課税価格の計算の基礎に算入すべき認定承継会社の株式等の価額については、当該贈与者から贈与税の納税猶予の適用に係る認定承継会社の株式等の贈与を受けた時の価額を基礎として計算します（措法70の7の3①、70の7の7①）。

後継者（経営承継受贈者）は、みなし相続により取得した認定承継会社の株式等の全部又は一部につき、相続税の納税猶予の適用を受けることができます（措法70の7の4①、70の7の8①）。このことを一般的に贈与税の納税猶予から相続税の納税猶予への切替えといいます。相続税の納税猶予へ切り替えるか否かは、後継者の任意となります。

［2］外国会社等の株式等を有するときの納税猶予分の相続税額

相続税の納税猶予へ切り替えた際に、認定承継会社又はその認定承継会社の特別支配関係法人（以下において「認定承継会社等」といいます。）が外国会社

等の株式等を有する場合（詳しくは、Q177［2］参照)、これらを有しなかったものとして修正計算した認定承継会社の株式等の価額を、相続税の課税価格とみなして納税猶予分の相続税額を計算します（措法70の７の４②四、措令40の８の４⑧、措法70の７の８②四、措令40の８の８⑧)。

［3］外国会社等の株式等を有するときの具体的な計算

贈与税の納税猶予の適用に係る認定承継会社の株式等の贈与を受けた時の価額を基礎とし、認定承継会社等が外国会社等の株式等を有していなかったものとして、次のイの金額にロの割合を乗じて計算した金額をもって、「外国会社等の株式等を有していなかったものとして計算した」価額とします（措規23の12③、措通70の７の４－６、措規23の12の５⑥、措通70の７の８－５)。

イ　相続税の納税猶予（切替え分）の対象とした株式の価額

認定会社の贈与時株価（外国会社等の株式等に係る修正計算前） × 相続税の納税猶予に切り替えた対象株式数

ロ　純資産割合

$$\frac{\text{認定会社の純資産額（相続時の相続税評価額）} - \left(\text{認定会社が直接保有する外国会社等の株式等の価額（相続税評価額）} + \text{認定会社が間接保有する外国会社等の株式等の価額（ハ）}\right)}{\text{認定会社の純資産額（相続時の相続税評価額）}}$$

ハ　認定承継会社が間接保有する外国会社等の株式等の価額

$$\text{特別支配関係法人株式の価額（相続時の相続税評価額）} \times \frac{\text{特別支配関係法人が直接保有する外国会社等の株式等の価額（相続時の相続税評価額）} + \text{特別支配関係法人が間接保有する外国会社等の株式等の価額（ニ）}}{\text{特別支配関係法人の純資産額（相続時の相続税評価額）}} ※$$

※分子の金額は分母の金額を限度とします。

ニ　特別支配関係法人が間接保有する外国会社等の株式等の価額

$$\text{特別支配関係法人が有する他の特別支配関係法人の株式等の数} \times \left(\text{他の特別支配関係法人の株価} - \text{他の特別支配関係法人の株価（外国会社等の株式等に係る修正計算後）※}\right)$$

※他の特別支配関係法人の株式等の価額を評価基本通達の定めにより計算した価額を基礎とし、当該他の特別支配関係法人が有している外国会社等の株式等の価額及び当該外国会社等から受けた配当金に相当する金額を除外したところで計算した場合の当該株式等の価額です（具体的には修正計算はQ177参照）

［4］修正計算における上限額

上記［3］により算定した金額と、相続税の納税猶予（切替え分）の対象とした認定承継会社の株式等の価額（上限額※）のいずれか小さい金額をもって、納税猶予分の相続税額を計算します（措規23の12③括弧書き、23の12の５⑥）。

※　上限額

認定会社の贈与時株価（外国会社等の株式等に係る修正計算後）　×　相続税の納税猶予に切り替えた対象株式数

〈図表〉納税猶予分の相続（贈与）税の計算の基礎となる特例非上場株式等の価額

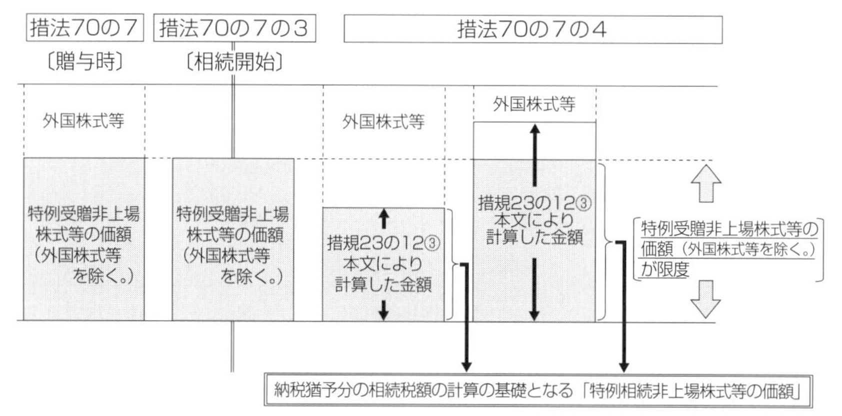

（出典：財務省HP「平成23年度税制改正の解説」460頁　参考4）

認定承継会社等が外国会社等の株式等を有する場合で、かつ、贈与税の納税猶予から相続税の納税猶予への切替えを予定している場合には、贈与時とみなし相続時の２回、認定承継会社の株式等の価額の修正計算を行います。また、贈与時の修正計算とみなし相続時の修正計算では修正方法が異なりますので、２回の修正計算により、最終的に相続税の納税猶予額がどの程度になるか、事前に検討しておく必要があります。

Q 179｜企業組合の定款に特別の定めがある場合の出資の評価

企業組合が、その定款を「組合員が脱退したときは組合員の本組合に対する出資額を限度として持分を払い戻すものとする。」と変更した場合には、その出資又は出資払戻請求権はどのように評価するのでしょうか。

A 法令の規定により、現実に払込出資金額しか返還されないことが担保されている場合には、払込出資金額によって評価します。

解　説

［1］法令の規定により払込出資金額しか返還されないことが担保されている場合

財産評価基本通達196《企業組合等の出資の評価》では、「企業組合、漁業生産組合その他これに類似する組合等に対する出資の価額は、課税時期におけるこれらの組合等の実情によりこれらの組合等の185≪純資産価額≫の定めを準用して計算した純資産価額（相続税評価額によって計算した金額）を基とし、出資の持分に応ずる価額によって評価する。」と規定されています。

ただし、法令の規定により、現実に払込出資金額しか返還されないことが担保されている場合には、払込出資金額によって評価します。

> （参考）　消費生活協同組合法　第21条
> 脱退した組合員は、定款の定めるところにより、その払込済出資額の全部又は一部の払戻しを請求することができる。

［2］法令の規定により払込出資金額しか返還されないことが担保されていない場合

法令の規定により、払込出資金額しか返還されないことが担保されていない場合であって、出資持分の相続について定款に別段の定めがある等により、その持分を承継する場合には、財産評価基本通達196《企業組合等の出資の評価》の定めによって評価します。

ただし、法令の規定により、払込出資金額しか返還されないことが担保されていない場合であっても、出資持分を承継することなく、相続人等が現実に出資払戻請求権を行使して出資の払戻しを受けたときには、その払戻しを受けた出資の金額によって評価します。

なお、相続人等が現実に出資の払戻しを受けた場合において、当該出資に係る剰余金相当額が残存する他の出資者に帰属するときには、他の出資者が脱退した組合員から出資の価額の増加額に相当する利益の贈与を受けたものとして、相続税法第９条に規定するみなし贈与の課税が生じる場合があります。

（参考）　中小企業等協同組合法　第20条
　組合員は、第18条又は前条第１項第１号から第４号までの規定により脱退したときは、定款の定めるところにより、その持分の全部又は一部の払戻を請求することができる。
２　前項の持分は、脱退した事業年度の終における組合財産によって定める。

Q 180　国外転出時課税を受ける場合の自社株の評価方法

国外転出時課税の適用を受ける場合の自社株の評価方法を教えてください。

A　原則として、所得税基本通達23〜35共－９及び59－６により評価します。

解　説

［１］原則

国外転出時課税の適用を受ける場合には、国外転出の時又は国外転出の予定日から起算して３月前の日（同日後に取得をした有価証券等にあっては、その取得時）における有価証券等の価額（以下「国外転出時の価額」といいます。）に相当する金額で譲渡があったものとみなされます（所法60の２①）。

この場合の評価額については、原則として、所得税基本通達23〜35共－９及び59－６によることとされています（所基通60の２－７）。

なお、国外転出の予定日から起算して３月前の日後に取得したものについては、原則としてその取得価額によることとされています（所法60の２①二、所基通60の２－６（注）１）。

国外転出時課税は、国外転出の時に「国外転出時の価額」に相当する金額によって、それまでに生じていたキャピタルゲインを精算して課税するものです。

そのため「国外転出時の価額」は、一般的に評価額が低く抑えられる相続税評価額ではなく、国外転出の時又は国外転出予定日から起算して３か月前の日における客観的交換価値である必要があります。

したがって、有価証券等の「国外転出時の価額」の算定方法は、キャピタルゲインを精算して課税する所得税法第59条と同様の方法によるべきであるとの考えから、原則として、所得税基本通達23～35共－９及び59－６の取扱いに準じて算定した価額によることとされています。

［2］修正申告等をする場合における価額等

国外転出時課税制度には、国外転出の日前に確定申告をする場合（注）がありますが、この場合、将来の国外転出の時における対象資産の価額等を算定することが不可能であることから、国外転出の予定日から起算して３か月前の日における対象資産の価額によることとされています（所法60の２①二、②二、③二）。

ところで、この方法により申告を行った後、対象資産の一部に申告漏れ等が発覚したことにより修正申告を行う場合には、国外転出後の修正申告であれば、国外転出時点における価額を算定することが可能です。そのため、修正申告の段階では、国外転出時の価額によるべきか、それとも、当初申告の際に適用した金額を用いるべきかという疑問が生じます。

この点について、所得税基本通達60の２－９においては、当初申告の際に適用した金額により修正申告を行うことが明らかにされています。これは、当初申告分の株式と修正申告分の株式とで異なる評価を行った場合、その後の譲渡の計算が困難になることを避けるためです。したがって、仮に、当初申告において対象資産の全部が申告漏れであった場合（当初申告において国外転出時課税の適用を受けていない場合）については、対象資産の全部について国外転出の時における価額で修正申告をすることとされています。

（注）　次の①～③以外の場合です。

①　国外転出をする日の属する年分の確定申告書の提出の時までに納税管理人の届出をした場合

②　納税管理人の届出をしないで国外転出をした日以後にその年分の確定申告書を提出する場合

③　国外転出をする日の属する年分の所得税につき決定がされる場合

〈国外転出時課税制度と平成28年度改正（「平成28年度税制改正大綱」より）〉

平成27年度に導入された国外転出時課税制度について、平成28年度改正において、重要な改正が行われます。

⑴　国外転出相続時課税において、準確定申告期限において未分割等である場合に、その後分割が確定した場合に対応し、相続税法31条及び32条とほぼ同様の規定が創設されることとなります。

国外転出相続時課税は、改正前の取扱いでは、非居住者相続人がいる場合の被相続人の準確定申告期限において、未分割である場合は、その法定相続分により準確定申告期限で申告することとされ、その後分割が確定した場合に更正の請求等ができないとされていました。

このような場合に、相続税法では、相続税法32条等により、更正の請求等ができます。国外転出相続時課税の被相続人の準確定申告においても、平成28年度改正により、平成28年１月１日以後に遺産分割等が確定した場合に、基本的に相続税法と同様の取扱いとなります。

遺産分割等の事由は、現行相続税法32条とほぼ同じ項目とされています。ただし、相続税の場合は更正の請求も修正申告も、いずれも、更正の請求をする場合に、修正申告書を提出することができる取扱いですが、国外転出相続時課税の所得税においては、未分割で申告した場合に税額が増加する場合等は修正申告書を提出しなければならないこととなり、税額が減少する場合等は、更正の請求ができることとなります。

これにより、非居住者相続人がいる場合に、準確定申告期限に未分割で申告したとして、遺産分割が行われた場合は、更正の請求により、非居住者相続人が遺産分割により実際に取得する有価証券に限り、みなし譲渡課税の対象となります。

⑵　国外転出時課税制度のその他の改正

①　対象有価証券が上場株式等である場合、平成28年以後の譲渡について、単に上場株式等の譲渡ですが、上場株式等に係る譲渡損失の損益通算及び繰越控除の対象ではありませんでした。

これが、平成28年度改正において手当てされ、上場株式等であると同時に、上場株式等に係る譲渡損失の損益通算及び繰越控除の対象に追加されました。

② ストックオプションについては、非居住者であっても、非適格の場合の給与所得、適格の場合の譲渡所得のいずれもが国内源泉所得であるため対象有価証券から除外されます。

③ 納税猶予の期限の満了に伴う納期限が４か月延長されます。これにより価値下落により更正の請求をした場合に、この更正の請求期限と納税猶予の期限満了による納期限が同一日となります。

④ 国外転出時課税は、課税要件を満たす場合に、確定申告の有無を問わず取得価額が改訂される制度ですが、これを、国外転出時課税制度が適用されていない場合は、取得価額を改訂しないこととされます。この改正は平成28年１月１日以後の帰国より適用され、みなし譲渡が譲渡損で申告不要の場合の帰国、みなし譲渡が無申告の場合の帰国の場合の取得価額について適用されます。

⑤ 国外転出時課税制度において納税猶予の適用後に、同一銘柄の有価証券を譲渡した場合、納税猶予の適用を受けていないものがある場合、これを先に譲渡したものとされます。

この改正は平成28年１月１日以後の譲渡について適用されます。

なお国外転出者が、納税管理人の届出をせずに準確定申告を行う場合、NISA口座についても３か月前の日で譲渡したものとされます。

[付　録]

（付録１）日本標準産業分類の分類項目と類似業種比準価額計算上の業種目との対比表
（付録２）業種目別標本会社名簿
（付録３）財産評価基本通達による株価算定ルール
（付録４）ストックオプションに対する課税（Ｑ＆Ａ）
（付録５）「相続税及び贈与税における取引相場のない株式等の評価明細書の様式及び記載方法等について」の一部改正(案)

（付録1）

（別表）日本標準産業分類の分類項目と類似業種比準価額計算上の業種目との対比表（平成29年分）

日本標準産業分類の分類項目 大分類	中分類	小分類	類似業種比準価額計算上の業種目 大分類	中分類	小分類	番号	規模区分を判定する場合の業種
A　農業，林業			その他の産業			113	卸売業、小売・サービス業以外
	01　農業						
		011 耕種農業					
		012 畜産農業					
		013 農業サービス業（園芸サービス業を除く）					
		014 園芸サービス業					
	02　林業						
		021 育林業					
		022 素材生産業					
		023 特用林産物生産業（きのこ類の栽培を除く）					
		024 林業サービス業					
		029 その他の林業					
B　漁業			その他の産業			113	卸売業、小売・サービス業以外
	03　漁業（水産養殖業を除く）						
		031 海面漁業					
		032 内水面漁業					
	04　水産養殖業						
		041 海面養殖業					
		042 内水面養殖業					
C　鉱業，採石業，砂利採取業			その他の産業			113	卸売業、小売・サービス業以外
	05　鉱業，採石業，砂利採取業						
		051 金属鉱業					
		052 石炭・亜炭鉱業					
		053 原油・天然ガス鉱業					
		054 採石業，砂・砂利・玉石採取業					
		055 窯業原料用鉱物鉱業（耐火物・陶磁器・ガラス・セメント原料用に限る）					
		059 その他の鉱業					
D　建設業			建設業			1	卸売業、小売・サービス業以外
	06　総合工事業			総合工事業		2	
		061 一般土木建築工事業			その他の総合工事業	4	
		062 土木工事業（舗装工事業を除く）					
		063 舗装工事業					
		064 建築工事業（木造建築工事業を除く）			建築工事業（木造建築工事業を除く）	3	
		065 木造建築工事業			その他の総合工事業	4	
		066 建築リフォーム工事業					
	07　職別工事業（設備工事業を除く）			職別工事業		5	
		071 大工工事業					
		072 とび･土工･コンクリート工事業					
		073 鉄骨･鉄筋工事業					
		074 石工･れんが･タイル･ブロック工事業					
		075 左官工事業					
		076 板金・金物工事業					
		077 塗装工事業					
		078 床・内装工事業					
		079 その他の職別工事業					

日本標準産業分類の分類項目	類似業種比準価額計算上の業種目	番号	規模区分を判定する場合の業種
大分類／中分類／小分類	大分類／中分類／小分類	番号	
(D　建設業)	(建設業)		
08　設備工事業	設備工事業	6	卸売業、小売・サービス業以外
081 電気工事業	電気工事業	7	
082 電気通信・信号装置工事業	電気通信・信号装置工事業	8	
083 管工事業（さく井工事業を除く）	その他の設備工事業	9	
084 機械器具設置工事業			
089 その他の設備工事業			
E　製造業	製造業	10	卸売業、小売・サービス業以外
09　食料品製造業	食料品製造業	11	
091 畜産食料品製造業	畜産食料品製造業	12	
092 水産食料品製造業	その他の食料品製造業	14	
093 野菜缶詰・果実缶詰・農産保存食料品製造業			
094 調味料製造業			
095 糖類製造業			
096 精穀・製粉業			
097 パン・菓子製造業	パン・菓子製造業	13	
098 動植物油脂製造業	その他の食料品製造業	14	
099 その他の食料品製造業			
10　飲料・たばこ・飼料製造業	飲料・たばこ・飼料製造業	15	
101 清涼飲料製造業			
102 酒類製造業			
103 茶・コーヒー製造業（清涼飲料を除く）			
104 製氷業			
105 たばこ製造業			
106 飼料・有機質肥料製造業			
11　繊維工業	繊維工業	16	
111 製糸業，紡績業，化学繊維・ねん糸等製造業			
112 織物業			
113 ニット生地製造業			
114 染色整理業			
115 綱・網・レース・繊維粗製品製造業			
116 外衣・シャツ製造業（和式を除く）			
117 下着類製造業			
118 和装製品・その他の衣服・繊維製身の回り品製造業			
119 その他の繊維製品製造業			
12　木材・木製品製造業（家具を除く）	その他の製造業	51	
121 製材業，木製品製造業			
122 造作材・合板・建築用組立材料製造業			
123 木製容器製造業（竹，とうを含む）			
129 その他の木製品製造業（竹，とうを含む）			
13　家具・装備品製造業	その他の製造業	51	
131 家具製造業			
132 宗教用具製造業			
133 建具製造業			
139 その他の家具・装備品製造業			

日本標準産業分類の分類項目 大分類／中分類／小分類	類似業種比準価額計算上の業種目 大分類／中分類／小分類	番号	規模区分を判定する場合の業種
(E 製造業)	(製造業)		卸売業、小売・サービス業以外
14 パルプ・紙・紙加工品製造業			
141 パルプ製造業 142 紙製造業 143 加工紙製造業 144 紙製品製造業 145 紙製容器製造業 149 その他のパルプ・紙・紙加工品製造業	パルプ・紙・紙加工品製造業	17	
15 印刷・同関連業 151 印刷業 152 製版業 153 製本業, 印刷物加工業 159 印刷関連サービス業	印刷・同関連業	18	
16 化学工業	化学工業	19	
161 化学肥料製造業 162 無機化学工業製品製造業	その他の化学工業	23	
163 有機化学工業製品製造業	有機化学工業製品製造業	20	
164 油脂加工製品・石けん・合成洗剤・界面活性剤・塗料製造業	油脂加工製品・石けん・合成洗剤・界面活性剤・塗料製造業	21	
165 医薬品製造業	医薬品製造業	22	
166 化粧品・歯磨・その他の化粧用調整品製造業 169 その他の化学工業	その他の化学工業	23	
17 石油製品・石炭製品製造業 171 石油精製業 172 潤滑油・グリース製造業（石油精製業によらないもの） 173 コークス製造業 174 舗装材料製造業 179 その他の石油製品・石炭製品製造業	その他の製造業	51	
18 プラスチック製品製造業（別掲を除く） 181 プラスチック板・棒・管・継手・異形押出製品製造業 182 プラスチックフィルム・シート・床材・合成皮革製造業 183 工業用プラスチック製品製造業 184 発泡・強化プラスチック製品製造業 185 プラスチック成形材料製造業（廃プラスチックを含む） 189 その他のプラスチック製品製造業	プラスチック製品製造業	24	
19 ゴム製品製造業 191 タイヤ・チューブ製造業 192 ゴム製・プラスチック製履物・同附属品製造業 193 ゴムベルト・ゴムホース・工業用ゴム製品製造業 199 その他のゴム製品製造業	ゴム製品製造業	25	

日本標準産業分類の分類項目 大分類／中分類／小分類	類似業種比準価額計算上の業種目 大分類／中分類／小分類	番号	規模区分を判定する場合の業種
（E　製造業）	（製造業）		
20　なめし革・同製品・毛皮製造業			
201 なめし革製造業 202 工業用革製品製造業（手袋を除く） 203 革製履物用材料・同附属品製造業 204 革製履物製造業 205 革製手袋製造業 206 かばん製造業 207 袋物製造業 208 毛皮製造業 209 その他のなめし革製品製造業	その他の製造業	51	
21　窯業・土石製品製造業	窯業・土石製品製造業	26	
211 ガラス・同製品製造業	その他の窯業・土石製品製造業	28	
212 セメント・同製品製造業	セメント・同製品製造業	27	
213 建設用粘土製品製造業（陶磁器製を除く） 214 陶磁器・同関連製品製造業 215 耐火物製造業 216 炭素・黒鉛製品製造業 217 研磨材・同製品製造業 218 骨材・石工品等製造業 219 その他の窯業・土石製品製造業	その他の窯業・土石製品製造業	28	
22　鉄鋼業 221 製鉄業 222 製鋼・製鋼圧延業 223 製鋼を行わない鋼材製造業（表面処理鋼材を除く） 224 表面処理鋼材製造業 225 鉄素形材製造業 229 その他の鉄鋼業	鉄鋼業	29	卸売業、小売・サービス業以外
23　非鉄金属製造業 231 非鉄金属第１次製錬・精製業 232 非鉄金属第２次製錬・精製業（非鉄金属合金製造業を含む） 233 非鉄金属・同合金圧延業（抽伸，押出しを含む） 234 電線・ケーブル製造業 235 非鉄金属素形材製造業 239 その他の非鉄金属製造業	非鉄金属製造業	30	
24　金属製品製造業	金属製品製造業	31	
241 ブリキ缶・その他のめっき板等製品製造業 242 洋食器・刃物・手道具・金物類製造業 243 暖房・調理等装置、配管工事用付属品製造業	その他の金属製品製造業	33	
244 建設用・建築用金属製品製造業（製缶板金業を含む）	建設用・建築用金属製品製造業	32	
245 金属素形材製品製造業 246 金属被覆・彫刻業，熱処理業（ほうろう鉄器を除く） 247 金属線製品製造業（ねじ類を除く） 248 ボルト・ナット・リベット・小ねじ・木ねじ等製造業 249 その他の金属製品製造業	その他の金属製品製造業	33	

日本標準産業分類の分類項目（大分類／中分類／小分類）	類似業種比準価額計算上の業種目（大分類／中分類／小分類）	番号	規模区分を判定する場合の業種
（E　製造業）	（製造業）		卸売業、小売・サービス業以外
25　はん用機械器具製造業			
251　ボイラ・原動機製造業	はん用機械器具製造業	34	
252　ポンプ・圧縮機器製造業			
253　一般産業用機械・装置製造業			
259　その他のはん用機械・同部分品製造業			
26　生産用機械器具製造業	生産用機械器具製造業	35	
261　農業用機械製造業（農業用器具を除く）	その他の生産用機械器具製造業	37	
262　建設機械・鉱山機械製造業			
263　繊維機械製造業			
264　生活関連産業用機械製造業			
265　基礎素材産業用機械製造業			
266　金属加工機械製造業	金属加工機械製造業	36	
267　半導体・フラットパネルディスプレイ製造装置製造業	その他の生産用機械器具製造業	37	
269　その他の生産用機械・同部分品製造業			
27　業務用機械器具製造業	業務用機械器具製造業	38	
271　事務用機械器具製造業			
272　サービス用・娯楽用機械器具製造業			
273　計量器・測定器・分析機器・試験機・測量機械器具・理化学機械器具製造業			
274　医療用機械器具・医療用品製造業			
275　光学機械器具・レンズ製造業			
276　武器製造業			
28　電子部品・デバイス・電子回路製造業	電子部品・デバイス・電子回路製造業	39	
281　電子デバイス製造業	その他の電子部品・デバイス・電子回路製造業	42	
282　電子部品製造業	電子部品製造業	40	
283　記録メディア製造業	その他の電子部品・デバイス・電子回路製造業	42	
284　電子回路製造業	電子回路製造業	41	
285　ユニット部品製造業	その他の電子部品・デバイス・電子回路製造業	42	
289　その他の電子部品・デバイス・電子回路製造業			
29　電気機械器具製造業	電気機械器具製造業	43	
291　発電用・送電用・配電用電気機械器具製造業	発電用・送電用・配電用電気機械器具製造業	44	
292　産業用電気機械器具製造業	その他の電気機械器具製造業	46	
293　民生用電気機械器具製造業			
294　電球・電気照明器具製造業			
295　電池製造業			
296　電子応用装置製造業			
297　電気計測器製造業	電気計測器製造業	45	
299　その他の電気機械器具製造業	その他の電気機械器具製造業	46	
30　情報通信機械器具製造業	情報通信機械器具製造業	47	
301　通信機械器具・同関連機械器具製造業			
302　映像・音響機械器具製造業			
303　電子計算機・同附属装置製造業			

日本標準産業分類の分類項目 大分類 中分類 小分類	類似業種比準価額計算上の業種目 大分類 中分類 小分類	番号	規模区分を判定する場合の業種
（E　製造業）	（製造業）		
31　輸送用機械器具製造業	輸送用機械器具製造業	48	
311 自動車・同附属品製造業	自動車・同附属品製造業	49	
312 鉄道車両・同部分品製造業	その他の輸送用機械器具製造業	50	
313 船舶製造・修理業，舶用機関製造業			
314 航空機・同附属品製造業			
315 産業用運搬車両・同部分品・附属品製造業			
319 その他の輸送用機械器具製造業			
32　その他の製造業	その他の製造業	51	卸売業、小売・サービス業以外
321 貴金属・宝石製品製造業			
322 装身具・装飾品・ボタン・同関連品製造業（貴金属・宝石製を除く）			
323 時計・同部分品製造業			
324 楽器製造業			
325 がん具・運動用具製造業			
326 ペン・鉛筆・絵画用品・その他の事務用品製造業			
327 漆器製造業			
328 畳等生活雑貨製品製造業			
329 他に分類されない製造業			
F　電気・ガス・熱供給・水道業	電気・ガス・熱供給・水道業	52	卸売業、小売・サービス業以外
33　電気業			
331 電気業			
34　ガス業			
341 ガス業			
35　熱供給業			
351 熱供給業			
36　水道業			
361 上水道業			
362 工業用水道業			
363 下水道業			
G　情報通信業	情報通信業	53	小売・サービス業
37　通信業	その他の情報通信業	59	
371 固定電気通信業			
372 移動電気通信業			
373 電気通信に附帯するサービス業			
38　放送業	その他の情報通信業	59	
381 公共放送業（有線放送業を除く）			
382 民間放送業（有線放送業を除く）			
383 有線放送業			
39　情報サービス業	情報サービス業	54	
391 ソフトウェア業	ソフトウェア業	55	
392 情報処理・提供サービス業	情報処理・提供サービス業	56	
40　インターネット附随サービス業	インターネット附随サービス業	57	
401 インターネット附随サービス業			

日本標準産業分類の分類項目	類似業種比準価額計算上の業種目	番号	規模区分を判定する場合の業種
大　分　類 中　分　類 小　分　類	大　分　類 中　分　類 小　分　類	番　号	
（G　情報通信業）	（情報通信業）		
41　映像・音声・文字情報制作業 411 映像情報制作・配給業 412 音声情報制作業 413 新聞業 414 出版業 415 広告制作業 416 映像・音声・文字情報制作に附帯するサービス業	映像・音声・文字情報制作業	58	小売・サービス業
H　運輸業，郵便業	運輸業，郵便業	60	卸売業、小売・サービス業以外
42　鉄道業 421 鉄道業	その他の運輸業，郵便業	64	
43　道路旅客運送業 431 一般乗合旅客自動車運送業 432 一般乗用旅客自動車運送業 433 一般貸切旅客自動車運送業 439 その他の道路旅客運送業	その他の運輸業，郵便業	64	
44　道路貨物運送業 441 一般貨物自動車運送業 442 特定貨物自動車運送業 443 貨物軽自動車運送業 444 集配利用運送業 449 その他の道路貨物運送業	道路貨物運送業	61	
45　水運業 451 外航海運業 452 沿海海運業 453 内陸水運業 454 船舶貸渡業	水運業	62	
46　航空運輸業 461 航空運送業 462 航空機使用業（航空運送業を除く）	その他の運輸業，郵便業	64	
47　倉庫業 471 倉庫業（冷蔵倉庫業を除く） 472 冷蔵倉庫業	その他の運輸業，郵便業	64	
48　運輸に附帯するサービス業 481 港湾運送業 482 貨物運送取扱業（集配利用運送業を除く） 483 運送代理店 484 こん包業 485 運輸施設提供業 489 その他の運輸に附帯するサービス業	運輸に附帯するサービス業	63	
49　郵便業（信書便事業を含む） 491 郵便業（信書便事業を含む）	その他の運輸業，郵便業	64	
I　卸売業，小売業	卸売業	65	卸売業
50　各種商品卸売業 501 各種商品卸売業	各種商品卸売業	66	

日本標準産業分類の分類項目 大分類 　中分類 　　小分類	類似業種比準価額計算上の業種目 大分類 　中分類 　　小分類	番号	規模区分を判定する場合の業種
（I　卸売業，小売業）	（卸売業）		卸売業
51　繊維・衣服等卸売業	繊維・衣服等卸売業	67	
511　繊維品卸売業（衣服，身の回り品を除く）			
512　衣服卸売業			
513　身の回り品卸売業			
52　飲食料品卸売業	飲食料品卸売業	68	
521　農畜産物・水産物卸売業	農畜産物・水産物卸売業	69	
522　食料・飲料卸売業	食料・飲料卸売業	70	
53　建築材料，鉱物・金属材料等卸売業	建築材料，鉱物・金属材料等卸売業	71	
531　建築材料卸売業	その他の建築材料，鉱物・金属材料等卸売業	73	
532　化学製品卸売業	化学製品卸売業	72	
533　石油・鉱物卸売業	その他の建築材料，鉱物・金属材料等卸売業	73	
534　鉄鋼製品卸売業			
535　非鉄金属卸売業			
536　再生資源卸売業			
54　機械器具卸売業	機械器具卸売業	74	
541　産業機械器具卸売業	産業機械器具卸売業	75	
542　自動車卸売業	その他の機械器具卸売業	77	
543　電気機械器具卸売業	電気機械器具卸売業	76	
549　その他の機械器具卸売業	その他の機械器具卸売業	77	
55　その他の卸売業	その他の卸売業	78	
551　家具・建具・じゅう器等卸売業			
552　医薬品・化粧品等卸売業			
553　紙・紙製品卸売業			
559　他に分類されない卸売業			
	小売業	79	小売・サービス業
56　各種商品小売業	各種商品小売業	80	
561　百貨店，総合スーパー			
569　その他の各種商品小売業（従業者が常時50人未満のもの）			
57　織物・衣服・身の回り品小売業	織物・衣服・身の回り品小売業	81	
571　呉服・服地・寝具小売業			
572　男子服小売業			
573　婦人・子供服小売業			
574　靴・履物小売業			
579　その他の織物・衣服・身の回り品小売業			
58　飲食料品小売業	飲食料品小売業	82	
581　各種食料品小売業			
582　野菜・果実小売業			
583　食肉小売業			
584　鮮魚小売業			
585　酒小売業			
586　菓子・パン小売業			
589　その他の飲食料品小売業			

日本標準産業分類の分類項目 大分類 中分類 小分類	類似業種比準価額計算上の業種目 大分類 中分類 小分類	番号	規模区分を判定する場合の業種
（I　卸売業，小売業）	（小売業）		小売・サービス業
59　機械器具小売業	機械器具小売業	83	
591 自動車小売業			
592 自転車小売業			
593 機械器具小売業（自動車，自転車を除く）			
60　その他の小売業	その他の小売業	84	
601 家具・建具・畳小売業	その他の小売業	86	
602 じゅう器小売業			
603 医薬品・化粧品小売業	医薬品・化粧品小売業	85	
604 農耕用品小売業	その他の小売業	86	
605 燃料小売業			
606 書籍・文房具小売業			
607 スポーツ用品・がん具・娯楽用品・楽器小売業			
608 写真機・時計・眼鏡小売業			
609 他に分類されない小売業			
61　無店舗小売業	無店舗小売業	87	
611 通信販売・訪問販売小売業			
612 自動販売機による小売業			
619 その他の無店舗小売業			
J　金融業，保険業	金融業，保険業	88	卸売業、小売・サービス業以外
62　銀行業	銀行業	89	
621 中央銀行	―	―	
622 銀行（中央銀行を除く）	銀行業	89	
63　協同組織金融業	その他の金融業，保険業	91	
631 中小企業等金融業			
632 農林水産金融業			
64　貸金業，クレジットカード業等非預金信用機関	その他の金融業，保険業	91	
641 貸金業			
642 質屋			
643 クレジットカード業，割賦金融業			
649 その他の非預金信用機関			
65　金融商品取引業，商品先物取引業	金融商品取引業，商品先物取引業	90	
651 金融商品取引業			
652 商品先物取引業，商品投資顧問業			
66　補助的金融業等	その他の金融業，保険業	91	
661 補助的金融業，金融附帯業			
662 信託業			
663 金融代理業			
67　保険業（保険媒介代理業，保険サービス業を含む）	その他の金融業，保険業	91	
671 生命保険業			
672 損害保険業			
673 共済事業・少額短期保険業			
674 保険媒介代理業			
675 保険サービス業			

日本標準産業分類の分類項目 大分類／中分類／小分類	類似業種比準価額計算上の業種目 大分類／中分類／小分類	番号	規模区分を判定する場合の業種
K 不動産業，物品賃貸業	不動産業，物品賃貸業	92	卸売業、小売・サービス業以外
68 不動産取引業 681 建物売買業，土地売買業 682 不動産代理業・仲介業	不動産取引業	93	
69 不動産賃貸業・管理業 691 不動産賃貸業（貸家業，貸間業を除く） 692 貸家業，貸間業 693 駐車場業 694 不動産管理業	不動産賃貸業・管理業	94	
70 物品賃貸業 701 各種物品賃貸業 702 産業用機械器具賃貸業 703 事務用機械器具賃貸業 704 自動車賃貸業 705 スポーツ・娯楽用品賃貸業 709 その他の物品賃貸業	物品賃貸業	95	
L 学術研究，専門・技術サービス業 71 学術・開発研究機関 711 自然科学研究所 712 人文・社会科学研究所	専門・技術サービス業	96	小売・サービス業
72 専門サービス業（他に分類されないもの） 721 法律事務所，特許事務所 722 公証人役場，司法書士事務所，土地家屋調査士事務所 723 行政書士事務所 724 公認会計士事務所，税理士事務所 725 社会保険労務士事務所 726 デザイン業 727 著述・芸術家業 728 経営コンサルタント業，純粋持株会社 729 その他の専門サービス業	専門サービス業（純粋持株会社を除く）	97	
73 広告業 731 広告業	広告業	98	
74 技術サービス業（他に分類されないもの） 741 獣医業 742 土木建築サービス業 743 機械設計業 744 商品・非破壊検査業 745 計量証明業 746 写真業 749 その他の技術サービス業	専門・技術サービス業	96	
M 宿泊業，飲食サービス業	宿泊業，飲食サービス業	99	小売・サービス業
75 宿泊業 751 旅館，ホテル 752 簡易宿所 753 下宿業 759 その他の宿泊業	その他の宿泊業，飲食サービス業	104	

日本標準産業分類の分類項目 大分類／中分類／小分類	類似業種比準価額計算上の業種目 大分類／中分類／小分類	番号	規模区分を判定する場合の業種
（M　宿泊業，飲食サービス業）	（宿泊業，飲食サービス業）		小売・サービス業
76　飲食店	飲食店	100	
761　食堂，レストラン（専門料理店を除く）	食堂，レストラン（専門料理店を除く）	101	
762　専門料理店	専門料理店	102	
763　そば・うどん店 764　すし店 765　酒場，ビヤホール 766　バー，キャバレー，ナイトクラブ 767　喫茶店 769　その他の飲食店	その他の飲食店	103	
77　持ち帰り・配達飲食サービス業 771　持ち帰り飲食サービス業 772　配達飲食サービス業	その他の宿泊業，飲食サービス業	104	
N　生活関連サービス業，娯楽業	生活関連サービス業，娯楽業	105	小売・サービス業
78　洗濯・理容・美容・浴場業 781　洗濯業 782　理容業 783　美容業 784　一般公衆浴場業 785　その他の公衆浴場業 789　その他の洗濯・理容・美容・浴場業	生活関連サービス業	106	
79　その他の生活関連サービス業 791　旅行業 792　家事サービス業 793　衣服裁縫修理業 794　物品預り業 795　火葬・墓地管理業 796　冠婚葬祭業 799　他に分類されない生活関連サービス業	生活関連サービス業	106	
80　娯楽業 801　映画館 802　興行場（別掲を除く），興行団 803　競輪・競馬等の競走場，競技団 804　スポーツ施設提供業 805　公園，遊園地 806　遊戯場 809　その他の娯楽業	娯楽業	107	
O　教育，学習支援業 81　学校教育 811　幼稚園 812　小学校 813　中学校 814　高等学校，中等教育学校 815　特別支援学校 816　高等教育機関 817　専修学校，各種学校 818　学校教育支援機関 819　幼保連携型認定こども園	教育，学習支援業	108	小売・サービス業

日本標準産業分類の分類項目 大分類 中分類 小分類	類似業種比準価額計算上の業種目 大分類 中分類 小分類	番号	規模区分を判定する場合の業種
（O　教育，学習支援業）	（教育，学習支援業）		
82　その他の教育，学習支援業 821 社会教育 822 職業・教育支援施設 823 学習塾 824 教養・技能教授業 829 他に分類されない教育，学習支援業	教育，学習支援業	108	小売・サービス業
P　医療，福祉 83　医療業 831 病院 832 一般診療所 833 歯科診療所 834 助産・看護業 835 療術業 836 医療に附帯するサービス業 84　保健衛生 841 保健所 842 健康相談施設 849 その他の保健衛生 85　社会保険・社会福祉・介護事業 851 社会保険事業団体 852 福祉事務所 853 児童福祉事業 854 老人福祉・介護事業 855 障害者福祉事業 859 その他の社会保険・社会福祉・介護事業	医療，福祉（医療法人を除く）	109	小売・サービス業
Q　複合サービス事業 86　郵便局 861 郵便局 862 郵便局受託業 87　協同組合（他に分類されないもの） 871 農林水産業協同組合（他に分類されないもの） 872 事業協同組合（他に分類されないもの）			
R　サービス業（他に分類されないもの）	サービス業（他に分類されないもの）	110	小売・サービス業
88　廃棄物処理業 881 一般廃棄物処理業 882 産業廃棄物処理業 889 その他の廃棄物処理業	その他の事業サービス業	112	
89　自動車整備業 891 自動車整備業	その他の事業サービス業	112	
90　機械等修理業（別掲を除く） 901 機械修理業（電気機械器具を除く） 902 電気機械器具修理業 903 表具業 909 その他の修理業	その他の事業サービス業	112	
91　職業紹介・労働者派遣業 911 職業紹介業 912 労働者派遣業	職業紹介・労働者派遣業	111	

日本標準産業分類の分類項目 大　分　類 中　分　類 小　分　類	類似業種比準価額計算上の業種目 大　分　類 中　分　類 小　分　類	番　号	規模区分を判定する場合の業種
（R　サービス業（他に分類されないもの））	（サービス業（他に分類されないもの））		小売・サービス業
92　その他の事業サービス業			
921　速記・ワープロ入力·複写業 922　建物サービス業 923　警備業 929　他に分類されない事業サービス業	その他の事業サービス業	112	
93　政治・経済・文化団体			
94　宗教			
95　その他のサービス業			
951　集会場 952　と畜場 959　他に分類されないサービス業	その他の事業サービス業	112	
96　外国公務			
S　公務（他に分類されるものを除く）			
97　国家公務			
98　地方公務			
T　分類不能の産業 99　分類不能の産業 999　分類不能の産業	その他の産業	113	卸売業、小売・サービス業以外

（付録２）業種目別標本会社名簿（令和４年５月31日現在）

業種目 大分類 中分類 小分類	番号	標本会社数	標本会社名
建設業	1	170	業種2、5、6の会社、及び、フィット、技研ホールディングス、＊ひかりホールディングス、不動テトラ
総合工事業	2	100	業種3、4の会社、及び、＊オリエンタル白石
建築工事業（木造建築工事業を除く）	3	22	サンヨーホームズ、ファーストコーポレーション、Lib Work、＊やまぜんホームズ、＊スペースバリューホールディングス（＊2203）、KHC、美樹工業、東急建設、メルディアDC、工藤建設、長谷工コーポレーション、三井住友建設、土屋ホールディングス、巴コーポレーション、大和ハウス工業、積水ハウス、オープンハウスグループ、宮地エンジニアリンググループ、川田テクノロジーズ、フリージア・マクロス、エスリード、日神グループホールディングス、リベレステ、穴吹興産
その他の総合工事業	4	78	＊ヒノキヤグループ、ショーボンドホールディングス、タマホーム、岐阜造園、安江工務店、＊ニッソウ、キャンディル、＊ITbookホールディングス、FUJIジャパン、安藤・間、ビーアールホールディングス、ニットー、コーアツ工業、太洋基礎工業、＊髙松コンストラクショングループ、ソネック、日本乾溜工業、三井住建道路、ヤマウラ、三東工業社、大本組、守谷商会、第一建設工業、大成建設、大林組、清水建設、飛島建設、佐藤渡辺、松井建設、錢高組、鹿島建設、大末建設、鉄建建設、西松建設、大豊建設、佐田建設、ナカノフドー建設、奥村組、＊東鉄工業、サンユー建設、大盛工業、イチケン、富士ピー・エス、南海辰村建設、淺沼組、森組、戸田建設、熊谷組、北野建設、植木組、名工建設、矢作建設工業、

				ピーエス三菱、日本ハウスホールディングス、新日本建設、＊NIPPO（＊2203)、東亜道路工業、日本道路、東亜建設工業、日本国土開発、若築建設、東洋建設、徳倉建設、五洋建設、＊金下建設、世紀東急工業、福田組、住友林業、日本基礎技術、日特建設、高橋カーテンウォール工業、サイタホールディングス、＊アールプランナー、＊アイダ設計、＊アーバンライク、グランディーズ、飯田グループホールディングス、アズマハウス、オリジナル設計、ニチレキ、＊ジェイベース、＊インフロニア・ホールディングス、横河ブリッジホールディングス、＊アサンテ、ウッドフレンズ、AVANTIA、＊ファースト住建、誠建設工業、ハウスフリーダム、グランディハウス、スバル興業、ナック
職別工事業		5	16	エムビーエス、ベステラ、田中建設工業、＊横浜ライト工業、第一カッター興業、麻生フオームクリート、ナカボーテック、マサル、テノックス、ライト工業、三晃金属工業、ミライノベート、ダイサン、＊アートフォースジャパン、＊アップコン、駒井ハルテック、＊瀧上工業、川岸工業、高田機工、アイナボホールディングス
設備工事業		6	51	業種7、8、9の会社
	電気工事業	7	17	北弘電社、川崎設備工業、ETSホールディングス、北海電気工事、北陸電気工事、ユアテック、日本リーテック、四電工、＊中電工、関電工、きんでん、東京エネシス、トーエネック、弘電社、住友電設、日本電設工業、九電工、サンテック
	電気通信・信号装置工事業	8	6	ミライト・ホールディングス、コムシスホールディングス、シンクレイヤ、エクシオグループ、NECネッツエスアイ、神田通信機、＊ベイシス

		その他の設備工事業	9	28	日本アクア、日本電技、オーテック、＊三井金属エンジニアリング（＊2203）、藤田エンジニアリング、富士古河Ｅ＆Ｃ、田辺工業、大成温調、日本ドライケミカル、新日本空調、三機工業、日揮ホールディングス、中外炉工業、テクノ菱和、高田工業所、ヤマト、太平電業、高砂熱学工業、朝日工業社、明星工業、大気社、ダイダン、協和日成、日比谷総合設備、暁飯島工業、八洲電機、特殊電極、ＮＣホールディングス、荏原実業
製造業			10	1230	業種11、15、16、17、18、19、24、25、26、29、30、31、34、35、38、39、43、47、48、51の会社
	食料品製造業		11	94	業種12、13、14の会社
		畜産食料品製造業	12	19	秋川牧園、アクシーズ、森永乳業、六甲バター、ヤクルト本社、B-R サーティワン アイスクリーム、明治ホールディングス、雪印メグミルク、プリマハム、日本ハム、丸大食品、福留ハム、エスフーズ、滝沢ハム、伊藤ハム米久ホールディングス、セイヒョー、石井食品、イフジ産業、JFLAホールディングス
		パン・菓子製造業	13	16	森永製菓、中村屋、名糖産業、ブルボン、井村屋グループ、不二家、山崎製パン、＊第一屋製パン、カンロ、モロゾフ、日糧製パン、＊亀田製菓、岩塚製菓、寿スピリッツ、コモ、湖池屋、カルビー、＊五洋食品産業（＊2203）、デルソーレ
		その他の食料品製造業	14	59	日本水産、ニップン、日清製粉グループ本社、日東富士製粉、昭和産業、鳥越製粉、東洋精糖、日本甜菜製糖、DM三井製糖ホールディングス、＊塩水港精糖、フジ日本精糖、日新製糖、江崎グリコ、日清オイリオグループ、不二製油グループ本社、かどや製油、J-オイルミルズ、キッコーマン、味の素、ブルドックソース、ヱスビー食品、＊ユタカフーズ、キユーピー、ハウス食品グループ本社、

				カゴメ、焼津水産化学工業、和弘食品、佐藤食品工業、アリアケジャパン、ダイショー、ピエトロ、エバラ食品工業、やまみ、アヲハタ、＊はごろもフーズ、ニチレイ、横浜冷凍、東洋水産、日東ベスト、イートアンドホールディングス、ヨシムラ・フード・ホールディングス、＊日本食品化工、日清食品ホールディングス、永谷園ホールディングス、太陽化学、シノブフーズ、一正蒲鉾、＊オーケー食品工業、あじかん、フジッコ、ロック・フィールド、旭松食品、ケンコーマヨネーズ、仙波糖化工業、大森屋、わらべや日洋ホールディングス、マルタイ、なとり、サトウ食品、ピックルスコーポレーション、AFC-HDアムスライフサイエンス、＊ユーグレナ、＊STIフードホールディングス、＊紀文食品、ミヨシ油脂、森下仁丹、＊理研ビタミン、ジーエフシー
	飲料・たばこ・飼料製造業	15	18	中部飼料、日和産業、ヒガシマル、フィード・ワン、サッポロホールディングス、アサヒグループホールディングス、＊キリンホールディングス、宝ホールディングス、オエノンホールディングス、＊養命酒製造、マルサンアイ、北海道コカ・コーラボトリング、コカ・コーラボトラーズジャパンホールディングス、サントリー食品インターナショナル、プレミアムウォーターホールディングス、伊藤園、キーコーヒー、ユニカフェ、ジャパンフーズ、日本たばこ産業
	繊維工業	16	32	グンゼ、ユニチカ、シキボウ、オーミケンシ、サイボー、＊日本毛織、トーア紡コーポレーション、ダイドーリミテッド、帝国繊維、帝人、東レ、＊サカイオーベックス（＊2112）、＊北日本紡績、住江織物、＊丸八ホールディングス、日東製網、芦森工業、アツギ、セーレン、ソトー、東海染工、＊倉庫精練、小松マテーレ、ワコールホールディングス、

			ホギメディカル、自重堂、山喜、フジックス、TSIホールディングス、マツオカコーポレーション、＊松屋アールアンドディ、前田工繊、三陽商会、オンワードホールディングス、ルックホールディングス、ゴールドウイン、デサント、ヤマトインターナショナル
パルプ・紙・紙加工品製造業	17	25	日本フエルト、イチカワ、特種東海製紙、王子ホールディングス、日本製紙、三菱製紙、北越コーポレーション、中越パルプ工業、大王製紙、岡山製紙、ハビックス、阿波製紙、レンゴー、＊大石産業、古林紙工、スーパーバッグ、トーモク、ダイナパック、ザ・パック、朝日印刷、中央紙器工業、大村紙業、昭和パックス、イムラ封筒、＊国際チャート（＊2202）、野崎印刷紙業、トーイン、＊ユニ・チャーム
印刷・同関連業	18	24	光ビジネスフォーム、ビーアンドピー、プリントネット、中本パックス、日本創発グループ、ウイルコホールディングス、共立印刷、総合商研、カワセコンピュータサプライ、＊カーディナル（＊2201）、セキ、＊トッパン・フォームズ（＊2202）、平賀、フジシールインターナショナル、広済堂ホールディングス、福島印刷、竹田印刷、サンメッセ、マツモト、ソノコム、凸版印刷、大日本印刷、共同印刷、光村印刷、三光産業、光陽社
化学工業	19	161	業種20、21、22、23の会社
有機化学工業製品製造業	20	18	日本コークス工業、クラレ、住友精化、伊勢化学工業、三菱瓦斯化学、三井化学、JSR、KHネオコム、ダイセル、住友ベークライト、日本ゼオン、群栄化学工業、クラスターテクノロジー、川口化学工業、扶桑化学工業、大伸化学、ケミプロ化成、東洋合成工業、＊メック

油脂加工製品・石けん・合成洗剤・界面活性剤・塗料製造業	21	27	ステラケミファ、日本ピグメント、松本油脂製薬、日油、新日本理化、東邦化学工業、第一工業製薬、日華化学、ニイタカ、大日本塗料、日本ペイントホールディングス、関西ペイント、神東塗料、川上塗料、中国塗料、＊ロックペイント、アサヒペン、イサム塗料、アトミクス、ナトコ、＊エスケー化研、サカタインクス、東洋インキSCホールディングス、東京インキ、T&KTOKA、互応化学工業、星光PMC、オーウエル、菊水化学工業
医薬品製造業	22	32	ジーエヌアイグループ、協和キリン、武田薬品工業、アステラス製薬、大日本住友製薬、＊塩野義製薬、＊わかもと製薬、日本新薬、中外製薬、科研製薬、エーザイ、ロート製薬、＊小野薬品工業、＊久光製薬、＊持田製薬、参天製薬、扶桑薬品工業、日本ケミファ、ツムラ、日医工、キッセイ薬品工業、生化学工業、栄研化学、日水製薬、鳥居薬品、JCRファーマ、東和薬品、富士製薬工業、カイノス、ゼリア新薬工業、＊アンジェス、＊第一三共、＊キョーリン製薬ホールディングス、大幸薬品、ダイト、大塚ホールディングス、＊大正製薬ホールディングス、＊シンバイオ製薬、ミズホメディー、＊窪田製薬ホールディングス、＊ソレイジア・ファーマ、＊Delta-FlyPharma、＊ステムリム、セルソース、＊モダリス、＊室町ケミカル、＊あすか製薬ホールディングス、＊サワイグループホールディングス、＊ステラファーマ、＊小林製薬、アース製薬、フマキラー、＊スリー・ディー・マトリックス
その他の化学工業	23	84	昭和電工、住友化学、日産化学、ラサ工業、多木化学、テイカ、石原産業、片倉コープアグリ、日本曹達、東ソー、東亞合成、大阪ソーダ、デンカ、堺化学工業、第一稀元素化学工業、エア・ウォーター、日本酸素ホールディングス、日本化学工業、東邦アセチレン、日本化学産業、

			高圧ガス工業、チタン工業、四国化成工業、丸尾カルシウム、田岡化学工業、日本触媒、大日精化工業、カネカ、スガイ化学工業、大阪油化工業、大阪有機化学工業、三菱ケミカルホールディングス、積水化学工業、アイカ工業、ニチバン、恵和、日本化薬、細谷火工、＊マナック・ケミカル・パートナーズ、日本精化、ダイトーケミックス、広栄化学、トリケミカル研究所、ADEKA、ハリマ化成グループ、花王、石原ケミカル、ソフト99コーポレーション、三洋化成工業、有機合成薬品工業、藤倉化成、DIC、資生堂、ライオン、高砂香料工業、マンダム、アイビー化粧品、＊ミルボン、日本色材工業研究所、ファンケル、＊コーセー、＊コタ、ハーバー研究所、シーボン、ポーラ・オルビスホールディングス、ノエビアホールディングス、エステー、アグロカネショウ、コニシ、ヤスハラケミカル、長谷川香料、＊上村工業、荒川化学工業、綜研化学、日本高純度化学、タカラバイオ、＊JCU、新田ゼラチン、＊リプロセル、OATアグリオ、寺岡製作所、昭和化学工業、北興化学工業、サンケイ化学、クミアイ化学工業、日本農薬、セメダイン、シスメックス、ニッピ、フジコピアン、リンテック
プラスチック製品製造業	24	43	共和レザー、＊巴川製紙所、クレハ、積水樹脂、タキロンシーアイ、旭有機材、リケンテクノス、大倉工業、児玉化学工業、ロンシール工業、積水化成品工業、サンエー化研、ウルトラファブリックス・ホールディングス、ミライアル、アテクト、タカギセイコー、ニックス、ダイキョーニシカワ、ポバール興業、竹本容器、森六ホールディングス、大成ラミック、オカモト、アキレス、日本ピラー工業、天昇電気工業、リード、萩原工業、フクビ化学工業、＊ヤマト・インダストリー、三光合成、丸東産業、中央化学、

			MICS化学、きもと、藤森工業、前澤化成工業、ムトー精工、旭化学工業、ジェイエスピー、エフピコ、日本デコラックス、天馬、信越ポリマー、ニフコ
ゴム製品製造業	25	19	タイガースポリマー、横浜ゴム、日東化工、TOYOTIRE、ブリヂストン、住友ゴム工業、藤倉コンポジット、西川ゴム工業、朝日ラバー、ニチリン、フコク、ニッタ、クリエートメディック、櫻護謨、住友理工、三ツ星ベルト、相模ゴム工業、バンドー化学、バルカー
窯業・土石製品製造業	26	51	業種27、28の会社
セメント・同製品製造業	27	15	住友大阪セメント、太平洋セメント、ノザワ、日本ヒューム、旭コンクリート工業、日本コンクリート工業、トーヨーアサノ、*三谷セキサン、スパンクリートコーポレーション、日本興業、ジオスター、ヤマウホールディングス、ヤマックス、イトーヨーギョー、アジアパイルホールディングス、ベルテクスコーポレーション
その他の窯業・土石製品製造業	28	36	アミタホールディングス、日東紡績、神島化学工業、セントラル硝子、AGC、日本板硝子、日本山村硝子、不二硝子、日本電気硝子、倉元製作所、オハラ、東海カーボン、日本カーボン、SECカーボン、東洋炭素、ノリタケカンパニーリミテド、TOTO、日本碍子、ダントーホールディングス、アサヒ衛陶、ジャニス工業、*ニッコー、品川リフラクトリーズ、黒崎播磨、日本坩堝、美濃窯業、ヨータイ、*イソライト工業（*2203）、東京窯業、ニッカトー、*日本インシュレーション、新東、Mipox、フジミインコーポレーテッド、鶴弥、チヨダウーテ、クニミネ工業、理研コランダム、ニチハ

鉄鋼業	29	36	＊清鋼材、日本製鉄、中山製鋼所、合同製鐵、東京製鐵、共英製鋼、大和工業、東京鐵鋼、北越メタル、大阪製鐵、淀川製鋼所、高砂鐵工、中部鋼鈑、＊丸一鋼管、モリ工業、大同特殊鋼、日本高周波鋼業、日本冶金工業、山陽特殊製鋼、愛知製鋼、東北特殊鋼、日本金属、新報国マテリアル、新日本電工、栗本鐵工所、虹技、中央可鍛工業、日本鋳造、大和重工、日本鋳鉄管、日本精線、神鋼鋼線工業、パウダーテック、サンユウ、イボキン、東京製綱、中日本鋳工、新家工業
非鉄金属製造業	30	28	中外鉱業、黒谷、大平洋金属、大紀アルミニウム工業所、日本軽金属ホールディングス、＊JMC、東邦亜鉛、三菱マテリアル、住友金属鉱山、DOWAホールディングス、アサカ理研、大阪チタニウムテクノロジーズ、東邦チタニウム、日本精鉱、UACJ、日本伸銅、CKサンエツ、＊日本電解、東邦金属、フジクラ、昭和電線ホールディングス、東京特殊電線、タツタ電線、オーナンバ、JMACS、カナレ電気、三ッ星、平河ヒューテック、アサヒホールディングス、＊STG、松田産業
金属製品製造業	31	70	業種32、33の会社
建設用・建築用金属製品製造業	32	22	中央ビルト工業、エスイー、日創プロニティ、信和、＊サトウ産業、JFEコンテイナー、那須電機鉄工、アルメタックス、三和ホールディングス、文化シヤッター、三協立山、元旦ビューティー工業、東洋シヤッター、不二サッシ、トーソー、三洋工業、岡部、トーアミ、中国工業、協立エアテック、石井鐵工所、三協フロンテア、ナガワ
その他の金属製品製造業	33	48	＊稲葉製作所、トーカロ、三ツ知、山王、MIEコーポレーション、テクノフレックス、＊日本パーカライジング、日亜鋼業、エヌアイシ・オートテック、ダイケン、＊東洋製罐グループホールディングス、シンポ、日本製罐、大谷工業、中西製作所、ノーリツ、＊天龍製鋸、長府製作所、リ

			ンナイ、ユニプレス、*日本パワーファスニング、ダイニチ工業、アマテイ、ヤマシナ、日東精工、浅香工業、東洋刃物、フジマック、京都機械工具、TONE、ロブテックス、ジーテクト、共和工業所、東プレ、高周波熱錬、カネソウ、マルゼン、イワブチ、兼房、オーネックス、エイチワン、スーパーツール、中央発條、知多鋼業、ファインシンター、アドバネクス、*イハラサイエンス、旭精機工業、シンニッタン、サンコー、日本タングステン、フルヤ金属、遠藤製作所、クリナップ
はん用機械器具製造業	34	56	不二ラテックス、昭和鉄工、三浦工業、ニッキ、西部電機、*オージックグループ、*オーケーエム、*SANEI、*木村工機、イワキ、ヤマシンフィルタ、横田製作所、*ニッセイ（*2202）、SMC、オイレス工業、富士変速機、タクミナ、ハーモニック・ドライブ・システムズ、帝国電機製作所、鶴見製作所、日本ギア工業、荏原製作所、酉島製作所、北越工業、*電業社機械製作所、トーヨーカネツ、椿本チエイン、日機装、オリエンタルチエン工業、アネスト岩田、ダイフク、加地テック、ヤマダコーポレーション、油研工業、宇野澤組鐵工所、フジテック、CKD、キトー、中野冷機、フクシマガリレイ、ヒーハイスト、新晃工業、大和冷機工業、日本ピストンリング、ツバキ・ナカシマ、TVE、日本精工、NTN、不二越、日本トムソン、THK、KVK、前澤給装工業、ヨシタケ、岡野バルブ製造、NFKホールディングス、宮入バルブ製作所、中北製作所、ハマイ、キッツ、三相電機、ネポン
生産用機械器具製造業	35	125	業種36、37の会社
金属加工機械製造業	36	29	サンコーテクノ、ツガミ、オークマ、アマダ、アイダエンジニアリング、滝澤鉄工所、岡本工作機械製作所、浜井産業、牧野フライス製作所、オーエスジー、小池酸素工業、ダイジェット工業、旭ダイヤモンド工業、DMG森精機、富士精工、ソディック、NITTOKU、ヤマザキ、

					小田原エンジニアリング、タケダ機械、高松機械工業、＊エーワン精密、日進工具、和井田製作所、＊ミクロン精密、＊エスティック、太陽工機、＊中村超硬、＊冨士ダイス、OKK、エンシュウ、＊ユニオンツール、マックス、マキタ、スター精密
		その他の生産用機械器具製造業	37	96	SUMCO、菊池製作所、＊RS Technologies、関東電化工業、東京応化工業、FIG、テクノクオーツ、日本製鋼所、ホッカンホールディングス、日本フイルコン、ジャパンマテリアル、芝浦機械、FUJI、ディスコ、パンチ工業、東洋機械金属、津田駒工業、島精機製作所、＊AIメカテック、＊ジェイ・イー・ティ、＊ACSL、オプトラン、ナガオカ、ヒラノテクシード、テクノスマート、日阪製作所、やまびこ、野村マイクロ・サイエンス、平田機工、ペガサスミシン製造、マルマエ、コンバム、タツモ、ゼネラルパッカー、レオン自動機、シリウスビジョン、ホソカワミクロン、瑞光、日精エー・エス・ビー機械、技研製作所、日本エアーテック、カワタ、日精樹脂工業、オカダアイヨン、鉱研工業、ワイエイシイホールディングス、小松製作所、住友重機械工業、ササクラ、日立建機、日工、井関農機、フロイント産業、TOWA、丸山製作所、北川鉄工所、ローツェ、タカキタ、クボタ、北川精機、明治機械、東京機械製作所、タカトリ、新東工業、澁谷工業、太平製作所、キクカワエンタープライズ、プラコー、小森コーポレーション、酒井重工業、東京自働機械製作所、＊栗田工業、昭和真空、サムコ、加藤製作所、タダノ、不二精機、鈴茂器工、竹内製作所、JUKI、ジャノメ、ニチダイ、放電精密加工研究所、ユーシン精機、＊オキサイド、芝浦メカトロニクス、ミマキエンジニアリング、アドテック プラズマ テクノロジー、エスケーエレクトロニクス、アルバック、

			協立電機、フェローテックホールディングス、ヘリオステクノホールディング、ファナック、双葉電子工業、インターアクション、黒田精工、東京精密、SCREENホールディングス、CYBERDYNE、東京エレクトロン
業務用機械器具製造業	38	58	*ジェイテックコーポレーション、テルモ、*富士フイルムホールディングス、コニカミノルタ、エムケー精工、石川製作所、極東産機、フリュー、ゲームカード・ジョイコホールディングス、藤商事、サトーホールディングス、サンセイ、三精テクノロジーズ、理想科学工業、*桂川電機、三共、日本金銭機械、マースグループホールディングス、高見沢サイバネティックス、ユニバーサルエンターテインメント、オーイズミ、アマノ、ブラザー工業、グローリー、テクノホライゾン、*オプトエレクトロニクス、ヴィスコ・テクノロジーズ、セイコーエプソン、OSGコーポレーション、サンテック、*日本トリム、ローランドディー．ジー．、東亜ディーケーケー、共和電業、日本電子材料、堀場製作所、アドバンテスト、小野測器、エスペック、小田原機器、日本ライフライン、島津製作所、ジェイ・エム・エス（称号JMS）、ジーエルサイエンス、プレシジョン・システム・サイエンス、*クボテック、シグマ光機、長野計器、*ナカニシ、ブイ・テクノロジー、国際計測器、愛知時計電機、オーバル、*マニー、トプコン、オリンパス、理研計器、タムロン、エー・アンド・デイ、*岡本硝子、朝日インテック、*ホロン（*2203）、メディキット、リコー、*セコニック（*2203）、IMV、*ジャパン・ティッシュ・エンジニアリング、*大研医器、*セルシード、*コラントッテ、松風、ミロク、ニプロ
電子部品・デバイス・電子回路製造業	39	78	業種40、41、42の会社

	電子部品製造業	40	26	ミネベアミツミ、愛知電機、I-PEX、IDEC、TDK、帝国通信工業、タムラ製作所、アルプスアルパイン、鈴木、SMK、ホシデン、＊ヒロセ電機、日本航空電子工業、スミダコーポレーション、本多通信工業、アライドテレシスホールディングス、イリソ電子工業、ケル、岡谷電機産業、双信電機、NKKスイッチズ、松尾電機、太陽誘電、指月電機製作所、ニチコン、日本ケミコン、KOA
	電子回路製造業	41	14	イビデン、有沢製作所、MARUWA、石井表記、ユー・エム・シー・エレクトロニクス、大日光・エンジニアリング、シライ電子工業、太洋工業、メイコー、アオイ電子、京写、ミナトホールディングス、キョウデン、日本シイエムケイ
	その他の電子部品・デバイス・電子回路製造業	42	38	＊nmsホールディングス、レスターホールディングス、太陽ホールディングス、デクセリアルズ、＊エブレン、＊QDレーザ、＊シキノハイテック、トレックス・セミコンダクター、大泉製作所、SEMITEC、森尾電気、リバーエレテック、＊トリプルワン、サンケン電気、ルネサスエレクトロニクス、アクセル、＊ジャパンディスプレイ、日本電波工業、AKIBAホールディングス、＊キーエンス、メガチップス、三社電機製作所、＊トミタ電機、原田工業、コーセル、ジオマテック、菊水電子工業、オプテックスグループ、アバールデータ、エノモト、日本セラミック、日本アンテナ、山一電機、芝浦電子、大真空、ローム、浜松ホトニクス、三井ハイテック、新光電気工業、日本抵抗器製作所、村田製作所、日東電工、北陸電気工業、ナ・デックス、キヤノン電子、NISSHA
電気機械器具製造業		43	57	業種44、45、46の会社

	発電用・送電用・配電用電気機械器具製造業	44	14	明電舎、山洋電気、デンヨー、マブチモーター、日本電産、東光高岳、寺崎電気産業、日新電機、戸上電機製作所、かわでん、日東工業、不二電機工業、東洋電機、未来工業
	電気計測器製造業	45	16	テセック、大崎電気工業、インスペック、テクノメディカ、＊ウインテスト、アンリツ、アルチザネットワークス、横河電機、日本光電工業、チノー、ニレコ、日置電機、リーダー電子、日本マイクロニクス、パルステック工業、＊レーザーテック、助川電気工業、三益半導体工業
	その他の電気機械器具製造業	46	27	ニッポン高度紙工業、＊田中化学研究所、戸田工業、日本特殊陶業、コロナ、エヌ・ピー・シー、ダイキン工業、＊筑波精工、ダブル・スコープ、ダイヘン、＊ヤーマン、ジーエス・ユアサ コーポレーション、ダイヤモンドエレクトリックホールディングス、星和電機、富士通ゼネラル、＊マクセル、古野電気、多摩川ホールディングス、新電元工業、＊OBARA GROUP、ツインバード工業、ASTI、澤藤電機、スタンレー電気、岩崎電気、遠藤照明、古河電池、日本電子、＊FDK、市光工業、小糸製作所、象印マホービン、タカラスタンダード
情報通信機械器具製造業		47	33	あいホールディングス、東芝テック、JVCケンウッド、コンテック、＊メディアリンクス、サクサホールディングス、＊メルコホールディングス、沖電気工業、岩崎通信機、電気興業、ナカヨ、アイホン、ワコム、サン電子、EIZO、日本信号、京三製作所、大同信号、ホーチキ、エレコム、池上通信機、＊TBグループ、フォスター電機、名古屋電機工業、ヨコオ、ティアック、TOA、ユニデンホールディングス、アイコム、大井電気、リオン、新コスモス電機、アイ・オー・データ機器、日本アビオニクス、東京計器、MUTOHホールディングス

輸送用機械器具製造業		48	96	業種49、50の会社
	自動車・同附属品製造業	49	79	トヨタ紡織、丸順、アルファ、＊フロンティア、日本特殊塗料、メタルアート、住友電気工業、リョービ、アーレスティ、サンコール、＊パイオラックス、日本発條、アイチコーポレーション、大同工業、トリニティ工業、兼松エンジニアリング、小倉クラッチ、＊サンデン、モリタホールディングス、リケン、TPR、大豊工業、ジェイテクト、イーグル工業、日鍛バルブ、三櫻工業、東京コスモス電機、デンソー、東海理化電機製作所、日産自動車、いすゞ自動車、＊トヨタ自動車、日野自動車、カネミツ、三菱自動車工業、エフテック、GMB、ファルテック、＊テイン、田中精密工業、エッチ・ケー・エス、武蔵精密工業、＊日産車体、極東開発工業、アスカ、ユタカ技研、トピー工業、東京ラヂエーター製造、ティラド、＊曙ブレーキ工業、タチエス、フタバ産業、KYB、大同メタル工業、プレス工業、ミクニ、太平洋工業、ユニバンス、＊桜井製作所、河西工業、＊アイシン、マツダ、ムロコーポレーション、エイケン工業、今仙電機製作所、＊本田技研工業、タツミ、スズキ、SUBARU、安永、ヤマハ発動機、イクヨ、TBK、エクセディ、ハイレックスコーポレーション、ミツバ、豊田合成、愛三工業、盟和産業、日本精機、日本プラスト、村上開明堂、ヨロズ、＊エフ・シー・シー、八千代工業、フジオーゼックス、テイ・エステック、IJTT、＊セレンディップ・ホールディングス、オーハシテクニカ、永大化工

	その他の輸送用機械器具製造業	50	17	ジャパンエンジンコーポレーション、阪神内燃機工業、赤阪鐵工所、ダイハツディーゼル、豊田自動織機、東洋電機製造、川崎重工業、名村造船所、＊内海造船、ニッチツ、サノヤスホールディングス、日本車輌製造、三菱ロジスネクスト、近畿車輛、新明和工業、シマノ、ナンシン、ジャムコ
その他の製造業		51	126	林兼産業、＊フォーサイド、＊片倉工業、東洋紡、富士紡ホールディングス、日清紡ホールディングス、倉敷紡績、日本製麻、旭化成、スタジオアタオ、ダイニック、オーベクス、トクヤマ、信越化学工業、日本カーバイド工業、保土谷化学工業、宇部興産、フジプレアム、カーリットホールディングス、東洋ドライルーブ、東亜石油、日本精蝋、ユシロ化学工業、ビーピー・カストロール、富士石油、MORESCO、出光興産、ENEOSホールディングス、コスモエネルギーホールディングス、石塚硝子、エーアンドエーマテリアル、ニチアス、神戸製鋼所、日立金属、三菱製鋼、三井金属鉱業、古河機械金属、古河電気工業、アルインコ、LIXIL、日東工器、豊和工業、ナブテスコ、＊住友精密工業、木村化工機、ダイコク電機、ホシザキ、前澤工業、日立製作所、三菱電機、安川電機、シンフォニアテクノロジー、オリジン、＊PHCホールディングス、オムロン、能美防災、パナソニック、シャープ、精工技研、アズビル、中央製作所、エヌエフホールディングス、日本フェンオール、千代田インテグレ、ウシオ電機、カシオ計算機、フクダ電子、＊エンプラス、京セラ、三菱重工業、IHI、レシップホールディングス、NOK、カーメイト、高速、ニコン、＊HOYA、シード、＊キヤノン、シチズン時計、リズム、＊日本精密、メニコン、シンシア、＊ドリームベッド、幸和製作所、シー・エス・ランバー、クロスフォー、プラッツ、＊東京ボード工業、

			パラマウントベッドホールディングス、ニホンフラッシュ、永大産業、オービス、SHOEI、＊フランスベッドホールディングス、＊パイロットコーポレーション、グラファイトデザイン、＊アルメディオ、タカラトミー、レック、光・彩、ノダ、タカノ、南海プライウッド、セブン工業、ホクシン、ウッドワン、大建工業、ヨネックス、アシックス、研創、ウェーブロックホールディングス、＊ローランド、コマニー、小松ウオール工業、＊ヤマハ、河合楽器製作所、ピジョン、キングジム、興研、イトーキ、＊任天堂、リヒトラブ、三菱鉛筆、重松製作所、コクヨ、日本アイ・エス・ケイ、ナカバヤシ、立川ブラインド工業、グローブライド、マミヤ・オーピー、＊セーラー万年筆、オカムラ、くろがね工作所、美津濃、セイコーホールディングス、ゼット、ナガホリ、三谷産業、ポエック、モリト、パーカーコーポレーション
電気・ガス・熱供給・水道業	52	22	＊ウエストホールディングス、＊テスホールディングス、＊ホープ、＊アースインフィニティ、東京電力ホールディングス、中部電力、関西電力、中国電力、北陸電力、東北電力、四国電力、九州電力、北海道電力、沖縄電力、電源開発、イーレックス、レノバ、東京瓦斯、大阪瓦斯、東邦瓦斯、北海道瓦斯、広島ガス、西部ガスホールディングス、北陸瓦斯、京葉瓦斯、静岡ガス
情報通信業	53	410	業種54、57、58、59の会社
情報サービス業	54	253	業種55、56の会社、及び、システナ、＊エヌアイデイ、テリロジー、ソフトクリエイトホールディングス、スターティアホールディングス、電算、アプリックス、ODKソリューションズ、パシフィックシステム、ノムラシステムコーポレーション、JMDC、CAC Holdings、伊藤忠テクノソリューションズ、新潟放送

	ソフトウェア業	55	198	＊ソーバル、ドーン、＊クロスキャット、＊CAICADIGITAL、ソフトフロントホールディングス、クエスト、キューブシステム、クシム、WOWWORLD、YEDIGITAL、プラネット、ディー・エヌ・エー、＊コンピュータマインド、フュートレック、＊イメージワン、ソリトンシステムズ、テックファームホールディングス、コーエーテクモホールディングス、三菱総合研究所、＊ファインデックス、＊ディジタルメディアプロフェッショナル、＊モルフォ、ブレインパッド、KLab、ポールトゥウィン・ピットクルーホールディングス、ネクソン、アートスパークホールディングス、テクノスジャパン、＊enish、コロプラ、ソフトマックス、＊オルトプラス、ブロードリーフ、＊デジタルハーツホールディングス、システム情報、エンカレッジ・テクノロジ、サイバーリンクス、＊フィックスターズ、FFRIセキュリティ、SHIFT、CRI・ミドルウェア、ジョルダン、＊情報企画、日本ファルコム、ソフトウェア・サービス、セック、サイオス、インタートレード、＊フライトホールディングス、アエリア、＊ケイブ、テクマトリックス、プロシップ、＊ガンホー・オンライン・エンターテイメント、システムズ・デザイン、システムリサーチ、アドバンスト・メディア、＊ディー・ディー・エス、ヴィンクス、＊テクノマセマティカル、ULSグループ、キーウェアソリューションズ、ユニリタ、イメージ情報開発、システムディ、オウケイウェイヴ、サイバーステップ、大和コンピューター、SRAホールディングス、＊THE WHY HOW DO COMPANY、システムインテグレータ、eBASE、アバント、アドソル日進、ジーダット、ネクストジェン、コムチュア、＊アイフリークモバイル、データ・アプリケーション、日本テクノ・ラボ、エヌ・ティ・ティ・データ・イントラマート、日本一ソフトウェア、サイバーコム、アステリア、アイル、

					ラック、＊ユビキタスAIコーポレーション、gumi、シリコンスタジオ、sMedio、デジタル・インフォメーション・テクノロジー、PCIホールディングス、アイビーシー、＊ラクス、ランドコンピュータ、＊フーバーブレイン、アカツキ、チエル、Ubicomホールディングス、チェンジ、キャピタル・アセット・プランニング、エイトレッド、ティビィシィ・スキヤツト、ビーブレイクシステムズ、SYSホールディングス、UUUM、ニーズウェル、PKSHATechnology、サインポスト、トレードワークス、＊ヘッドウォータース、＊アクシス、＊勤次郎、＊アララ、＊MITホールディングス、＊スタメン、＊フィーチャ、＊SunAsterisk、＊日本情報クリエイト、＊ティアンドエス、＊ニューラルポケット、＊BlueMeme、＊プラスアルファ・コンサルティング、＊ジィ・シィ企画、＊ラキール、＊ブレインズテクノロジー、＊シイエヌエス、＊かっこ、＊ヤプリ、＊東和ハイシステム、＊アピリッツ、＊coly、＊SharingInnovations、＊ジーネクスト、＊テンダ、＊ワンダープラネット、＊HCSホールディングス、ソルクシーズ、ジャストプランニング、＊アズジェント、ハイマックス、野村総合研究所、サイバネットシステム、CEホールディングス、日本システム技術、東邦システムサイエンス、ユークス、アイ・ピー・エス、西菱電機、ソースネクスト、テスク、応用技術、＊モビルス、＊コアコンセプト・テクノロジー、＊シンプレクス・ホールディングス、HEROZ、SIGグループ、＊ZUU、エーアイ、＊バンク・オブ・イノベーション、エクスモーション、システムサポート、イーソル、ディ・アイ・システム、＊Kudan、＊パスロジ、＊EduLab、シノプス、リックソフト、東海ソフト、スマレジ、＊ウイングアーク1st、サーバーワークス、gooddaysホールディングス、ヴィッツ、トビラシステムズ、バルテス、ピー・ビーシステムズ、Chatwork、パワーソリュ

					ーションズ、HENNGE、ベース、＊コンピューターマネージメント、＊ゼネテック、＊サイバートラスト、フォーカスシステムズ、クレスコ、オービック、菱友システムズ、ジャストシステム、TDCソフト、ウチダエスコ、トレンドマイクロ、日本オラクル、アルファシステムズ、フューチャー、SBテクノロジー、トーセ、オービックビジネスコンサルタント、日本ラッド、アイティフォー、東計電算、構造計画研究所、昭和システムエンジニアリング、さくらケーシーエス、大塚商会、インフォメーションクリエーティブ、＊図研エルミック、＊サイボウズ、＊ガーラ、日本コンピュータ・ダイナミクス、電通国際情報サービス、ACCESS、ネクストウェア、イーエムシステムズ（商号EMシステムズ）、メディアシーク、CIJ、ビジネスエンジニアリング、JFEシステムズ、インテリジェントウェイブ、セラク、セガサミーホールディングス、ベイカレント・コンサルティング、HPCシステムズ、C&Gシステムズ、ユビテック、＊ピースリー、＊RVH、アクモス、図研、ギークス、＊ヒューマンクリエイションホールディングス、システムソフト、アルゴグラフィックス、マーベラス、大興電子通信、日本ユニシス、兼松エレクトロニクス、都築電気、＊デリバリーコンサルティング、鈴与シンワート、エヌジェイホールディングス、アイネット、エヌ・ティ・ティ・データ、ピー・シー・エー、セゾン情報システムズ、日本プロセス、DTS、スクウェア・エニックス・ホールディングス、KYCOMホールディングス、KSK、両毛システムズ、シーイーシー、カプコン、クレオ、アイ・エス・ビー、NCS&A、ジャステック、SCSK、日本システムウエア、アイネス、富士ソフト、アイエックス・ナレッジ、＊NSD、コナミホールディングス、福井コンピュータホールディングス、旭情報サービス、JBCCホールディングス、ミロク情報サービス

		情報処理・提供サービス業	56	42	学情、日鉄ソリューションズ、＊イオレ、＊アルバイトタイムス、＊コア、キャリアデザインセンター、＊バルクホールディングス、システム・ロケーション、JTP、イーサポートリンク、セキュアヴェイル、東京日産コンピュータシステム、アセンテック、TIS、JNSホールディングス、データホライゾン、ソケッツ、AGS、クロス・マーケティンググループ、＊ホットリンク、オプティム、GMOリサーチ、＊コムシード、ガイアックス、フィスコ、マークラインズ、メディカル・データ・ビジョン、データセクション、ALBERT、シルバーエッグ・テクノロジー、フュージョン、マクロミル、エコモット、＊Geolocation Technology、＊電算システムホールディングス、＊KaizenPlatform、＊グローバルインフォメーション、＊WACUL、＊ネオマーケティング、プロトコーポレーション、インテージホールディングス、＊CINC、Alinside、＊ビザスク、アイサンテクノロジー、りらいあコミュニケーションズ、IDホールディングス、エックスネット、ウェザーニューズ、日本エンタープライズ、MS&Consulting、テクノスデータサイエンス・エンジニアリング、＊ハウテレビジョン、フィードフォースグループ、インティメート・マージャー、ALiNKインターネット、＊サーキュレーション、TKC
		インターネット附随サービス業	57	110	LIFULL、ミクシィ、メンバーズ、＊クルーズ、アイティメディア、ケアネット、FRONTEO、クックパッド、fonfun、デジタルアーツ、ASJ、＊カカクコム、エムスリー、ぐるなび、オールアバウト、手間いらず、出前館、インフォマート、＊ベクター、ラクーンホールディングス、ネットイヤーグループ、＊グリー、＊GMOペパボ、ボルテージ、パピレス、＊メディカルネット、＊駅探、＊イーブックイニシアティブジャパン（＊2202）、アイスタイル、エムアップホールディングス、エイチーム、

＊モブキャストホールディングス、エニグモ、オークファン、メディアドゥ、じげん、ブイキューブ、＊ディー・エル・イー、セレス、リスクモンスター、ザッパラス、ブロードバンドタワー、さくらインターネット、GMOグローバルサイン・ホールディングス、ドリコム、いい生活、＊アルファクス・フード・システム、メディア工房、フリービット、クラウドワークス、カヤック、コラボス、ショーケース、エムケイシステム、Aiming、モバイルファクトリー、＊JIG-SAW、テラスカイ、アイリッジ、パイプドHD、ネオジャパン、ダブルスタンダード、＊オープンドア、マイネット、はてな、バリューゴルフ、＊エディア、＊グローバルウェイ、＊カナミックネットワーク、＊シンクロ・フード、オークネット、＊ユーザベース、＊エルテス、セグエグループ、イノベーション、シャノン、うるる、ビーグリー、オロ、ユーザーローカル、テモナ、ウォンテッドリー、＊マネーフォワード、SKIYAKI、＊ナレッジスイート、＊カラダノート、＊クリーマ、＊ビートレンド、＊インターファクトリー、＊トヨクモ、＊まぐまぐ、＊rakumo、＊プレイド、＊ココペリ、＊ENECHANGE、＊ココナラ、＊i-plug、＊AppierGroup、＊スパイダープラス、＊ビジョナル、Eストアー、Jストリーム、インフォコム、＊ユミルリンク、＊セーフィー、＊くふうカンパニー、＊ワンキャリア、Mマート、ビープラッツ、ラクスル、メルカリ、プロパティデータバンク、ロジザード、チームスピリット、ブロードバンドセキュリティ、アルテリア・ネットワークス、Amazia、＊カオナビ、ミンカブ・ジ・インフォノイド、＊Welby、Sansan、インフォネット、リビン・テクノロジーズ、Ｌｉｎｋ－Ｕ、ギフティ、ＡＩＣＲＯＳＳ、ＢＡＳＥ、＊フリー、マクアケ、メドレー、ウィルズ、ランサーズ、＊スペースマーケット、＊サイバーセキュリティ

			クラウド、＊バリオセキュア、＊アイキューブドシステムズ、＊コマースOneホールディングス、イマジニア、Zホールディングス、＊ユー・エス・エス、サイバーエージェント、楽天グループ、＊ピーエイ、オリコン、デジタルガレージ、スカラ、＊弁護士ドットコム、ファーストロジック、＊リンクバル、デザインワン・ジャパン、イトクロ、＊イー・ガーディアン、メドピア、＊AppBank、GMOメディア、鎌倉新書、アトラエ、キャリアインデックス、ツナググループ・ホールディングス、＊GameWith、ソウルドアウト、＊andfactory、＊ポート、＊ジモティー、＊Retty、＊東京通信、＊ベビーカレンダー、＊全研本社、＊アイドマ・ホールディングス、＊アシロ、＊いつも、＊フューチャーリンクネットワーク、スマートバリュー、エムティーアイ、GMOインターネット、インプレスホールディングス
映像・音声・文字情報制作業	58	23	中広、インサイト、東北新社、＊アマナ、KG情報、タウンニュース社、IGポート、PR TIMES、フェイス、レイ、アルファ、＊ストリームメディアコーポレーション、東映アニメーション、＊SuccessHolders、スペースシャワーネットワーク、IMAGICAGROUP、スターツ出版、エイベックス、アルファポリス、KADOKAWA、文溪堂、ゼンリン、＊昭文社ホールディングス、中央経済社ホールディングス、SEホールディングス・アンド・インキュベーションズ、松竹、＊東宝、東映
その他の情報通信業	59	24	インターネットイニシアティブ、＊ギガプライズ、＊朝日ネット、ベネフィットジャパン、＊ファブリカコミュニケーションズ、ビーマップ、ブロードメディア、アイ・ピー・エス、アクリート、東名、JTOWER、フジ・メディア・ホールディングス、WOWOW、理経、ＴＢＳホールディングス、中部日本放送、日本テレビホールディングス、朝日放送グルー

			プホールディングス、＊RKB毎日ホールディングス、テレビ朝日ホールディングス、スカパーJSATホールディングス、テレビ東京ホールディングス、日本BS放送、＊ビジョン、USEN-NEXTHOLDINGS、＊ワイヤレスゲート、＊日本通信、＊日本電信電話、KDDI、＊ソフトバンク、＊沖縄セルラー電話、フォーバルテレコム、ファイバーゲート、ソフトバンクグループ
運輸業、郵便業	60	89	業種61、62、63、64の会社、及び、アサガミ
道路貨物運送業	61	27	SBSホールディングス、＊ロジネットジャパン、ゼロ、ヒガシトゥエンティワン、南総通運、東部ネットワーク、ハマキョウレックス、サカイ引越センター、大宝運輸、アルプス物流、遠州トラック、カンダホールディングス、日本ロジテム、＊日本通運（＊2112）、岡山県貨物運送、ヤマトホールディングス、丸運、丸全昭和運輸、センコーグループホールディングス、トナミホールディングス、日本石油輸送、福山通運、セイノーホールディングス、名鉄運輸、エスライン、＊日立物流、＊丸和運輸機関、C&Fロジホールディングス、SGホールディングス、＊ビーイングホールディングス、＊五健堂、澁澤倉庫、＊宇徳（＊2202）、キユーソー流通システム
水運業	62	13	日本郵船、商船三井、川崎汽船、NSユナイテッド海運、明治海運、飯野海運、玉井商船、共栄タンカー、栗林商船、東海汽船、＊佐渡汽船、川崎近海汽船、乾汽船、兵機海運、＊内外トランスライン
運輸に附帯するサービス業	63	21	＊鴻池運輸、トランコム、山九、タカセ、東京汽船、杉村倉庫、中央倉庫、＊関通、＊イー・ロジット、櫻島埠頭、リンコーコーポレーション、名港海運、伊勢湾海運、伏木海陸運送、大運、上組、トレーディア、サンリツ、大東港運、キムラユニティー、エージーピー、東海運、エーアイテイー、日本コンセプト

	その他の運輸業、郵便業	64	27	京成電鉄、＊秩父鉄道、新京成電鉄、新潟交通、東日本旅客鉄道、西日本旅客鉄道、東海旅客鉄道、広島電鉄、第一交通産業、神戸電鉄、京福電気鉄道、日新、ニッコンホールディングス、＊大和自動車交通、神姫バス、日本航空、ANAホールディングス、スターフライヤー、三菱倉庫、三井倉庫ホールディングス、住友倉庫、東陽倉庫、日本トランスシティ、ケイヒン、丸八倉庫、川西倉庫、安田倉庫、東洋埠頭、近鉄エクスプレス
卸売業		65	279	業種66、67、68、71、74、78の会社
	各種商品卸売業	66	11	アイケイ、双日、ドウシシャ、＊伊藤忠商事、丸紅、豊田通商、兼松、三井物産、カメイ、住友商事、三菱商事、＊三谷商事、ナラサキ産業
	繊維・衣服等卸売業	67	13	タビオ、クロスプラス、東邦レマック、＊ナガイレーベン、＊ヤギ、＊ナイガイ、三共生興、ツカモトコーポレーション、東京ソワール、GSIクレオス、＊堀田丸正、ムーンバット、キング、川辺、＊ラピーヌ、プロルート丸光、シャルレ、タキヒョー
	飲食料品卸売業	68	36	業種69、70の会社、及び、＊神戸物産
	農畜産物・水産物卸売業	69	19	極洋、マルハニチロ、ホウスイ、木徳神糧、大冷、神栄、デリカフーズホールディングス、横浜魚類、大水、中央魚類、東都水産、築地魚市場、OUGホールディングス、スターゼン、横浜丸魚、トーホー、中部水産、マルイチ産商、＊太洋物産、ヨンキュウ
	食料・飲料卸売業	70	17	＊フルッタフルッタ、伊藤忠食品、久世、石光商事、ラクト・ジャパン、オーウィル、大光、＊ヤマエグループホールディングス、創健社、三菱食品、尾家産業、セントラルフォレストグループ、＊アイスコ、ユアサ・フナショク、正栄食品工業、ニチモウ、タカチホ、西本Wismettacホールディングス、加藤産業、サトー商会

業種	番号	社数	会社
建築材料、鉱物・金属材料等卸売業	71	57	業種72、73の会社
化学製品卸売業	72	11	三洋貿易、昭栄薬品、巴工業、東北化学薬品、長瀬産業、稲畑産業、明和産業、三京化成、ソマール、ソーダニッカ、堺商事
その他の建築材料、鉱物・金属材料等卸売業	73	46	住石ホールディングス、三井松島ホールディングス、ラサ商事、アルコニックス、ジューテックホールディングス、OCHIホールディングス、サンワカンパニー、アトムリビンテック、富士興産、エンビプロ・ホールディングス、モリテックススチール、小野建、初穂商事、山大、オータケ、コンドーテック、Misumi、アドヴァン、岡谷鋼機、日新商事、清和中央ホールディングス、橋本総業ホールディングス、タカショー、杉田エース、白銅、東リ、高島、丸藤シートパイル、佐藤商事、神鋼商事、カノークス、阪和興業、岩谷産業、ナイス、三愛石油、クワザワホールディングス、シナネンホールディングス、伊藤忠エネクス、太平洋興発、*クボデラ（*2112）、日建工学、日鉄物産、リリカラ、北恵、UEX、JKホールディングス、アイ・テック
機械器具卸売業	74	102	業種75、76、77の会社
産業機械器具卸売業	75	37	YKT、テンポスホールディングス、ミューチュアル、日本プリメックス、クリエイト、Cominix、レカム、*アスタリスク、*フルサト・マルカホールディングス、南陽、鳥羽洋行、西川計測、リックス、進和、NaITO、山善、椿本興業、第一実業、キヤノンマーケティングジャパン、西華産業、東京産業、ユアサ商事、カナデン、菱電商事、極東貿易、ワキタ、トミタ、東陽テクニカ、立花エレテック、トラスコ中山、コンセック、日伝、植松商会、北沢産業、杉本商事、東テク、ミスミグループ本社、アルテック、蔵王産業

電気機械器具卸売業	76	46	高千穂交易、エレマテック、トーメンデバイス、＊ピクセルカンパニーズ、東京エレクトロンデバイス、＊トシン・グループ、エフティグループ、ハイパー、＊テクノアルファ、シンデン・ハイテックス、マクニカ・富士エレホールディングス、ミタチ産業、アルファグループ、内外テック、明治電機工業、Abalance、＊バルミューダ、MCJ、ズーム、＊ピクセラ、ニューテック、ザインエレクトロニクス、＊ぷらっとホーム、協栄産業、佐鳥電機、伯東、萩原電気ホールディングス、スズデン、扶桑電通、たけびし、ネットワンシステムズ、ムサシ、丸文、萬世電機、栄電子、ダイトロン、シークス、田中商事、ダイコー通産、菱洋エレクトロ、東海エレクトロニクス、サンワテクノス、リョーサン、新光商事、電響社、三信電気、加賀電子、泉州電業、ソレキア、藤井産業、＊愛光電気（＊2112）、因幡電機産業、グローセル
その他の機械器具卸売業	77	19	オルバヘルスケアホールディングス、アップルインターナショナル、ＴＲＵＣＫ－ＯＮＥ、ディーブイエックス、メディアスホールディングス、ウイン・パートナーズ、＊デンタス、ＳＰＫ、アズワン、ヤガミ、ウェッズ、日本エム・ディ・エム、ヤシマキザイ、レオクラン、中央自動車工業、ヤマシタヘルスケアホールディングス、オプティマスグループ、英和、イエローハット、日本電計
その他の卸売業	78	60	カネコ種苗、サカタのタネ、ヒビノ、ブロッコリー、あらた、フィールズ、＊新都ホールディングス、カッシーナ・イクスシー、アルフレッサホールディングス、ケイティケイ、ビューティ花壇、ほくやく・竹山ホールディングス、BRUNO、バイタルケーエスケー・ホールディングス、アゼアス、＊クリヤマホールディングス、cotta、シップヘルスケアホールディングス、コスモ・バイオ、大木ヘルスケアホールディングス、アートグリーン、

				ケー・エフ・シー、川本産業、ジー・スリーホールディングス、アジュバンホールディングス、＊グラフィコ、＊I-ne、＊リベルタ、フルテック、デイトナ、エコートレーディング、中山福、ハリマ共和物産、メディパルホールディングス、ムラキ、シモジマ、小津産業、ティムコ、グリーンクロス、ハピネット、大田花き、＊東京貴宝（＊2203）、エスケイジャパン、＊星医療酸器、＊北海道歯科産業、東京衡機、アミファ、壽屋、粧美堂、ピープル、蝶理、日本紙パルプ商事、日本出版貿易、トルク、アステナホールディングス、三栄コーポレーション、東邦ホールディングス、サンゲツ、テクノアソシエ、フォーバル、PALTAC、バリュエンスホールディングス、コーア商事ホールディングス、国際紙パルプ商事、共同紙販ホールディングス、CBグループマネジメント、イノテック、平和紙業、＊スズケン
小売業		79	242	業種80、81、82、83、84、87の会社
	各種商品小売業	80	16	イオン九州、サンエー、J.フロント リテイリング、三越伊勢丹ホールディングス、イオン北海道、パン・パシフィック・インターナショナルホールディングス、ミスターマックス・ホールディングス、高島屋、松屋、エイチ・ツー・オー リテイリング、近鉄百貨店、＊大和、＊さいか屋、＊井筒屋、イオン、イズミ、平和堂、フジ、Olympicグループ
	織物・衣服・身の回り品小売業	81	25	日本和装ホールディングス、アダストリア、ジーフット、パルグループホールディングス、パレモ・ホールディングス、ハニーズホールディングス、＊アマガサ、＊シーズメン、ハピネス・アンド・ディ、＊オンリー（＊2201）、＊TOKYOBASE、バロックジャパンリミテッド、ワールド、一蔵、＊ネクスグループ、＊タンゴヤ、はるやまホールディングス、＊ライトオン、コナカ、＊西松屋チェーン、＊ワークマン、＊ヤマノホールディングス、マックハウス、ユナイ

				テッドアローズ、＊YU-WACreation Holdings、ダブルエー、アートネイチャー、＊サマンサタバサジャパンリミテッド、リーガルコーポレーション、＊キムラタン、＊タカキュー、＊チヨダ、＊ラオックス、AOKIホールディングス、銀座山形屋、青山商事、しまむら、＊和心、ナルミヤ・インターナショナル、コックス、＊藤久（＊2112）、MRKホールディングス、＊ファーストリテイリング、サックスバーホールディングス
	飲食料品小売業	82	42	＊柿安本店、ローソン、カネ美食品、魚喜、ハローズ、北雄ラッキー、大黒天物産、篠崎屋、ジェーソン、スーパーバリュー、＊オーシャンシステム、ユナイテッド・スーパーマーケット・ホールディングス、セブン&アイ・ホールディングス、JMホールディングス、＊農業総合研究所、エルアイイーエイチ、アルビス、G-7ホールディングス、マルヨシセンター、エコス、スリーエフ、魚力、＊ポプラ、オーエムツーネットワーク、ダイイチ、PLANT、カクヤスグループ、リテールパートナーズ、いなげや、ヤマナカ、ライフコーポレーション、マックスバリュ東海、オークワ、アクシアルリテイリング、ヤオコー、＊マックスバリュ西日本（＊2202）、マミーマート、天満屋ストア、マキヤ、関西フードマーケット、ミニストップ、アークス、バローホールディングス、ベルク、アオキスーパー、ヤマザワ、やまや
	機械器具小売業	83	45	＊動力、オートウェーブ、エディオン、東葛ホールディングス、バナーズ、アプライド、ビックカメラ、ダイワボウホールディングス、シュッピン、ICDAホールディングス、ネクステージ、ホットマン、あさひ、バッファロー、ZOA、バイク王&カンパニー、アークコア、INEST、ウイルプラスホールディングス、

			No.1、協立情報通信、ティーガイア、静甲、ノジマ、プラザクリエイト本社、アイエーグループ、コジマ、VTホールディングス、IDOM、カーチスホールディングス、フジ・コーポレーション、ピーシーデポコーポレーション、グッドスピード、軽自動車館、＊カレント自動車、＊交換できるくん、上新電機、ケーズホールディングス、日産東京販売ホールディングス、ATグループ、コネクシオ、日本テレホン、ベルパーク、トーシンホールディングス、サカイホールディングス、ヤマダホールディングス、オートバックスセブン、ケーユーホールディングス
その他の小売業	84	86	業種85、86の会社、及び、RIZAPグループ、＊テーオーホールディングス
医薬品・化粧品小売業	85	22	カワチ薬品、ファーマライズホールディングス、クオールホールディングス、マツキヨココカラ＆カンパニー、ウエルシアホールディングス、＊クリエイトSDホールディングス、日本調剤、コスモス薬品、メディカル一光グループ、ツルハホールディングス、アクサスホールディングス、サツドラホールディングス、クスリのアオキホールディングス、メディカルシステムネットワーク、中京医薬品、ソフィアホールディングス、＊ミアヘルサホールディングス、ハウスオブローゼ、スギホールディングス、薬王堂ホールディングス、GenkyDrugStores、アインホールディングス、札幌臨床検査センター、サンドラッグ
その他の小売業	86	63	まんだらけ、エービーシー・マート、ハードオフコーポレーション、ゲオホールディングス、キャンドゥ、JALUX、ワッツ、フェスタリアホールディングス、ヴィレッジヴァンガードコーポレーション、コメ兵ホールディングス、セリア、ナフコ、アルペン、ゴルフ・ドゥ、ジンズホールディングス、DCMホールディングス、三洋堂ホールディングス、

				トレジャー・ファクトリー、エコノス、丸善CHIホールディングス、ミサワ、ありがとうサービス、買取王国、＊ジョイフル本田、綿半ホールディングス、トーエル、アレンザホールディングス、サンデー、良品計画、三城ホールディングス、キムラ、CAPITA、サンリン、ヒマラヤ、コーナン商事、アールビバン、テイツー、サンオータス、ハンズマン、NEW ART HOLDINGS、＊トップカルチャー、音通、＊REXT（＊2203)、スノーピーク、トランザクション、エステールホールディングス、ツツミ、ヨンドシーホールディングス、ケーヨー、日本瓦斯、エンチョー、コメリ、はせがわ、ゼビオホールディングス、ビジョナリーホールディングス、ブックオフグループホールディングス、大丸エナウィン、ジュンテンドー、アークランドサカモト、ニトリホールディングス、愛眼、＊セキド、カンセキ、ベリテ、ワットマン、セキチュー、文教堂グループホールディングス
	無店舗小売業	87	27	＊ダイドーグループホールディングス、夢みつけ隊、アスクル、＊石垣食品、ファーマフーズ、＊北の達人コーポレーション、＊ジェイフロンティア、ヒラキ、＊MonotaRO、ストリーム、＊ZOZO、Hamee、マーケットエンタープライズ、富士山マガジンサービス、ティーライフ、ビューティガレージ、オイシックス・ラ・大地、＊夢展望、白鳩、＊ジェネレーションパス、ゴルフダイジェスト・オンライン、BEENOS、フェリシモ、＊ピクスタ、＊歯愛メディカル、ベガコーポレーション、ロコンド、ピーバンドットコム、ほぼ日、ユニフォームネクスト、＊フォーシーズホールディングス、＊ジェイ・エスコムホールディングス、＊パス、新日本製薬、＊アルマード、＊プレミアアンチエイジング、＊アクシージア、＊Waqoo、AmidAホールディングス、BuySellTechnologies、＊ミクリード、

				＊コパ・コーポレーション、＊C Channel、＊バルコス、スクロール、千趣会、アシードホールディングス、ベルーナ
金融業、保険業		88	150	業種89、90、91の会社
	銀行業	89	82	島根銀行、じもとホールディングス、めぶきフィナンシャルグループ、東京きらぼしフィナンシャルグループ、九州フィナンシャルグループ、ゆうちょ銀行、富山第一銀行、コンコルディア・フィナンシャルグループ、西日本フィナンシャルホールディングス、三十三フィナンシャルグループ、第四北越フィナンシャルグループ、＊ひろぎんホールディングス、＊おきなわフィナンシャルグループ、＊十六フィナンシャルグループ、＊北國フィナンシャルホールディングス、新生銀行、あおぞら銀行、三菱UFJフィナンシャル・グループ、りそなホールディングス、三井住友トラスト・ホールディングス、三井住友フィナンシャルグループ、千葉銀行、群馬銀行、武蔵野銀行、千葉興業銀行、筑波銀行、七十七銀行、＊青森銀行（＊2203）、秋田銀行、山形銀行、岩手銀行、東邦銀行、東北銀行、＊みちのく銀行（＊2203）、ふくおかフィナンシャルグループ、静岡銀行、スルガ銀行、八十二銀行、山梨中央銀行、大垣共立銀行、福井銀行、清水銀行、富山銀行、滋賀銀行、南都銀行、百五銀行、京都銀行、紀陽銀行、ほくほくフィナンシャルグループ、山陰合同銀行、中国銀行、鳥取銀行、伊予銀行、百十四銀行、四国銀行、阿波銀行、大分銀行、宮崎銀行、佐賀銀行、筑邦銀行、琉球銀行、セブン銀行、みずほフィナンシャルグループ、高知銀行、山口フィナンシャルグループ、Ｊトラスト、長野銀行、名古屋銀行、北洋銀行、愛知銀行、中京銀行、大光銀行、福岡中央銀行、愛媛銀行、トマト銀行、京葉銀行、栃木銀行、北日本銀行、南日本銀行、東和銀行、豊和銀行、宮崎太陽銀行、福島銀行、大東銀行、トモニホールディングス、HSホールディングス、フィデアホールディングス、池田泉州ホールディングス

金融商品取引業、商品先物取引業	90	33	＊燦キャピタルマネージメント、ユナイテッド、Oakキャピタル、ファーストブラザーズ、＊NexusBank（＊2203）、モーニングスター、ジャパンインベストメントアドバイザー、今村証券、シンプレクス・ファイナンシャル・ホールディングス、＊GMOフィナンシャルホールディングス、ヒロセ通商、＊インヴァスト、＊ウェルスナビ、＊マーキュリアホールディングス、フューチャーベンチャーキャピタル、SBIホールディングス、日本アジア投資、ジャフコグループ、大和証券グループ本社、野村ホールディングス、岡三証券グループ、丸三証券、東洋証券、東海東京フィナンシャル・ホールディングス、光世証券、水戸証券、いちよし証券、松井証券、マネックスグループ、丸八証券、トレイダーズホールディングス、岡藤日産証券ホールディングス、極東証券、岩井コスモホールディングス、アイザワ証券グループ、マネーパートナーズグループ、スパークス・グループ、＊フジトミ証券（＊2202）、第一商品、豊トラスティ証券、＊GFA、＊アジア開発キャピタル
その他の金融業、保険業	91	35	＊ウェッジホールディングス、ウェルネット、ビリングシステム、FRACTALE、GMOペイメントゲートウェイ、＊GMOフィナンシャルゲート、＊ドリームインキュベータ、＊ROBOT PAYMENT、日本郵政、＊大黒屋ホールディングス、＊ライフネット生命保険、全国保証、NFCホールディングス、＊中央インターナショナルグループ、かんぽ生命保険、あんしん保証、ジェイリース、イントラスト、日本モーゲージサービス、Ｃａｓａ、アルヒ、プレミアグループ、日本リビング保証、アイリックコーポレーション、SBIインシュアランスグループ、＊アイペットホールディングス、＊ブロードマインド、＊アイ・パートナーズフィナンシャル、クレディセゾン、日本証券金融、アイフル、イオンフィナンシャルサービス、

				アコム、ジャックス、オリエントコーポレーション、SOMPOホールディングス、日本取引所グループ、アニコムホールディングス、MS&ADインシュアランスグループホールディングス、第一生命ホールディングス、東京海上ホールディングス、イー・ギャランティ、アサックス、T&Dホールディングス、アドバンスクリエイト
不動産業、物品賃貸業		92	142	業種93、94、95の会社、及び、＊アジアゲートホールディングス、東急不動産ホールディングス、＊翔栄、あかつき本社、三井不動産、三菱地所、東京建物、住友不動産、コスモスイニシア、スターツコーポレーション、日住サービス、イチネンホールディングス、オーエス
	不動産取引業	93	61	ジェイホールディングス、大英産業、スター・マイカ・ホールディングス、日本グランデ、＊Liv-up、＊ツクルバ、SREホールディングス、ランディックス、＊ADワークスグループ、＊ファーストステージ、＊LAホールディングス、＊タスキ、＊ランドネット、三栄建築設計、野村不動産ホールディングス、プロパスト、＊イントランス、セントラル総合開発、ウィル、アーバネットコーポレーション、サムティ、ディア・ライフ、コーセーアールイー、地主、プレサンスコーポレーション、＊アスコット、ファンドクリエーショングループ、THEグローバル社、サンセイランディック、エストラスト、フージャースホールディングス、イーグランド、東武住販、ムゲンエステート、ビーロット、＊TSON、And Doホールディングス、シーアールイー、プロパティエージェント、ケイアイスター不動産、アグレ都市デザイン、デュアルタップ、グッドコムアセット、フォーライフ、ロードスターキャピタル、グローバル・リンク・マネジメント、フェイスネットワーク、アズ企画設計、＊GAtechnologies、

			香陵住販、LeTech、ビジネス・ワンホールディングス、ヨシコン、RISE、フジ住宅、明和地所、ゴールドクレスト、＊レーサム、AMGホールディングス、日本エスコン、新日本建物、タカラレーベン、＊センチュリー21・ジャパン、サンウッド、シノケングループ、＊ランド、カチタス、＊シーズクリエイト、トーセイ、アルデプロ、明豊エンタープライズ、青山財産ネットワークス、和田興産、サンフロンティア不動産、FJネクストホールディングス、インテリックス、＊ASIANSTAR
不動産賃貸業、管理業	94	42	＊RobotHome、東建コーポレーション、大東建託、いちご、＊日本駐車場開発、ヒューリック、カワサキ、マーチャント・バンカーズ、ダイトウボウ、アールエイジ、エスポア、ハウスコム、＊日本管理センター、トラストホールディングス、アンビションDXホールディングス、パルマ、＊ティーケーピー、ジェイ・エス・ビー、テンポイノベーション、マリオン、アズーム、パーク二四（定款上の商号パーク24)、日本ハウズイング、パラカ、宮越ホールディングス、JALCOホールディングス、平和不動産、ダイビル、京阪神ビルディング、テーオーシー、東京楽天地、＊レオパレス21、空港施設、APAMAN、REVOLUTION、イオンモール、毎日コムネット、エリアクエスト、エリアリンク、＊日本アセットマーケティング（＊2203)、グローム・ホールディングス、ランドビジネス、サンネクスタグループ、きんえい、歌舞伎座、日本空港ビルデング、ストライダーズ、エムティジェネックス
物品賃貸業	95	28	日本ケアサプライ、タカミヤ、パシフィックネット、トラスト、シーティーエス、ネクシィーズグループ、ダスキン、日本パレットプール、ユニバーサル園芸社、エラン、ユーピーアール、＊コーユーレ

				ンティア、FPG、セフテック、芙蓉総合リース、みずほリース、東京センチュリー、リコーリース、三菱HCキャピタル、中道リース、九州リースサービス、NECキャピタルソリューション、サコス、カナモト、西尾レントオール、トーカイ、東海リース、丸紅建材リース、ジェコス
専門・技術サービス業		96	110	業種97、98の会社、及び、JESCOホールディングス、*SDSホールディングス、明豊ファシリティワークス、日本工営、E・Jホールディングス、*リニカル、スタジオアリス、*エプコ、*NJS、DNAチップ研究所、アスカネット、オリエンタルコンサルタンツホールディングス、フィル・カンパニー、ユナイトアンドグロウ、*オンコセラピー・サイエンス、そーせいグループ、*免疫生物研究所、*ナノキャリア、*カルナバイオサイエンス、*キャンバス、*デ・ウエスタン・セラピテクス研究所、*ラクオリア創薬、*カイオム・バイオサイエンス、*キッズウェル・バイオ、*メドレックス、ペプチドリーム、*オンコリスバイオファーマ、*リボミック、*サンバイオ、*ヘリオス、*ブライトパス・バイオ、環境管理センター、川崎地質、キタック、トライアイズ、*ファンペップ、*ペルセウスプロテオミクス、*クリングルファーマ、*レナサイエンス、*ドラフト、*ヴィス、タクマ、日本動物高度医療センター、地盤ネットホールディングス、ERIホールディングス、ヒューマン・メタボローム・テクノロジーズ、ウエスコホールディングス、エンバイオ・ホールディングス、土木管理総合試験所、*フェニックスバイオ、三井海洋開発、東洋エンジニアリング、三菱化工機、月島機械、千代田化工建設、オルガノ、レイズネクスト、水道機工、FCホールディングス、テラプローブ、正興電機製作所、*三井E&Sホールディングス、

				日立造船、エヌ・シー・エヌ、＊一寸房、＊デコルテ・ホールディングス、＊DNホールディングス、パスコ、アジア航測、＊富士テクノホールディングス、＊人・夢・技術グループ、＊日本エコシステム、エフオン、メタウォーター、建設技術研究所、協和コンサルタンツ、応用地質、いであ
	専門サービス業	97	27	＊日本M&Aセンターホールディングス、＊GCA（＊2111）、トランスジェニック、翻訳センター、グッドライフカンパニー、＊G-FACTORY、霞ヶ関キャピタル、＊ジェクシード、ウェルス・マネジメント、日本エス・エイチ・エル、＊VALUENEX、山田コンサルティンググループ、アトラグループ、＊アイ・アールジャパンホールディングス、M&Aキャピタルパートナーズ、シグマクシス・ホールディングス、メタリアル、ハイアス・アンド・カンパニー、ストライク、エル・ティー・エス、ライトアップ、マネジメントソリューションズ、プロレド・パートナーズ、フロンティア・マネジメント、識学、名南M&A、＊グッドパッチ、＊オンデック、＊セルム、＊メイホーホールディングス、アイフィスジャパン、プロネクサス、TAKARA&COMPANY、＊プロジェクトカンパニー、＊Kips、タナベ経営、ビジネスブレイン太田昭和、船井総研ホールディングス、オオバ
	広告業	98	39	インタースペース、セーラー広告、フルスピード、地域新聞社、博展、＊トライステージ、サニーサイドアップ、サイネックス、ディップ、デジタルホールディングス、ゲンダイエージェンシー、＊博報堂DYホールディングス、共同ピーアール、プラップジャパン、＊アウンコンサルティング、＊ファンコミュニケーションズ、＊CDG、アドウェイズ、バリューコマース、アクセルマーク、イルグルム、セプテーニ・ホールディングス、

					電通グループ、＊Speee、GMOアドパートナーズ、＊サイジニア、イード、レントラックス、Gunosy、＊リブセンス、ベクトル、トレンダーズ、アライドアーキテクツ、フリークアウト・ホールディングス、メタップス、ネットマーケティング、ブランジスタ、SMN、OrchestraHoldings、アイモバイル、日宣、＊Unipos、ジーニー、＊アジャイルメディア・ネットワーク、ログリー、イーエムネットジャパン、アクセスグループ・ホールディングス、ピアラ、＊Birdman、＊ブランディングテクノロジー、＊サイバー・バズ、＊ジオコード、＊表示灯、＊Enjin、＊デジタリフト、アイドママーケティングコミュニケーション
宿泊業、飲食サービス業			99	84	業種100、104の会社
	飲食店		100	69	業種101、102、103の会社
		食堂・レストラン（専門料理店を除く）	101	13	大戸屋ホールディングス、フジオフードグループ本社、カルラ、＊ワイズテーブルコーポレーション、＊ゼットン、ライフフーズ、きちりホールディングス、すかいらーくホールディングス、フライングガーデン、バルニバービ、SRSホールディングス、ロイヤルホールディングス、＊フレンドリー、東京會舘、グルメ杵屋、ジョイフル
		専門料理店	102	30	あみやき亭、ひらまつ、＊碧、＊ペッパーフードサービス、JBイレブン、東京一番フーズ、WDI、アークランドサービスホールディングス、ブロンコビリー、物語コーポレーション、＊ゼネラル・オイスター、ワイエスフード、＊関門海、丸千代山岡家、串カツ田中ホールディングス、力の源ホールディングス、アトム、ゼンショーホールディングス、幸楽苑ホールディングス、＊安楽亭、サイゼリヤ、＊梅の花、ハイデイ日高、うかい、＊グローバルダイニング、壱番屋、あさくま、浜木綿、木曽路、東天紅、リンガーハット、

				＊アザース、ギフト、精養軒、吉野家ホールディングス、松屋フーズホールディングス、王将フードサービス、ハチバン
	その他の飲食店	103	26	焼肉坂井ホールディングス、くら寿司、日本マクドナルドホールディングス、＊三光マーケティングフーズ、ハブ、＊ジェイグループホールディングス、＊DDホールディングス、＊銚子丸、ホリイフードサービス、ドトール・日レスホールディングス、＊海帆、＊エー・ピーホールディングス、チムニー、鳥貴族ホールディングス、ホットランド、SFPホールディングス、ヨシックスホールディングス、＊エスエルディー、東和フードサービス、＊21LADY、＊フジタコーポレーション、クリエイト・レストランツ・ホールディングス、サンマルクホールディングス、トリドールホールディングス、コメダホールディングス、＊ユナイテッド&コレクティブ、FOOD & LIFE COMPANIES、＊一家ホールディングス、＊琉球アスティーダスポーツクラブ、カッパ・クリエイト、マルシェ、＊かんなん丸、コロワイド、NATTY SWANKYホールディングス、＊ヴィア・ホールディングス、モスフードサービス、＊テンアライド、元気寿司、銀座ルノアール、日本KFCホールディングス、サガミホールディングス
その他の宿泊業、飲食サービス業		104	15	＊ポラリス・ホールディングス、ファンデリー、＊レッド・プラネット・ジャパン、リゾートトラスト、ワシントンホテル、シダックス、アメイズ、ライドオンエクスプレスホールディングス、＊グリーンズ、HANATOURJAPAN、ABホテル、ワタミ、ハークスレイ、シルバーライフ、共立メンテナンス、＊鴨川グランドホテル（＊2203）、＊アゴーラホスピタリティーグループ、帝国ホテル、＊ロイヤルホテル、＊ホテル、ニューグランド、＊藤田観光、京都ホテル、＊プレナス、ショクブン、＊小僧寿し

生活関連サービス業、娯楽業		105	42	業種106、107の会社
	生活関連サービス業	106	25	エスクリ、アイ・ケイ・ケイホールディングス、きょくとう、*クオンタムソリューションズ、*極楽湯ホールディングス、平安レイサービス、アルテサロンホールディングス、*ツカダ・グローバルホールディング、ブラス、ジャパンベストレスキューシステム、ティア、*エコナックホールディングス、クラウディアホールディングス、*シェアリングテクノロジー、テイクアンドギヴ・ニーズ、*田谷、日本PCサービス、アドベンチャー、こころネット、日本エマージェンシーアシスタンス、IBJ、*タメニー、エアトリ、WASHハウス、*旅工房、キュービーネットホールディングス、*コンヴァノ、*ベストワンドットコム、サン・ライフホールディング、*ベルトラ、*きずなホールディングス、ニチリョク、*リベロ、ユーラシア旅行社、エム・エイチ・グループ、エイチ・アイ・エス、燦ホールディングス、*KNT-CTホールディングス、白洋舎
	娯楽業	107	17	コシダカホールディングス、ルネサンス、*鉄人化計画、*ランシステム、アミューズ、イオンファンタジー、オリエンタルランド、ラウンドワン、KeyHolder、セントラルスポーツ、*日本スキー場開発、平和、共和コーポレーション、伊豆シャボテンリゾート、*トゥエンティーフォーセブン、カーブスホールディングス、*FastFitnessJapan、フィンテックグローバル、東祥、東急レクリエーション、中日本興業、グリーンランドリゾート、*御園座、東京都競馬
教育、学習支援業		108	22	*幼児活動研究会、成学社、ビジネス・ブレークスルー、すららネット、TAC、市進ホールディングス、*明光ネットワークジャパン、秀英予備校、*クリップコーポレーション、リソー教育、早稲田アカデミー、城南進学研究社、*京進、

			東京個別指導学院、ジェイエスエス、レアジョブ、インソース、SERIOホールディングス、＊ヒューマン・アソシエイツ・ホールディングス（＊2202）、スプリックス、アルー、＊KIYOラーニング、＊ウィルソン・ラーニングワールドワイド、ウィザス、＊ナガセ、進学会ホールディングス、学究社、昴、ベネッセホールディングス、ステップ
医療、福祉	109	23	光ハイツ・ヴェラス、イナリサーチ、＊テラ、＊メディネット、アイロムグループ、ケア21、セントケア・ホールディングス、新日本科学、ケアサービス、シダー、ライク、JPホールディングス、＊ロングライフホールディング、H.U.グループホールディングス、ファルコホールディングス、ビー・エム・エル、ウチヤマホールディングス、チャーム・ケア・コーポレーション、グローバルキッズCOMPANY、インターネットインフィニティー、ウェルビー、AIAIグループ、＊揚工舎、テノ.ホールディングス、＊マルク、＊日本ホスピスホールディングス、フレアス、SIホールディングス、アンビスホールディングス、＊QLSホールディングス、＊AHCグループ、＊KidsSmileHoldings、＊リグア、＊リビングプラットフォーム、＊ステルセム研究所、＊さくらさくプラス、＊ポピンズホールディングス、＊T.S.I、＊LITALICO
サービス業（他に分類されないもの）	110	102	業種111、112の会社
職業紹介・労働者派遣業	111	40	ジェイエイシーリクルートメント、ヒップ、UTグループ、夢真ビーネックスグループ、アルトナー、パソナグループ、リンクアンドモチベーション、エス・エム・エス、パーソルホールディングス、ギグワークス、ヒューマンホールディングス、アウトソーシング、ワールドホールディングス、エスプール、WDBホールディングス、ジェイテック、メディア

				ファイブ、クイック、＊クリエアナブキ（＊2202）、山田債権回収管理総合事務所、＊アルプス技研、クリーク・アンド・リバー社、キャリアバンク、フルキャストホールディングス、＊エン・ジャパン、テクノプロ・ホールディングス、エクストリーム、MRT、キャリアリンク、アビスト、＊ウィルグループ、＊リクルートホールディングス、ソラスト、キャリア、MS-Japan、エスユーエス、＊クックビズ、みらいワークス、日総工産、CRGホールディングス、ツクイスタッフ、コプロ・ホールディングス、ジェイック、スポーツフィールド、＊ウイルテック、＊フォーラムエンジニアリング、＊フォースタートアップス、＊エージェント、＊BrandingEngineer、＊コンフィデンス、＊BCC、平山ホールディングス、メイテック
	その他の事業サービス業	112	62	ルーデン・ホールディングス、ダイセキ環境ソリューション、＊シイエム・シイ、シミックホールディングス、綜合警備保障、＊ベネフィット・ワン、ShinwaWiseHoldings、シー・ヴイ・エス・ベイエリア、リネットジャパングループ、CARTAHOLDINGS、＊リアルワールド、エコミック、ソーシャルワイヤー、＊バリューデザイン、CLホールディングス、プレステージ・インターナショナル、ぴあ、ヒト・コミュニケーションズ・ホールディングス、＊ペイロール、ダイオーズ、日本空調サービス、＊エイジス、アール・エス・シー、トスネット、テー・オー・ダブリュー、エフアンドエム、GMOTECH、インターワークス、＊KeePer技研、三機サービス、インパクトホールディングス、バリューHR、＊アーキテクツ・スタジオ・ジャパン、シンメンテホールディングス、エスクロー・エージェント・ジャパン、アクアライン、ベルシステム24ホールディングス、富士ソフトサービスビューロ、

				バーチャレクス・ホールディングス、船場、＊グレイステクノロジー（＊2202)、ジャパンエレベーターサービスホールディングス、ディーエムソリューションズ、ミダックホールディングス、要興業、エヌリンクス、＊インバウンドテック、ブリッジインターナショナル、フロンティアインターナショナル、共栄セキュリティーサービス、ピアズ、WDBココ、＊アディッシュ、＊NexTone、＊MacbeePlanet、＊ダイレクトマーケティングミックス、＊シック・ホールディングス、＊リファインバースグループ、クレステック、アドバンテッジリスクマネジメント、リログループ、＊メディア総研、＊TREホールディングス、ファイズホールディングス、ショーエイコーポレーション、＊パパネッツ、フォーバル・リアルストレート、ラックランド、スペース、セレスポ、東洋テック、トランス・コスモス、乃村工藝社、＊日本管財、セコム、セントラル警備保障、丹青社、ハリマビステム、ディーエムエス、イオンディライト、ビケンテクノ、ダイセキ
その他の産業		113	3191	業種1、10、52、53、60、65、79、88、92、96、99、105、108、109、110の会社、及び、＊雪国まいたけ、ホクト、ホーブ、ベルグアース、ホクリヨウ、インターライフホールディングス、日鉄鉱業、INPEX、石油資源開発、K&Oエナジーグループ、＊中小企業ホールディングス、CDS、CSSホールディングス、総医研ホールディングス、アスモ、サーラコーポレーション、グリムス、TOKAIホールディングス、三重交通グループホールディングス、＊FHTホールディングス、＊リミックスポイント、ダイキアクシス、＊SDエンターテイメント、サニックス、＊昭和ホールディングス、リソルホールディングス、高見澤、

			ジェイエフイーホールディングス、＊エス・サイエンス、東芝、富士電機、神戸天然物化学、RPAホールディングス、日本電気、富士通、ソニーグループ、INCLUSIVE、＊イヴレス、アストマックス、第一興商、ノーリツ鋼機、ブシロード、MTG、バンダイナムコホールディングス、アビックス、アールシーコア、兼松サステック、内田洋行、ミツウロコグループホールディングス、＊サンリオ、丸井グループ、オリックス、小林洋行、東武鉄道、相鉄ホールディングス、東急、京浜急行電鉄、小田急電鉄、京王電鉄、富士急行、西武ホールディングス、西日本鉄道、近鉄グループホールディングス、阪急阪神ホールディングス、南海電気鉄道、京阪ホールディングス、名古屋鉄道、センコン物流、山陽電気鉄道、京極運輸商事、神奈川中央交通、北海道中央バス、九州旅客鉄道、ブティックス、ヤマタネ、クロップス、光通信、学研ホールディングス、東京テアトル、＊武蔵野興業、常磐興産、ホウライ、日邦産業、大庄

（参考資料）

財産評価基本通達による株価算定ルール

１　原則的評価方式　（同族株主等が取得した株式の評価）

（１）評価方法

①　類似業種比準方式

　発行会社と事業の種類が同一又は類似する複数の上場会社の株価の平均値に比準して、株式の価額を算定する方法

②　純資産価額方式

　発行会社の純資産価額（時価ベース）を発行済株式数で除して、株式の価額を算定する方法

（２）会社の規模別の評価方法

①　上場会社に匹敵するような大会社の株式　　：類似業種比準方式（純資産価額方式も可）

②　大会社と小会社の中間にある中会社の株式　：併用方式（純資産価額方式も可）

③　個人企業とそれほど変わらない小会社の株式：純資産価額方式（併用方式も可）

２　特例的評価方式　（同族株主等以外の者が取得した株式の評価）

○　配当還元方式（原則的評価方式も可）

$$\frac{\text{配当金額（※）}}{10\%} \times \frac{\text{1株当たりの資本金等の額}}{50\text{円}}$$

※１株当たりの資本金等の額を５０円とした場合の配当金額。配当金額が２.５円未満の場合は２.５円で計算。

計　算　例　①

税制適格ストックオプションを付与する期の
直前期末のB/S（相続税評価（時価）ベース）

●財産評価基本通達の例により算定した
１株当たりの株価（セーフハーバー）

【純資産価額方式の場合】
５0万円÷1,000株＝500円

計　算　例　②

税制適格ストックオプションを付与する期の
直前期末のB/S（相続税評価（時価）ベース）

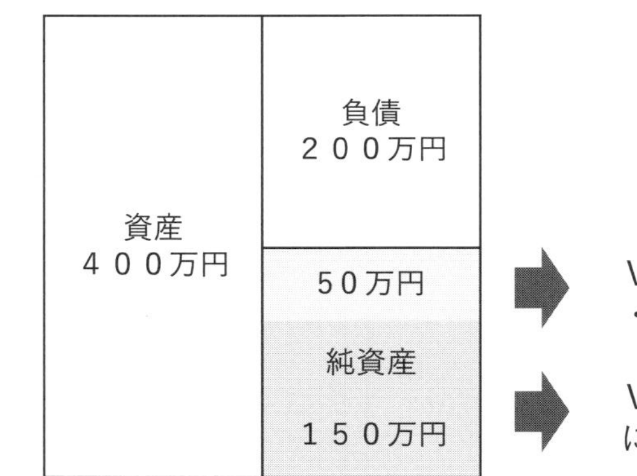

●財産評価基本通達の例により算定した
１株当たりの株価（セーフハーバー）

【純資産価額方式の場合】
・優先分配分　　：150万円÷1,000株=1,500円
・均等分配分　　：　50万円÷2,000株＝　250円
・普通株式の価額：　250円
・優先株式の価額：1,750円

（付録４）

令和５年５月
〔最終改訂 令和５年７月〕

ストックオプションに対する課税（Q＆A）

このＱ＆Ａは、ストックオプションに関する税務上の一般的な取扱いについて、質疑応答形式で取りまとめたものです。

※　このＱ＆Ａは、令和５年７月７日現在の法令・通達等に基づいて作成しています。

※　このＱ＆Ａは、一般的な取扱いを示したものであり、個々の事実関係によっては、異なる取扱いとなる場合があることにご注意ください。

目　次

【税制非適格ストックオプション（無償・有利発行型）の課税関係】

問１　私は、勤務先から譲渡制限の付されたストックオプション（税制非適格ストックオプション）を無償で取得しました。この場合の課税関係について教えてください。

【発行会社の株価等】

・　ストックオプションの付与時　　　　：　200

・　ストックオプションの行使時　　　　：　800（権利行使価額 200）

・　権利行使により取得した株式の譲渡時：1,000

（答）

○　勤務先から支給を受ける現物支給の給与については、支給時の給与所得として所得税の課税対象とされますが、その現物支給の給与が、譲渡制限の付されたストックオプション（税制非適格ストックオプション）である場合には、そのストックオプションを譲渡して所得を実現させることができないことから、ストックオプションの付与時に所得を認識せず、そのストックオプションを行使した日の属する年分の給与所得（注）として所得税の課税対象とされます（所令 84③）。

（注１）支配関係のある親会社等から労務の対価として付与されたストックオプションに係る経済的利益についても、給与所得に区分されます。

（注２）請負契約その他これに類する契約に基づき、役務提供の対価として付与されたストックオプションに係る経済的利益については、事業所得又は雑所得に区分されます。

なお、そのストックオプションに係る経済的利益が、所得税法第 204 条に規定する報酬料金等に該当する場合には、源泉徴収の対象とされます。

○　ご質問のストックオプション（税制非適格ストックオプション（無償・有利発行型））の課税関係は、次のとおりとなります。

①　税制非適格ストックオプションの付与時の経済的利益は、当該ストックオプションには譲渡制限が付されており、そのストックオプションを譲渡して所得を実現させることができないことから、課税関係は生じません。

②　当該ストックオプションの行使時（株式の取得時）の経済的利益は、給与所得となります。

（注１）経済的利益の額は、行使時の株価（800）から権利行使価額（200）を差し引いた 600 となります。

（注２）発行会社は、上記の経済的利益について、源泉所得税を徴収して納付する必要があります。

③　当該ストックオプションを行使して取得した株式を売却した場合、株式譲渡益課税の対象となります。

（注）株式譲渡益は、譲渡時の株価（1,000）から、行使時の株価（800）を差し引いた 200 となります。

《税制非適格ストックオプション（無償・有利発行型）のイメージ》

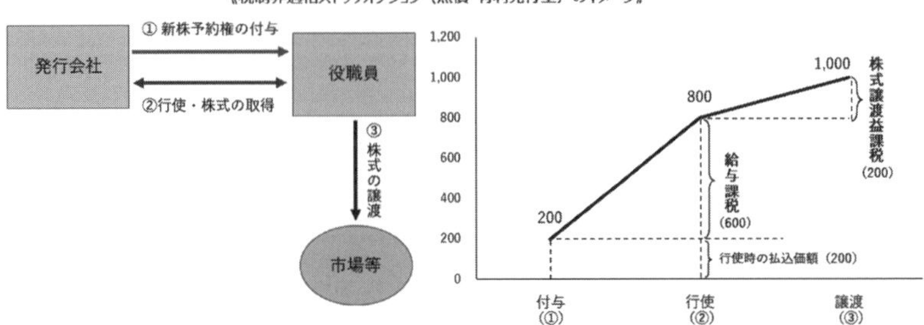

【税制非適格ストックオプション（有償型）の課税関係】

問2　私は、勤務先からストックオプションを適正な時価（50）で有償取得しました。この場合の課税関係について教えてください。

【発行会社の株価等】

・　ストックオプションの購入時　　　　：200
・　ストックオプションの行使時　　　　：800（権利行使価額200）
・　権利行使により取得した株式の譲渡時：1,000

（答）

○　勤務先から支給を受ける現物支給の給与については、支給時の給与所得として所得税の課税対象とされますが、その現物支給の給与が、譲渡制限の付されたストックオプション（税制非適格ストックオプション）である場合には、そのストックオプションを譲渡して所得を実現させることができないことから、ストックオプションの付与時に所得を認識せず、そのストックオプションを行使した日の属する年分の給与所得[注]として所得税の課税対象とされます（所令84③）。

（注1）支配関係のある親会社等から労務の対価として付与されたストックオプションに係る経済的利益についても、給与所得に区分されます。

（注2）請負契約その他これに類する契約に基づき、役務提供の対価として付与されたストックオプションに係る経済的利益については、事業所得又は雑所得に区分されます。

なお、そのストックオプションに係る経済的利益が、所得税法第204条に規定する報酬料金等に該当する場合には、源泉徴収の対象とされます。

○　他方で、ご質問のような勤務先から適正な時価で有償取得したストックオプション（税制非適格ストックオプション（有償型））の課税関係は、次のとおりとなります。

①　税制非適格ストックオプション（有償型）は、当該ストックオプションを適正な時価で購入していることから、経済的利益は発生せず、課税関係は生じません。

②　当該ストックオプションの行使時の経済的利益（ストックオプションの値上がり益）については、所得税法上、認識しないこととされています（所法36②、所令109①一）。

③　当該ストックオプションを行使して取得した株式を売却した場合、株式譲渡益課税の対象となります。

（注）株式譲渡益は、譲渡時の株価（1,000）から、当該ストックオプションの購入価額（50）と権利行使価額（200）の合計額（250）を差し引いた750となります。

《税制非適格ストックオプション（有償型）のイメージ》

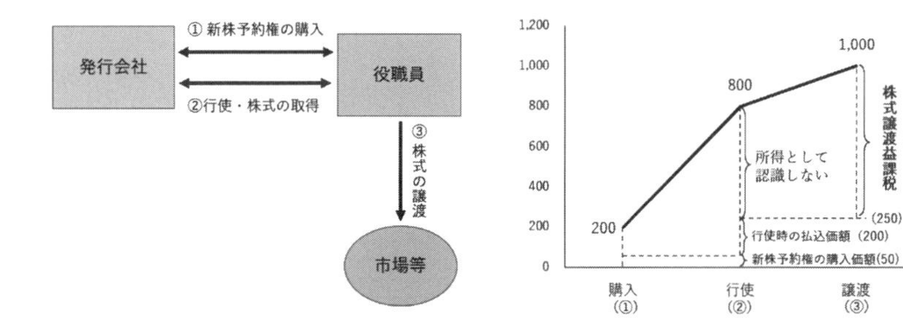

【税制非適格ストックオプション（信託型）の課税関係】

問３　私は、下記のとおり、勤務先から信託会社を通じてストックオプションを取得し、その権利を行使することにより取得した株式を売却しました。この場合の課税関係について教えてください。

① 発行会社又は発行会社の代表取締役等が信託会社に金銭を信託して、信託（法人課税信託）を組成する（信託の組成時に、受益者及びみなし受益者は存在しない。）。

② 信託会社は、発行会社の譲渡制限付きストックオプションを適正な時価（50）で購入する。

③ 発行会社は、信託期間において会社に貢献した役職員を信託の受益者に指定し、信託財産として管理されているストックオプションを当該役職員に付与する。

④ 役職員は、ストックオプションを行使して発行会社の株式を取得する。

⑤ 役職員は、ストックオプションを行使して取得した株式を売却する。

【発行会社の株価等】

・ ストックオプションの購入時　：200
・ ストックオプションの付与時　：600
・ ストックオプションの行使時　：800（権利行使価額200）
・ 権利行使により取得した株式の譲渡時：1,000

（答）

○ 勤務先から支給を受ける現物支給の給与については、支給時の給与所得として所得税の課税対象とされますが、その現物支給の給与が、譲渡制限の付されたストックオプション（税制非適格ストックオプション）である場合には、そのストックオプションを譲渡して所得を実現させることができないことから、ストックオプションの付与時に所得を認識せず、そのストックオプションを行使した日の属する年分の給与所得[注]として所得税の課税対象とされます（所令84③）。

（注１）支配関係のある親会社等から労務の対価として付与されたストックオプションに係る経済的利益についても、給与所得に区分されます。

（注２）請負契約その他これに類する契約に基づき、役務提供の対価として付与されたストックオプションに係る経済的利益については、事業所得又は雑所得に区分されます。
なお、そのストックオプションに係る経済的利益が、所得税法第204条に規定する報酬料金等に該当する場合には、源泉徴収の対象とされます。

○ ご質問のストックオプション（税制非適格ストックオプション（信託型））の課税関係は、次のとおりとなります。

① 当該信託（法人課税信託）には、組成時に受益者が存在しないことから、発行会社又は発行会社の代表取締役等が信託会社に信託した金銭に対して、法人課税が行われることとなります。

② 信託会社が当該ストックオプションを適正な時価（50）で購入した場合、経済的利益が発生しないことから、課税関係は生じません。

③ 発行会社が、役職員を受益者に指定することにより、信託財産として管理しているストックオプションを付与した場合の経済的利益については、課税関係は生じません（所法67の3②）。

（注）役職員は、信託が購入の際に負担した50を取得価額として引き継ぐこととなります（所法67の3①）。

④ 役職員が当該ストックオプションを行使して発行会社の株式を取得した場合、その経済的利益は、給与所得となります（所法28、36②、所令84③）。

（注１）経済的利益の額は、行使時の株価（800）から取得価額として引き継いだ（50）と権利行使価額（200）の合計額（250）を差し引いた550となります。

（注２）発行会社は、上記の経済的利益について、源泉所得税を徴収して、納付する必要があります。

（注３）税制非適格ストックオプション（信託型）については、

・　信託が役職員にストックオプションを付与していること、信託が有償でストックオプションを取得していることなどの理由から、上記の経済的利益は労務の対価に当たらず、「給与として課税されない」との見解がありますが、

・　実質的には、発行会社が役職員にストックオプションを付与していること、役職員に金銭等の負担がないことなどの理由から、上記の経済的利益は労務の対価に当たり、「給与として課税される」こととなります。

⑤　役職員が当該ストックオプションを行使して取得した株式を売却した場合、株式譲渡益課税の対象となります。

（注）株式譲渡益は、譲渡時の株価（1,000）から、行使時の株価（800）を差し引いた200となります。

《税制非適格ストックオプション（信託型）のイメージ》

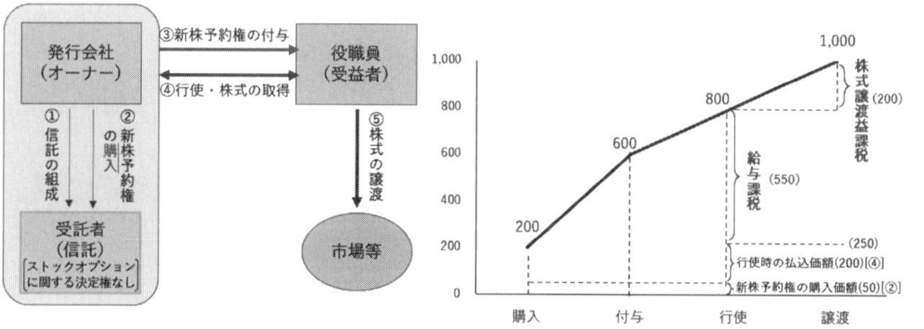

発行会社（オーナー）
③新株予約権の付与
④行使・株式の取得
役職員（受益者）
①信託の組成
②新株予約権の購入
⑤株式の譲渡
受託者（信託）
［ストックオプションに関する決定権なし］
市場等

1,000
800
600
200
株式譲渡益課税（200）
給与課税（550）
(250)
行使時の払込価額(200)[④]
新株予約権の購入価額(50)[②]
購入　付与　行使　譲渡

【源泉所得税の納付について】

問４　私は、ストックオプションを発行した会社の経理を担当しています。 　今般、税制非適格ストックオプション（無償・有利発行型又は信託型）の行使に係る経済的利益について、源泉所得税を納付していないことが判明しました。 　このような場合、どのように対応すればよいですか。

（答）

○　税制非適格ストックオプション（無償・有利発行型又は信託型）については、ストックオプションの行使による株式の交付の際に、給与所得に係る源泉所得税を徴収して、納税地の所轄税務署に納付する必要があります。

○　ご質問のように、既にストックオプションの行使が行われ、源泉所得税の納付をしていない場合には、速やかに源泉所得税を納付していただく必要があります（納付した源泉所得税は、ストックオプションを行使した者に求償することができます。）。

（注）発行会社が、その源泉所得税について、ストックオプションを行使した者に求償しないこととした場合には、ストックオプションを行使した者に債務免除に係る経済的利益を与えたことになり、その求償しないこととした時において、その税額に相当する金額の税引き後の手取額で給与や報酬の追加払いをしたものとし、その支払ったものとなる金額に係る源泉所得税を計算（グロスアップ計算）することとなります（所基通221-1、所基通181－223共－４）。

○　なお、源泉所得税を一時に納められない場合には、税務署に申請を行うことにより、原則として１年以内の期間に限り、納税の猶予等が認められる場合があります。

○　今後の手続等にご不明な点等がございましたら、納税地の所轄税務署の法人課税部門（源泉所得税担当）にご連絡いただきますようお願いいたします。

【税制非適格ストックオプションを行使して取得した株式の価額】

問５　私は、ストックオプションを発行した会社の経理を担当しています。
今般、税制非適格ストックオプション（無償・有利発行型又は信託型）の行使に係る経済的利益について、源泉所得税を納付していないことが判明しました。
このような場合、源泉所得税を計算する際の株式の価額について、どのように算定すればよいですか。

（答）

○　税制非適格ストックオプション（無償・有利発行型又は信託型）を行使して取得した株式の価額については、所得税基本通達23～35共－９の例により算定することとなり、具体的な算定方法は、次のとおりです。

（１）その株式が金融商品取引所に上場されている場合
当該株式につき金融商品取引法第 130 条の規定により公表された最終価格（同日に最終価格がない場合には、同日前の同日に最も近い日における最終価格とし、２以上の金融商品取引所に同一の区分に属する最終価格がある場合には、当該価格が最も高い金融商品取引所の価格）

（２）その株式に係る旧株が金融商品取引所に上場されている場合において、当該株式が上場されていないとき
当該旧株の最終価格を基準として当該株式につき合理的に計算した価額

（３）上記（１）の株式及び（２）の旧株が金融商品取引所に上場されていない場合において、当該株式又は当該旧株につき気配相場価格があるとき
（１）又は（２）の最終価格を気配相場価格と読み替えて（１）又は（２）により求めた価額

（４）（１）から（３）までに掲げる場合以外の場合

イ　売買実例のあるもの
最近において売買の行われたもののうち適正と認められる価額
（注１）その株式の発行法人が、種類株式を発行している場合には、株式の種類ごとに売買実例の有無を判定することになります。
（注２）売買実例のある株式とは、最近（概ね６月以内）において売買の行われた株式をいい、１事例であっても売買実例に当たります。
なお、増資は売買実例として取り扱いますが、その株式を対象とした新株予約権の発行や行使は、売買実例には該当しません。

ロ　公開途上にある株式で、当該株式の上場又は登録に際して株式の公募等が行われるもの（イに該当するものを除く。）
金融商品取引所又は日本証券業協会の内規によって行われるブックビルディング方式又は競争入札方式のいずれかの方式により決定される公募等の価格等を参酌して通常取引されると認められる価額
（注）公開途上にある株式とは、金融商品取引所が株式の上場を承認したことを明らかにした日から上場の日の前日までのその株式及び日本証券業協会が株式を登録銘柄として登録することを明らかにした日から登録の日の前日までのその株式をいいます。

ハ　売買実例のないもので発行会社と事業の種類、規模、収益の状況等が類似する他の株式会社の株式の価額があるもの
当該価額に比準して推定した価額

ニ　イからハまでに該当しないもの

権利行使日等又は権利行使日等に最も近い日におけるその発行会社の１株当たりの純資産価額等を参酌して通常取引されると認められる価額

（注）１　上記ニの価額については、一定の条件の下、財産評価基本通達の例により算定している場合には、著しく不適当と認められるときを除き、その算定した価額とすることができます。

著しく不適当と認められるときとは、例えば、財産評価基本通達の例により算定した普通株式の価額が、会計上算定した普通株式の価額の２分の１以下となるような場合をいいます。

２　その株式の発行法人が、種類株式を発行している場合には、その内容を勘案して、個別に普通株式の価額を算定することとなります。

【税制適格ストックオプションの課税関係】

問6　私は、勤務先から税制適格ストックオプションを取得しました。この場合の課税関係について教えてください。

【発行会社の株価等】

・　ストックオプションの付与時　　　　：　200
・　ストックオプションの行使時　　　　：　800（権利行使価額200）
・　権利行使により取得した株式の譲渡時：1,000

（答）

○　勤務先から支給を受ける現物支給の給与については、支給時の給与所得として所得税の課税対象とされますが、その現物支給の給与が、譲渡制限の付されたストックオプション（税制非適格ストックオプション）である場合には、そのストックオプションを譲渡して所得を実現させることができないことから、ストックオプションの付与時に所得を認識せず、そのストックオプションを行使した日の属する年分の給与所得(注)として所得税の課税対象とされます（所令84③）。

（注1）支配関係のある親会社等から労務の対価として付与されたストックオプションに係る経済的利益についても、給与所得に区分されます。

（注2）請負契約その他これに類する契約に基づき、役務提供の対価として付与されたストックオプションに係る経済的利益については、事業所得又は雑所得に区分されます。
　なお、そのストックオプションに係る経済的利益が、所得税法第204条に規定する報酬料金等に該当する場合には、源泉徴収の対象とされます。

○　他方で、次に掲げる要件を満たすようなストックオプション（税制適格ストックオプション）に該当する場合には、当該ストックオプションを行使して株式を取得した日の給与課税を繰り延べ、その株式を譲渡した日の属する年分の株式譲渡益として所得税の課税対象とすることとされています（措法29の2）。

（注）給与所得の税率よりも株式譲渡益の税率が低い場合には、税負担が軽減されることとなります。

①　ストックオプションは、発行会社の取締役等に無償で付与されたものであること。

②　ストックオプションの行使は、その契約の基となった付与決議の日後2年を経過した日からその付与決議の日後10年（発行会社が設立の日以後の期間が5年未満の株式会社で、金融商品取引所に上場されている株式等の発行者である会社以外の会社であることその他の要件を満たす会社である場合には15年）を経過する日までの間に行わなければならないこと。

（注）付与決議の日とは、ストックオプションの割当てに関する決議の日をいいます。

③　ストックオプションの行使の際の権利行使価額の年間の合計額が1,200万円を超えないこと。

④　ストックオプションの行使に係る1株当たりの権利行使価額は、当該ストックオプションの付与に係る契約を締結した株式会社の当該契約の締結の時における1株当たりの価額相当額以上であること。

（注）「当該契約の締結の時」については、ストックオプションの付与に係る契約の締結の日が、ストックオプションの付与決議の日やストックオプションの募集事項の決定の決議の日から6月を経過していない場合には、これらの決議の日として差し支えありません。

⑤　取締役等において、ストックオプションの譲渡が禁止されていること。

⑥　ストックオプションの行使に係る株式の交付が、会社法第238条第1項に定める事項に反

しないで行われるものであること。

⑦　発行会社と金融商品取引業者等との間であらかじめ締結された取決めに従い、金融商品取引業者等において、当該ストックオプションの行使により取得した株式の保管の委託等がされること。

○　ご質問のストックオプション（税制適格ストックオプション）の課税関係は、次のとおりとなります。

①　税制適格ストックオプションの付与時の経済的利益は、当該ストックオプションには譲渡制限が付されており、そのストックオプションを譲渡して所得を実現させることができないことから、課税関係は生じません。

②　当該ストックオプションの行使時（株式の取得時）の経済的利益は、租税特別措置法の規定により、課税が繰り延べられることから、課税関係は生じません。

③　当該ストックオプションを行使して取得した株式を売却した場合、株式譲渡益課税の対象となります。

（注）株式譲渡益は、譲渡時の株価（1,000）から、権利行使価額（200）を差し引いた800となります。

《税制適格ストックオプションのイメージ》

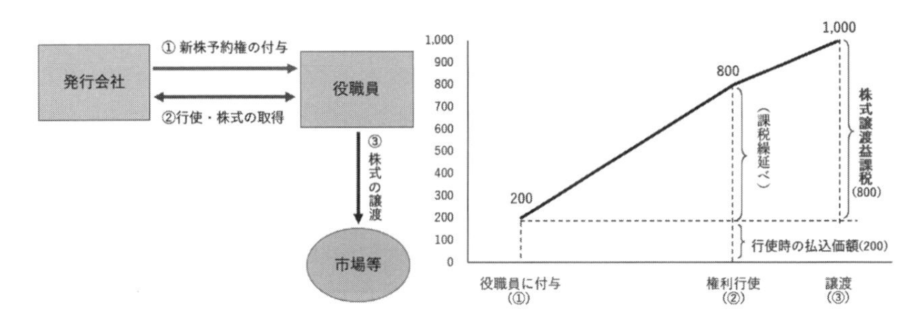

（参考）令和５年度税制改正で措置された税制適格ストックオプションの改正の概要

○　令和５年度の税制改正においては、税制適格ストックオプションの要件のうち、当該ストックオプションの行使はその付与決議の日後10年を経過する日までの間に行うこととの要件（上記②の要件）について、一定の株式会社が付与するストックオプションについては、当該ストックオプションの行使はその付与決議の日後15年を経過する日までの間に行うこととするほか、所要の措置を講ずることとされました。

（注１）上記の「一定の株式会社」とは、設立の日以後の期間が５年未満の株式会社で、金融商品取引所に上場されている株式等の発行者である会社以外の会社であることその他の要件を満たすものとされています。

（注２）上記の改正は、令和５年４月１日以後に行われる付与決議に基づき締結される契約により与えられるストックオプションについて適用することとされています。

【税制適格ストックオプションの権利行使価額（付与契約時の株価①)】

問７　当社は、上場又はＭ＆Ａを目指しているスタートアップ企業です。 今般、従業員に対して、税制適格ストックオプションの付与を予定しています。 税制適格ストックオプションの権利行使価額は、ストックオプションの付与に係る契約時の株価以上とする必要がありますが、当該株価の算定方法について教えてください。

（答）

○　税制適格ストックオプションについては、「新株予約権の行使に係る１株当たりの権利行使価額は、当該新株予約権に係る契約を締結した株式会社の株式の当該契約の締結の時における１株当たりの価額に相当する金額以上であること」が要件とされています（措法29の２①三)。

（注)「当該契約の締結の時」については、ストックオプションの付与に係る契約の締結の日が、ストックオプションの付与に関する決議の日やストックオプションの募集事項の決定の決議の日から６月を経過していない場合には、これらの決議の日として差し支えありません。

○　ご質問のストックオプションの付与に係る契約時の株価は、所得税基本通達23～35共－９の例によって算定します（以下「原則方式」といいます。参考２参照)。ただし、その株式が取引相場のない株式である場合には、原則方式によらず、一定の条件の下、財産評価基本通達の例によって算定することもできます（以下「特例方式」といいます。参考３参照)。

（注）特例方式の算定において、貴社が、種類株式を発行している場合には、その内容を勘案して個別に普通株式の「１株当たりの価額」を算定することになります。

○　結果として、特例方式で算定した価額以上の価額で「権利行使価額」を設定していれば、権利行使価額に関する要件を満たすこととなります。

（参考１）株式の区分ごとの株式の価額（原則方式・特例方式の選択の可否)

区　分			株式の価額	
			原則方式	特例方式（注１)
株式	取引相場のある株式	上場株式	取引相場価額	選択不可
		気配相場等のある株式（注２)	気配相場価額 公募等の価額	
	取引相場のない株式	売買実例のある株式（注３)	売買実例価額	選択可
		売買実例のない株式	類似会社の株式の価額	
			純資産価額等を参酌して算定した価額（注４)	

（注１）特例方式は、税制適格ストックオプションの権利行使価額に関する要件に係る付与契約時

の株価の算定でしか選択することができません。

（注２）気配相場等のある株式とは、次の株式をいいます。

① 登録銘柄として登録されている株式及び店頭管理銘柄として指定されている株式

② 公開途上にある株式及び日本証券業協会が株式を登録銘柄として登録することを明らかにした日から登録の日の前日までのその株式

（注３）売買実例のある株式とは、最近（概ね６月以内）において売買の行われた株式をいい、１事例であっても売買実例に当たります。

なお、増資は売買実例として取り扱いますが、その株式を対象とした新株予約権の発行や行使は、売買実例には該当しません。

（注４）純資産価額等を参酌して算定した価額については、一定の条件の下、財産評価基本通達の例によって算定した価額とすることができますが、特例方式と異なり、著しく不適当と認められる場合、例えば、財産評価基本通達の例により算定した普通株式の価額が会計上算定した普通株式の価額の２分の１以下となるような場合には、選択することはできません。

（参考２）原則方式による算定方法の概要

○ 原則方式による算定方法の概要は次のとおりです。

（１）その株式が金融商品取引所に上場されている場合

当該株式につき金融商品取引法第 130 条の規定により公表された最終価格（同日に最終価格がない場合には、同日前の同日に最も近い日における最終価格とし、２以上の金融商品取引所に同一の区分に属する最終価格がある場合には、当該価格が最も高い金融商品取引所の価格）

（２）その株式に係る旧株が金融商品取引所に上場されている場合において、当該株式が上場されていないとき

当該旧株の最終価格を基準として当該株式につき合理的に計算した価額

（３）上記（１）の株式及び（２）の旧株が金融商品取引所に上場されていない場合において、当該株式又は当該旧株につき気配相場価格があるとき

（１）又は（２）の最終価格を気配相場価格と読み替えて（１）又は（２）により求めた価額

（４）（１）から（３）までに掲げる場合以外の場合

イ 売買実例のあるもの

最近において売買の行われたもののうち適正と認められる価額

（注１）その株式の発行法人が、種類株式を発行している場合には、株式の種類ごとに売買実例の有無を判定します。

（注２）売買実例のある株式とは、最近（概ね６月以内）において売買の行われた株式をいい、１事例であっても売買実例に当たります。

なお、増資は売買実例として取り扱いますが、その株式を対象とした新株予約権の発行や行使は、売買実例には該当しません。

ロ 公開途上にある株式で、当該株式の上場又は登録に際して株式の公募等が行われるもの（イに該当するものを除く。）

金融商品取引所又は日本証券業協会の内規によって行われるブックビルディング方式又は競争入札方式のいずれかの方式により決定される公募等の価格等を参酌して通常取引されると認められる価額

（注）公開途上にある株式とは、金融商品取引所が株式の上場を承認したことを明らかにし

た日から上場の日の前日までのその株式及び日本証券業協会が株式を登録銘柄として登録することを明らかにした日から登録の日の前日までのその株式をいいます。

ハ　売買実例のないもので発行会社と事業の種類、規模、収益の状況等が類似する他の株式会社の株式の価額があるもの

当該価額に比準して推定した価額

ニ　イからハまでに該当しないもの

権利行使日等又は権利行使日等に最も近い日におけるその発行会社の１株当たりの純資産価額等を参酌して通常取引されると認められる価額

（注）１　上記ニの価額については、一定の条件の下、財産評価基本通達の例により算定している場合には、著しく不適当と認められるときを除き、その算定した価額とすることができます。

著しく不適当と認められるときとは、例えば、財産評価基本通達の例により算定した普通株式の価額が、会計上算定した普通株式の価額の２分の１以下となるような場合をいいます。

２　その株式の発行法人が、種類株式を発行している場合には、その内容を勘案して普通株式の価額を算定することとなります。

（参考３）特例方式による算定方法の概要

１　原則的評価方式（同族株主等が取得した株式の評価）

（１）評価方法

①　類似業種比準方式

発行会社と事業の種類が同一又は類似する複数の上場会社の株価の平均値に比準して、株式の価額を算定する方法

②　純資産価額方式

発行会社の純資産価額（時価ベース）を発行済株式数で除して、株式の価額を算定する方法

（２）会社の規模別の評価方法

①　上場会社に匹敵するような大会社の株式　　：類似業種比準方式（純資産価額方式も可）

②　大会社と小会社の中間にある中会社の株式　：併用方式（純資産価額方式も可）

③　個人企業とそれほど変わらない小会社の株式：純資産価額方式（併用方式も可）

２　特例的評価方式（同族株主等以外の者が取得した株式の評価）

○　配当還元方式（原則的評価方式も可）

$$\frac{配当金額（※）}{10\%} \times \frac{1株当たりの資本金等の額}{50円}$$

※１株当たりの資本金等の額を５０円とした場合の配当金額。

配当金額が２.５円未満の場合は２.５円で計算。

○　具体的な算定方法

区分		方式	具体的な計算方法
原則的評価方式	大会社	類似業種比準方式 （純資産価額方式も可）	$\text{類似業種平均株価（A）} \times \frac{\frac{\text{Ⓑ}}{B}+\frac{\text{Ⓒ}}{C}+\frac{\text{Ⓓ}}{D}}{3} \times \text{しんしゃく率（E）}$ ※Ⓑ、Ⓒ、Ⓓは、発行会社の配当、利益、簿価純資産 　B、C、Dは、類似業種の配当、利益、簿価純資産 ※Eは、大会社：0.7、中会社：0.6、小会社：0.5
	中会社	併用方式 （純資産価額方式も可）	類似業種比準価額×L※＋純資産価額×（1－L） ※Lの割合＝大会社に近いもの 0.9、中間のもの 0.75、小会社に近いもの 0.6
	小会社	純資産価額方式 （併用方式も可）	$\frac{\text{相続税評価額による純資産価額}}{\text{発行済株式数}}$
特例的評価方式	－	配当還元方式 （原則的評価方式も可）	$\frac{\text{配当金額(※)}}{10\%} \times \frac{\text{1株当たりの資本金等の額}}{\text{50円}}$ ※1株当たりの資本金等の額を 50 円とした場合の配当金額。 　配当金額が 2.5 円未満の場合は 2.5 円で計算。

（注）発行会社が、種類株式を発行している場合には、その内容を勘案して、個別に普通株式の「1株当たりの価額」を算定することになります。

3　特例方式で算定する場合の留意事項

⑴　「1株当たりの価額」につき財産評価基本通達 179 の例により算定する場合（同通達 189－3の⑴において同通達 179 に準じて算定する場合を含む。）において、新株予約権を与えられた者が発行会社にとって同通達 188 の⑵に定める「中心的な同族株主」に該当するときは、当該株式会社は常に同通達 178 に定める「小会社」に該当するものとしてその例によること。

⑵　発行会社が土地（土地の上に存する権利を含む。）又は金融商品取引所に上場されている有価証券を有しているときは、財産評価基本通達 185 に定める「1株当たりの純資産価額（相続税評価額によつて計算した金額）」の計算に当たり、これらの資産については、新株予約権の付与に係る契約時における価額によること。

⑶　財産評価基本通達 185 の本文に定める「1株当たりの純資産価額（相続税評価額によって計算した金額）」の計算に当たり、同通達 186－2により計算した評価差額に対する法人税額等に相当する金額は控除しないこと。

【税制適格ストックオプションの権利行使価額（付与契約時の株価②)】

問8　当社は、上場又はM&Aを目指しているスタートアップ企業です。 今般、従業員に対して、税制適格ストックオプションの付与を予定しています。 税制適格ストックオプションの権利行使価額は、ストックオプションの付与に係る契約時の株価以上とする必要がありますが、この契約時の株価の算定方法を教えてください。 当社の純資産価額等の状況は以下のとおりです。 ①　直前期末の純資産価額（相続税評価額ベース）：50万円 ②　発行済株式数：普通株式1,000株（1株当たりの発行価額：1,000円） ③　算定方法：特例方式（純資産価額方式）

（答）

○　税制適格ストックオプションの権利行使価額については、ストックオプションの付与に係る契約の締結時の株価以上とする必要がありますが、当該株式が取引相場のない株式である場合には、一定の条件の下、財産評価基本通達の例により算定することもできます（以下「特例方式」といいます。)。

○　ご質問のケースの特例方式（純資産価額方式）の算定方法は、次のとおりです。

①　ストックオプションの付与に係る契約時における貴社の資産及び負債の価額について相続税評価額の時価ベースで算定する。

②　上記①で算定した資産の価額から負債の価額を差し引いて純資産価額を算定する。

③　上記②で算定した純資産価額をストックオプションの付与に係る契約時における発行済株式数で除して、1株当たりの価額を算定する。

（注1）純資産価額については、直前期末の決算に基づき算定して差し支えありませんが、次のような場合には、ストックオプションの付与に係る契約時に仮決算を組んで算定する必要があります。

イ　ストックオプションの付与契約日が直前期末から6月を経過し、かつ、その日の純資産価額が直前期末の純資産価額の2倍に相当する額を超えている場合

ロ　直前期末からストックオプションの付与契約日までの間に、株式を発行している場合（イに該当する場合を除きます。)

なお、ロの場合には、直前期末の純資産価額に、株式の発行の際に払い込みを受けた金額を資産の額に加算して、純資産価額を算定して差し支えありません。

（注2）純資産価額がマイナスになる場合の株式の価額は0円となりますが、権利行使価額は備忘価額の1円以上の任意の価額とすることとなります。

（注3）発行済株式数は、ストックオプションの付与時の株式数となります（直前期末の株式数とすることはできません。)。

【特例方式（純資産価額方式）による株価】

50万円 ÷ 1,000株 ＝ 500円

○　したがって、権利行使価額を500円以上としていれば、税制適格ストックオプションの権利行使価額に関する要件を満たすこととなります。

【税制適格ストックオプションの権利行使価額（付与契約時の株価③)】

問９　当社は、上場又はＭ＆Ａを目指しているスタートアップ企業です。

今般、従業員に対して、普通株式を対象とする税制適格ストックオプションの付与を予定しています。

税制適格ストックオプションの権利行使価額は、ストックオプションの付与に係る契約時の株価以上とする必要がありますが、この契約時の株価の算定方法を教えてください。

当社の純資産価額等の状況は以下のとおりです。

①　直前期末の純資産価額（相続税評価額ベース)：200 万円

②　発行済株式数

イ　普通株式：1,000 株（１株当たりの発行価額：1,000 円）

ロ　優先株式：1,000 株（１株当たりの発行価額：1,500 円）

※　優先株式の保有者であるベンチャーキャピタルには、残余財産のうち 150 万円(1.0 倍）が優先分配され、残りは発行済株式数（普通株式と優先株式の合計数）に応じて均等分配されます（参加型)。

③　算定方法：特例方式（純資産価額方式）

（答）

○　税制適格ストックオプションの権利行使価額については、ストックオプションの付与に係る契約の締結時の株価以上とする必要がありますが、当該株式が取引相場のない株式である場合には、一定の条件の下、財産評価基本通達の例により算定することもできます（以下「特例方式」といいます。)。

○　なお、特例方式での算定に当たり、貴社が種類株式を発行している場合には、その種類株式の内容を勘案して、個別に普通株式の価額を算定することとなります。

（注）普通株式に転換することが予定されている種類株式であっても、付与契約時に種類株式であれば、種類株式として取り扱います。

○　ご質問のケースの特例方式（純資産価額方式）算定方法は、次のとおりです。

①　ストックオプションの付与に係る契約時における貴社の資産及び負債の価額について相続税評価額ベースで算定する。

②　上記①で算定した資産の価額から負債の価額を差し引いて純資産価額を算定する。

③　上記②で算定した純資産価額から優先株式に分配される純資産価額を控除する。

④　上記③で算定した全株式に対応する純資産価額をストックオプションの付与に係る契約時における発行済株式数で除して、普通株式の１株当たり価額を算定する。

（注１）純資産価額については、直前期末の決算に基づき算定して差し支えありませんが、次のような場合には、ストックオプションの付与に係る契約時に仮決算を組んで算定する必要があります。

イ　ストックオプションの付与契約日が直前期末から６月を経過し、かつ、その日の純資産価額が直前期末の純資産価額の２倍に相当する額を超えている場合

ロ　直前期末からストックオプションの付与契約日までの間に、株式を発行している場合（イに該当する場合を除きます。)

なお、ロの場合には、直前期末の純資産価額に、株式の発行の際に払い込みを受けた金額を資産の額に加算して、純資産価額を算定して差し支えありません。

（注２）純資産価額がマイナスになる場合の普通株式の価額は０円となりますが、この場合の権利行使価額は備忘価額の１円以上の任意の価額とすることとなります。

（注３）優先株式の優先分配額が投資額を超える場合（例えば 1.5 倍や 2.0 倍の場合）であっても、その優先分配額を差し引いて普通株式の価額を算定することとなります。

なお、いわゆる J-KISS 型新株予約権などの残余財産の優先分配を受けることのできる新株予約権については、残余財産の優先分配を受けることのできる優先株式として取り扱って差し支えありません。

（注４）発行済株式数は、ストックオプションの付与時の株式数となります（直前期末の株式数とすることはできません。）。

なお、優先株式に係る残余財産の分配が優先分配分しか分配されない場合（非参加型の場合）の発行済株式数は、発行済の普通株式数となります。

【特例方式（純資産価額方式）による株価】

・ 200 万円（①）－150 万円（②ロ※）＝50 万円

・ 50 万円÷2,000 株（②イロ）＝250 円

○ したがって、権利行使価額を 250 円以上としていれば、税制適格ストックオプションの権利行使価額に関する要件を満たすこととなります。

（注）上記の計算のとおり、仮に、ベンチャーキャピタルに対して優先株式（1.0 倍）を発行し、資産の額が増えたとしても、普通株式の１株当たりの価額は、優先株式の発行前の価額と同じ価額になります。

【税制適格ストックオプションの権利行使価額（契約変更)】

問10　当社は、上場又はM&Aを目指しているスタートアップ企業です。
　当社は、従業員に対して、税制適格ストックオプションの付与に係る契約を締結し、当該契約に基づき、税制適格ストックオプションを付与していましたが、今回の租税特別措置法通達の改正を踏まえ、権利行使価額を引き下げる契約変更を行うことを考えています。
　こうした契約変更を行った場合でも、税制適格ストックオプションとして認められるでしょうか。

（答）

○　税制適格ストックオプションについては、「新株予約権に係る契約により与えられた新株予約権を当該契約に従って行使する」ことが要件とされていますので、当該契約で定めた事項を変更した場合、原則として、税制適格ストックオプションに該当しないこととなります。

○　他方で、令和5年7月の租税特別措置法通達の改正は、税制適格ストックオプションに係る権利行使価額が、税制適格を否認されないために高めに設定していたという実務を踏まえたものであり、同通達が公表されていれば、権利行使価額を高めに設定しなかったであろう点に鑑み、税制適格ストックオプションの要件を満たしている契約について、通達改正後に権利行使価額を引き下げる契約変更を行った場合で、かつ、当該契約変更後の権利行使価額が同通達に定めた権利行使価額に関する要件を満たしているときは、税制適格ストックオプションとして認められることとなります。

○　なお、税制適格ストックオプションについては、「当該新株予約権の行使に係る株式の交付が当該交付のために付与決議がされた会社法第 238 条第1項に定める事項に反しないで行われるものであること」も要件とされていますので（措法 29 の2①五)、契約変更後の権利行使価額が、付与決議で定めた権利行使価額に反することとなる場合には、権利行使価額を変更する決議も必要になります。

【税制適格ストックオプションの株券の保管の委託】

問11　当社は、上場又はM&Aを目指しているスタートアップ企業ですが、株券は発行しておりません。
今般、従業員に対して、普通株式を対象とする税制適格ストックオプションの付与を予定しています。
税制適格ストックオプションについては、税制適格ストックオプションを行使して取得した株式を証券会社等に保管の委託をしなければなりませんが、株券不発行会社の場合は株券発行会社に変更して、新たに株券を発行して証券会社等に株券の保管の委託をする必要があるのでしょうか。

（答）

○　税制適格ストックオプションにおいては、「行使によって取得する株式について、発行会社と金融商品取引業者等との間であらかじめ締結される取決めに従い、取得後直ちに、株式会社を通じて、金融商品取引業者等の振替口座簿に記載若しくは記録を受けること又は金融商品取引業者等に保管の委託若しくは管理等信託がされること」とされており、非上場会社においては、「権利者が、新株予約権の行使により株式の取得をする際、当該株式に係る株券の交付を受けずに、当該株式の交付をする株式会社から金融商品取引業者等の営業所等に当該株式を直接引き渡させることにより行う」ことが要件とされています（以下、本要件を「保管委託要件」といいます。）。

○　したがって、税制適格ストックオプションの行使を受けた際、株券を発行し、その株券を金融商品取引業者等に直接引き渡す場合は、保管委託要件を満たすことになります。
また、発行会社が未上場かつ株券不発行会社である場合には、契約等に基づき、発行会社から金融商品取引業者等に対して株式の異動情報が提供され、かつ、発行会社においてその株式の異動を確実に把握できる措置が講じられている場合には、「金融商品取引業者等の振替口座簿に記載若しくは記録を受けること」に相当するものであることから、株券の発行及び株券の金融商品取引業者等への引渡しをせずとも、保管委託要件を満たすこととなります。

（注１）株式の異動を確実に把握できる措置とは、例えば、税制適格ストックオプションの付与に関する契約において、税制適格ストックオプションの行使の際に、発行会社が指定した金融商品取引業者等への売り委託又は譲渡以外の方法で株式を譲渡した場合に、発行会社はその株式を没収するとともに権利者に対して違約金の支払を求めることができる事項を設けることが考えられます。

（注２）本Q&Aの公表前に税制適格ストックオプションの付与が行われ、かつ、本Q&Aの公表後において権利行使が行われていない場合には、株券の保管の委託に関する契約の変更及び株式の異動を確実に把握できる措置を講じることにより、上記の取扱いの適用を受けることができます。

【税制適格ストックオプション（信託型）の課税関係】

問12　当社は、上場又はM&Aを目指しているスタートアップ企業です。 今般、従業員に対して、信託型ストックオプションの付与を予定しています。 信託型ストックオプションについても、一定の要件を満たせば、税制適格ストックオプションとして認められると聞いていますが、どのような要件を満たせば、税制適格ストックオプションと認められるのでしょうか。

（答）

○　税制適格ストックオプションについては、次のような要件を満たすことが必要とされています。

①　ストックオプションは、発行会社の取締役等に無償で付与されたものであること。

②　ストックオプションの行使は、その契約の基となった付与決議の日後2年を経過した日からその付与決議の日後10年（発行会社が設立の日以後の期間が5年未満の株式会社で、金融商品取引所に上場されている株式等の発行者である会社以外の会社であることその他の要件を満たす会社である場合には15年）を経過する日までの間に行わなければならないこと。

（注）付与決議の日とは、ストックオプションの割当てに関する決議の日をいいます。

③　ストックオプションの行使の際の権利行使価額の年間の合計額が 1,200 万円を超えないこと。

④　ストックオプションの行使に係る1株当たりの権利行使価額は、当該ストックオプションの付与に係る契約を締結した株式会社の当該契約の締結時における1株当たりの価額相当額以上であること。

（注）「当該契約の締結時」については、ストックオプションの付与に係る契約の締結の日が、ストックオプションの付与決議の日やストックオプションの募集事項の決定の決議の日から6月を経過していない場合には、これらの決議の日として差し支えありません。

⑤　取締役等において、ストックオプションの譲渡が禁止されていること。

⑥　ストックオプションの行使に係る株式の交付が、会社法第 238 条第1項に定める事項に反しないで行われるものであること。

⑦　発行会社と金融商品取引業者等との間であらかじめ締結された取決めに従い、金融商品取引業者等において、当該ストックオプションの行使により取得した株式の保管の委託がされること。

○　信託型ストックオプションについては、次のような要件を満たせば、税制適格ストックオプションとして認められることとなります。

①　信託型ストックオプションに係る信託契約において、原則として、信託の受託者が自身の判断で、そのストックオプションの行使又は第三者への譲渡をすることができないとされていること。

②　信託型ストックオプションは、発行会社の取締役等に無償で付与されること。

③　信託型ストックオプションの行使は、信託型ストックオプションに係る受益者を指定する日（以下「受益者指定日」といいます。）の日後2年を経過した日から受益者指定日後10年（発行会社が設立の日以後の期間が5年未満の株式会社で、金融商品取引所に上場されている株式等の発行者である会社以外の会社であることその他の要件を満たす会社である場合には15年）を経過する日までの間に行わなければならないこと。

④　信託型ストックオプションの行使の際の権利行使価額の年間の合計額が 1,200 万円を超えないこと。

⑤　信託型ストックオプションの行使に係る１株当たりの権利行使価額は、信託受益権の付与に係る契約の締結時における１株当たりの価額相当額以上であること。

（注）「信託受益権の付与に係る契約の締結時」については、信託受益権の付与に係る契約の締結の日が、受益者指定日から６月を経過していない場合には、受益者指定日として差し支えありません。

⑥　取締役等において、信託型ストックオプション及びその信託受益権の譲渡が禁止されていること。

⑦　信託型ストックオプションの行使に係る株式の交付が、会社法第 238 条第１項に定める事項に反しないで行われるものであること。

⑧　発行会社と金融商品取引業者等との間であらかじめ締結された取決めに従い、金融商品取引業者等において、信託型ストックオプションの行使により取得した株式の保管の委託がされること。

（付録５）「相続税及び贈与税における取引相場のない株式等の評価明細書の様式及び記載方法等について」の一部改正(案)
（※令和５年８月１日付パブリックコメントより）

「相続税及び贈与税における取引相場のない株式等の評価明細書の様式及び記載方法等について」について、以下の改正を予定しています。

1　取引相場のない株式（出資）の評価明細書の記載方法等

取引相場のない株式（出資）の評価明細書の記載方法等について、表示単位未満の金額に係る端数処理の取扱いを明確化します。

2　適用時期

上記１については、令和６年１月１日以後に相続、遺贈又は贈与により取得した財産の評価に適用することとします。

【令和６年１月１日以降用】

取引相場のない株式（出資）の評価明細書の記載方法等

取引相場のない株式（出資）の評価明細書は、相続、遺贈又は贈与により取得した取引相場のない株式及び持分会社の出資等並びにこれらに関する権利の価額を評価するために使用します。

なお、この明細書は、第１表の１及び第１表の２で納税義務者である株主の態様の判定及び評価会社の規模（Ｌの割合）の判定を行い、また、第２表で特定の評価会社に該当するかどうかの判定を行い、それぞれについての評価方式に応じて、第３表以下を記載し作成します。

(注) 1　評価会社が一般の評価会社(特定の評価会社に該当しない会社をいいます。)である場合には、第６表以下を記載する必要はありません。

2　評価会社が「清算中の会社」に該当する場合には、適宜の様式により計算根拠等を示してください。

第１表の１　評価上の株主の判定及び会社規模の判定の明細書

1　この表は、評価上の株主の区分及び評価方式の判定に使用します。評価会社が「開業前又は休業中の会社」に該当する場合には、「１．株主及び評価方式の判定」欄及び「２．少数株式所有者の評価方式の判定」欄を記載する必要はありません。

なお、この表のそれぞれの「判定基準」欄及び「判定」欄は、該当する文字を○で囲んで表示します。

2　「**事業内容**」欄の「**取扱品目及び製造、卸売、小売等の区分**」欄には、評価会社の事業内容を具体的に記載します。「**業種目番号**」欄には、別に定める類似業種比準価額計算上の業種目の番号を記載します（類似業種比準価額を計算しない場合は省略しても差し支えありません。)。「**取引金額の構成比**」欄には、評価会社の取引金額全体に占める事業別の構成比を記載します。

(注)「取引金額」は直前期末以前１年間における評価会社の目的とする事業に係る収入金額（金融業・証券業については収入利息及び収入手数料）をいいます。

3　「**1．株主及び評価方式の判定**」の「**判定要素（課税時期現在の株式等の所有状況）**」の各欄は、次により記載します。

⑴　「**氏名又は名称**」欄には、納税義務者が同族株主等の原則的評価方式等（配当還元方式以外の評価方式をいいます。）を適用する株主に該当するかどうかを判定するために必要な納税義務者の属する同族関係者グループ（株主の１人とその同族関係者のグループをいいます。）の株主の氏名又は名称を記載します。

この場合における同族関係者とは、株主の１人とその配偶者、６親等内の血族及び３親等内の姻族等をいいます（付表「同族関係者の範囲等」参照)。

⑵　「**続柄**」欄には、納税義務者との続柄を記載します。

⑶　「**会社における役職名**」欄には、課税時期又は法定申告期限における役職名を、社長、代表取締役、副社長、専務、常務、会計参与、監査役等と具体的に記載します。

⑷　「㋑　**株式数（株式の種類）**」の各欄には、相続、遺贈又は贈与による取得後の株式数を記載します(評価会社が会社法第108条第１項に掲げる事項について内容の異なる２以上の種類の株式(以下「種類株式」といいます。）を発行している場合には、次の⑸のニにより記載します。なお、評

価会社が種類株式を発行していない場合には､株式の種類の記載を省略しても差し支えありません。)。

「㋺　**議決権数**」の各欄には、各株式数に応じた議決権数（個）を記載します（議決権数は㋑株式数÷１単元の株式数により計算し、１単元の株式数に満たない株式に係る議決権数は切り捨てて記載します。なお、会社法第188条に規定する単元株制度を採用していない会社は、１株式＝１議決権となります。)。

「㋩　**議決権割合**（㋺／④)」の各欄には、評価会社の議決権の総数（④欄の議決権の総数）に占める議決権数（それぞれの株主の㋺欄の議決権数）の割合を１％未満の端数を切り捨てて記載します（「納税義務者の属する同族関係者グループの議決権の合計数（⑤（②／④))」欄及び「筆頭株主グループの議決権の合計数（⑥（③／④))」欄は、各欄において、１％未満の端数を切り捨てて記載します。なお、これらの割合が50％超から51％未満までの範囲内にある場合には、１％未満の端数を切り上げて「51％」と記載します。)。

⑸　次に掲げる場合には、それぞれ次によります。

イ　相続税の申告書を提出する際に､株式が共同相続人及び包括受遺者の間において分割されていない場合

「㋑　株式数（株式の種類)」欄には、納税義務者が有する株式（未分割の株式を除きます。）の株式数の上部に、未分割の株式の株式数を㊏と表示の上、外書で記載し、納税義務者が有する株式の株式数に未分割の株式の株式数を加算した数に応じた議決権数を「㋺　議決権数」に記載します。また、「納税義務者の属する同族関係者グループの議決権の合計数（⑤（②／④))」欄には、納税義務者の属する同族関係者グループが有する実際の議決権数（未分割の株式に応じた議決権数を含みます。）を記載します。

ロ　評価会社の株主のうちに会社法第308条第１項の規定によりその株式につき議決権を有しないこととされる会社がある場合

「氏名又は名称」欄には、その会社の名称を記載します。

「㋑　株式数（株式の種類)」欄には、議決権を有しないこととされる会社が有する株式数を㊒と表示の上、記載し、「㋺　議決権数」欄及び「㋩　議決権割合（㋺／④)」欄は、「－」で表示します。

ハ　評価会社が自己株式を有する場合

「㋑　株式数(株式の種類)｣欄に会社法第113条第４項に規定する自己株式の数を記載します。

ニ　評価会社が種類株式を発行している場合

評価会社が種類株式を発行している場合には、次のとおり記載します。

「㋑　株式数（株式の種類)」欄の各欄には、納税義務者が有する株式の種類ごとに記載するものとし、上段に株式数を、下段に株式の種類を記載します（記載例参照)。

「㋺　議決権数」の各欄には、株式の種類に応じた議決権数を記載します（議決権数は㋑株式数÷その株式の種類に応じた１単元の株式数により算定し、１単元に満たない株式に係る議決権数は切り捨てて記載します。)。

「㋩　議決権割合（㋺／④)」の各欄には、評価会社の議決権の総数（④欄の議決権の総数）に占める議決権数（それぞれの株主の㋺欄の議決権数で、２種類以上の株式を所有している場合には、記載例のように、各株式に係る議決権数を合計した数）の割合を１％未満の端数を切り捨てて記載します（「納税義務者の属する同族関係者グループの議決権の合計数（⑤（②／④))」欄及び「筆頭株主グループの議決権の合計数（⑥（③／④))」欄は、各欄において、１％未満の端数を切り捨てて記載します。なお、これらの割合が 50%超から 51%未満までの範囲内にある場合には、１％未満の端数を切り上げて「51%」と記載します。)。

（記載例）

氏名又は名称	続 柄	会社における役職名	㋑株 式 数（株式の種類）	㋺議 決 権 数	㋩議決権割合（㋺/④）
財務　一郎	納税義務者	**社長**	株 10,000,000 **(普通株式)**	個 **10,000**	% **14**
〃	〃	〃	2,000,000 **(種類株式A)**	**4,000**	

4　「**1．株主及び評価方式の判定**」の「**判定基準**」欄及び「**判定**」欄の各欄は、該当する文字を○で囲んで表示します。

なお、「判定」欄において、「同族株主等」に該当した納税義務者のうち、議決権割合（㋬の割合）が５％未満である者については、「**2．少数株式所有者の評価方式の判定**」欄により評価方式の判定を行います。

また、評価会社の株主のうちに中小企業投資育成会社がある場合は、財産評価基本通達 188-6（(投資育成会社が株主である場合の同族株主等)）の定めがありますので、留意してください。

5　「**2．少数株式所有者の評価方式の判定**」欄は、「判定要素」欄に掲げる項目の「㊁　役員」、「㊭　納税義務者が中心的な同族株主」及び「㊀　納税義務者以外に中心的な同族株主（又は株主）」の順に次により判定を行い、それぞれの該当する文字を○で囲んで表示します（「判定内容」欄の括弧内は、それぞれの項目の判定結果を表します。)。

なお、「役員」、「中心的な同族株主」及び「中心的な株主」については、付表「同族関係者の範囲等」を参照してください。

⑴　「㊁　**役員**」欄は、納税義務者が課税時期において評価会社の役員である場合及び課税時期の翌日から法定申告期限までに役員となった場合に「である」とし、その他の者については「でない」として判定します。

⑵　「㊭　**納税義務者が中心的な同族株主**」欄は、納税義務者が中心的な同族株主に該当するかどうかの判定に使用しますので、納税義務者が同族株主のいない会社（⑥の割合が 30%未満の場合）の株主である場合には、この欄の判定は必要ありません。

⑶　「㊀　**納税義務者以外に中心的な同族株主（又は株主）**」欄は、納税義務者以外の株主の中に中心的な同族株主（納税義務者が同族株主のいない会社の株主である場合には、中心的な株主）がいるかどうかを判定し、中心的な同族株主又は中心的な株主がいる場合には、下段の氏名欄にその中心的な同族株主又は中心的な株主のうち１人の氏名を記載します。

第１表の２　評価上の株主の判定及び会社規模の判定の明細書　（続）

1　「**3．会社の規模（Ｌの割合）の判定**」の「判定要素」の各欄は、次により記載します。なお、評価会社が「開業前又は休業中の会社」に該当する場合及び「開業後３年未満の会社等」に該当する場合には、「3.　会社の規模（Ｌの割合）の判定」欄を記載する必要はありません。

⑴　「**直前期末の総資産価額（帳簿価額）**」欄には、直前期末における各資産の確定決算上の帳簿価額の合計額を記載します。

(注) 1　固定資産の減価償却累計額を間接法によって表示している場合には、各資産の帳簿価額の合計額から減価償却累計額を控除します。

2　売掛金、受取手形、貸付金等に対する貸倒引当金は控除しないことに留意してください。

3　前払費用、繰延資産、税効果会計の適用による繰延税金資産など、確定決算上の資産として計上されている資産は、帳簿価額の合計額に含めて記載します。

4　収用や特定の資産の買換え等の場合において、圧縮記帳引当金勘定に繰り入れた金額及び圧縮記帳積立金として積み立てた金額並びに翌事業年度以降に代替資産等を取得する予定であることから特別勘定に繰り入れた金額は、帳簿価額の合計額から控除しないことに留意してください。

⑵　「**直前期末以前１年間における従業員数**」欄には、直前期末以前１年間においてその期間継続して評価会社に勤務していた従業員（就業規則等で定められた１週間当たりの労働時間が30時間未満である従業員を除きます。以下「継続勤務従業員」といいます。）の数に、直前期末以前１年間において評価会社に勤務していた従業員（継続勤務従業員を除きます。）のその１年間における労働時間の合計時間数を従業員１人当たり年間平均労働時間数(1,800時間)で除して求めた数を加算した数を記載します。

(注) 1　上記により計算した評価会社の従業員数が、例えば5.1人となる場合は従業員数「５人超」に、4.9人となる場合は従業員数「５人以下」に該当します。

2　従業員には、社長、理事長並びに法人税法施行令第71条((使用人兼務役員とされない役員))第１項第１号、第２号及び第４号に掲げる役員は含まないことに留意してください。

⑶　「**直前期末以前１年間の取引金額**」欄には、直前期の事業上の収入金額（売上高）を記載します。この場合の事業上の収入金額とは、その会社の目的とする事業に係る収入金額（金融業・証券業については収入利息及び収入手数料）をいいます。

(注)　直前期の事業年度が１年未満であるときには、課税時期の直前期末以前１年間の実際の収入金額によることとなりますが、実際の収入金額を明確に区分することが困難な期間がある場合は、その期間の収入金額を月数あん分して求めた金額によっても差し支えありません。

⑷　評価会社が「**卸売業**」、「**小売・サービス業**」又は「**卸売業、小売・サービス業以外**」のいずれの業種に該当するかは、直前期末以前１年間の取引金額に基づいて判定し、その取引金額のうちに２以上の業種に係る取引金額が含まれている場合には、それらの取引金額のうち最も多い取引金額に係る業種によって判定します。

⑸　「**会社規模とＬの割合（中会社）の区分**」欄は、㋠欄の区分（「総資産価額（帳簿価額）」と「従業員数」とのいずれか下位の区分）と㋷欄（取引金額）の区分とのいずれか上位の区分により判定します。

(注)　大会社及びＬの割合が0.90の中会社の従業員数はいずれも「35人超」のため、この場合の㋠欄の区分は、「総資産価額（帳簿価額）」欄の区分によります。

2　「**４．増（減）資の状況その他評価上の参考事項**」欄には、次のような事項を記載します。

⑴　課税時期の直前期末以後における増（減）資に関する事項

例えば、増資については、次のように記載します。

増資年月日　　令和○年○月○日

増資金額　　○○○　千円

増資内容　　１：0.5（１株当たりの払込金額50円、株主割当）

増資後の資本金額　　○○○　　千円

⑵　課税時期以前３年間における社名変更、増（減）資、事業年度の変更、合併及び転換社債型新株予約権付社債（財産評価基本通達197⑷に規定する転換社債型新株予約権付社債、以下「転換社債」といいます。）の発行状況に関する事項

⑶　種類株式に関する事項

例えば、種類株式の内容、発行年月日、発行株式数等を、次のように記載します。

種類株式の内容　　議決権制限株式
発行年月日　　令和○年○月○日
発行株式数　　○○○○○株
発行価額　　１株につき○○円（うち資本金に組み入れる金額○○円）
１単元の株式の数　　○○○株
議決権　　○○の事項を除き、株主総会において議決権を有しない。
転換条項　　令和○年○月○日から令和○年○月○日までの間は株主からの請求により普通株式への転換可能（当初の転換価額は○○円）
償還条項　　なし
残余財産の分配　　普通株主に先立ち、１株につき○○円を支払う。

⑷　剰余金の配当の支払いに係る基準日及び効力発生日

⑸　剰余金の配当のうち、資本金等の額の減少に伴うものの金額

⑹　その他評価上参考となる事項

第２表　特定の評価会社の判定の明細書

1　この表は、評価会社が特定の評価会社に該当するかどうかの判定に使用します。

評価会社が特定の評価会社に明らかに該当しないものと認められる場合には、記載する必要はありません。また、配当還元方式を適用する株主について、原則的評価方式等の計算を省略する場合（原則的評価方式等により計算した価額が配当還元価額よりも高いと認められる場合）には、記載する必要はありません。

なお、この表のそれぞれの「判定基準」欄及び「判定」欄は、該当する文字を○で囲んで表示します。

2　「**1.　比準要素数１の会社**」欄は、次により記載します。

なお、評価会社が「3.　土地保有特定会社」から「6.　清算中の会社」のいずれかに該当する場合には、記載する必要はありません。

⑴　「**判定要素**」の「**⑴　直前期末を基とした判定要素**」及び「**⑵　直前々期末を基とした判定要素**」の各欄は、当該各欄が示している第４表の「2.　比準要素等の金額の計算」の各欄の金額を記載します。

⑵　「**判定基準**」欄は、「**⑴　直前期末を基とした判定要素**」欄の判定要素のいずれか２が０で、かつ、「**⑵　直前々期末を基とした判定要素**」欄の判定要素のいずれか２以上が０の場合に、「である（該当）」を○で囲んで表示します。

（注）「⑴　直前期末を基とした判定要素」欄の判定要素がいずれも０である場合は、「4.　開業後３年未満の会社等」欄の「⑵　比準要素数０の会社」に該当することに留意してください。

3　「**2.　株式等保有特定会社**」及び「**3.　土地保有特定会社**」の「**総資産価額**」欄等には、課税時期における評価会社の各資産を財産評価基本通達の定めにより評価した金額（第５表の①の金額等）を記載します。ただし、１株当たりの純資産価額（相続税評価額）の計算に当たって、第５表の記載方法等の２の⑷により直前期末における各資産及び各負債に基づいて計算を行っている場合には、当該直前期末において計算した第５表の当該各欄の金額により記載することになります（これらの場合、株式等保有特定会社及び土地保有特定会社の判定時期と純資産価額及び株式等保有特定会社のS_2の計算時期を同一とすることに留意してください。）。

なお、「2.　株式等保有特定会社」欄は、評価会社が「3.　土地保有特定会社」から「6.　清算中の会社」のいずれかに該当する場合には記載する必要はなく、「3.　土地保有特定会社」欄は、評価会社が「4.　開業後３年未満の会社等」から「6.　清算中の会社」のいずれかに該当する場合には、記載する必要はありません。

（注）　「2.　株式等保有特定会社」の「株式等保有割合」欄の③の割合及び「3.　土地保有特定会社」の「土地保有割合」欄の⑥の割合は、１％未満の端数を切り捨てて記載します。

4　「**4.　開業後３年未満の会社等**」の「**⑵　比準要素数０の会社**」の「**判定要素**」の「**直前期末を基とした判定要素**」の各欄は、当該各欄が示している第４表の「2.　比準要素等の金額の計算」の各欄の金額（第２表の「**1.　比準要素数１の会社**」の「**判定要素**」の「**⑴　直前期末を基とした判定要素**」の各欄の金額と同一となります。）を記載します。

なお、評価会社が「⑴　開業後３年未満の会社」に該当する場合には、「⑵　比準要素数０の会社」の各欄は記載する必要はありません。

また、評価会社が「5.　開業前又は休業中の会社」又は「6.　清算中の会社」に該当する場合には、「4.　開業後３年未満の会社等」の各欄は、記載する必要はありません。

5　「**5.　開業前又は休業中の会社**」の各欄は、評価会社が「6.　清算中の会社」に該当する場合には、記載する必要はありません。

第３表　一般の評価会社の株式及び株式に関する権利の価額の計算明細書

1　この表は、一般の評価会社の株式及び株式に関する権利の評価に使用します（特定の評価会社の株式及び株式に関する権利の評価については、「第６表　特定の評価会社の株式及び株式に関する権利の価額の計算明細書」を使用します。）。

なお、この表の各欄の金額は、各欄の表示単位未満の端数を切り捨てて記載します（ただし、この表の各欄の金額のうち他の欄から転記することとされているものについては、端数を切り捨てずに転記元の金額をそのまま記載してください。また、下記の２、３の⑴のロ及び⑶のイ、４並びに５の⑵に留意してください。）。

2　「**1.　原則的評価方式による価額**」の各欄は、次により記載します。

⑴　「**１株当たりの価額の計算**」欄の⑤及び⑥の各金額について、表示単位未満の端数を切り捨てることにより０となる場合は、第４表の記載方法等の４の⑺のロに準じて記載します。

⑵　「**株式の価額の修正**」の各欄は、次により記載します。

イ　「**課税時期において配当期待権の発生している場合**」欄の⑦及び「**課税時期において株式の割当てを受ける権利、株主となる権利又は株式無償交付期待権の発生している場合**」欄の⑧の各金額について、表示単位未満の端数を切り捨てることにより０となる場合は、第４表の記載方法等の４の⑺のロに準じて記載します。

ロ　「１株当たりの割当株式数」及び「１株当たりの割当株式数又は交付株式数」は、１株未満の株式数を切り捨てずに実際の株式数を記載します。

3　**「2.　配当還元方式による価額」**欄は、第１表の１の「1.　株主及び評価方式の判定」欄又は「2.　少数株式所有者の評価方式の判定」欄の判定により納税義務者が配当還元方式を適用する株主に該当する場合に、次により記載します。

⑴　**「１株当たりの資本金等の額、発行済株式数等」**の各欄は、次により記載します。

イ　「直前期末の資本金等の額」欄の⑨の金額は、法人税申告書別表五（一）（(利益積立金額及び資本金等の額の計算に関する明細書)）（以下「別表五（一）」といいます。）の「差引翌期首現在資本金等の額」の「差引合計額」欄の金額を記載します。

ロ　「１株当たりの資本金等の額」欄の⑬の金額について、表示単位未満の端数を切り捨てることにより０となる場合は、第４表の記載方法等の２に準じて記載します。

⑵　**「直前期末以前２年間の配当金額」**欄は、評価会社の年配当金額の総額を基に、第４表の記載方法等の３の⑴に準じて記載します。

⑶　**「配当還元価額」**の各欄は、次により記載します。

イ　⑲の金額について、表示単位未満の端数を切り捨てることにより０となる場合は、第４表の記載方法等の２に準じて記載します。

ロ　⑳の金額の記載に当たっては、原則的評価方式により計算した価額が配当還元価額よりも高いと認められる場合には、「1.　原則的評価方式による価額」欄の計算を省略しても差し支えありません。

4　**「3.　株式に関する権利の価額」**欄の㉒及び㉓の各金額について、表示単位未満の端数を切り捨てることにより０となる場合は、第４表の記載方法等の４の⑺のロに準じて記載します。

5　**「4.　株式及び株式に関する権利の価額」**の各欄は、次により記載します。

⑴　**「株式の評価額」**欄には、「①」欄から「⑳」欄までにより計算したその株式の価額を記載します。

⑵　**「株式に関する権利の評価額」**欄には、「㉑」欄から「㉔」欄までにより計算した株式に関する権利の価額を記載します。

なお、株式に関する権利が複数発生している場合には、それぞれの金額ごとに別に記載します（配当期待権の価額は、円単位で円未満２位（銭単位）により記載します。）。

第４表　類似業種比準価額等の計算明細書

1　この表は、評価会社の「類似業種比準価額」の計算を行うために使用します。

なお、この表の各欄の金額は、各欄の表示単位未満の端数を切り捨てて記載します（ただし、下記の２並びに４の⑶、⑹及び⑺に留意してください。）。

2　**「1.　１株当たりの資本金等の額等の計算」**の「１株当たりの資本金等の額」欄の④の金額について、表示単位未満の端数を切り捨てることにより０となる場合は、端数を切り捨てずに分数で記載します。ただし、納税義務者の選択により、上記の場合の端数を切り捨てる前の金額について、小数点以下の金額のうち「直前期末の発行済株式数」欄の②の株式数の桁数に１を加えた数に相当する数の位以下の端数を切り捨てたものを記載することができます（小数を選択した場合の端数処理の例参照)。

（小数を選択した場合の端数処理の例）

①直前期末の資本金等の額

10,000 千円

②直前期末の発行済株式数

123,400,000 株（９桁）

③直前期末の自己株式数

0株

④１株当たりの資本金等の額（①÷（②－③））

0.081037277 円

（注）この場合、上記の②のとおり株式数の桁数が９桁であるため、その桁数に１を加えた 10 桁以下の端数を切り捨てた金額を記載します。

10,000 千円 ÷ （123,400,000 株－0株） ＝ 0.081037277|14……|

3 「**2. 比準要素等の金額の計算**」の各欄は、次により記載します。

⑴ 「**１株（50 円）当たりの年配当金額**」の「**直前期末以前２（３）年間の年平均配当金額**」欄は、評価会社の剰余金の配当金額を基に次により記載します。

イ 「⑥ 年配当金額」欄には、各事業年度中に配当金交付の効力が発生した剰余金の配当（資本金等の額の減少によるものを除きます。）の金額を記載します。

ロ 「⑦ 左のうち非経常的な配当金額」欄には、剰余金の配当金額の算定の基となった配当金額のうち、特別配当、記念配当等の名称による配当金額で、将来、毎期継続することが予想できない金額を記載します。

ハ 「直前期」欄の記載に当たって、１年未満の事業年度がある場合には、直前期末以前１年間に対応する期間に配当金交付の効力が発生した剰余金の配当金額の総額を記載します。

なお、「直前々期」及び「直前々期の前期」の各欄についても、これに準じて記載します。

⑵ 「**１株（50 円）当たりの年配当金額**」の「Ⓑ」欄は、「**比準要素数１の会社・比準要素数０の会社の判定要素の金額**」の「Ⓑ₁」欄の金額を記載します。

⑶ 「**１株（50 円）当たりの年利益金額**」の「**直前期末以前２（３）年間の利益金額**」欄は、次により記載します。

イ 「⑫ 非経常的な利益金額」欄には、固定資産売却益、保険差益等の非経常的な利益の金額を記載します。この場合、非経常的な利益の金額は、非経常的な損失の金額を控除した金額（負数の場合は０）とします。

ロ 「直前期」欄の記載に当たって、１年未満の事業年度がある場合には、直前期末以前１年間に対応する期間の利益の金額を記載します。この場合、実際の事業年度に係る利益の金額をあん分する必要があるときは、月数により行います。

なお、「直前々期」及び「直前々期の前期」の各欄についても、これに準じて記載します。

⑷ 「**１株（50 円）当たりの年利益金額**」の「**比準要素数１の会社・比準要素数０の会社の判定要素の金額**」の「Ⓒ₁」欄及び「Ⓒ₂」欄は、それぞれ次により記載します。

イ 「Ⓒ₁」欄は、㊁の金額（ただし、納税義務者の選択により、㊁の金額と㊄の金額との平均額によることができます。）を⑤の株式数で除した金額を記載します。

ロ　「Ⓒ$_2$」欄は、㋭の金額（ただし、納税義務者の選択により、㋭の金額と㋬の金額との平均額によることができます。）を⑤の株式数で除した金額を記載します。

（注）１　Ⓒ$_1$又はⒸ$_2$の金額が負数のときは、０とします。

２　「直前々期の前期」の各欄は、上記のロの計算において、㋭の金額と㋬の金額との平均額によらない場合には記載する必要はありません。

(5)　**「１株（50 円）当たりの年利益金額」**の「Ⓒ」欄には、㋥の金額を⑤の株式数で除した金額を記載します。ただし、納税義務者の選択により、直前期末以前２年間における利益金額を基として計算した金額（(㋥＋㋭）÷２）を⑤の株式数で除した金額をⒸの金額とすることができます。

（注）　Ⓒの金額が負数のときは、０とします。

(6)　**「１株（50 円）当たりの純資産価額」**の**「直前期末（直前々期末）の純資産価額」**の「⑰　**資本金等の額**」欄は、第３表の記載方法等の３の(1)のイに基づき記載します。また、「⑱　**利益積立金額**」欄には、別表五（一）の「差引翌期首現在利益積立金額」の「差引合計額」欄の金額を記載します。

(7)　**「１株（50 円）当たりの純資産価額」**の**「比準要素数１の会社・比準要素数０の会社の判定要素の金額」**の「Ⓓ$_1$」欄及び「Ⓓ$_2$」欄は、それぞれ㋣及び㋠の金額を⑤の株式数で除した金額を記載します。

（注）　Ⓓ$_1$及びⒹ$_2$の金額が負数のときは、０とします。

(8)　**「１株（50 円）当たりの純資産価額」**の「Ⓓ」欄は、**「比準要素数１の会社・比準要素数０の会社の判定要素の金額」**の「Ⓓ$_1$」欄の金額を記載します。

４　**「3.　類似業種比準価額の計算」**の各欄は、次により記載します。

(1)　**「類似業種と業種目番号」**欄には、第１表の１の「事業内容」欄に記載された評価会社の事業内容に応じて、別に定める類似業種比準価額計算上の業種目及びその番号を記載します。

この場合において、評価会社の事業が該当する業種目は直前期末以前１年間の取引金額に基づいて判定した業種目とします。

なお、直前期末以前１年間の取引金額に２以上の業種目に係る取引金額が含まれている場合の業種目は、業種目別の割合が 50％を超える業種目とし、その割合が 50％を超える業種目がない場合は、次に掲げる場合に応じたそれぞれの業種目とします。

イ　評価会社の事業が一つの中分類の業種目中の２以上の類似する小分類の業種目に属し、それらの業種目別の割合の合計が 50％を超える場合

その中分類の中にある類似する小分類の「その他の○○業」

ロ　評価会社の事業が一つの中分類の業種目中の２以上の類似しない小分類の業種目に属し、それらの業種目別の割合の合計が 50％を超える場合（イに該当する場合は除きます。）

その中分類の業種目

ハ　評価会社の事業が一つの大分類の業種目中の２以上の類似する中分類の業種目に属し、それらの業種目別の割合の合計が 50％を超える場合

その大分類の中にある類似する中分類の「その他の○○業」

ニ　評価会社の事業が一つの大分類の業種目中の２以上の類似しない中分類の業種目に属し、それらの業種目別の割合の合計が 50%を超える場合（ハに該当する場合を除きます。）

その大分類の業種目

ホ　イからニのいずれにも該当しない場合

大分類の業種目の中の「その他の産業」

（注）

$$\text{業種目別の割合} = \frac{\text{業種目別の取引金額}}{\text{評価会社全体の取引金額}}$$

また、類似業種は、業種目の区分の状況に応じて、次によります。

業種目の区分の状況	類　似　業　種
上記により判定した業種目が小分類に区分されている業種目の場合	小分類の業種目とその業種目の属する中分類の業種目とをそれぞれ記載します。
上記により判定した業種目が中分類に区分されている業種目の場合	中分類の業種目とその業種目の属する大分類の業種目とをそれぞれ記載します。
上記により判定した業種目が大分類に区分されている業種目の場合	大分類の業種目を記載します。

⑵　「**類似業種の株価**」及び「**比準割合の計算**」の各欄には、別に定める類似業種の株価Ａ、１株（50円）当たりの年配当金額Ｂ、１株（50 円）当たりの年利益金額Ｃ及び１株（50 円）当たりの純資産価額Ｄの金額を記載します。

⑶　「比準割合の計算」欄の要素別比準割合及び比準割合は、それぞれ小数点以下２位未満を切り捨てて記載します。

⑷　「**比準割合の計算**」の「比準割合」欄の比準割合（㉑及び㉔）は、「１株（50 円）当たりの年配当金額」、「１株（50 円）当たりの年利益金額」及び「１株（50 円）当たりの純資産価額」の各欄の要素別比準割合を基に、次の算式により計算した割合を記載します。

$$\text{比準割合} = \frac{\frac{Ⓑ}{B} + \frac{Ⓒ}{C} + \frac{Ⓓ}{D}}{3}$$

⑸　「**１株（50 円）当たりの比準価額**」欄は、評価会社が第１表の２の「**3.　会社の規模（Ｌの割合）の判定**」欄により、中会社に判定される会社にあっては算式中の「０．７」を「０．６」、小会社に判定される会社にあっては算式中の「０．７」を「０．５」として計算した金額を記載します。

⑹　「**１株当たりの比準価額**」欄の㉖の金額について、表示単位未満の端数を切り捨てることにより０となる場合は、上記の２に準じて記載します。

⑺　「**比準価額の修正**」の各欄は、次により記載します。

イ　「**直前期末の翌日から課税時期までの間に配当金交付の効力が発生した場合**」欄の㉗の金額について、表示単位未満の端数を切り捨てることにより０となる場合は、上記の２に準じて記載します。

ロ　「**直前期末の翌日から課税時期までの間に株式の割当て等の効力が発生した場合**」欄の㉘の金額について、表示単位未満の端数を切り捨てることにより０となる場合は、端数を切り捨てずに分数で記載します。ただし、納税義務者の選択により、上記の場合の端数を切り捨てる前の金額について、小数点以下の金額のうち第１表の１の「1.　株主及び評価方式の判定」の「評価会社の発行済株式数又は議決権の総数」欄の①の株式数の桁数に１を加えた数に相当する数の位以下の端数を切り捨てたものを記載することができます。

ハ　「１株当たりの割当株式数」及び「１株当たりの割当株式数又は交付株式数」は、１株未満の株式数を切り捨てずに実際の株式数を記載します。

（注）　⑴の類似業種比準価額計算上の業種目及びその番号、並びに、⑵の類似業種の株価Ａ、１株（50円）当たりの年配当金額Ｂ、１株（50円）当たりの年利益金額Ｃ及び１株（50円）当たりの純資産価額Ｄの金額については、該当年分の「令和○年分の類似業種比準価額計算上の業種目及び業種目別株価等について（法令解釈通達）」で御確認の上記入してください。

なお、当該通達については、国税庁ホームページ【https://www.nta.go.jp】上で御覧いただけます。

第５表　１株当たりの純資産価額（相続税評価額）の計算明細書

1　この表は、「１株当たりの純資産価額（相続税評価額）」の計算のほか、株式等保有特定会社及び土地保有特定会社の判定に必要な「総資産価額」、「株式等の価額の合計額」及び「土地等の価額の合計額」の計算にも使用します。

なお、この表の各欄の金額は、各欄の表示単位未満の端数を切り捨てて記載します（ただし、下記の４の⑵に留意してください。）。

2　「**1. 資産及び負債の金額（課税時期現在）**」の各欄は、課税時期における評価会社の各資産及び各負債について、次により記載します。

⑴　「**資産の部**」の「**相続税評価額**」欄には、課税時期における評価会社の各資産について、財産評価基本通達の定めにより評価した価額（以下「相続税評価額」といいます。）を次により記載します。

イ　課税時期前３年以内に取得又は新築した土地及び土地の上に存する権利（以下「土地等」といいます。）並びに家屋及びその附属設備又は構築物（以下「家屋等」といいます。）がある場合には、当該土地等又は家屋等の相続税評価額は、課税時期における通常の取引価額に相当する金額（ただし、その土地等又は家屋等の帳簿価額が課税時期における通常の取引価額に相当すると認められる場合には、その帳簿価額に相当する金額）によって評価した価額を記載します。この場合、その土地等又は家屋等は、他の土地等又は家屋等と「科目」欄を別にして、「課税時期前３年以内に取得した土地等」などと記載します。

ロ　取引相場のない株式、出資又は転換社債（財産評価基本通達197－5((転換社債型新株予約権付社債の評価))の⑶のロに定めるものをいいます。）の価額を純資産価額（相続税評価額）で評価する場合には、評価差額に対する法人税額等相当額の控除を行わないで計算した金額を「相続税評価額」として記載します（なお、その株式などが株式等保有特定会社の株式などである場合において、納税義務者の選択により、「$S_1＋S_2$」方式によって評価する場合のS_2の金額の計算においても、評価差額に対する法人税額等相当額の控除は行わないで計算することになります。）。この場合、その株式などは、他の株式などと「科目」欄を別にして、「法人税額等相当額の控除不適用の株式」などと記載します。

ハ　評価の対象となる資産について、帳簿価額がないもの（例えば、借地権、営業権等）であっても相続税評価額が算出される場合には、その評価額を「相続税評価額」欄に記載し、「帳簿価額」欄には０と記載します。

ニ　評価の対象となる資産で帳簿価額のあるもの（例えば、借家権、営業権等）であっても、その課税価格に算入すべき相続税評価額が算出されない場合には、「相続税評価額」欄に0と記載し、その帳簿価額を「帳簿価額」欄に記載します。

ホ　評価の対象とならないもの（例えば、財産性のない創立費、新株発行費等の繰延資産、繰延税金資産）については、記載しません。

ヘ　「株式等の価額の合計額」欄の㋑の金額は、評価会社が有している（又は有しているとみなされる）株式、出資及び新株予約権付社債（会社法第２条第22号に規定する新株予約権付社債をいいます。）（以下「株式等」といいます。）の相続税評価額の合計額を記載します。この場合、次のことに留意してください。

(イ)　所有目的又は所有期間のいかんにかかわらず、全ての株式等の相続税評価額を合計します。

(ロ)　法人税法第12条((信託財産に属する資産及び負債並びに信託財産に帰せられる収益及び費用の帰属))の規定により評価会社が信託財産を有するものとみなされる場合（ただし、評価会社が明らかに当該信託財産の収益の受益権のみを有している場合を除きます。）において、その信託財産に株式等が含まれているときには、評価会社が当該株式等を所有しているものとみなします。

(ハ)　「出資」とは、「法人」に対する出資をいい、民法上の組合等に対する出資は含まれません。

ト　「土地等の価額の合計額」欄の㋩の金額は、上記のヘに準じて評価会社が所有している（又は所有しているとみなされる）土地等の相続税評価額の合計額を記載します。

チ　**「現物出資等受入れ資産の価額の合計額」**欄の㊁の金額は、各資産の中に、現物出資、合併、株式交換、株式移転又は株式交付により著しく低い価額で受け入れた資産（以下「現物出資等受入れ資産」といいます。）がある場合に、現物出資、合併、株式交換、株式移転又は株式交付の時におけるその現物出資等受入れ資産の相続税評価額の合計額を記載します。ただし、その相続税評価額が、課税時期におけるその現物出資等受入れ資産の相続税評価額を上回る場合には、課税時期におけるその現物出資等受入れ資産の相続税評価額を記載します。

また、現物出資等受入れ資産が合併により著しく低い価額で受け入れた資産（以下「合併受入れ資産」といいます。）である場合に、合併の時又は課税時期におけるその合併受入れ資産の相続税評価額が、合併受入れ資産に係る被合併会社の帳簿価額を上回るときは、その帳簿価額を記載します。

(注)　「相続税評価額」の「合計」欄の①の金額に占める課税時期における現物出資等受入れ資産の相続税評価額の合計の割合が20%以下の場合には、「現物出資等受入れ資産の価額の合計額」欄は、記載しません。

(2)　**「資産の部」**の**「帳簿価額」**欄には、「資産の部」の「相続税評価額」欄に評価額が記載された各資産についての課税時期における税務計算上の帳簿価額を記載します。

(注) 1　固定資産に係る減価償却累計額、特別償却準備金及び圧縮記帳に係る引当金又は積立金の金額がある場合には、それらの金額をそれぞれの引当金等に対応する資産の帳簿価額から控除した金額をその固定資産の帳簿価額とします。

2　営業権に含めて評価の対象となる特許権、漁業権等の資産の帳簿価額は、営業権の帳簿価額に含めて記載します。

(3)　**「負債の部」**の**「相続税評価額」**欄には、評価会社の課税時期における各負債の金額を、**「帳簿価額」**欄には、「負債の部」の「相続税評価額」欄に評価額が記載された各負債の税務計算上の帳簿価額をそれぞれ記載します。この場合、貸倒引当金、退職給与引当金、納税引当金及びその他の引当金、準備金並びに繰延税金負債に相当する金額は、負債に該当しないものとします。

なお、次の金額は、帳簿に負債としての記載がない場合であっても、課税時期において未払いとなっているものは負債として「相続税評価額」欄及び「帳簿価額」欄のいずれにも記載します。

イ　未納公租公課、未払利息等の金額

ロ　課税時期以前に賦課期日のあった固定資産税及び都市計画税の税額

ハ　被相続人の死亡により、相続人その他の者に支給することが確定した退職手当金、功労金その他これらに準ずる給与の金額

ニ　課税時期の属する事業年度に係る法人税額（地方法人税額を含みます。）、消費税額（地方消費税額を含みます。）、事業税額（特別法人事業税額を含みます。）、道府県民税額及び市町村民税額のうち、その事業年度開始の日から課税時期までの期間に対応する金額

⑷　１株当たりの純資産価額（相続税評価額）の計算は、上記⑴から⑶の説明のとおり課税時期における各資産及び各負債の金額によることとしていますが、評価会社が課税時期において仮決算を行っていないため、課税時期における資産及び負債の金額が明確でない場合において、直前期末から課税時期までの間に資産及び負債について著しく増減がないため評価額の計算に影響が少ないと認められるときは、課税時期における各資産及び各負債の金額は、次により計算しても差し支えありません。このように計算した場合には、第２表の「2.　株式等保有特定会社」欄及び「3.　土地保有特定会社」欄の判定における総資産価額等についても、同様に取り扱われることになりますので、これらの特定の評価会社の判定時期と純資産価額及び株式等保有特定会社のS_2の計算時期は同一となります。

イ　**「相続税評価額」**欄については、直前期末の資産及び負債の課税時期の相続税評価額

ロ　**「帳簿価額」**欄については、直前期末の資産及び負債の帳簿価額

（注）1　イ及びロの場合において、帳簿に負債としての記載がない場合であっても、次の金額は、負債として取り扱うことに留意してください。

⑴　未納公租公課、未払利息等の金額

⑵　直前期末日以前に賦課期日のあった固定資産税及び都市計画税の税額のうち、未払いとなっている金額

⑶　直前期末日後から課税時期までに確定した剰余金の配当等の金額

⑷　被相続人の死亡により、相続人その他の者に支給することが確定した退職手当金、功労金その他これらに準ずる給与の金額

2　被相続人の死亡により評価会社が生命保険金を取得する場合には、その生命保険金請求権（未収保険金）の金額を「資産の部」の「相続税評価額」欄及び「帳簿価額」欄のいずれにも記載します。

3　**「2.　評価差額に対する法人税額等相当額の計算」**欄の**「帳簿価額による純資産価額」**及び**「評価差額に相当する金額」**がマイナスとなる場合は、0と記載します。

4　**「3.　１株当たりの純資産価額の計算」**の各欄は、次により記載します。

⑴　**「課税時期現在の発行済株式数」**欄は、課税時期における発行済株式の総数を記載しますが、評価会社が自己株式を有している場合には、その自己株式の数を控除した株式数を記載します。

⑵　**「課税時期現在の１株当たりの純資産価額（相続税評価額）」**欄及び**「同族株主等の議決権割合（第１表の１の⑤の割合）が 50%以下の場合」**欄の各金額について、表示単位未満の端数を切り

捨てることにより０となる場合は、第４表の記載方法等の４の⑺のロに準じて記載します。

⑶ 「**同族株主等の議決権割合（第１表の１の⑤の割合）が50%以下の場合**」欄は、納税義務者が議決権割合（第１表の１の⑤の割合）50%以下の株主グループに属するときにのみ記載します。

（注） 納税義務者が議決権割合50%以下の株主グループに属するかどうかの判定には、第１表の１の記載方法等の３の⑸に留意してください。

第６表　特定の評価会社の株式及び株式に関する権利の価額の計算明細書

1 この表は、特定の評価会社の株式及び株式に関する権利の評価に使用します（一般の評価会社の株式及び株式に関する権利の評価については、「第３表　一般の評価会社の株式及び株式に関する権利の価額の計算明細書」を使用します。）。

なお、この表の各欄の金額は、各欄の表示単位未満の端数を切り捨てて記載します（ただし、この表の各欄の金額のうち他の欄から転記することとされているものについては、端数を切り捨てずに転記元の金額をそのまま記載してください。また、下記の２、３の⑴及び⑶のイ、４並びに５に留意してください。）。

2 「**1.　純資産価額方式等による価額**」の各欄は、次により記載します。

⑴ 「**１株当たりの価額の計算**」欄の④の金額について、表示単位未満の端数を切り捨てることにより０となる場合は、第４表の記載方法等の４の⑺のロに準じて記載します。

⑵ 「**株式の価額の修正**」の各欄は、次により記載します。

イ 「**課税時期において配当期待権の発生している場合**」欄の⑨及び「**課税時期において株式の割当てを受ける権利、株主となる権利又は株式無償交付期待権の発生している場合**」欄の⑩の各金額について、表示単位未満の端数を切り捨てることにより０となる場合は、第４表の記載方法等の４の⑺のロに準じて記載します。

ロ 「１株当たりの割当株式数」及び「１株当たりの割当株式数又は交付株式数」は、第３表の記載方法等の２の⑵のロに準じて記載します。

3 「**2.　配当還元方式による価額**」欄は、第１表の１の「1.　株主及び評価方式の判定」欄又は「2.少数株式所有者の評価方式の判定」欄の判定により納税義務者が配当還元方式を適用する株主に該当する場合に、次により記載します。

⑴ 「**１株当たりの資本金等の額、発行済株式数等**」の「１株当たりの資本金等の額」欄の⑮の金額について、表示単位未満の端数を切り捨てることにより０となる場合は、第４表の記載方法等の２に準じて記載します。

⑵ 「**直前期末以前２年間の配当金額**」欄は、第４表の記載方法等の３の⑴に準じて記載します。

⑶ 「**配当還元価額**」の各欄は、次により記載します。

イ ㉑の金額について、表示単位未満の端数を切り捨てることにより０となる場合は、第４表の記載方法等の２に準じて記載します。

ロ ㉒の金額の記載に当たっては、純資産価額方式等により計算した価額が配当還元価額よりも高いと認められる場合には、「1.　純資産価額方式等による価額」欄の計算を省略しても差し支えありません。

4 「**3.　株式に関する権利の価額**」欄の㉔及び㉕の各金額について、表示単位未満の端数を切り捨てることにより０となる場合は、第４表の記載方法等の４の⑺のロに準じて記載します。

５　「**4.　株式及び株式に関する権利の価額**」の各欄は、第３表の記載方法等の５に準じて記載します。

第７表　株式等保有特定会社の株式の価額の計算明細書

１　この表は、評価会社が株式等保有特定会社である場合において、その株式の価額を「S_1＋S_2」方式によって評価するときにおいて、「S_1」における類似業種比準価額の修正計算を行うために使用します。

なお、この表の各欄の金額は、各欄の表示単位未満の端数を切り捨てて記載します（ただし、下記の２の⑴のニ及び２の⑶に留意してください。）。

２　「**1.　S_1の金額（類似業種比準価額の修正計算）**」の各欄は、次により記載します。

⑴　「**受取配当金等収受割合の計算**」の各欄は、次により記載します。

イ　「受取配当金等の額」欄は、直前期及び直前々期の各事業年度における評価会社の受取配当金等の額（法人から受ける剰余金の配当（株式又は出資に係るものに限るものとし、資本金等の額の減少によるものを除きます。）、利益の配当、剰余金の分配（出資に係るものに限ります。）及び新株予約権付社債に係る利息の額をいいます。）の総額を、それぞれの各欄に記載し、その合計額を「合計」欄に記載します。

ロ　「営業利益の金額」欄は、イと同様に、各事業年度における評価会社の営業利益の金額（営業利益の金額に受取配当金等の額が含まれている場合には、受取配当金等の額を控除した金額）について記載します。

ハ　「①　直前期」及び「②　直前々期」の各欄の記載に当たって、１年未満の事業年度がある場合には、第４表の記載方法等の３の⑴のハに準じて記載します。

ニ　「受取配当金等収受割合」欄は、小数点以下３位未満の端数を切り捨てて記載します。

⑵　「**直前期末の株式等の帳簿価額の合計額**」欄の⑩の金額は、直前期末における株式等の税務計算上の帳簿価額の合計額を記載します（第５表を直前期末における各資産に基づいて作成しているときは、第５表の㋺の金額を記載します。）。

⑶　「**１株（50円）当たりの比準価額**」欄、「**１株当たりの比準価額**」欄及び「**比準価額の修正**」欄は、第４表の記載方法等の１及び４に準じて記載します。

第８表　株式等保有特定会社の株式の価額の計算明細書（続）

１　この表は、評価会社が株式等保有特定会社である場合において、その株式の価額を「S_1＋S_2」方式によって評価するときのS_1における純資産価額の修正計算及び１株当たりのS_1の金額の計算並びにS_2の金額の計算を行うために使用します。

なお、この表の各欄の金額は、各欄の表示単位未満の端数を切り捨てて記載します（ただし、この表の各欄の金額のうち他の欄から転記することとされているものについては、端数を切り捨てずに転記元の金額をそのまま記載してください。また、下記の２、３の⑶及び４に留意してください。）。

２　「**1.　S_1の金額（続）**」の各欄は、次により記載します。

⑴　「**純資産価額（相続税評価額）の修正計算**」の「課税時期現在の修正後の１株当たりの純資産価額（相続税評価額）」欄の⑪の金額について、表示単位未満の端数を切り捨てることにより０となる場合は、第４表の記載方法等の４の⑺のロに準じて記載します。

⑵　**「１株当たりのS_1の金額の計算」**欄の⑭、⑯及び⑰の各金額について、表示単位未満の端数を切り捨てることにより０となる場合は、第４表の記載方法等の４の⑺のロに準じて記載します。

3　**「2.　S_2の金額」**の各欄は、次により記載します。

⑴　**「課税時期現在の株式等の価額の合計額」**欄の⑱の金額は、課税時期における株式等の相続税評価額を記載しますが、第５表の記載方法等の２の⑴のロに留意するほか、同表の記載方法等の２の⑷により株式等保有特定会社の判定時期と純資産価額の計算時期が直前期末における決算に基づいて行われている場合には、S_2の計算時期も同一とすることに留意してください。

⑵　**「株式等に係る評価差額に相当する金額」**欄の⑳の金額は、株式等の相続税評価額と帳簿価額の差額に相当する金額を記載しますが、その金額が負数のときは、０と記載することに留意してください。

⑶　**「S_2の金額」**欄の㉔の金額について、表示単位未満の端数を切り捨てることにより０となる場合は、第４表の記載方法等の４の⑺のロに準じて記載します。

4　**「3.　株式等保有特定会社の株式の価額」**欄の㉖の金額について、表示単位未満の端数を切り捨てることにより０となる場合は、第４表の記載方法等の４の⑺のロに準じて記載します。

【令和６年１月１日以降用】

［付　表］　同族関係者の範囲等

<table>
<tr><th colspan="2">項　　目</th><th>内　　　　容</th></tr>
<tr><td>同族株主等の判定</td><td>同族関係者</td><td>１　個人たる同族関係者（法人税法施行令第４条第１項）
⑴　株主等の親族（親族とは、配偶者、６親等内の血族及び３親等内の姻族をいう。）
⑵　株主等と婚姻の届出をしていないが事実上婚姻関係と同様の事情にある者
⑶　個人である株主等の使用人
⑷　上記に掲げる者以外の者で個人である株主等から受ける金銭その他の資産によって生計を維持しているもの
⑸　上記⑵、⑶及び⑷に掲げる者と生計を一にするこれらの者の親族

２　法人たる同族関係者（法人税法施行令第４条第２項～第４項、第６項）
⑴　株主等の１人が他の会社(同族会社かどうかを判定しようとする会社以外の会社。以下同じ。）を支配している場合における当該他の会社
ただし、同族関係会社であるかどうかの判定の基準となる株主等が個人の場合は、その者及び上記１の同族関係者が他の会社を支配している場合における当該他の会社（以下、⑵及び⑶において同じ。）。
⑵　株主等の１人及びこれと特殊の関係のある⑴の会社が他の会社を支配している場合における当該他の会社
⑶　株主等の１人並びにこれと特殊の関係のある⑴及び⑵の会社が他の会社を支配している場合における当該他の会社
（注）１　上記⑴から⑶に規定する「他の会社を支配している場合」とは、次に掲げる場合のいずれかに該当する場合をいう。
イ　他の会社の発行済株式又は出資（自己の株式又は出資を除く。）の総数又は総額の50％超の数又は金額の株式又は出資を有する場合
ロ　他の会社の次に掲げる議決権のいずれかにつき、その総数（当該議決権を行使することができない株主等が有する当該議決権の数を除く。）の50％超の数を有する場合
①　事業の全部若しくは重要な部分の譲渡、解散、継続、合併、分割、株式交換、株式移転又は現物出資に関する決議に係る議決権
②　役員の選任及び解任に関する決議に係る議決権
③　役員の報酬、賞与その他の職務執行の対価として会社が供与する財産上の利益に関する事項についての決議に係る議決権
④　剰余金の配当又は利益の配当に関する決議に係る議決権
ハ　他の会社の株主等（合名会社、合資会社又は合同会社の社員（当該他の会社が業務を執行する社員を定めた場合にあっては、業務を執行する社員）に限る。）の総数の半数を超える数を占める場合
２　個人又は法人との間で当該個人又は法人の意思と同一の内容の議決権を行使することに同意している者がある場合には、当該者が有する議決権は当該個人又は法人が有するものとみなし、かつ、当該個人又は法人（当該議決権に係る会社の株主等であるものを除く。）は当該議決権に係る会社の株主等であるものとみなして、他の会社を支配しているかどうかを判定する。
⑷　上記⑴から⑶の場合に、同一の個人又は法人の同族関係者である２以上の会社が判定しようとする会社の株主等（社員を含む。）である場合には、その同族関係者である２以上の会社は、相互に同族関係者であるものとみなされる。</td></tr>
</table>

項　目		内　容
少数株式所有者の評価方法の判定	役　員	社長、理事長のほか、次に掲げる者（法人税法施行令第71条第１項第１号、第２号、第４号） ⑴　代表取締役、代表執行役、代表理事 ⑵　副社長、専務、常務その他これらに準ずる職制上の地位を有する役員 ⑶　取締役（指名委員会等設置会社の取締役及び監査等委員である取締役に限る。）、会計参与及び監査役並びに監事
	中心的な同族株主	同族株主のいる会社の株主で、課税時期において同族株主の１人並びにその株主の配偶者、直系血族、兄弟姉妹及び１親等の姻族（これらの者の同族関係者である会社のうち、これらの者が有する議決権の合計数がその会社の議決権総数の25%以上である会社を含む。）の有する議決権の合計数がその会社の議決権総数の25%以上である場合におけるその株主
	中心的な株　主	同族株主のいない会社の株主で、課税時期において株主の１人及びその同族関係者の有する議決権の合計数がその会社の議決権総数の15%以上である株主グループのうち、いずれかのグループに単独でその会社の議決権総数の10%以上の議決権を有している株主がいる場合におけるその株主

第１表の１　評価上の株主の判定及び会社規模の判定の明細書

（取引相場のない株式（出資）の評価明細書）

（令和六年一月一日以降用）

整理番号	

会社名	（電話　　　）	本店の所在地			
代表者氏名		事業内容	取扱品目及び製造、卸売、小売等の区分	業種目番号	取引金額の構成比
課税時期	年　月　日				%
直前期	自　年　月　日 至　年　月　日				

1．株主及び評価方式の判定

判定要素（課税時期現在の株式等の所有状況）

氏名又は名称	続柄	会社における役職名	㋑株式数（株式の種類）	㋺議決権数	㋩議決権割合（㋺/④）
	納税義務者		株	個	%
自己株式					
納税義務者の属する同族関係者グループの議決権の合計数				②	⑤（②/④）
筆頭株主グループの議決権の合計数				③	⑥（③/④）
評価会社の発行済株式又は議決権の総数			①	④	100

判定基準

納税義務者の属する同族関係者グループの議決権割合（⑤の割合）を基として、区分します。

区分	筆頭株主グループの議決権割合（⑥の割合）			株主の区分
	50%超の場合	30%以上50%以下の場合	30%未満の場合	
⑤の割合	50%超	30%以上	15%以上	同族株主等
⑤の割合	50%未満	30%未満	15%未満	同族株主等以外の株主

判定

同族株主等（原則的評価方式等）	同族株主等以外の株主（配当還元方式）

「同族株主等」に該当する納税義務者のうち、議決権割合（㋩の割合）が5%未満の者の評価方式は、「2．少数株式所有者の評価方式の判定」欄により判定します。

2．少数株式所有者の評価方式の判定

判定要素

項目	判定内容
氏名	
㊁役員	である（原則的評価方式等）・でない（次の㋭へ）
㋭納税義務者が中心的な同族株主	である（原則的評価方式等）・でない（次の㋬へ）
㋬納税義務者以外に中心的な同族株主（又は株主）	がいる（配当還元方式）・がいない（原則的評価方式等） （氏名　　　）
判定	原則的評価方式等　・　配当還元方式

第１表の２　評価上の株主の判定及び会社規模の判定の明細書（続）

会社名

（取引相場のない株式（出資）の評価明細書）

（令和六年一月一日以降用）

３．会社の規模（Ｌの割合）の判定

	項目	金額	項目	人数
判定要素	直前期末の総資産価額（帳簿価額）	千円	直前期末以前１年間における従業員数	人 ［従業員数の内訳］ 〔継続勤務従業員数〕〔継続勤務従業員以外の従業員の労働時間の合計時間数〕 （　　人）＋（　　時間）／1,800時間
	直前期末以前１年間の取引金額	千円		

判定基準	
㋣　直前期末以前１年間における従業員数に応ずる区分	70人以上の会社は、大会社（㋠及び㋷は不要）
	70人未満の会社は、㋠及び㋷により判定

㋠　直前期末の総資産価額（帳簿価額）及び直前期末以前１年間における従業員数に応ずる区分				㋷　直前期末以前１年間の取引金額に応ずる区分			会社規模とＬの割合（中会社）の区分	
総資産価額（帳簿価額）			従業員数	取引金額				
卸売業	小売・サービス業	卸売業、小売・サービス業以外		卸売業	小売・サービス業	卸売業、小売・サービス業以外		
20億円以上	15億円以上	15億円以上	35人超	30億円以上	20億円以上	15億円以上	大会社	
4億円以上 20億円未満	5億円以上 15億円未満	5億円以上 15億円未満	35人超	7億円以上 30億円未満	5億円以上 20億円未満	4億円以上 15億円未満	0.90	中会社
2億円以上 4億円未満	2億5,000万円以上 5億円未満	2億5,000万円以上 5億円未満	20人超 35人以下	3億5,000万円以上 7億円未満	2億5,000万円以上 5億円未満	2億円以上 4億円未満	0.75	
7,000万円以上 2億円未満	4,000万円以上 2億5,000万円未満	5,000万円以上 2億5,000万円未満	5人超 20人以下	2億円以上 3億5,000万円未満	6,000万円以上 2億5,000万円未満	8,000万円以上 2億円未満	0.60	
7,000万円未満	4,000万円未満	5,000万円未満	5人以下	2億円未満	6,000万円未満	8,000万円未満	小会社	

・「会社規模とＬの割合（中会社）の区分」欄は、㋠欄の区分（「総資産価額（帳簿価額）」と「従業員数」とのいずれか下位の区分）と㋷欄（取引金額）の区分とのいずれか上位の区分により判定します。

判定	大会社	中会社			小会社	
		Ｌの割合				
		0.90	0.75	0.60		

４．増（減）資の状況その他評価上の参考事項

第２表　特定の評価会社の判定の明細書

会社名

（取引相場のない株式（出資）の評価明細書）

（令和六年一月一日以降用）

1．比準要素数１の会社	判定要素						判定基準	⑴欄のいずれか２の判定要素が０であり、かつ、⑵欄のいずれか２以上の判定要素が０	
	（1）直前期末を基とした判定要素			（2）直前々期末を基とした判定要素					
	第４表の Ⓑ₁の金額	第４表の Ⓒ₁の金額	第４表の Ⓓ₁の金額	第４表の Ⓑ₂の金額	第４表の Ⓒ₂の金額	第４表の Ⓓ₂の金額		である（該当）・でない（非該当）	
	円　銭 0	円	円	円　銭 0	円	円	判定	該当	非該当

2．株式等保有特定会社	判定要素			判定基準	③の割合が50%以上である	③の割合が50%未満である
	総資産価額（第５表の①の金額）	株式等の価額の合計額（第５表の㋑の金額）	株式等保有割合（②／①）			
	①　千円	②　千円	③　%	判定	該当	非該当

3．土地保有特定会社	判定要素			
	総資産価額（第５表の①の金額）	土地等の価額の合計額（第５表の㋩の金額）	土地保有割合（⑤／④）	会社の規模の判定（該当する文字を○で囲んで表示します。）
	④　千円	⑤　千円	⑥　%	大会社・中会社・小会社

判定基準	会社の規模	大会社		中会社		小会社（総資産価額（帳簿価額）が次の基準に該当する会社）			
						・卸売業 20億円以上 ・小売・サービス業 15億円以上 ・上記以外の業種 15億円以上		・卸売業 7,000万円以上20億円未満 ・小売・サービス業 4,000万円以上15億円未満 ・上記以外の業種 5,000万円以上15億円未満	
	⑥の割合	70%以上	70%未満	90%以上	90%未満	70%以上	70%未満	90%以上	90%未満
判定		該当	非該当	該当	非該当	該当	非該当	該当	非該当

4．開業後３年未満の会社等

⑴開業後３年未満の会社	判定要素	判定基準	課税時期において開業後３年未満である	課税時期において開業後３年未満でない
	開業年月日　年　月　日	判定	該当	非該当

⑵比準要素数０の会社	判定要素	直前期末を基とした判定要素			判定基準	直前期末を基とした判定要素がいずれも0	
		第４表の Ⓑ₁の金額	第４表の Ⓒ₁の金額	第４表の Ⓓ₁の金額		である（該当）・でない（非該当）	
		円　銭 0	円	円	判定	該当	非該当

5．開業前又は休業中の会社	開業前の会社の判定		休業中の会社の判定		6．清算中の会社	判定	
	該当	非該当	該当	非該当		該当	非該当

7．特定の評価会社の判定結果

1．比準要素数１の会社　　2．株式等保有特定会社

3．土地保有特定会社　　4．開業後３年未満の会社等

5．開業前又は休業中の会社　　6．清算中の会社

（該当する番号を○で囲んでください。なお、上記の「1．比準要素数１の会社」欄から「6．清算中の会社」欄の判定において２以上に該当する場合には、後の番号の判定によります。）

第３表　一般の評価会社の株式及び株式に関する権利の価額の計算明細書　会社名

（取引相場のない株式（出資）の評価明細書）

（令和六年一月一日以降用）

1．原則的評価方式による価額

1株当たりの価額の計算の基となる金額	類似業種比準価額（第4表の㉖、㉗又は㉘の金額）	1株当たりの純資産価額（第5表の⑪の金額）	1株当たりの純資産価額の80％相当額（第5表の⑫の記載がある場合のその金額）
	① 円	② 円	③ 円

1株当たりの価額の計算 区分	1株当たりの価額の算定方法	1株当たりの価額
大会社の株式の価額	次のうちいずれか低い方の金額（②の記載がないときは①の金額） イ　①の金額 ロ　②の金額	④ 円
中会社の株式の価額	（①と②とのいずれか低い方の金額 × Lの割合 0.　）＋（②の金額（③の金額があるときは③の金額）×（1－ Lの割合 0.　））	⑤ 円
小会社の株式の価額	次のうちいずれか低い方の金額 イ　②の金額（③の金額があるときは③の金額） ロ　（①の金額 × 0.50）＋（イの金額 × 0.50）	⑥ 円

株式の価額の修正			修正後の株式の価額
課税時期において配当期待権の発生している場合	株式の価額（④、⑤又は⑥の金額） － 1株当たりの配当金額 　円　銭		⑦ 円
課税時期において株式の割当てを受ける権利、株主となる権利又は株式無償交付期待権の発生している場合	株式の価額（④、⑤又は⑥（⑦があるときは⑦）の金額）＋ 割当株式1株当たりの払込金額 円 × 1株当たりの割当株式数 株 ）÷（1株＋ 1株当たりの割当株式数又は交付株式数 株）		⑧ 円

2．配当還元方式による価額

1株当たりの資本金等の額、発行済株式数等	直前期末の資本金等の額	直前期末の発行済株式数	直前期末の自己株式数	1株当たりの資本金等の額を50円とした場合の発行済株式数（⑨÷50円）	1株当たりの資本金等の額（⑨÷（⑩－⑪））
	⑨ 千円	⑩ 株	⑪ 株	⑫ 株	⑬ 円

直前期末以前2年間の配当金額 事業年度	⑭ 年配当金額	⑮ 左のうち非経常的な配当金額	⑯ 差引経常的な年配当金額（⑭－⑮）	年平均配当金額
直前期	千円	千円	㋑ 千円	⑰（㋑＋㋺）÷2 千円
直前々期	千円	千円	㋺ 千円	

1株(50円)当たりの年配当金額	年平均配当金額（⑰の金額）÷ ⑫の株式数 ＝ ⑱ 円 銭	（この金額が2円50銭未満の場合は2円50銭とします。）
配当還元価額	⑱の金額／10％ × ⑬の金額／50円 ＝ ⑲ 円	⑳ 円（⑲の金額が、原則的評価方式により計算した価額を超える場合には、原則的評価方式により計算した価額とします。）

3．株式に関する権利の価額（1．及び2．に共通）

配当期待権	1株当たりの予想配当金額（　円　銭）－ 源泉徴収されるべき所得税相当額（　円　銭）	㉑ 円 銭
株式の割当てを受ける権利（割当株式1株当たりの価額）	⑧（配当還元方式の場合は⑳）の金額 － 割当株式1株当たりの払込金額 円	㉒ 円
株主となる権利（割当株式1株当たりの価額）	⑧（配当還元方式の場合は⑳）の金額（課税時期後にその株主となる権利につき払い込むべき金額があるときは、その金額を控除した金額）	㉓ 円
株式無償交付期待権（交付される株式1株当たりの価額）	⑧（配当還元方式の場合は⑳）の金額	㉔ 円

4．株式及び株式に関する権利の価額（1．及び2．に共通）

株式の評価額	円
株式に関する権利の評価額	円（円　銭）

第４表　類似業種比準価額等の計算明細書

会社名

（取引相場のない株式（出資）の評価明細書）

（令和六年一月一日以降用）

１．１株当たりの資本金等の額等の計算	直前期末の資本金等の額	直前期末の発行済株式数	直前期末の自己株式数	１株当たりの資本金等の額（①÷（②−③））	１株当たりの資本金等の額を50円とした場合の発行済株式数（①÷50円）
	①　　千円	②　　株	③　　株	④　　円	⑤　　株

２．比準要素等の金額の計算

１株（50円）当たりの年配当金額

直前期末以前２（３）年間の年平均配当金額					比準要素数１の会社・比準要素数０の会社の判定要素の金額		
事業年度	⑥ 年配当金額	⑦ 左のうち非経常的な配当金額	⑧ 差引経常的な年配当金額（⑥−⑦）	年平均配当金額	⑨/⑤	Ⓑ₁　円　銭 0	
直前期	千円	千円	㋑　千円	⑨（㋑＋㋺）÷２　千円	⑩/⑤	Ⓑ₂　円　銭 0	
直前々期	千円	千円	㋺　千円		１株（50円）当たりの年配当金額（Ⓑ₁の金額）		
直前々期の前期	千円	千円	㋩　千円	⑩（㋺＋㋩）÷２　千円	Ⓑ　円　銭		

１株（50円）当たりの年利益金額

直前期末以前２（３）年間の利益金額							比準要素数１の会社・比準要素数０の会社の判定要素の金額	
事業年度	⑪法人税の課税所得金額	⑫非経常的な利益金額	⑬受取配当等の益金不算入額	⑭左の所得税額	⑮損金算入した繰越欠損金の控除額	⑯差引利益金額（⑪−⑫＋⑬−⑭＋⑮）	㋥/⑤ 又は （㋥＋㋭）÷２/⑤	Ⓒ₁　円
直前期	千円	千円	千円	千円	千円	㋥　千円	㋭/⑤ 又は （㋭＋㋬）÷２/⑤	Ⓒ₂　円
直前々期	千円	千円	千円	千円	千円	㋭　千円	１株（50円）当たりの年利益金額〔㋥/⑤ 又は （㋥＋㋭）÷２/⑤ の金額〕	
直前々期の前期	千円	千円	千円	千円	千円	㋬　千円	Ⓒ　円	

１株（50円）当たりの純資産価額

直前期末（直前々期末）の純資産価額				比準要素数１の会社・比準要素数０の会社の判定要素の金額	
事業年度	⑰ 資本金等の額	⑱ 利益積立金額	⑲ 純資産価額（⑰＋⑱）	㋣/⑤	Ⓓ₁　円
直前期	千円	千円	㋣　千円	㋠/⑤	Ⓓ₂　円
直前々期	千円	千円	㋠　千円	１株（50円）当たりの純資産価額（Ⓓ₁の金額） Ⓓ　円	

３．類似業種比準価額の計算

１株（50円）当たりの比準価額の計算

類似業種の株価		比準割合の計算				
類似業種と業種目番号（No.　　）		区分	１株（50円）当たりの年配当金額	１株（50円）当たりの年利益金額	１株（50円）当たりの純資産価額	１株（50円）当たりの比準価額
課税時期の属する月　月	㋷　円	評価会社	Ⓑ　円　銭 0	Ⓒ　円	Ⓓ　円	⑳ × ㉑ × 0.7 ※
課税時期の属する月の前月　月	㋦　円	類似業種	B　円　銭 0	C　円	D　円	※（中会社は0.6 小会社は0.5 とします。）
課税時期の属する月の前々月　月	㋸　円	要素別比準割合	Ⓑ/B　.	Ⓒ/C　.	Ⓓ/D　.	
前年平均株価	㋾　円	比準割合	（Ⓑ/B ＋ Ⓒ/C ＋ Ⓓ/D）/3 ＝ ㉑　.			㉒　円　銭 0
課税時期の属する月以前２年間の平均株価	㋻　円					
A（㋷、㋦、㋸、㋾及び㋻のうち最も低いもの）	⑳　円					

類似業種の株価		比準割合の計算				
類似業種と業種目番号（No.　　）		区分	１株（50円）当たりの年配当金額	１株（50円）当たりの年利益金額	１株（50円）当たりの純資産価額	１株（50円）当たりの比準価額
課税時期の属する月　月	㋕　円	評価会社	Ⓑ　円　銭 0	Ⓒ　円	Ⓓ　円	㉓ × ㉔ × 0.7 ※
課税時期の属する月の前月　月	㋵　円	類似業種	B　円　銭 0	C　円	D　円	※（中会社は0.6 小会社は0.5 とします。）
課税時期の属する月の前々月　月	㋟　円	要素別比準割合	Ⓑ/B　.	Ⓒ/C　.	Ⓓ/D　.	
前年平均株価	㋹　円	比準割合	（Ⓑ/B ＋ Ⓒ/C ＋ Ⓓ/D）/3 ＝ ㉔　.			㉕　円　銭 0
課税時期の属する月以前２年間の平均株価	㋞　円					
A（㋕、㋵、㋟、㋹及び㋞のうち最も低いもの）	㉓　円					

１株当たりの比準価額	比準価額（㉒と㉕とのいずれか低い方の金額） × ④の金額/50円	㉖　円

比準価額の修正

区分	計算	修正比準価額
直前期末の翌日から課税時期までの間に配当金交付の効力が発生した場合	比準価額（㉖の金額） − １株当たりの配当金額　円　銭	㉗　円
直前期末の翌日から課税時期までの間に株式の割当て等の効力が発生した場合	比準価額（㉖（㉗があるときは㉗）の金額） ＋ 割当株式１株当たりの払込金額　円　銭 × １株当たりの割当株式数　株）÷（１株＋ １株当たりの割当株式数又は交付株式数　株）	㉘　円

第5表　1株当たりの純資産価額（相続税評価額）の計算明細書　　会社名

（取引相場のない株式（出資）の評価明細書）

（令和六年一月一日以降用）

1. 資産及び負債の金額（課税時期現在）

資産の部				負債の部			
科目	相続税評価額	帳簿価額	備考	科目	相続税評価額	帳簿価額	備考
	千円	千円			千円	千円	
合計	①	②		合計	③	④	
株式等の価額の合計額	㋑	㋺					
土地等の価額の合計額	㋩						
現物出資等受入れ資産の価額の合計額	㋥	㋭					

2. 評価差額に対する法人税額等相当額の計算

相続税評価額による純資産価額（①－③）	⑤	千円
帳簿価額による純資産価額（(②＋㋥－㋭－④)、マイナスの場合は0）	⑥	千円
評価差額に相当する金額（⑤－⑥、マイナスの場合は0）	⑦	千円
評価差額に対する法人税額等相当額（⑦×37%）	⑧	千円

3. 1株当たりの純資産価額の計算

課税時期現在の純資産価額（相続税評価額）（⑤－⑧）	⑨	千円
課税時期現在の発行済株式数（(第1表の1の①)－自己株式数）	⑩	株
課税時期現在の1株当たりの純資産価額（相続税評価額）（⑨÷⑩）	⑪	円
同族株主等の議決権割合（第1表の1の⑤の割合）が50%以下の場合（⑪×80%）	⑫	円

第６表　特定の評価会社の株式及び株式に関する権利の価額の計算明細書　会社名

（取引相場のない株式（出資）の評価明細書）

（令和六年一月一日以降用）

1．純資産価額方式等による価額

1株当たりの価額の計算の基となる金額	類似業種比準価額（第４表の㉖、㉗又は㉘の金額）	１株当たりの純資産価額（第５表の⑪の金額）	１株当たりの純資産価額の80％相当額（第５表の⑫の記載がある場合のその金額）
	① 円	② 円	③ 円

	株式の区分	１株当たりの価額の算定方法等	１株当たりの価額
１株当たりの価額の計算	比準要素数１の会社の株式	次のうちいずれか低い方の金額 イ　②の金額（③の金額があるときは③の金額） ロ　（①の金額 × 0.25）＋（イの金額 × 0.75）	④ 円
	株式等保有特定会社の株式	（第８表の㉗の金額）	⑤ 円
	土地保有特定会社の株式	（②の金額（③の金額があるときはその金額））	⑥ 円
	開業後３年未満の会社等の株式	（②の金額（③の金額があるときはその金額））	⑦ 円
	開業前又は休業中の会社の株式	（②の金額）	⑧ 円

		算式	修正後の株式の価額
株式の価額の修正	課税時期において配当期待権の発生している場合	株式の価額〔④、⑤、⑥、⑦又は⑧の金額〕－ １株当たりの配当金額　円　銭	⑨ 円
	課税時期において株式の割当てを受ける権利、株主となる権利又は株式無償交付期待権の発生している場合	株式の価額（④、⑤、⑥、⑦又は⑧（⑨があるときは⑨）の金額）＋ 割当株式１株当たりの払込金額　円 × １株当たりの割当株式数　株 ）÷（１株＋ １株当たりの割当株式数又は交付株式数　株）	⑩ 円

2．配当還元方式による価額

１株当たりの資本金等の額、発行済株式数等	直前期末の資本金等の額	直前期末の発行済株式数	直前期末の自己株式数	１株当たりの資本金等の額を50円とした場合の発行済株式数（⑪÷50円）	１株当たりの資本金等の額（⑪÷（⑫－⑬））
	⑪ 千円	⑫ 株	⑬ 株	⑭ 株	⑮ 円

直前期末以前２年間の配当金額	事業年度	⑯ 年配当金額	⑰ 左のうち非経常的な配当金額	⑱ 差引経常的な年配当金額（⑯－⑰）	年平均配当金額
	直前期	千円	千円	㋑ 千円	⑲ （㋑＋㋺）÷２　千円
	直前々期	千円	千円	㋺ 千円	

１株（50円）当たりの年配当金額	年平均配当金額（⑲の金額）÷ ⑭の株式数 ＝ ⑳　円　銭	（この金額が２円50銭未満の場合は２円50銭とします。）
配当還元価額	⑳の金額／10％ × ⑮の金額／50円 ＝ ㉑　円	㉒　円（㉑の金額が、純資産価額方式等により計算した価額を超える場合には、純資産価額方式等により計算した価額とします。）

3．株式に関する権利の価額（1．及び2．に共通）

	算式	金額
配当期待権	１株当たりの予想配当金額（　円　銭）－ 源泉徴収されるべき所得税相当額（　円　銭）	㉓　円　銭
株式の割当てを受ける権利（割当株式１株当たりの価額）	⑩（配当還元方式の場合は㉒）の金額 － 割当株式１株当たりの払込金額　円	㉔ 円
株主となる権利（割当株式１株当たりの価額）	⑩（配当還元方式の場合は㉒）の金額（課税時期後にその株主となる権利につき払い込むべき金額があるときは、その金額を控除した金額）	㉕ 円
株式無償交付期待権（交付される株式１株当たりの価額）	⑩（配当還元方式の場合は㉒）の金額	㉖ 円

4．株式及び株式に関する権利の価額（1．及び2．に共通）

株式の評価額	円
株式に関する権利の評価額	円（円　銭）

（取引相場のない株式（出資）の評価明細書）

第７表　株式等保有特定会社の株式の価額の計算明細書

会社名

（令和六年一月一日以降用）

1．S1の金額

受取配当金等収受割合の計算	事業年度	① 直前期	② 直前々期	合計（①＋②）	受取配当金等収受割合（㋑÷（㋑＋㋺））※小数点以下３位未満切り捨て
	受取配当金等の額	千円	千円	㋑ 千円	㋩
	営業利益の金額	千円	千円	㋺ 千円	

Ⓑ－ⓑの金額	１株（50円）当たりの年配当金額（第４表のⒷ）	ⓑの金額（③×㋩）	Ⓑ－ⓑの金額（③－④）
	③ 円 0銭	④ 円 0銭	⑤ 円 0銭

Ⓒ－ⓒの金額	１株（50円）当たりの年利益金額（第４表のⒸ）	ⓒの金額（⑥×㋩）	Ⓒ－ⓒの金額（⑥－⑦）
	⑥ 円	⑦ 円	⑧ 円

Ⓓ－ⓓの金額					
（イ）の金額	１株（50円）当たりの純資産価額（第４表のⒹ）	直前期末の株式等の帳簿価額の合計額	直前期末の総資産価額（帳簿価額）	（イ）の金額（⑨×（⑩÷⑪））	
	⑨ 円	⑩ 千円	⑪ 千円	⑫ 円	
（ロ）の金額	利益積立金額（第４表の⑱の「直前期」欄の金額）	１株当たりの資本金等の額を50円とした場合の発行済株式数（第４表の⑤の株式数）	（ロ）の金額（（⑬÷⑭）×㋩）		
	⑬ 千円	⑭ 株	⑮ 円		
	ⓓの金額（⑫＋⑮）	Ⓓ－ⓓの金額（⑨－⑯）			
	⑯ 円	⑰ 円			

（注）１　㋩の割合は、１を上限とします。

２　⑯の金額は、Ⓓの金額（⑨の金額）を上限とします。

1株（50円）当たりの比準価額の計算（類似業種比準価額の修正計算）

類似業種と業種目番号		（No.　）	区分	１株（50円）当たりの年配当金額	１株（50円）当たりの年利益金額	１株（50円）当たりの純資産価額	１株（50円）当たりの比準価額
類似業種の株価	課税時期の属する月　月	㊁ 円	評価会社	（⑤） 円 0銭	（⑧） 円	（⑰） 円	⑱×⑲×0.7 ※
	課税時期の属する月の前月　月	㋭ 円	類似業種	B 円 0銭	C 円	D 円	※中会社は0.6 小会社は0.5 とします。
	課税時期の属する月の前々月　月	㋬ 円	要素別比準割合	（⑤）／B　．	（⑧）／C　．	（⑰）／D　．	
	前年平均株価	㋣ 円					
	課税時期の属する月以前２年間の平均株価	㋠ 円					
	A（㊁、㋭、㋬、㋣及び㋠のうち最も低いもの）	⑱ 円	比準割合	$\frac{\frac{(⑤)}{B}+\frac{(⑧)}{C}+\frac{(⑰)}{D}}{3}$ ＝ ⑲　．			⑳ 円 0銭

類似業種と業種目番号		（No.　）	区分	１株（50円）当たりの年配当金額	１株（50円）当たりの年利益金額	１株（50円）当たりの純資産価額	１株（50円）当たりの比準価額
類似業種の株価	課税時期の属する月　月	㋷ 円	評価会社	（⑤） 円 0銭	（⑧） 円	（⑰） 円	㉑×㉒×0.7 ※
	課税時期の属する月の前月　月	㋦ 円	類似業種	B 円 0銭	C 円	D 円	※中会社は0.6 小会社は0.5 とします。
	課税時期の属する月の前々月　月	㋸ 円	要素別比準割合	（⑤）／B　．	（⑧）／C　．	（⑰）／D　．	
	前年平均株価	㋾ 円					
	課税時期の属する月以前２年間の平均株価	㋻ 円					
	A（㋷、㋦、㋸、㋾及び㋻のうち最も低いもの）	㉑ 円	比準割合	$\frac{\frac{(⑤)}{B}+\frac{(⑧)}{C}+\frac{(⑰)}{D}}{3}$ ＝ ㉒　．			㉓ 円 0銭

１株当たりの比準価額	比準価額（⑳と㉓とのいずれか低い方の金額）× 第４表の④の金額／50円	㉔ 円

比準価額の修正			
直前期末の翌日から課税時期までの間に配当金交付の効力が発生した場合	比準価額（㉔の金額）	－ １株当たりの配当金額　円　銭	修正比準価額 ㉕ 円
直前期末の翌日から課税時期までの間に株式の割当て等の効力が発生した場合	比準価額（㉔（㉕があるときは㉕）の金額）	（ ＋ 割当株式１株当たりの払込金額　円　銭 × １株当たりの割当株式数　株）÷（１株＋ １株当たりの割当株式数又は交付株式数　株）	修正比準価額 ㉖ 円

第8表　株式等保有特定会社の株式の価額の計算明細書（続）

会社名

（取引相場のない株式（出資）の評価明細書）

（令和六年一月一日以降用）

1．S_1の金額

純資産価額（相続税評価額）の修正計算	相続税評価額による純資産価額（第5表の⑤の金額）	課税時期現在の株式等の価額の合計額（第5表の㋑の金額）	差引（①－②）
	① 千円	② 千円	③ 千円
	帳簿価額による純資産価額（第5表の⑥の金額）	株式等の帳簿価額の合計額（第5表の㋺＋（㋩－㋥）の金額）（注）	差引（④－⑤）
	④ 千円	⑤ 千円	⑥ 千円
	評価差額に相当する金額（③－⑥）	評価差額に対する法人税額等相当額（⑦×37％）	課税時期現在の修正純資産価額（相続税評価額）（③－⑧）
	⑦ 千円	⑧ 千円	⑨ 千円
	課税時期現在の発行済株式数（第5表の⑩の株式数）	課税時期現在の修正後の1株当たりの純資産価額（相続税評価額）（⑨÷⑩）	（注）第5表の㋩及び㋥の金額に株式等以外の資産に係る金額が含まれている場合には、その金額を除いて計算します。
	⑩ 株	⑪ 円	

1株当たりのS_1の金額の計算の基となる金額	修正後の類似業種比準価額（第7表の㉑、㉒又は㉓の金額）	修正後の1株当たりの純資産価額（相続税評価額）（⑪の金額）
	⑫ 円	⑬ 円

1．S_1の金額（続）

1株当たりのS_1の金額の計算	区分	1株当たりのS_1の金額の算定方法	1株当たりのS_1の金額
	比準要素数1である会社のS_1の金額	次のうちいずれか低い方の金額 イ　⑬の金額 ロ　（⑫の金額 × 0.25）＋（⑬の金額 × 0.75）	⑭ 円
上記以外の会社	大会社のS_1の金額	次のうちいずれか低い方の金額（⑬の記載がないときは⑫の金額） イ　⑫の金額 ロ　⑬の金額	⑮ 円
上記以外の会社	中会社のS_1の金額	（⑫と⑬とのいずれか低い方の金額 × Lの割合 0.　）＋（⑬の金額 ×（1－ Lの割合 0.　））	⑯ 円
上記以外の会社	小会社のS_1の金額	次のうちいずれか低い方の金額 イ　⑬の金額 ロ　（⑫の金額 × 0.50）＋（⑬の金額 × 0.50）	⑰ 円

2．S_2の金額

課税時期現在の株式等の価額の合計額（第5表の㋑の金額）	株式等の帳簿価額の合計額（第5表の㋺＋（㋩－㋥）の金額）（注）	株式等に係る評価差額に相当する金額（⑱－⑲）	⑳の評価差額に対する法人税額等相当額（⑳×37％）
⑱ 千円	⑲ 千円	⑳ 千円	㉑ 千円
S_2の純資産価額相当額（⑱－㉑）	課税時期現在の発行済株式数（第5表の⑩の株式数）	S_2の金額（㉒÷㉓）	（注）第5表の㋩及び㋥の金額に株式等以外の資産に係る金額が含まれている場合には、その金額を除いて計算します。
㉒ 千円	㉓ 株	㉔ 円	

3．株式等保有特定会社の株式の価額

1株当たりの純資産価額（第5表の⑪の金額（第5表の⑫の金額があるときはその金額））	S_1の金額とS_2の金額との合計額（（⑭、⑮、⑯又は⑰）＋㉔）	株式等保有特定会社の株式の価額（㉕と㉖とのいずれか低い方の金額）
㉕ 円	㉖ 円	㉗ 円

［編著者］

竹内　陽一（たけうち　よういち）
1943年生まれ。京都大学工学部中退。1986年、税理士登録。一般社団法人FIC代表理事。
●事務所　〒530-0044　大阪市北区東天満2-6-8篠原東天満ビル301
TEL　06-4800-7100

掛川　雅仁（かけがわ　まさひと）
1956年生まれ。1978年早稲田大学商学部卒業。1980年早稲田大学商学研究科修士課程修了。1982年、税理士登録。1984年掛川事務所開設。
●事務所　〒530-0012　大阪市北区芝田2-1-8　西阪急ビル9F
TEL　06-6375-3364　FAX　06-6375-1139

村上　晴彦（むらかみ　はるひこ）
1954年生まれ。関西大学法学部卒業。1980年大阪国税局採用後、伊丹・尼崎税務署資産課税部門統括官、国税訟務官室総括主査、資産課税課補佐として相続税、譲渡所得に係る課税事務に従事。2014年堺税務署長、2015年退官。同年税理士登録。

堀内　眞之（ほりうち　まさゆき）
1954年生まれ。大阪市立大学法学部卒業。1999年大阪国税局課税第１部国税訟務官室国税実査官。2004大阪国税不服審判所国税審査官。2015年大阪国税局課税第１部審理課国税実査官。2016年３月退官。同年５月堀内眞之税理士事務所開設。
2017年４月近畿大学非常勤講師
●事務所　〒540-0032　大阪市中央区天満橋京町２番６号　天満橋八千代ビル別館８階A′号室
TEL06-6940-0917

［共著者］

浅野　洋（あさの　ひろし）
1948年生まれ。1971年、専修大学法学部卒業。1983年、税理士登録。2002年、しんせい綜合税理士法人設立。
●事務所　〒452-0821　愛知県名古屋市西区上小田井2-302
TEL 052-504-1133

浅野　充昌（あさの　みつまさ）しんせい綜合税理士法人

妹尾　明宏（せのお　あきひろ）しんせい綜合税理士法人

阿部　隆也（あべ　りゅうや）
1975年生まれ。1999年、立教大学経済学部経営学科卒業。2005年、税理士登録。2021年、つづくソリューションズ㈱設立。
●事務所　〒100-0006　東京都千代田区大手町1-5-1大手町ファーストスクエアイーストタワー4階
TEL03-6555-3858

有田　賢臣（ありた　まさおみ）
1972年生まれ。1995年、明治大学経営学部卒業。1999年、公認会計士登録。2008年、有田賢臣公認会計士事務所開業。
●事務所　〒101-0043　東京都千代田区神田富山町7-604（BIZSMART神田富山町）
TEL050-3646-8074

小島　延夫（こじま　のぶお）
1957年生まれ。1981年、名古屋大学法学部法律学科卒業。同年、住友信託銀行入社。2021年、三井住友信託銀行退職。2022年、税理士登録、東京税理士会板橋支部所属。

武地　義治（たけち　よしはる）
1950年生まれ。1977年、京都大学大学院理学研究科修士課程修了。1982年、税理士登録。1982年、武地税理士事務所開設。1993年、CFP登録。税理士法人カオス代表社員、日本ファイナンシャル・プランナーズ協会会員、大阪商工会議所経営安定特別相談員
●事務所　〒530-0054 大阪市北区南森町1丁目4番19号 サウスホレストビル4階
TEL06-6311-6000　FAX 06-6311-6001

呉羽　範行（くれは　のりゆき）税理士法人カオス

中尾　　健（なかお　たけし）
1965年生まれ。1990年、早稲田大学商学部卒業。1992年、公認会計士登録。1996年、税理士登録。㈱パートナーズ・コンサルティング代表取締役
●事務所　〒104-0031　東京都中央区京橋1-3-1　八重洲口大栄ビル12F
TEL　03-3510-1053　FAX　03-3510-1065

上野　周作（うえの　しゅうさく）パートナーズ綜合税理士法人

成田　一正（なりた　かずまさ）
1952年生まれ。1975年、明治大学経営学部卒業。東京国税局（国税専門官第５期）勤務。1980、公認会計士・税理士登録。1989年、成田公認会計士事務所開設。2011年、税理士法人おおたか設立・特別顧問。日本税務会計学会相談役
●事務所　〒103-0002　東京都中央区日本橋馬喰町1-1-2　ゼニットビル
TEL　03-5640-6450　FAX　03-5641-1922

西山　　卓（にしやま　たく）
1975年生まれ。2000年、同志社大学商学部卒業。2011年、掛川税理士事務所。2013年、税理士登録。2018年、西山税務会計事務所開設。
●事務所　〒563-0056　大阪府池田市栄町4-5 Ｆビル2階
TEL 072-736-9955

蓮見　正純（はすみ　まさずみ）
1956年生まれ。1980年、慶應義塾大学商学部卒業。1986年、公認会計士登録。1998年、税理士登録。（株）青山財産ネットワークス代表取締役
●事務所　〒107-0052　東京都港区赤坂8-4-14　青山タワープレイス3F
TEL　03-6439-5800　FAX　03-6439-5850

松原　美樹（まつばら　みき）青空税理士法人

山田　貴也（やまだ　たかや）（株）青山財産ネットワークス

長谷川敏也（はせがわ　としや）
1960年生まれ。1982年、名古屋大学経済学部卒業。1986年、公認会計士・税理士登録。2006年、税理士法人アズール設立・代表社員。
●事務所　〒461-0005　名古屋市東区東桜一丁目8番16号
TEL 052-684-8120　FAX　052-684-8130

［五訂版までの著者］

［監修者］
尾崎　三郎

［著者］
桂川　雅光
神谷　紀子
小林　磨寿美
武田　雅比人
棟田　裕幸
小山　晋史

六訂版　詳説／自社株評価Q＆A

2004年12月20日　初版発行
2009年１月15日　新版発行
2013年１月15日　三訂版発行
2016年２月19日　四訂版発行
2017年10月４日　五訂版発行
2023年10月20日　六訂版発行

編著者　竹内 陽一、掛川 雅仁、村上 晴彦、堀内 眞之 ©

発行者　小泉 定裕

発行所　株式会社 清文社
東京都文京区小石川１丁目３－25(小石川大国ビル)
〒112-0002　電話 03(4332)1375　FAX 03(4332)1376
大阪市北区天神橋２丁目北２－６(大和南森町ビル)
〒530-0041　電話 06(6135)4050　FAX 06(6135)4059
URL https://www.skattsei.co.jp/

印刷：㈱広済堂ネクスト

■著作権法により無断複写複製は禁止されています。落丁本・乱丁本はお取り替えします。

■本書の内容に関するお問い合わせは編集部までFAX(06-6135-4056)又はe-mail(edit-w@skattsei.co.jp)でお願いします。
＊本書の追録情報等は、当社ホームページ（https://www.skattsei.co.jp）をご覧ください。

ISBN978-4-433-72723-9